Richard Ford est né en 1944 à Jackson, dans le Mississippi. Il a longtemps vécu dans le Montana, puis à La Nouvelle-Orléans avant de se fixer dans le Maine où il vit actuellement. Il publie son premier roman, *Une mort secrète*, en 1976. *L'État des lieux* est le dernier volet d'une trilogie romanesque commencée avec *Un week-end dans le Michigan*, et dont le deuxième volume, *Indépendance*, lui a valu le prix Pulitzer et le prix Faulkner en 1996. La dénonciation des travers de la société américaine est un thème majeur de ses romans. Richard Ford est considéré comme l'un des plus grands écrivains américains de sa génération.

Rock Springs
Éditions de l'Olivier, 1999
et «Points», n° P1143

Un week-end dans le Michigan
Payot, 1989
Éditions de l'Olivier, 1999
et «Points», n° P96

Une saison ardente
Éditions de l'Olivier, 1991
et «Points Signatures», n° P2021

Le Bout du rouleau
Éditions de l'Olivier, 1992
et «Points», n° P2152

Ma Mère
Éditions de l'Olivier, 1994
«Petite bibliothèque de l'Olivier», n°51, 2003
et «Points», n° P2143

Une situation difficile
Éditions de l'Olivier, 1998
et «Points», n° P1154

Une mort secrète
Éditions de l'Olivier, 1999
et «Points», n° P1104

Péchés innombrables
Éditions de l'Olivier, 2002
et «Points», n° P1153

L'État des lieux
Éditions de l'Olivier, 2008
et «Points», n° P2203

Richard Ford

INDÉPENDANCE

ROMAN

*Traduit de l'américain
par Suzanne V. Mayoux*

OUVRAGE TRADUIT AVEC LE CONCOURS
DU CENTRE NATIONAL DU LIVRE

Éditions de l'Olivier

TEXTE INTÉGRAL

TITRE ORIGINAL
Independence Day
ÉDITEUR ORIGINAL
Alfred A. Knopf, Inc.

© Richard Ford, 1995

ISBN : 978-2-02-032643-8
(ISBN 2-87927-085-6, 1ʳᵉ publication)

© Éditions de l'Olivier pour la traduction française, 1996
© Éditions du Seuil, octobre 1997, pour la présentation

À Kristina

1

L'été baigne de suavité les rues de Haddam, adoucies par les arbres, tel un baume répandu négligemment par un dieu langoureux, et l'univers s'accorde au mystère de ses propres hymnes. Les pelouses humectées reposent dans les ombrages du jour tout neuf. Dehors, dans la tranquillité matinale de Cleveland Street, j'entends passer un jogger solitaire qui dévale la pente en direction de Taft Lane et traverse pour courir dans l'herbe humide de Choir College. Du côté de chez les Noirs, assis sur leur perron, pantalon retroussé au-dessus de leurs chaussettes, les hommes sirotent du café dans la chaleur qui se précise en douce. Au lycée, le cours d'enrichissement de la vie conjugale (de quatre à six) vient de lâcher ses élèves, l'œil ensommeillé et vague, pressés de retourner au lit. Tandis qu'au parc, sur la palette verte du terrain de football, notre fanfare universitaire attaque l'une de ses deux répétitions quotidiennes, en préparation du 4 Juillet, fête de l'Indépendance : « Boum-Haddam, boum-Haddam, boum-boum-ba-boum ! Had-dam-Haddam, et allons-y ! Boum-boum-ba-boum ! »

Ailleurs, sur le bord de mer, je sais que le ciel est embrumé. La chaleur s'installe, une saveur métallique monte aux narines. Déjà, les premiers nuages d'un orage d'été s'amassent aux horizons montagneux, et il fait plus chaud là où ils vivent, *eux*, que là où nous sommes. Loin sur la voie ferrée, la brise capte le grondement du « Merchants' Special », du réseau Amtrak, qui roule en trombe vers Philadelphie. Et, portée par la même brise sur des dizaines de kilomètres, une odeur de sel marin se mêle aux ténébreux arômes des rhododendrons et des dernières azalées tenaces.

Mais dans mon pâté de maisons, le premier à l'ombre dans Cleveland Street, il règne un silence paisible. À côté, quelqu'un fait patiemment rebondir un gros ballon : vlam… puis une respiration… un rire, une toux… « Voilààà, c'est çaaa », sans que le son soit jamais trop fort.

Devant chez les Zumbros, deux maisons plus loin, l'équipe de la voirie termine sa petite cigarette avant de redémarrer les machines pour se remettre à soulever la poussière. Nous employons fièrement cet été les dollars de nos nouveaux impôts à refaire la chaussée, avec addition d'une ligne continue, rénovation des terre-pleins gazonnés, trottoirs flambant neufs. Les ouvriers sont tous des Capverdiens et des Honduriens débrouillards venus d'agglomérations plus pauvres au nord de la nôtre. Sergeantsville et Little York. Ils restent assis en silence, le regard fixe, à côté de leurs engins jaunes, pelles mécaniques, camions et rouleaux compresseurs ; leurs belles voitures personnelles – Camaros et Chevrolet surbaissées – sont garées au coin de la rue, à l'abri de la poussière et là où il y aura de l'ombre plus tard.

Et soudain se déclenche le carillon de St. Leo the Great : dong, dong, dong, dong, dong, dong, dong, puis la mélodie d'une joyeuse admonestation matinale du vieux Wesley soi-même, père du méthodisme : « Éveillez-vous, vous qui cherchez votre salut, éveillez-vous, que votre âme soit lavée ! »

Pourtant, tout n'est pas précisément kasher ici, malgré un bon début. (Qu'est-ce qui est *précisément* kasher ?)

Moi-même, Frank Bascombe, je me suis fait agresser dans Coolidge Street, une rue voisine, fin avril, alors que je rentrais à pied de notre agence immobilière fermée à la tombée du jour, plein d'ardeur et le pas léger d'un sentiment de devoir accompli, à temps pour les infos, espérais-je, une bouteille de Roederer sous le bras, cadeau d'un client pour qui j'avais bouclé une vente. Trois jeunes garçons sur des mini-vélos, dont un, qu'il me semblait avoir déjà vu – un Asiatique – mais sans pouvoir le désigner par la suite, ont déboulé en zigzags sur le trottoir, m'ont tapé sur la tête avec une bouteille géante de Pepsi et ont poursuivi leur chemin en hululant. Il n'y avait rien de cassé ni de volé, mais j'étais par terre, sonné, et je suis resté dix minutes assis dans l'herbe en état de choc ; tout tournait autour de moi et nul n'y prêtait attention.

Un peu plus tard, début mai, la maison des Zumbros et une autre ont été cambriolées à deux reprises la même semaine (les gars étaient revenus chercher ce qu'ils avaient loupé la première fois).

Et ensuite, à notre horreur à tous, Claire Devane, la seule Noire de l'agence, avec qui j'avais eu une liaison brève mais intense il y a deux ans, a été assassinée alors qu'elle faisait visiter un immeuble en copropriété de Great Woods Road, près de Highstown : ligotée, violée et poignardée. Aucun indice valable, rien qu'un carré de papier rose à noter les messages qui gisait sur le parquet de l'entrée, avec sa propre écriture à grandes boucles : « Famille de luthériens. Commencent juste à chercher. Entre 90 et 100. 15 h. Prendre la clé. Dîner avec Eddie. » Eddie était son fiancé.

En outre, la chute des cours de l'immobilier plane à présent dans les ramures comme une brume inodore, incolore, en suspens dans l'air immobile où chacun la flaire, même si nos récents acquis – rondes d'îlotiers, trottoirs neufs, arbres taillés, câbles électriques enfouis sous terre, kiosque à musique rénové, préparatifs pour le défilé de la fête du 4 Juillet – s'exercent de leur mieux sur le terrain civique pour nous faire oublier nos soucis, nous convaincre que nous n'en avons pas de sérieux ou du moins pas différents de ceux de tout le monde – de personne – et qu'il s'agit simplement pour le pays de stabiliser le parcours, de tenir le cap et de composer avec la nature cyclique des choses ; toute autre façon de penser attenterait à l'optimisme, tournerait à la paranoïa et relèverait d'un « traitement » coûteux en un lieu discret.

Or, d'un point de vue pratique, tout en sachant bien qu'il existe rarement une relation directe de cause à effet entre un élément et un autre, la chute des cours sur le marché libre signifie forcément quelque chose pour une ville, pour la mentalité locale. (Sinon, pourquoi les prix de l'immobilier serviraient-il au calcul de l'indice du niveau de vie national ?) Si les actions d'une société de charbonnages, prospère par ailleurs, venaient à plonger, la compagnie réagirait dans les plus brefs délais. Ses employés resteraient au bureau une heure de plus après la tombée de la nuit (à moins de s'être fait virer tout de suite) ; les hommes rentreraient à la maison plus éreintés que d'habitude, sans bouquet de fleurs, ils s'attarderaient plus longtemps aux heures mauves du soir à contempler les branchages ayant besoin d'être taillés, ils s'adresseraient à leurs gosses avec moins de gentillesse, s'offriraient un Pimm's de plus avant le dîner en tête à tête avec Bobonne, puis se réveilleraient bizarrement vers quatre heures du matin, sans avoir grand-chose en tête, en tout cas rien de bon. Une sorte d'agitation, voilà tout.

C'est comme ça à Haddam, où rôde, malgré notre inertie estivale, la sensation nouvelle d'un monde féroce embusqué tout autour de notre territoire, une appréhension à laquelle, à mon avis, les habitants ne pourront jamais s'accoutumer, qui demeurera inconciliable jusqu'à l'heure de leur mort.

Une des caractéristiques pénibles de la vie adulte, évidemment, c'est de voir se pointer à l'horizon les réalités mêmes auxquelles on ne pourra jamais s'adapter. On perçoit les problèmes qu'elles posent, on se fait une bile de tous les diables, on prend des dispositions, des précautions, on procède à des ajustements ; on se dit qu'il va falloir changer sa façon d'agir. Mais on n'y réussit pas. On ne peut pas. C'est déjà trop tard. Et, plus grave encore, ce qu'on sent venir de loin n'est peut-être pas le vrai problème, celui qui vous effraie, mais son contre-coup. Et ce qu'on a redouté de voir arriver a déjà eu lieu. C'est un peu similaire à la prise de conscience que tous les magnifiques progrès de la médecine ne nous seront d'aucune utilité, même si l'on y applaudit des deux mains, si l'on espère qu'un vaccin va être mis au point à temps, si l'on croit encore à une possibilité d'amélioration. Mais là aussi, il est trop tard. Et c'est ainsi que notre vie s'écoule à notre insu. Elle nous échappe. Et « Ce qui t'échappe de la vie, c'est ta vie », comme dit le poète.

Ce matin, je suis debout de bonne heure, en haut, dans mon bureau mansardé, à parcourir une offre enregistrée en exclusivité hier soir juste avant la fermeture, mais pour laquelle j'aurai peut-être déjà des acheteurs d'ici la fin de la journée. Les offres apparaissent souvent de cette façon inattendue, providentielle : un propriétaire se jette quelques Manhattans derrière la cravate, l'après-midi il se promène dans son jardin pour ramasser des bouts de papier que le vent a chassé des poubelles du voisin, il ratisse les dernières feuilles mouillées et fécondes de l'hiver sous le forsythia, là où est enterré son vieux Pepper, le dalmatien, il inspecte la haie de conifères qu'ils ont plantée voilà bien longtemps, sa femme et lui, quand ils étaient jeunes mariés, il rentre faire le tour nostalgique des pièces qu'il a repeintes, des baignoires jointoyées après minuit, au passage il s'en envoie encore deux bien tassés, suivis brutalement d'un cri muet du cœur qui déborde du regret d'une existence perdue avec laquelle il nous faut tous rompre (si nous tenons à survivre)… Et vlan ! Le voilà au téléphone, qui interrompt le paisible dîner d'un agent immobilier rentré chez lui et, dix minutes après, le pas est sauté. Une avancée, en un sens. (Par une heureuse coïncidence, mes clients, les Markham, seront arrivés en voiture du Vermont ce soir-même, et je peux envisager de boucler les visites – de maisons à vendre – en une seule journée. Le record, qui ne m'appartient pas, est de quatre minutes.)

J'ai aussi en ce début de matinée à écrire l'édito du bulletin mensuel de l'agence, *Acquéreur/Vendeur* (envoyé gratuitement à tous les propriétaires qui figurent au registre des impôts de Haddam). Ce mois-ci, je distille mes réflexions sur les retombées probables, en matière d'immobilier, de la proche convention du parti démocrate, où le peu exaltant gouverneur Dukakis, génie instigateur du sinistre « miracle du Massachussetts », remportera la palme avant de voler vers la victoire en novembre – c'est ce que j'espère, mais cette perspective paralyse d'effroi la plupart desdits propriétaires, puisqu'ils sont en général pro-Républicains, qu'ils vénèrent Reagan comme un catholique vénère le pape, tout en se sentant désarçonnés face au nouveau spectacle burlesque du vice-président Bush à leur tête. Mon argumentation part de la célèbre formule d'Emerson dans *Autonomie* : « Être grand, c'est être incompris », pour élaborer une thèse selon laquelle Dukakis aurait en tête plus de mesures au profit des défavorisés que ne le croient la plupart des électeurs, l'insécurité économique serait une aubaine pour le parti démocrate, et que les taux d'intérêt, après avoir dérapé toute l'année, atteindraient 11 % au Nouvel An même si William Jennings Bryan était élu président et rétablissait l'étalon-argent. (Ces prédictions épouvantent les républicains, bien entendu.) « Alors, quoi ? dit en substance ma conclusion. La situation risque de s'aggraver à toute vitesse. C'est tout de suite qu'il faut tâter de l'immobilier. Vendez ! » (Ou achetez…)

En ces temps estivaux, ma vie personnelle est un modèle de simplicité, du moins en apparence. Je mène l'existence heureuse, malgré une certaine inertie, d'un célibataire de quarante-quatre ans dans la maison de mon ex-femme, au 116, Cleveland Street, dans le « quartier des présidents » de Haddam (New Jersey), où j'exerce les fonctions d'agent immobilier associé chez Lauren-Schwindell, Seminary Street. Peut-être conviendrait-il de dire « la maison qui appartenait antérieurement à celle qui était antérieurement mon épouse », Ann Dykstra, à présent Mme Charley O'Dell, domiciliée au 86, Swallow Lane, Deep River, Connecticut. Mes deux enfants vivent aussi là-bas, mais je ne sais pas trop si ça leur plaît ou devrait leur plaire.

La suite de péripéties qui m'ont amené à faire ce métier et à habiter cette maison pourrait sans doute sembler inusitée si l'on prenait pour modèle un livre blanc de la bourgeoisie du début du siècle dans la région de l'Indiana, ou le profil de la « famille américaine idéale » prôné par un cercle de penseurs de droite –, dont plusieurs habitent ici à Haddam – mais il ne s'agit là que de propagande pour un mode de vie que nul ne pourrait entretenir sans avoir accès aux drogues inhibitrices de pulsions, génératrices de nostalgie que précisément ces gens vous interdisent (et dont eux disposent, j'en suis sûr, par pleines cargaisons). Mais aux yeux de quelqu'un de raisonnable, ma vie étudiée au microscope paraîtra relativement normale, truffée d'aléas et de fausses notes auxquels n'échappe nul d'entre nous et qui font peu de dégâts dans une existence assez peu remarquable par ailleurs.

Ce matin, cependant, je m'apprête à emmener mon seul fils passer un week-end qui, à la différence de la plupart de mes entreprises, promet d'être marqué par des moments chargés de sens. Ce projet de virée est empreint, en fait, d'un étrange sentiment de l'ultime, comme si une période donnée de la vie – la mienne et la sienne – atteignait sinon à son terme final, du moins à un resserrement, un changement de l'image du kaléidoscope que je serais idiot de prendre à la légère, ce que je ne suis pas tenté de faire. (L'impulsion de lire *Autonomie* est significative, tout comme le jour férié en lui-même – ma fête laïque favorite grâce à son caractère public et son objectif implicite de nous laisser simplement ainsi qu'elle nous a trouvés : libres.) Par ailleurs, tout cela advient alors qu'approche l'anniversaire de mon divorce, moment de l'année où je me sens immanquablement songeur et flottant, et où des jours durant je rumine cet été d'il y a sept ans, lorsque ma vie connut une méchante embardée sans que moi, un peu paumé, je parvienne à redresser les roues.

Mais avant tout, cet après-midi, je mets cap au Sud vers South Mantoloking, sur la côte du New Jersey, pour mon rendez-vous habituel du vendredi soir avec Sally Caldwell, la dame blonde, grande, aux longues jambes qui est ma belle amie (finalement, c'est le terme le plus courtois et le meilleur). Quoique, même là, je n'ai pas l'impression que ça tourne très rond.

Sally et moi, nous entretenons depuis dix mois ce qui ressemble à une parfaite idylle « chez toi chez moi », chacun assurant à l'autre une part généreuse de compagnonnage, de confiance (en fonction des besoins réciproques), une fiabilité raisonnable et tout notre soûl de transports savoureux sans avoir rien de transcendant, le tout dans le respect d'un espace autonome et d'un *laissez-faire* dont franchement je n'ai guère l'usage, mais sans jamais oublier aucune des leçons coûteuses et des erreurs marquantes de l'âge adulte.

Ce n'est pas de l'amour, il est vrai. Pas exactement. Mais ça s'en rapproche davantage que la denrée pitoyable échangée parcimonieusement par la plupart des gens mariés.

N'empêche que ces dernières semaines, pour des motifs que je suis bien en peine d'expliquer, il est apparu entre nous une gêne étrange, comment l'appeler autrement, qui atteint même notre façon habituellement excitante de faire l'amour, et la fréquence de nos rendez-vous ; comme s'il se produisait une mutation accompagnée d'un relâchement de notre emprise mutuelle, affective et mentale, et s'il s'agissait à présent pour nous de créer de nouveaux liens, pour un attachement plus durable et plus sérieux – mais nous n'en avons été réellement capables ni l'un ni l'autre, et cet échec nous laisse tous deux assez perplexes.

Hier soir, un peu après minuit – alors que déjà j'avais dormi une heure, m'étais réveillé deux fois pour triturer mon oreiller tracassé par mon expédition avec Paul, que j'avais avalé un verre de lait, regardé les prévisions météo, puis m'étais recouché et mis à lire un chapitre de *La Déclaration d'indépendance*, le classique de Carl Becker dont j'ai l'intention de me servir, ainsi que d'*Autonomie*, comme « textes clés » pour communiquer avec mon fils en difficulté afin de lui transmettre des connaissances de base – Sally a téléphoné. (Soit dit en passant, loin d'être pénibles ou assommants, ainsi qu'il nous semblait en classe, ces ouvrages sont bourrés d'enseignements personnels, utiles et subtils, pour une application directe ou métaphorique aux dilemmes de l'existence.)

« Salut, toi. Quoi de neuf ? a-t-elle lancé d'un ton légèrement contraint qui altérait sa voix soyeuse, comme si les coups de téléphone à minuit ne nous étaient pas habituels, ce qui d'ailleurs est la vérité.

– J'étais en train de lire Carl Becker, que je trouve formidable, ai-je dit, sur mes gardes. Selon lui, toute la Déclaration d'indépendance avait pour but de prouver que le mot de "rébellion" ne convenait pas à l'entreprise des pères fondateurs. La guerre se livrait sur le choix d'un mot. C'est assez étonnant. »

Sally a poussé un soupir.

« Quel aurait été le mot juste ?

16

– Oh… Le bon sens. La nature. Le progrès. La volonté divine. Le Karma. Le Nirvana. Tout ça revenait plus ou moins au même pour Jefferson, Adams et les autres. Ils étaient plus malins que nous.

– Je croyais que c'était plus important… La vie m'apparaît bouchée, a-t-elle repris. Ce soir, tout d'un coup. Pas à toi ?

– Eh bien… Peut-être, je n'en sais rien. »

Je percevais l'envoi de messages codés, mais j'étais bien incapable de les décrypter. J'ai pensé que c'était peut-être un gambit d'ouverture pour en arriver à me faire savoir qu'elle ne voulait plus me revoir. Ce qui est advenu. (« Bouchée » signifiant « intolérable ».)

« Il manque quelque chose, quand même, non ? Quelque chose qui réclame notre attention. Je ne sais pas quoi. Mais c'est de toi et moi qu'il s'agit. Tu n'es pas d'accord ?

– Non. De quoi parles-tu ? »

J'étais adossé à mes oreillers près de ma lampe de chevet, avec mon vieux Becker moucheté, plein d'annotations, posé sur mon torse, au-dessous de ma chère carte encadrée de Block Island, dans mon lit baigné de la fraîcheur nocturne des faubourgs par le ventilateur de ma fenêtre (je n'ai pas voulu de l'air conditionné). Je ne voyais pas à cet instant de quoi je pouvais manquer, sinon de sommeil.

« J'ai simplement l'impression que la vie est bouchée et qu'il me manque quelque chose, a répété Sally. Tu es sûr de ne pas en être au même point ?

– Il y a des choses auxquelles il faut renoncer pour en avoir d'autres. »

C'était une réponse idiote. Je n'étais pas sûr de ne pas dormir mais je savais bien que j'aurais du mal à me convaincre le lendemain que cette conversation n'avait pas eu lieu – cela m'arrive assez fréquemment.

« J'ai fait un rêve tout à l'heure, a poursuivi Sally. Nous étions chez toi à Haddam, et tu ne cessais de mettre de l'ordre. J'étais vaguement ta femme, mais j'éprouvais une angoisse terrible. Il y avait de l'eau bleue dans la cuvette des toilettes, et à un moment donné, nous nous serrions la main, plantés sur les marches du perron, comme si tu venais de me vendre ta maison. Ensuite, je te voyais partir en

17

courant au milieu d'un grand champ de maïs, les bras en croix tel un Christ ou je ne sais quoi, on se serait cru en Illinois. (C'est de là qu'elle est, le pays de la céréale, solide et chrétien.) J'étais paisible, d'une certaine manière. Mais l'impression générale, c'était une agitation chaotique où personne n'arrivait à faire ce qu'il fallait. Et j'ai ressenti cette terrible angoisse en plein dans mon rêve. À ce moment-là, je me suis réveillée et j'ai eu envie de t'appeler.

— Tu as bien fait. Ça n'a pas l'air si épouvantable. Tu ne te faisais pas pourchasser par des bêtes sauvages qui me ressemblaient, ni pousser hors d'un avion.

— Non, a-t-elle dit en envisageant apparemment ces éventualités, pendant que j'écoutais un train passer au loin. Mais j'étais si angoissée... C'était extrêmement présent. Mes rêves ne sont pas tellement présents, d'habitude.

— Je m'efforce d'oublier mes rêves.

— Je sais. Tu t'en vantes.

— Pas du tout. Mais ils ne me semblent jamais assez mystérieux. Je m'en souviendrais s'ils avaient l'air intéressants. Cette nuit, j'ai rêvé que je lisais, et en effet je lisais.

— Tu n'as pas l'air de te sentir trop concerné. Ce n'est peut-être pas le bon moment pour se mettre à parler sérieusement. »

Elle paraissait gênée, comme si je me moquais d'elle, ce qui n'était pas le cas.

« Mais je suis content d'entendre ta voix, ai-je dit en pensant qu'elle avait raison : on était au milieu de la nuit, ce n'est pas une heure propice pour commencer quoi que ce soit.

— Désolée de t'avoir fait lever.

— Tu ne m'as pas fait lever. »

Mais à cet instant, à son insu, j'ai éteint ma lampe et je suis resté à écouter ma propre respiration en même temps que le train dans la nuit fraîche.

« Tu voudrais simplement quelque chose que tu n'as pas, si je comprends bien, ai-je repris. (Dans le cas de Sally, l'éventail était large.) Il n'y a rien là de très inhabituel.

— Ça ne t'arrive jamais ?

— Non. J'ai le sentiment d'avoir plein de choses. Je t'ai, toi.

18

– C'est agréable, a-t-elle répondu sans chaleur.

– C'est très agréable.

– Je te vois demain, je pense ?

– Tu parles ! Je serai là au quart de tour.

– Épatant. Dors bien. Ne fais pas de rêves.

– Oui. Non », ai-je dit avant de raccrocher.

Il serait faux d'affirmer que le manque ou l'absence contre lesquels Sally se débattait hier soir me sont inconnus. Et je suis peut-être simplement le mauvais cheval pour elle ou qui que ce soit d'autre, moi qui aime tant le tintinnabulement d'un début d'idylle, sans éprouver le besoin d'en faire plus que de lui fermer mes oreilles dès que sa douce sonorité menace de conduire à autre chose. Au cœur de ma vie, ce que j'appelle la « Période d'Existence », j'ai pratiqué avec succès la dérobade face à ce qui me déplaît ou me semble embêtant et périlleux, et d'ordinaire tout cela ne tarde pas à disparaître. Mais je suis aussi conscient des « situations » que Sally, et j'imagine qu'il pourrait s'agir ici du premier signal (ou du trente-septième) de la fin de nos relations. J'en éprouve du regret, je voudrais trouver un moyen convaincant de ranimer la flamme. Seulement, à mon habitude, j'ai envie de laisser les choses suivre leur cours et de voir ce qui se passera. Peut-être même surgira-t-il une amélioration. Pourquoi pas ?

Mais la question la plus grave, la plus importante, concerne mon fils, Paul Bascombe, qui a quinze ans. Voilà deux mois et demi, juste après la date des impôts et six semaines avant la fin de son année scolaire à Deep River, il s'est fait arrêter pour le vol de trois boîtes de préservatifs 4X (« Magnums ») à l'étalage du Finast d'Essex. Ses gestes étaient épiés par une caméra cachée au-dessus du rayon d'hygiène masculine du magasin. Quand la petite Vietnamienne en uniforme de vigile s'est avancée vers lui à la sortie des caisses où il avait payé un flacon de lotion pour donner le change, il a voulu s'enfuir, s'est fait plaquer au sol, a hurlé qu'elle n'était qu'une « foutue connasse de métèque », lui a expédié un coup de pied dans la cuisse, l'a frappée sur la bouche (peut-être par accident) et lui a arraché une bonne poignée de cheveux avant qu'elle puisse lui faire une clé au cou et lui passer les menottes avec l'aide d'un pharmacien et d'un autre client. (Sa mère a pu le faire sortir au bout d'une heure.)

Naturellement, la vigile avait porté plainte pour voies de faits et atteinte à quelques-uns de ses droits civiques, et à Essex, les autorités judiciaires des mineurs avaient même agité les termes de « délit de haine » et « faire un exemple ». (Simples gesticulations d'année électorale, à mon avis, plus rivalités communautaires.)

Entre-temps, Paul était passé par un nombre infini d'interrogatoires avant l'audience au tribunal, et des heures d'insidieux examens psychologiques de sa personnalité, de ses réactions et de son état mental ; j'y ai assisté à deux reprises, je ne les ai pas trouvés géniaux mais honnêtes, quoique je n'aie pas vu les résultats. Au cours de ces procédures, il n'a pas disposé d'un avocat mais d'un « médiateur », un travailleur social doté d'une formation juridique, et sa première réelle comparution devant le tribunal aura lieu mardi matin, le lendemain du 4 Juillet.

Pour sa part, Paul a tout reconnu, mais il ne se sent pas très coupable, m'a-t-il expliqué, la femme s'est jetée sur lui par-derrière et lui a foutu une trouille d'enfer, il a cru qu'on voulait le tuer et qu'il fallait se défendre ; d'accord, il n'aurait pas dû dire ce qu'il a dit, c'était une erreur, mais il a juré qu'il n'avait aucun sentiment de discrimination raciale ou sexuelle et qu'il se sent « trahi », en fait – par quoi, il n'a pas précisé. Il n'avait en vue aucun usage spécifique des préservatifs, a-t-il affirmé (un soulagement si c'est vrai) et ne s'en serait sans doute servi que pour faire une farce à Charley O'Dell, le mari de sa mère, qui lui déplaît tout autant qu'à son père.

J'ai envisagé un moment de me mettre en congé de l'agence et d'aller sous-louer un appartement à proximité de Deep River pour garder le contact quotidien avec Paul. Mais sa mère n'était pas d'accord. Elle ne voulait pas de moi dans les parages, et elle ne me l'a pas envoyé dire. En outre, selon elle, à moins d'une aggravation, il valait mieux pour lui que la vie reste aussi « normale » que possible jusqu'à sa comparution. Nous n'avons pas cessé tous les deux d'en discuter par tous les bouts – entre Haddam et Deep River – et elle est convaincue que tout ça va passer, qu'il ne fait que traverser une phase difficile et ne souffre d'aucun syndrome pathologique, comme on pourrait le penser. (Forte de son stoïcisme du Michigan, elle lie le progrès à l'endurance.) Du coup, je n'ai pas vu mon fils autant que j'aurais voulu ces deux derniers mois, mais j'ai suggéré qu'il vienne vivre avec moi à Haddam dès l'automne, ce qu'Ann voit d'un mauvais œil jusqu'à présent.

Comme elle n'est pas folle, elle l'a cependant traîné à New Haven chez un fumiste de psy pour une « évaluation personnelle ». Paul affirme qu'il a trouvé l'aventure distrayante et qu'il a menti tout du long comme un arracheur de dents. Ann est même allée jusqu'à l'envoyer fin mai passer une douzaine de jours de vacances thérapeutiques dans les Berkshires, au coûteux camp Wanapi (surnommé « camp Flapi » par ses pensionnaires), où on l'a décrété « trop inactif », et donc encouragé à arborer un maquillage de mime et à passer un certain temps tous les jours assis sur une chaise invisible face à une vitre invisible, en adressant des sourires, des regards surpris et des grimaces aux passants (exercice filmé en vidéo). De l'avis des moniteurs du camp – tous secrètement « thérapeutes de terrain », en T-shirts flottants comme des robes de muftis, shorts kaki informes, pourvus de mollets musclés, de sifflets à roulette, de cordons et de bloc-notes, et entraînés au-delà de toute vraisemblance à l'échange cœur-à-cœur informel – Paul est en avance sur son âge au plan intellectuel (selon les critères de langage et de capacité de raisonnement établis à Stanford) mais retardé au plan affectif (plus près d'un niveau de douze ans), ce qui « pose problème », selon eux. Par conséquent, s'il se comporte et s'exprime comme un étudiant chevronné en dernière année de licence à la fac de Beloit, à grand renfort de plaisanteries pour initiés et de jeux de mots (en plus, il vient d'atteindre tout d'un coup un mètre soixante-treize, tout en s'enrobant d'une couche molle de capiton), n'empêche qu'il garde la vulnérabilité d'un enfant qui en sait bien moins long qu'une girl-scout.

Depuis son passage au camp Flapi, il s'est mis à déployer tout un tas de symptômes inhabituels : il s'est plaint de ne pouvoir bâiller ni éternuer normalement, de ressentir un « picotement » mystérieux au bout du pénis, de ne pas aimer

21

l'« alignement » de ses dents. Il lâche épisodiquement des aboiements inattendus, accompagnés parfois d'un rictus de chat du Cheshire et, plusieurs jours d'affilée, il a émis une sorte de couinement, assez discret mais audible, un « hiiirgh ! » produit en aspirant l'air dans sa gorge, bouche fermée, d'un air affligé en général. Sa mère a essayé d'en parler avec lui, elle a consulté à nouveau le psy (qui a recommandé de multiplier les séances) et elle a même fait appel à Charley. Paul a d'abord protesté qu'il ne voyait pas de quoi il était question, que tout ça lui paraissait normal, puis il a dit que les bruits qu'il produisait répondaient à une légitime pulsion interne sans rien avoir de gênant pour les autres, et que c'était leur affaire de surmonter leur problème par rapport à ça et à lui.

Au long de ces semaines chargées, je me suis essentiellement efforcé d'accroître ma propre implication de médiateur ; de bonne heure chaque matin, je cause avec lui au téléphone (je m'y prépare en ce moment, plein d'espoir), et de temps à autre, je l'embarque en expédition avec Clarissa, sa sœur, taquiner le poisson au Red Man Club, pêche gardée d'une association exclusive à laquelle j'ai adhéré à cette fin précise. Je l'ai ausssi emmené une fois à Atlantic City, en garçons, voir Mel Tormé au *TropWorld*, et à deux reprises chez Sally, sur la côte, pour y fainéanter à loisir, nager dans l'océan quand les seringues et la masse de déchets humains nous en laissent la place, marcher le long de la plage et parler avec lui sur un mode non-directif des affaires du monde et de sa propre personne, jusque bien après la tombée de la nuit.

Lors de ces conversations, Paul m'a révélé bien des choses : principalement, qu'il livre un combat complexe mais vain pour effacer certains souvenirs. Il se rappelle, par exemple, un chien que nous avons eu autrefois, quand nous formions une famille unie à Haddam, un brave vieux basset nommé Mr. Toby dont nous étions tous gâteux, mais qui s'est fait écrabouiller un soir d'été en plein devant la maison pendant que nous dînions dans le jardin. Le pauvre Mr. Toby a réussi à se traîner hors de Hoving Road et, en une dernière course contre la mort, il a foncé droit vers Paul et lui a sauté dans les bras avant de frissonner, de pousser un bref hurlement et d'expirer. Paul m'a confié ces dernières semaines que sur le moment même (il n'avait alors que six ans), il avait craint que l'incident s'incruste dans sa tête, peut-être pour tout le reste de sa vie, et la dévaste. Des semaines durant, m'a-t-il raconté, il était resté éveillé dans sa chambre à penser à Mr. Toby et à se tourmenter du fait qu'il y pensait. Mais la hantise avait fini par se dissiper, jusqu'à l'incident du latex, à la suite duquel elle a resurgi, et depuis il y pense «beaucoup» (peut-être en permanence), il pense que Mr. Toby devrait être toujours en vie parmi nous – et, par extension, bien sûr, que Ralph, son pauvre frère, mort du syndrome de Reye, devrait être toujours en vie lui aussi (c'est indéniable) et que nous devrions tous être encore nous. Par certains côtés, m'a-t-il dit, ce ne sont même pas des réflexions si désagréables, puisque dans son souvenir de cette époque lointaine, avant que ça tourne mal, «on s'amusait bien» la plupart du temps. Dans ce sens, il éprouve une nostalgie très particulière.

Il m'a confié aussi que, dernièrement, il s'est mis à se représenter le processus de la pensée, et que dans son cas il a l'air constitué d'«anneaux concentriques», éclatants comme des hula hoops, dont l'un serait la mémoire, et qu'en dépit de ses tentatives il ne parvient pas à tous «les faire coïncider» comme il faudrait à son avis, sauf parfois juste au moment de s'endormir, quand de façon éphémère il oublie tout et se sent heureux. Il m'a en outre parlé d'un problème supplémentaire, ce qu'il appelle «penser qu'il pense», c'est-à-dire qu'il s'applique à garder en permanence le contrôle de ses pensées afin de se comprendre, de se maîtriser et donc de vivre mieux (quoique cette pratique menace évidemment de le rendre dingue). En un sens, son «problème» est simple : il se croit obligé d'avoir une idée de la vie, et de la manière dont il faut la mener, bien trop tôt, longtemps avant d'avoir vu passer comme des bateaux éventrés un nombre suffisant de crises insolubles, de s'être rendu compte que d'en résoudre une sur six constitue une fichue bonne moyenne, et qu'il faut lâcher prise le reste du temps – un savoir-faire spécifique de la Période d'Existence.

Tout ça ne constitue pas une bonne recette, je le sais

bien. C'en est même une mauvaise : celle d'une vie étouffée sous l'ironie et les déceptions, tandis qu'un petit personnage externe tente de se lier avec un autre être interne, submergé, ou de le maîtriser, mais n'y parvient pas. (Il pourrait finir universitaire, ou traducteur à l'ONU.) Sans compter qu'il est gaucher et donc déjà menacé d'une mort prématurée, d'un risque accru d'être rendu aveugle par des objets volants, ébouillanté par une marmite de graisse brûlante, mordu par un chien enragé, renversé par une auto avec un autre gaucher au volant, de décider d'aller vivre dans le tiers monde, de ne pas expédier à tous les coups sa balle derrière la plaque de but, et de divorcer comme papa et maman.

Ma tâche paternelle, faut-il le préciser, n'a rien d'aisé à la distance qu'on m'impose : obtenir par je ne sais quel effet sorcier que ses deux Moi étrangers l'un à l'autre, l'actuel et l'enfantin du passé, se rattachent enfin en une relation meilleure, plus robuste et tournée vers l'extérieur – telles deux nations séparées et hostiles qui chercheraient un gouvernement unifié – et faire de l'auto-tolérance un thème d'avenir. C'est évidemment à cela qu'un père devrait œuvrer dans n'importe quelles circonstances, et je m'y suis efforcé malgré le handicap du divorce et du temps, et sans connaître toujours mon adversaire. Il me saute pourtant aux yeux à présent, comme Ann en est convaincue, que je n'ai pas complètement réussi.

Mais, sous le soleil qui se lèvera demain, j'ai résolu d'aller le chercher dans le Connecticut et de mettre en œuvre pour notre bénéfice commun une virée père-fils, nez au vent, qui nous amènera à visiter autant de *halls of fame**
sportifs qu'il est humainement possible de le faire en quarante-huit heures (c'est-à-dire seulement deux), et à nous retrouver à Cooperstown, ville légendaire où nous coucherons dans la vénérable *Deerslayer Inn***, irons à la pêche sur le lac Otsego, tirerons un feu d'artifice en toute

---

* Hall of Fame : sorte de musée à l'américaine, consacré à un thème précis ou à une discipline et à ses célébrités. *(N.d.l.T.)*
** Auberge du Tueur de daims, ainsi nommée en hommage à Fenimore Cooper. *(N.d.l.T.)*

sécurité, dévorerons comme des naufragés, et je trouverai bien moyen en chemin (j'espère) d'accomplir le miracle que seul un père peut opérer. À savoir : si votre fils se met soudain à dégringoler la tête la première, c'est à vous qu'il revient, grâce à l'amour et au grand âge, de lui jeter une amarre et de le récupérer. (Le tout avant de le ramener à sa mère à la gare centrale de New York et de revenir ici à Haddam, qui me convient le mieux un 4 Juillet, parce que je m'y sens chez moi.)

Et pourtant, et pourtant… Même une bonne idée peut tomber à côté, adoptée sans en savoir assez long. Qui pourrait ne pas se poser de questions ? Mon fils survivant est-il déjà hors de portée et fou à lier, ou en prend-il le terrible chemin ? Ses problèmes sont-ils le produit de neurotransmetteurs détraqués, devrait-on avoir recours aux traitements chimiques pour les résoudre ? (C'était l'avis initial du Dr Stopler, le psy de New Haven.) Va-t-il se transformer graduellement en un reclus sournois au teint pourri, aux dents abîmées, aux ongles rongés, aux yeux bilieux, qui plaque l'école prématurément, se met à zoner, s'associe à une bande de voyous, expérimente la drogue, se persuade que la « galère » est sa seule amie fiable, jusqu'à ce qu'un certain samedi ensoleillé elle aussi le trahisse d'une manière imprévue et intolérable, et qu'ensuite il passe chez un armurier de banlieue et fonce faire un carnage dans un lieu public ? (Honnêtement, ça m'étonnerait, parce que jamais encore il n'a manifesté aucun des trois symptômes répertoriés de la démence homicide chez l'enfant : l'attirance pour le feu, la pulsion de torturer des animaux sans défense, ni l'énurésie, et parce qu'en fait, il a le cœur tendre et le tempérament joyeux, et qu'il a toujours été ainsi.) À moins que simplement, scénario le plus optimiste, il ne traverse en ce moment – ainsi qu'il nous arrive à tous et que l'espère sa mère – une phase temporaire, de sorte que, d'ici huit semaines, c'est dans l'équipe scolaire junior de Deep River qu'il tentera de jouer les échappées solitaires ?

Dieu seul le sait, hein ? Le sait-Il vraiment ?

Pour moi, seul sans lui la plupart du temps, ce qui me paraît vraiment dur, c'est qu'à son âge, il ne devrait même pas pouvoir imaginer qu'il lui arrive jamais rien de mal.

Or, c'est le contraire. Parfois, au bord de la mer ou plantés au bord de la rivière au Red Man Club à l'instant où le soleil s'éteint et laisse les eaux ténébreuses et sans fond, j'ai scruté son visage inachevé d'adolescent, pâle et charmant, et vu qu'il se défie de l'avenir, lui qui déjà n'aime pas le stade où il en est, mais qu'il se cramponne bravement parce que c'est son devoir, pense-t-il, et parce que, même si tout au fond il sait que nous ne sommes pas semblables, il voudrait que nous le soyons afin d'y puiser de l'assurance.

Naturellement, je ne peux pas lui expliquer grand-chose. La paternité en soi n'assure pas une sagesse digne d'être transmise. En prévision de notre virée, je lui ai quand même envoyé un exemplaire de l'*Autonomie* d'Emerson et de la *Déclaration d'indépendance*, en lui suggérant une petite séance de réflexion. D'accord, ça ne ressemble guère à ce qu'un père offre d'habitude, mais je crois qu'il a de bons instincts qui l'aideront à s'en sortir s'il le peut, et que c'est d'indépendance qu'il manque, d'indépendance par rapport à ce qui le retient prisonnier : la mémoire, l'histoire, les bonnes et les mauvaises choses qui sont arrivées, avec lesquelles il se débat sans pouvoir les maîtriser, tout en sentant qu'il le faudrait.

Les parents voient sans doute moins clairement ce qui ne va pas, ou ce qui va, chez leur propre enfant que le voisin, qui suit parfaitement, par l'échancrure du rideau, la vie que mène le gosse. Moi, je voudrais bien pouvoir lui dire comment vivre et se débrouiller mieux grâce à toutes sortes de formules engageantes, que je m'administre à moi-même : rien ne s'ajuste jamais parfaitement, les erreurs sont inévitables, il faut oublier les mauvaises choses. Mais durant nos brefs échanges, je me retrouve incapable de lui parler autrement que de manière fugace avant de battre en retraite, de crainte de me tromper, de le harceler ou de m'opposer à lui, de jouer au thérapeute au lieu d'être simplement son père. Si bien que jamais, sans doute, je ne l'aiderai à guérir de son mal, ni même ne me ferai une idée juste de ce qu'est ce mal : je partagerai seulement sa souffrance avec lui pendant un certain temps.

Me reste donc le pire de la paternité : être un adulte. Qui ne possède pas le langage adapté ; qui n'affronte pas les

26

mêmes terreurs, aléas et ratages ; qui en sait long, mais est condamné à rester planté comme un réverbère allumé, dans l'espoir que son fils en distinguera la lueur et se rapprochera pour profiter de la chaude lumière offerte en silence.

Dehors, dans le silence tranquille du petit matin, j'entends une portière de voiture qui claque, puis la voix assourdie (en fonction du moment) de Skip McPherson, mon voisin d'en face. Il rentre de son entraînement de hockey estival à East Brunswick (la glace n'est praticable qu'avant le lever du jour). Je le vois souvent à ces heures-ci avec ses copains experts-comptables célibataires, installés paisiblement sur les marches devant la maison à boire une bière, encore harnachés de leur maillots capitonnés, avec leurs patins et leurs crosses entassés dans l'allée. L'équipe de Skip a adopté l'insigne flamboyant de guerrier indien et le style rude qui caractérisaient les Blackhawks de Chicago dans les années 70 (Skip est d'Aurora) et lui-même a pris le numéro 21 en hommage à son héros, Stan Mikita. Quand je me lève tôt et sors pour ramasser le *Trenton Times*, il nous arrive de discuter de sport d'un trottoir à l'autre. Il a souvent un pansement sur l'œil, la lèvre tuméfiée ou un bandage compliqué au genou qui lui raidit la jambe. Mais il est toujours plein d'entrain et se comporte comme si j'étais le meilleur voisin du monde, même s'il ignore à peu près tout de moi sauf que je suis dans l'immobilier – un mec plus âgé que lui. C'est un représentant typique de ces jeunes cadres qui, dans les années 80, ont acheté au prix fort dans le « quartier des présidents », et qui s'accrochent en étalant les travaux de leur maison, assis sur leur investissement en attendant que le marché s'emballe.

Dans mon éditorial du bulletin *Acquéreur/Vendeur*, j'ai noté que même si le résultat de l'élection est voué à mécontenter la plupart des gens, 54 % d'entre eux estiment que leur situation se sera améliorée d'ici un an. (J'ai omis la statistique complémentaire, selon laquelle ils ne sont que 24 % à penser que le pays ira mieux. Pourquoi ces chiffres seraient différents, je l'ignore.)

27

Et soudain, il est sept heures et demie. Mon téléphone se manifeste. C'est mon fils.

« Salut, dit-il gauchement.

– Salut, Paul », lancé-je, modèle du père-à-distance décontracté.

De la musique résonne quelque part, et je crois un instant que c'est devant chez moi – l'équipe de la voirie, peut-être, ou Skip – puis j'identifie le pesant, poisseux « *choumba – chaoumba – choumba – chaoumba* » et comprends que Paul a son casque sur la tête et son cher Mammoth Deth ou un groupe similaire dans les oreilles tout en m'écoutant.

« Comment ça se passe dans ton coin, mon fils ? Tout va bien ?

– Ouais. » (*Choumba – chaoumba.*) « Tout va bien.

– Toujours d'accord ? Canton, dans l'Ohio, demain, et le Cowgirl Hall of Fame pour dimanche ? »

Nous avons établi la liste de tous les halls of fame qui existent, y compris celui de l'Anthracite à Scranton, du Clown à Delavan (Wisconsin), du Coton à Greenwood (Mississippi), et de la Cowgirl à Beaton (Texas). Nous nous sommes juré de les visiter tous en deux jours, ce qui est exclu, bien entendu, si bien qu'il faudra nous contenter de celui du basket à Springfield (non loin d'où habite Paul) et du base-ball à Cooperstown ; je compte sur ce dernier pour constituer le point de rencontre mythique du père et du fils, offrant la sécurité d'un sport pour spectateurs indifférenciés, présenté de manière à lui donner un sens apparent au moyen de l'histoire idéalisée de champions virils. (Je n'y suis jamais allé, mais d'après les brochures j'ai raison.)

« Ouais. Toujours d'accord. » (*Choumba-chaoumba-choumba-chaoumba.*)

Paul a monté le volume du son.

« Tu as toujours autant envie d'y aller ? »

Deux jours, c'est dérisoire, nous le pensons tous deux, mais feignons le contraire.

« Ouais, répond Paul sans se compromettre.

– Tu n'es pas encore levé, mon fils ?

– Non. Pas encore. »

Ça n'a pas l'air de très bon augure, mais il n'est que sept heures et demie, bien sûr.

Nous n'avons pas grand chose à nous dire tous les matins. Dans une vie normale, nous nous croiserions en vaquant à nos occupations, nous échangerions au passage des blagues, des bribes d'informations impertinentes, en nous sentant plus ou moins en contact sans que cela tire à conséquence. Mais dans les circonstances présentes, nous sommes obligés de faire des efforts supplémentaires, même si c'est une perte de temps.

« Tu as fait de beaux rêves cette nuit ? »

Je me redresse dans mon fauteuil, les yeux fixés sur le feuillage frais du mûrier devant ma fenêtre. Cela me permet de mieux me concentrer. Il arrive à Paul de faire des rêves ahurissants, quoiqu'il les invente peut-être pour avoir un sujet de conversation.

« Ouais. » (Il semble distrait, mais le niveau du *choumba-chaoumba-choumba-chaoumba* baisse considérablement.)

« Tu as envie de m'en parler ?

– J'étais un bébé, tu vois ?

– Je vois. »

Il tripote un objet métallique. J'entends un clic.

« Mais un bébé vraiment laid ? Vraiment laid. Et mes parents, c'était pas toi ni maman, mais ils m'abandonnaient tout le temps à la maison pour aller à des fêtes. Des fêtes t'ès, t'ès chicos.

– Ça se passait où ?

– Ici. Je sais pas. Quelque part.

– À Deep Water ? »

Deep Water, « Bas-Fonds », c'est ainsi qu'il s'amuse, le petit malin, à nommer le lieu où il vit, pour remettre Charley O'Dell à sa place. Je crois qu'il se passerait de lui encore plus volontiers que moi.

« Yep. Deep Water. Et voilà où nous en sommes », conclut-il en imitant à la perfection Walter Cronkite.

Je ne doute pas qu'un psy verrait des signes d'angoisse et de peur dans le rêve de Paul et qu'il aurait raison. La peur de l'abandon. De la castration. De la mort – autant de peurs tenaces, celles qui m'accompagnent. Du moins, il a l'air disposé à en plaisanter.

« Et à part ça, que se passe-t-il ?

– Maman et Charley ont eu une grosse engueulade. Hier soir.

– Navré de l'apprendre. À quel sujet ?

– Des trucs, j'imagine. J'en sais rien. »

J'entends le présentateur de la météo sur *Good Morning, America* nous annoncer les bonnes nouvelles du week-end. Paul a allumé sa télé à présent et il se refuse à commenter davantage l'échauffourée conjugale de sa mère ; il tenait seulement à m'en faire part pour pouvoir s'y référer durant notre balade. Cela fait quelque temps déjà que je l'ai senti (avec le flair d'un ex-mari), Ann a quelque chose qui cloche. Début de ménopause, d'une nostalgie tout à elle, regret à retardement. Tout cela est possible. Ou peut-être Charley a-t-il une poule, une petite serveuse au nez retroussé et aux gros seins du café-restaurant sur le chantier naval à Old Saybrook. Pourtant, leur union dure depuis quatre ans, ce qui paraît long compte tenu de son principal point faible, le fait que Charley ne soit pas quelqu'un qu'une femme saine d'esprit devrait jamais avoir l'idée d'épouser.

« Bon, écoute. Il faut que ton vieux papa s'en aille vendre une maison ce matin. Que j'expédie la balle en plein dans le mille. Que je ferre le gros poisson.

– D.O. Volente, dit-il.

– C'est ça. La famille Volente d'Upper High Point, en Caroline du Nord. »

Fort de son unique année de latin, Paul a décidé que D.O. Volente était le saint patron des agents immobiliers et qu'il fallait le courtiser comme un bon Samaritain, lui montrer toutes les maisons, lui offrir les meilleures affaires, lui accorder toutes les faveurs et lui épargner les dessous-de-table, sans quoi ça tournerait mal. Depuis l'incident du latex, nous communiquons surtout sous forme de blagues, de jeux de mots, de sous-entendus, de gros rires qui n'ont, bien entendu, d'autre motif que l'amour.

« Conduis-toi en pote avec ta mère aujourd'hui, d'accord, mon pote ?

– Je suis un pote. C'est elle qui est garce.

– Ce n'est pas vrai. Elle a la vie plus dure que toi, crois-le si tu peux. Elle t'a sur les bras. Comment va ta sœur ?

– Impec. »

Sa sœur Clary a douze ans, elle est aussi avisée que Paul est farfelu.

« Dis-lui que je la verrai demain, O.K. ? »

Le son de la télé monte d'un seul coup, une autre voix masculine est en train de beugler que Mike Tyson a empoché vingt-deux millions de dollars pour mettre Michael Spinks au tapis en quatre-vingt-onze secondes. « Moi, je le laisserais bien me torcher la lécheuse pour la moitié de la somme », poursuit le commentateur.

« T'as entendu ça ? Il le laisserait lui torcher la lécheuse, s'exclame Paul qui adore ce genre de pirouettes de langage, ça lui paraît hilarant.

– Oui. Mais tâche d'être prêt quand j'arriverai demain, d'accord ? On a intérêt à partir sur les chapeaux de roue si on veut aller jusqu'à Beaton, au Texas.

– Il s'est fait beatonner, et après torcher la lécheuse. Tu vas te remarier ? enchaîne-t-il timidement, je ne sais pas pourquoi.

– Non, jamais. Je t'aime, O.K. ? As-tu lu la *Déclaration d'indépendance* et les dépliants ? Je compte sur toi pour tout connaître sur le bout du doigt.

– Non. Mais j'en ai une bonne, tu veux ?

– Vas-y. Je la resservirai à mes clients.

– Un cheval entre dans un bar et il commande une bière, énonce Paul d'un ton imperturbable. Que répond le barman ?

– Je donne ma langue au chat.

– Hé ben, pourquoi vous faites une gueule longue comme ça ? »

Silence au bout du fil, un silence qui dit que chacun de nous sait ce que l'autre pense et se tord d'un rire silencieux – le meilleur, le plus grisant. Un tic significatif fait cligner ma paupière droite. Le moment serait bien choisi – avec le rire silencieux en guise de contrepoint – pour caresser une pensée mélancolique, songer à je ne sais quoi de perdu, réviser rapidement la carte négligée de ce qui est important ou non dans la vie. Au lieu de quoi, j'éprouve un sentiment d'acceptation qui frise le contentement, et d'une vague promesse pour la journée qui commence. Une fausse impression de bien-être, ça n'existe pas.

31

« Épatant, dis-je. Épatant. Mais que fait un cheval dans un bar ?

– J'en sais rien. Il danse, peut-être.

– Il boit un coup. Quelqu'un l'a amené là. »

Dehors, où commencent à chauffer les pelouses de Cleveland Street, Skip McPherson crie : « Il shoote, il maaarque ! » Un petit rire le salue, une boîte de bière s'écrase, une autre voix virile commente : « Le coup qui tue, le coup qui tue, ouais m'sieur ! » Au coin de la rue, j'entends un diesel rugir, tel un lion qui s'éveille. L'équipe de voirie se met à l'œuvre.

« Je te récupère demain, mon fils. D'accord ?

– Ouais, dit Paul, on se récupère demain. D'accord. »

Nous raccrochons.

2

Dans Seminary Street à huit heures et quart, l'esprit de la fête de l'Indépendance monte comme un levain pour le week-end, et toute manifestation de vie extérieure participe de cette fermentation. Le 4 Juillet n'est que dans trois jours, mais les embouteillages envahissent Frenchy's Gulf et le parking de Pelcher's Market, les interpellations fusent depuis la boutique du teinturier et de Town Liquors, tandis que s'intensifie la chaleur du jour. Bon nombre de nos concitoyens partent déjà en direction de Blue Hill et de Little Compton, ou, comme mes voisins les Zumbros, ayant du temps devant eux, se dirigent vers les ranches touristiques du Montana ou les coûteuses rivières à truites de l'Idaho. Chacun suit la même idée : éviter l'affluence, se sortir de là, prendre la route, appuyer sur le champignon. L'évasion est la priorité absolue sur la côte.

Mon programme de travail est d'abord de faire un arrêt à l'une des deux maisons en location qui m'appartiennent, dans l'espoir de toucher le loyer, puis passer en coup de vent à l'agence pour déposer mon édito, prendre la clé de la maison que j'ai à faire visiter à Penns Neck et effectuer une dernière révision avec les Lewis, les jumeaux Everick et Wardell, les « dépanneurs » de l'agence, en vue de notre participation aux réjouissances de lundi. À vrai dire, notre rôle se bornera à offrir gratuitement des hot dogs et de la *root beer** sur un « buffet roulant » que je possède et que je prête à la cause, avec une quête dont le produit ira aux deux orphelins laissés par Claire Devane.

---

* *Root beer* : boisson gazeuse non alcoolisée à base d'extraits végétaux. *(N.d.l.T.)*

Le long de Seminary Street, devenue depuis le boom économique une sorte de « grand-rue du miracle commercial » qu'aucun d'entre nous n'appelait de ses vœux, tous les commerçants ont installé sur les trottoirs des « feux d'artifice de soldes », où ils balancent des rossignols au rancart depuis Noël, sous des stores drapés de banderoles patriotiques et d'inscriptions accrocheuses qui proclament que le gaspillage d'un argent durement gagné constitue le mode de vie américain. La boutique *Virtual Profusion* prodigue des bouquets de médiocres marguerites et bleuets pour attirer l'homme d'affaires ou le riverain fourbu qui rentrent chez eux dare-dare mais tiennent à avoir l'air en fête (« Dites-le avec des fleurs à quat' sous »). Brad Hulbert, notre marchand de chaussures homo, a entassé le long de sa vitrine des boîtes de bizarreries en taille unique et posté à côté Todd, son petit giton bronzé, qui s'ennuie sur son tabouret derrière une caisse en plein air. Et la librairie a sorti ses surplus – des piles de dictionnaires, d'atlas bon marché et d'invendables calendriers 1988, plus les jeux vidéo de la saison passée, le tout empilé sur une longue table, offert au regard et à la main leste d'ados chapardeurs dans le genre de mon fils.

Mais, pour la première fois depuis mon arrivée ici en 1970, deux magasins de la rue sont restés vides, les gérants ayant décampé à la cloche de bois, endettés auprès de leurs fournisseurs et de leur clientèle. L'un d'eux a depuis refait surface sur le Nutley Mall, l'autre s'est évaporé. Beaucoup de boutiques de luxe franchisées – où rien ne s'est jamais vendu – ont maintenant changé de main et d'affectation pour céder la place à du luxe au rabais où la braderie fait loi. Ce printemps, *Pelcher* a reporté à plus tard la grande réouverture de son rayon de spécialités comestibles ; un concessionnaire de voitures japonaises a soudain capoté et laisse un espace vide sur la Route 27. Et même la foule des visiteurs qu'on voit déambuler pendant les week-ends a changé. Au début des années 80, lorsque la population de Haddam a grimpé de douze à vingt mille habitants et que je collaborais encore à un magazine sportif tape-à-l'œil, nos promeneurs typiques étaient des New-Yorkais à la coule, de riches résidents du quartier de Soho aux accoutrements

bizarres et des nantis de l'East Side, venus passer la journée
« à la campagne », ayant entendu dire qu'il existait ici un
petit village qui valait la peine d'être vu, au charme vieillot,
pas encore abîmé, à peu près l'allure qu'avaient Greenwich
ou New Canaan il y a cinquante ans. C'était encore partiellement vrai.

À présent, soit ces mêmes gens restent chez eux dans
leurs cases bétonnées, protégées de barreaux, et font de la
prospection urbaine ou ce que leur permet leur chéquier,
soit ils ont vendu et regagné le Kansas, à moins qu'ils
n'aient décidé de prendre un nouveau départ du côté de
St-Paul et Minneapolis ou de Portland, où la vie est moins
stressée (et moins chère). Je suis pourtant sûr que beaucoup
d'entre eux se sentent isolés et s'ennuient à mort là où ils
sont, et appellent de leurs vœux une tentative de cambriolage.

Mais à Haddam, leur place a été prise tout simplement
par des habitants du New Jersey, venus du nord ou du sud
de l'État, Baleville et Totowa ou Vineland et Millville, des
excursionnistes qui empruntent la 206 « juste pour se rappeler où elle mène » et qui font halte en ce lieu (malencontreusement rebaptisé « Haddam the Pleasant » par le conseil
municipal) pour manger un morceau et jeter un coup d'œil.
J'ai eu l'occasion d'observer ces gens-là par la fenêtre du
bureau quand j'étais sur la brèche pendant le week-end : ils
ont tous l'air d'appartenir à une humanité moins réfléchie.
Ils ont davantage d'enfants qui sont plus bruyants, roulent
dans des voitures plus moches auxquelles manquent des
pièces externes et ne se gênent pas pour se garer dans un
espace réservé aux handicapés, en travers d'une allée ou
près d'une bouche d'incendie comme s'il n'y avait pas de
bouches d'incendie là d'où ils viennent. Ils font monter sans
relâche la consommation du yaourt et avalent par pleines
charretées les cookies aux miettes de chocolat, mais il leur
arrive rarement de s'asseoir au *Two Lawyers* pour prendre
un vrai repas, plus rarement encore de passer une nuit à
l'*August Inn*, et jamais de s'intéresser à une maison, même
s'ils sont capables de vous faire perdre une demi-journée à
faire semblant de visiter des habitations qu'ils oublieront
dès qu'ils seront remontés à bord de leur Firebird ou de

leur Montego, après vous avoir entraîné jusqu'à Manahaw-kin sur la côte. (Shax Murphy, qui a pris la direction de l'agence quand le vieil Otto Schwindell a passé la main, a tenté d'imposer le dépôt d'un chèque avant toute visite d'une propriété cotée au-dessus des quatre cent mille. Mais nous nous sommes tous ligués contre cette mesure après qu'on eut envoyé promener une rock star qui est allée claquer deux millions chez Century 21.)

Je bifurque hors des encombrements de Seminary, file le long de Constitution Street qui contourne le centre des affaires, passe devant la bibliothèque, traverse Plum Road au clignotant, et longe la grille derrière laquelle est enterré mon fils Ralph Bascombe, je roule jusqu'au Haddam Medical Center et je vire sur la gauche dans Erato Street pour gagner Clio Street, où sont mes deux maisons en location dans ce quartier tranquille.

Il pourrait sembler étonnant qu'un homme de mon âge et de mon caractère (peu porté au risque) se soit lancé dans l'aventure financière de la propriété locative, où abondent les locataires douteux, peu fiables, les mesquines querelles de restitution de caution, les réparateurs malhonnêtes, les chèques en bois, les coups de téléphone nocturnes et impé-rieux pour se plaindre d'un toit qui fuit, de problèmes d'égout, du mauvais entretien du trottoir, de chiens qui aboient, du chauffe-eau merdique, de chutes de plâtre et de fêtes bruyantes qui obligent à appeler la police, le tout aboutissant souvent à d'interminables procès. Réponse rapide et simple : j'ai décidé qu'aucun de ces cauchemars potentiels ne serait mon lot, et cela s'est vérifié dans l'ensemble. Les deux maisons que je possède se trouvent côte à côte dans une rue calme et arborée de Wallace Hill, le quartier noir niché entre notre petit centre des affaires et les résidences blanches plus cossues à l'ouest, plus ou moins derrière l'hôpital. Depuis des décennies, des familles noires relativement prospères et stables habitent là de petites maisons proches les unes des autres, qui se maintiennent en bien meilleur état que la moyenne et dont la valeur foncière (à l'exception de quelques bicoques affligeantes) n'a cessé de grimper, pas tout à fait mais presque à la cadence des quartiers blancs, et sans subir le récent dérapage des prix consécutif au chômage des cadres. C'est l'Amérique d'autrefois, en plus noir.

La plupart des riverains de ces rues travaillent dans l'artisanat – plomberie, mécanique ou entretien des jardins – avec un atelier installé dans le garage, déductible des impôts. Il y a deux ou trois employés Pullman d'âge mûr et plusieurs mères de famille qui sont dans l'enseignement, sans oublier tous les retraités libérés de leurs hypothèques et très satisfaits de n'aller nulle part. Dernièrement, quelques couples de dentistes, médecins et trois avocats ont décidé de revenir habiter un quartier similaire à celui de leur jeunesse, ou du moins celui où ils auraient passé leur jeunesse si leurs pères eux-mêmes n'avaient pas été avocats et dentistes, et s'ils n'avaient pas poursuivi leurs études à Andover ou à Brown. Tôt ou tard, évidemment, à mesure qu'une propriété en ville prendra de la valeur (il ne s'en bâtit plus), toutes les familles du coin ramasseront un gros paquet et partiront en Arizona ou dans le Sud, où leurs ancêtres étaient eux-mêmes la propriété de leurs maîtres, et l'ensemble du quartier sera promu par l'arrivée de Blancs et de Noirs fortunés, après quoi mon petit investissement, avec ses migraines épisodiques mais supportables, se transformera en mine d'or. (Cette évolution démographique se produit plus lentement, en fait, dans les quartiers noirs aisés, car un Noir américain nanti n'a guère d'endroit où aller qui serait mieux que celui où il se trouve déjà.)

Mais ce n'est pas là toute l'histoire.

Depuis mon divorce et, plus précisément, après que la vie qui était la mienne eut connu une fin soudaine, que j'eus plongé dans ce qui devait être une sorte de « détachement psychique » et fait une fugue en Floride puis, plus loin, en France, j'avais eu le sentiment désagréable de n'avoir jamais accompli grand-chose de bon sinon pour mon propre compte et celui des êtres qui m'étaient chers (ils ne seraient même pas tous d'accord avec cela). Le journalisme sportif, comme vous le confirmera quiconque a pu le pratiquer, producteur ou consommateur, offre au mieux un moyen inoffensif de brûler quelques cellules de matière grise secondaire en vidant un bol de céréales au petit déjeuner, en rongeant son frein au cabinet médical dans l'attente des résultats du scanner ou en passant quelques minutes solitaires aux toilettes. Et en ce qui concernait ma ville, à part le fait de porter chez le vétérinaire l'éventuel écureuil à moitié écrasé, d'appeler les pompiers le jour où les Deffeye, mes voisins âgés, menaçaient le voisinage, ayant mis le feu à la galerie à l'arrière de leur maison avec leur barbecue à gaz, ou quelque autre geste de mol héroïsme suburbain, j'avais sans doute aussi peu contribué au bien public qu'il était possible pour un homme actif sans être franchement nuisible. Et ceci après avoir vécu quinze ans à Haddam, chevauché avec un plein succès la courbe de sa prospérité, profité de ses agréments, envoyé mes enfants dans ses écoles, fait abondamment usage de ses rues, caniveaux, égouts, conduites d'eau, de sa police et de ses pompiers, plus divers autres services voués à mon bien-être. Mais, voilà deux ans environ, en rentrant à la maison au volant de ma voiture, un peu sonné par une longue matinée de visites immobilières improductives, j'ai commis une erreur d'itinéraire et me suis retrouvé derrière l'hôpital de Haddam, dans la petite Clio Street, où la plupart des citoyens noirs de la ville se tenaient assis sur leur galerie dans la chaleur de la fin août, à s'éventer et bavarder d'une maison à l'autre, avec des pichets de thé glacé et des carafes d'eau à leurs pieds, et de petits ventilateurs pivotants dont le fil est branché à l'intérieur. Ils m'ont tous regardé passer d'un air serein (m'a-t-il semblé). Une femme âgée m'a adressé un signe de main. Il y avait au coin de la rue un groupe de garçons en short d'athlétisme avec un ballon de basket sous le bras, qui fumaient et causaient en se tenant par l'épaule. Aucun n'a paru faire attention à moi, ni esquisser la moindre réaction de menace. De sorte que sans savoir au juste pourquoi, j'ai eu la pulsion de refaire tout le tour du pâté de maisons, même jeu, y compris la vieille dame qui a agité la main comme si elle ne m'avait jamais vu, ni moi ni ma voiture, et surtout pas deux minutes plus tôt.

Et ce qui m'est venu à l'esprit, après mon troisième passage, c'était que j'avais bien dû longer cette rue et les quatre ou cinq qui lui ressemblaient dans ce quartier noir de Haddam au moins cinq cents fois depuis le temps que j'habitais la ville, et que je n'y connaissais pas un chat ;

jamais personne ne m'y avait invité sous son toit, je n'y avais fait aucune visite, vendu aucune maison, même pas marché sur un trottoir, sans doute (bien que cela ne me fasse peur ni de jour ni de nuit). Pourtant, à mes yeux, ce coin était de premier ordre et ces gens en étaient les protecteurs légitimes et souverains.

À mon quatrième passage, personne ne m'a salué plus de la main, naturellement (et même, deux personnes se sont avancées sur le devant de la galerie en fronçant les sourcils, et les garçons aux ballons de basket m'ont regardé de travers, les mains sur les hanches). Mais j'avais repéré deux maisons voisines identiques – un seul étage, construction traditionnelle américaine à pans de bois légèrement délabrée, stores roulants, demi-façade en parement de briques, galerie couverte et surélevée, une allée clôturée au milieu – qui toutes deux arboraient sur le devant l'écriteau À VENDRE d'une agence de Trenton. J'ai discrètement noté le numéro de téléphone, après quoi je suis allé tout droit au bureau et j'ai appelé pour m'informer du prix et de la possibilité d'acquérir les deux. Ça ne faisait pas longtemps que j'étais dans l'immobilier et il me semblait judicieux de diversifier mes billes et d'investir de l'argent là où il serait à peu près hors d'atteinte. Si je pouvais obtenir un prix avantageux pour le lot, je pourrais ensuite louer à quiconque aurait envie de vivre là – des Noirs retraités au revenu fixe, ou des personnes d'un certain âge en pas trop bonne santé mais encore capables de s'occuper de leurs affaires sans être un fardeau pour leurs enfants, ou encore des jeunes mariés ayant besoin pour leur entrée dans la vie d'un marche-pied abordable mais solide ; des gens à qui je pourrais assurer une existence confortable face aux coûts du logement qui devenaient astronomiques, jusqu'au moment où ils se transféreraient dans un foyer médicalisé ou accéderaient eux-mêmes à leur première propriété. Tout cela me procurerait la satisfaction de réinvestir dans ma collectivité urbaine, de fournir un habitat à prix modéré, de maintenir une cohésion de voisinage que j'admirais, tout en couvrant financièrement mes arrières et en ayant un sentiment de plus forte intégration, ce qui m'avait manqué avant même le départ d'Ann pour Deep River, deux ans plus tôt.

Je serais le parfait propriétaire moderne, me semblait-il : un homme à la solidarité supérieure, capable d'investir sainement et d'avoir quelque chose à offrir grâce aux longues années d'une vie menée de façon réfléchie sinon toujours en paix. Tous les riverains de la rue seraient contents de voir se pointer ma voiture, car ils sauraient ce qui m'amènerait, probablement : la pose de nouveaux robinets sur l'évier, ou la maintenance du lave-linge séchant, à moins que je ne passe simplement voir si tout le monde est satisfait, ce qui serait toujours le cas, j'en étais convaincu. (L'idée de diversifier aurait conduit la plupart des gens, après consultation avec leur comptable, à investir dans un immeuble en copropriété sur le front de mer à Marco Island, limiter au maximum leurs risques, se réserver un appartement et un autre pour leurs petits-enfants, confier le reste à une gérance, puis chasser toute l'affaire de leur esprit d'avril à avril.)

Ce que j'avais à offrir, pensais-je, c'était le prix que j'attachais au sens de l'appartenance et de la permanence dont les citoyens de ces rues de Haddam risquaient d'être totalement dépourvus (sans y être pour rien), mais auquel ils aspiraient peut-être comme le reste d'entre nous aspire au paradis. Lorsque, venant de New York, nous avions débarqué à Haddam, Ann et moi, avant la naissance de Ralph, en nous installant dans la maison de style Tudor de Hoving Road, nous avions le sentiment inconfortable, propre aux immigrants, que tout le monde sauf nous deux était déjà implanté ici avant Christophe Colomb et tenait fichtrement à ce que nous ne l'oubliions pas ; qu'il existait un savoir réservé aux initiés qui nous manquait à cause de notre arrivée tardive, et que nous ne pourrions jamais l'acquérir, hélas, pour les mêmes raisons. (Ce sont là des foutaises, bien entendu. La plupart des gens sont de nouveaux venus là où ils vivent, il suffit de s'occuper un quart d'heure de ventes immobilières pour en être persuadé ; n'empêche que le malaise a duré toute une décennie pour Ann et moi.)

Quant aux habitants du quartier noir de Haddam, eux non plus n'avaient peut-être jamais eu l'impression d'être chez eux, ai-je conclu, même si leur famille séjournait là depuis un siècle et n'avait jamais rien fait que contribuer à ce que nous autres, les nouveaux arrivants de race blanche, nous nous sentions les bienvenus à leurs dépens. Je pouvais donc au moins, me semblait-il, agir de façon à ce que deux familles aient le sentiment d'être chez elles et que le voisinage en soit témoin.

Au prix d'un versement comptant assez modique, j'ai donc conclu rapidement l'affaire, je me suis pointé à la porte d'entrée de chacune des deux maisons de Clio Street en qualité de nouveau propriétaire et j'ai donné ma parole aux familles alarmées que je maintiendrais leur domicile en location, honorerais scrupuleusement tous mes devoirs et responsabilités, et qu'elles pourraient sans inquiétude rester là tant qu'elles le voudraient.

La première famille, celle des Harris, m'a aussitôt invité à prendre le café avec du gâteau de carottes, et nous avons entamé de bonnes relations qui se sont prolongées jusqu'à ce jour, bien qu'ils se soient retirés entre-temps et installés avec leurs enfants à Cap Canaveral.

Malheureusement, l'autre famille, celle des McLeod, est d'un tout autre acabit. C'est un couple mixte, avec deux jeunes enfants. Larry McLeod est un ex-militant noir d'âge mûr, marié avec une Blanche plus jeune que lui, et employé dans une usine de caravanes de la proche agglomération d'Englishtown. Le jour où je me suis présenté à sa porte, il est venu m'ouvrir vêtu d'un T-shirt rouge moulant barré sur le devant de l'inscription « Feu à volonté jusqu'à la mort du dernier enfant de salaud ». Un gros pistolet automatique était posé sur une table à proximité de la porte, et c'est évidemment la deuxième chose qui a frappé mon regard. Larry a de longs bras et des biceps noueux aux veines saillantes, comme s'il était un ancien athlète (boxe française, ai-je décidé) ; il faisait la gueule, m'a demandé pourquoi je venais le déranger au moment de la journée où il avait l'habitude de dormir, et il est même allé jusqu'à me dire qu'il était convaincu que je n'étais pas propriétaire et que j'étais juste là pour l'emmerder. À l'intérieur, j'apercevais sur le divan sa petite épouse blanche et maigrichonne, Betty, qui regardait la télé avec leurs mômes – tous trois avaient l'air blafard et hébété dans la lumière glauque. Il régnait aussi dans la maison une drôle d'odeur confinée, que j'étais presque capable d'identifier mais pas tout à fait, sinon qu'elle ressemblait à celle d'un placard plein de chaussures qui serait resté fermé depuis des années.

Larry continuait de faire une tête de bulldog et de me foudroyer du regard à travers l'écran verrouillé de la porte. Je lui ai tenu exactement les mêmes propos qu'aux vieux Harris – stricte observation de tous mes devoirs et responsabilités, etc. – mais j'ai jugé bon de spécifier l'obligation pour lui de régler le loyer, que j'ai spontanément décidé de baisser de dix dollars. J'ai ajouté que je souhaitais contribuer à la préservation du voisinage, avec des logements disponibles et abordables pour ceux qui vivaient là, et que malgré mon intention d'apporter des améliorations importantes et nécessaires aux deux maisons, il n'avait pas à craindre que le loyer en soit affecté. Grâce à ce plan d'action, ai-je expliqué, je pouvais raisonnablement envisager un bénéfice net rien qu'en maintenant mon bien en bon état, en déduisant les frais de mes impôts, en agissant à la satisfaction de mes locataires et peut-être en vendant lorsque viendrait pour moi l'heure de la retraite… mais d'ici là, ai-je concédé, il coulerait de l'eau sous les ponts.

J'ai adressé un sourire à Larry à travers l'écran métallique. « Hmm-hmm », c'est tout ce qu'il semblait avoir à dire, mais il a jeté un coup d'œil par-dessus son épaule comme s'il allait prier sa femme de venir interpréter mes dires. Puis il a recommencé à me dévisager et il a baissé les yeux vers le pistolet sur la table.

« Il est enregistré, m'a-t-il lancé. Vous pouvez vérifier. »

Volumineuse et noire, l'arme avait l'air bien graissée et bourrée de munitions – capable de faire un mal irréparable dans un monde innocent. Je me suis demandé pourquoi il en avait besoin.

« Parfait, ai-je dit, jovial. Je ne doute pas que nous soyons appelés à nous revoir.

– C'est tout ?

– Oui, à peu près, pour le moment.

– Bon, très bien », a dit Larry en me fermant la porte au nez.

Depuis cette première entrevue, voilà près de deux ans, nous n'avons guère contribué, Larry McLeod et moi, à enrichir ou élargir réciproquement notre vision du monde. Après m'avoir envoyé par la poste pendant quelque temps le chèque du loyer, il a simplement cessé de le faire, si bien qu'à présent je suis obligé de passer le demander le premier de chaque mois. S'il est là, Larry adopte toujours une attitude menaçante et me demande rituellement quand je compte m'occuper de telle ou telle réparation, alors que j'ai constamment veillé à ce que tout soit en bon état dans les deux maisons et n'ai jamais laissé passer plus d'un jour avant de faire déboucher une canalisation ou remplacer un flotteur de chasse d'eau. D'autre part, si c'est Betty McLeod qui vient m'ouvrir, elle me regarde fixement comme si elle me voyait pour la première fois et avait abandonné, n'importe comment, tout effort de communication verbale. Comme elle n'a pratiquement jamais le chèque, dès que je vois sa petite figure échevelée, pâle, au nez pointu apparaître tel un spectre derrière l'écran, je sais que la chance n'est pas de mon côté. Il nous arrive même de ne pas échanger un seul mot. Je reste simplement planté devant la porte en m'efforçant d'avoir l'air aimable, tandis qu'elle regarde dehors en silence, comme si ce n'était pas moi mais la rue derrière qu'elle examinait. Pour finir elle se contente de secouer la tête, commence à refermer la porte et je comprends que je ne toucherai pas le loyer aujourd'hui.

Ce matin, quand je me gare devant le 44, Clio Street, il est huit heures et demie, la chaleur est déjà au tiers de son niveau du jour et l'air est aussi immobile et poisseux que par un matin d'été à la Nouvelle-Orléans. Les voitures bordent les deux côtés de la rue, et quelques oiseaux gazouillent dans les sycomores plantés en zone publique voilà des décennies. Plus loin sur le trottoir, au coin d'Erato Street, deux femmes âgées se tiennent appuyées sur leur balais pour tailler une bavette. Une radio posée quelque part derrière le store d'une fenêtre joue un vieil air de Bobby Bland dont je connaissais toutes les paroles quand j'étais à la fac, mais je ne me souviens même plus du titre. Une sombre mixture de léthargie estivale et de tension domestique mineure imprègne l'atmosphère comme une musique funèbre.

La maison des Harris reste déserte avec, dans le jardinet, l'écriteau À LOUER vert et gris de notre agence, sa clôture neuve en métal peint en blanc et ses nouvelles fenêtres pivotantes à stores en plastique qui luisent à la lumière du soleil. Le bandeau d'aluminium que j'ai fait poser sous la cheminée et au-dessus de l'avant-toit donne à la bâtisse un air flambant neuf, ce qui n'est pas faux, en un sens, puisque j'ai aussi installé des conduits d'aération, des plaques d'isolation au grenier (qui portent à 23 le coefficient de résistance thermique), consolidé la moitié des fondations et compte aussi mettre des barreaux de protection dès que j'aurai un locataire. Cela fait six mois que les Harris sont partis, et franchement, je ne comprends pas pourquoi je ne trouve pas de client, étant donné le montant des loyers à Haddam et que moi, j'ai borné mes prétentions à cinq cent soixante-quinze dollars, charges comprises. Un jeune employé noir des pompes funèbres a failli marcher, mais sa femme trouvait que le trajet d'ici à Trenton était trop long. Puis deux sémillantes secrétaires noires d'un cabinet d'avocat ont paru tentées, mais, étrangement, il leur a semblé que le voisinage ne garantissait pas une sécurité suffisante. Je tenais bien sûr tout prêt un long exposé prouvant que c'était sans doute le quartier le plus sûr de la ville : notre unique policier noir habite à portée de voix, l'hôpital est à deux rues de là, les riverains font rapidement connaissance entre eux, assurant donc une surveillance mutuelle ; lors de l'unique effraction dont on ait souvenir, les voisins pleins de civisme se sont rués hors de chez eux et ont plaqué au sol le coupable avant qu'il ait atteint le coin de la rue. (Je me suis abstenu de préciser que le voleur n'était autre que le fils du policier noir.) Mais tous mes arguments n'ont servi à rien.

À cause de l'accès restreint dont je dispose, la maison des McLeod n'est pas encore aussi fringante que celle des Harris. Le miteux revêtement de briques subsiste, et deux ou trois planches de la galerie vont commencer à se détériorer si on n'intervient pas. En grimpant les marches, j'entends ronfler sur le côté le nouvel aérateur (exigé par

Larry, mais je l'ai récupéré d'occasion sur l'un des logements de l'agence), et je suis sûr qu'il y a quelqu'un.

Je sonne un coup bref, puis fais un pas en arrière et épingle sur mon visage un sourire professionnel mais globalement amical. Quiconque se trouve à l'intérieur sait, ainsi que tous les voisins, qui attend planté devant la porte. Je balaie du regard la rue moite de chaleur malgré les ombrages. Balai à la main, les deux femmes continuent de bavarder, la radio de diffuser du blues dans la touffeur d'une maison. Le titre de la chanson de Bobby Bland me revient : *Honey Bee*, mais pas les paroles. J'observe que l'herbe des deux jardinets est haute et jaunie par endroits, et que les spirées Sylvania plantées par Harris et arrosées jusqu'à son départ sont grillées, déplumées et sans doute pourries à la racine. Je me penche pour jeter un coup d'œil dans l'espace clôturé qui sépare les deux maisons. Les hortensias roses et bleus sont à peine fleuris au pied des murs où ils masquent les compteurs d'eau et de gaz, et les deux passages ont un air délaissé, une invite aux cambrioleurs.

Je sonne à nouveau, prenant soudain conscience que personne ne vient m'ouvrir et que je serai obligé de revenir après le week-end, quand le loyer sera encore plus en retard et menacé d'oubli. Depuis mon acquisition, je me suis demandé si je ne devrais pas quitter mon domicile de Cleveland Street – le mettre en vente – pour emménager moi-même dans ma propriété locative, ce qui représenterait une économie et une protection pour l'avenir, et mettrait mon argent en harmonie avec mon discours en matière de rapports humains. Les McLeod finiraient bien par déguerpir par aversion pour moi, et je pourrais alors trouver de nouveaux locataires pour en faire mes voisins (peut-être une famille asiatique, histoire d'épicer le mélange). Quoique, dans l'état actuel du marché immobilier, ma maison de Cleveland Street risquerait de rester vide des mois durant, après quoi je me découragerais et me ferais avoir, même en étant mon propre agent et en établissant le contrat. D'autre part, même à Haddam, trouver un locataire d'élite à court terme pour une grande demeure comme la mienne ne va pas de soi et donne rarement de bons résultats.

Après avoir donné un dernier coup de sonnette, je recule

en haut des marches, l'oreille tendue pour capter des bruits à l'intérieur – des pas, une porte qui se fermerait, une voix étouffée, des pieds nus d'enfant qui s'éloignerait en courant. Mais rien. Ce n'est pas la première fois. Il y a évidemment quelqu'un, qui ne vient pas ouvrir, et à moins d'avoir recours à ma clé de propriétaire ou d'appeler la police en déclarant que je « m'inquiète » au sujet des occupants, il ne me reste qu'à lever le camp et revenir, peut-être, plus tard dans la journée.

De retour dans l'animation de Seminary Street, je me gare devant le bâtiment de Lauren-Schwindell pour faire un tour à l'agence, où l'habituelle langueur à l'approche des jours de congé plane sur les bureaux encore déserts, les écrans vides d'ordinateurs et les photocopieuses inertes. Presque tous les employés, y compris les agents les plus jeunes, se sont accordé une heure de grasse matinée, sous prétexte que l'exode du week-end prolongé signifie que les affaires sont en sommeil et que si quelqu'un en éprouve le besoin, il n'a qu'à leur téléphoner chez eux. Seuls sont présents Everick et Wardell, qu'on voit entrer et sortir de la pièce de rangement dans le fond, dont la porte donnant sur le parking reste ouverte. Ils rapportent des écriteaux à VENDRE récupérés dans les fossés et les bosquets où les jettent les adolescents du coin quand ils en ont assez de les voir sur le mur de leur logement ou quand leur mère décide que ça va comme ça. (Nous offrons sans poser de questions une « rançon » de trois dollars pièce pour leur restitution et, pour Everick et Wardell – deux jumeaux vieux garçons quinquagénaires, des échalas à la figure grave, Haddamiens de toujours et, bizarrement, diplômés de Trenton – c'est devenu une science de savoir où chercher.) Les Lewis, que je suis le plus souvent incapable de distinguer l'un de l'autre, habitent, à deux pas de mes deux locations, un duplex hérité de leurs parents, et ils sont eux-mêmes, en fait, les propriétaires à forte poigne d'un immeuble résidentiel pour le troisième âge à Neshanic, d'où ils tirent un bon profit. Cela ne les empêche pas de travailler à temps partiel pour l'agence et de faire pour moi de menus travaux d'entretien sur Clio Street, tâches dont ils s'acquittent avec une efficacité sévère et ostentatoire qui pourrait faire croire à quelqu'un de l'extérieur qu'ils m'en veulent. Il n'en est rien, car ils m'ont tous deux expliqué plusieurs fois qu'étant originaire du Mississippi, malgré le lourd bagage que cela implique, je possède un instinct plus juste à l'égard des membres de leur race que ne pourrait jamais développer un Blanc du Nord. C'est tout à fait faux, bien entendu, mais la précarité raciale à l'ancienne de leur place dans la société est de nature à perpétuer la force implacable de « vérités » non fondées.

Je m'aperçois que notre réceptionniste, Miss Vonda Lusk, a émergé des toilettes et s'est installée agréablement au milieu de la rangée de bureaux inoccupés, avec une cigarette et un Coca ; tout en répondant au téléphone, elle balance une jambe croisée sur l'autre et feuillette un numéro de *Time*, en attendant midi, heure officielle de fermeture de l'agence aujourd'hui. C'est une grande blonde au buste volumineux, à l'humour désabusé, qui se met des tonnes de maquillage, vient travailler en robe de cocktail absurdement moulante, aux couleurs voyantes ; elle habite à proximité, à Grovers Mills, où elle était chef majorette en 1980. Elle était aussi la meilleure amie de Claire Devane, notre agent assassiné, et tient régulièrement à parler de l'« affaire » avec moi, car elle sait apparemment que nous avons eu sans tapage une petite histoire à nous, Claire et moi. « Je trouve qu'ils ne se foulent pas trop sur ce coup-là », persiste-t-elle à dire des policiers. « S'il s'était agi d'une Blanche de la ville, on aurait vu la différence. On aurait eu le FBI au cul. » De fait, trois Blancs sont restés vingt-quatre heures en garde à vue, mais on les a relâchés, et depuis des semaines il est vrai qu'aucun progrès ne semble avoir été obtenu, quoique le compagnon de Claire Devane, un Noir, soit un avocat d'affaires bien introduit, qui travaille ici dans un bon cabinet dont les associés se sont joints à la Chambre de l'Immobilier pour offrir cinq mille dollars de récompense. Mais il est vrai aussi que le FBI a enquêté avant de conclure que la mort de Claire n'était pas un crime fédéral mais un simple assassinat.

À l'agence, nous avons au moins officiellement laissé

vacant son bureau jusqu'à ce qu'on retrouve le meurtrier (quoique, en réalité, le volume des affaires ne justifie pas qu'on embauche quelqu'un pour la remplacer). Et Vonda, pour sa part, veille à ce qu'un crêpe noir reste noué en travers de la chaise de Claire et une rose dans un trouble soliflore posé sur le faux bois de la table nue. Il nous est déconseillé à tous d'oublier.

Mais ce matin Vonda est plus préoccupée par les affaires du monde. Fanatique de l'actualité, elle lit tous les magazines à l'agence et tient son numéro de *Time* replié sur sa cuisse largement exhibée.

« Écoute un peu, Frank, est-ce que t'es pour l'ogive nucléaire unique ou multiple ? » me lance-t-elle dès qu'elle m'aperçoit, en me décochant son grand sourire façon « Alors, qu'est-ce qu'on mijote ? ».

Elle porte une ahurissante tenue en taffetas bleu blanc rouge dont le décolleté ne lui permettrait pas décemment de ramasser la monnaie sur un comptoir. Il n'y a rien entre nous que du badinage.

« Ogive unique, il y a trop d'ogives nucléaires qui traînent partout, à mon goût », dis-je en retournant vers l'entrée de l'agence avec trois feuillets d'offres de vente. Everick et Wardell se sont éclipsés par-derrière après m'avoir jeté un coup d'œil (rien d'inhabituel), de sorte que j'ai déposé dans leur boîte à messages mes instructions déjà prêtes pour lundi : à quelle heure et à quel endroit installer le buffet roulant près du parc de Haddam après l'avoir amené en remorque de *Franks*, la buvette que je détiens à l'ouest de la ville, sur la Route 31 ; ils préfèrent qu'on procède ainsi, indirectement, à distance.

« Eh ben alors, tu te plantes complètement dans ta vision de l'avenir, selon *Time* », réplique Vonda.

Elle tortille une mèche de cheveux dorés autour de son petit doigt. Pro-démocrates avec tiédeur, elle sait que j'en suis au même point et pense – si je ne me trompe – que nous pourrions passer de bons moments ensemble.

« Il faudra qu'on en reparle.

– C'est pas grave, dit-elle d'un air impertinent. Je suis sûre que tu as à faire. Tu savais que Dukakis parle couramment l'espagnol ? »

Cette remarque ne s'adresse pas vraiment à ma personne mais à quelqu'un qui pourrait écouter, comme si l'agence déserte était bourrée d'auditeurs intéressés. Quant à moi, j'ai déjà franchi *la puerta* en feignant de ne pas entendre pour regagner le plus vite possible la fraîche sérénité de ma Crown Victoria.

Il est neuf heures quand j'emprunte King George Road en direction du *Sleepy Hollow Motel* sur la Route 1, pour passer prendre Joe et Phyllis Mårkham et (je croise les doigts) leur fourguer notre nouvelle offre d'ici midi.

Sur ce pourtour boisé, Haddam ne ressemble pas à une ville en proie à la chute des cours. Cité ancienne et cossue, fondée en 1795 par des négociants Quakers mécontents qui, en rupture avec leurs voisins trop progressistes de Long Island, s'en furent plus au sud organiser les choses comme elles devaient être, Haddam a l'allure prospère et résolument orientée dans ses choix sociaux. Le parc immobilier compte bon nombre de grandes villas du XIXe siècle (tombées aux mains d'avocats de haut vol et de P.-D.G. de l'informatique), dont l'architecture de base, néo-grecque avec adjonction de détails fédéralistes, est ponctuée de coupoles, de belvédères et d'encorbellements, et des maisons de pierre taillée post-révolutionnaires, ornées d'impostes, de péristyles et de cannelures romaines. Chacun de ces édifices était déjà hors de prix le jour où l'on a posé la dernière porte vers 1830, et ils apparaissent rarement sur le marché, sauf en cas de divorce vindicatif où l'un des époux tient à accrocher une grande pancarte À VENDRE devant l'ex-nid d'amour afin de faire enrager la partie adverse. Même les quelques rangées de maisons de style géorgien des faubourgs sont devenues des adresses prestigieuses et toutes appartiennent à de riches veuves, à des maris pédés en mal de planque et à des chirurgiens de Philadelphie à qui elles servent de pied-à-terre campagnard pour y amener leur infirmière-anesthésiste à la belle saison.

Cependant, les apparences peuvent être trompeuses et le sont en général. Cela ne se reflète pas encore dans le prix des offres, mais les banques ont commencé à rationner le crédit et à se retourner vers nous, les agents immobiliers, pour nous soumettre des « problèmes » d'estimation. Alors qu'ils avaient déjà leur projet tout tracé de vente et de retraite anticipée au lac des Ozarks ou au profit d'un domicile « plus intime » à Snowmass, à présent que les gosses ont terminé leurs études, beaucoup de propriétaires choisissent l'attentisme et décident que Haddam est beaucoup plus agréable à vivre qu'ils ne se l'étaient figuré quand ils croyaient que leur maison valait une fortune. (Je ne suis pas entré dans l'immobilier résidentiel au meilleur moment ; en réalité, ça ne pouvait guère être pire – un an avant le gros barouf d'octobre dernier.)

Pourtant, comme la plupart des gens, je reste optimiste, et convaincu que le boom a payé, quelle que soit l'humeur actuelle. La municipalité de Haddam a pu annexer la communauté urbaine, ce qui a élargi notre assiette fiscale, nous a permis de suspendre le moratoire sur les constructions nouvelles et de réinvestir dans les infrastructures (les travaux devant chez moi en sont une bonne illustration). Et grâce à la venue des agents de change et des riches avocats du monde du spectacle au début de la décennie, plusieurs sites remarquables de la cité ont été épargnés, ainsi que des résidences qui s'écroulaient parce que leurs propriétaires étaient devenus vieux, s'étaient retirés à Sun City ou avaient cassé leur pipe. En même temps, pour la catégorie des prix inférieurs à modérés, dans laquelle j'ai déjà montré aux Markham toute une série de maisons, les cours ont persisté à monter lentement, comme ils l'ont fait depuis le début du siècle, si bien que la plupart des gens à moyen revenu, y compris les Haddamiens noirs, peuvent encore vendre lorsqu'ils veulent cesser de payer de lourds impôts, empocher une bonne poignée de dollars avec un sentiment de réussite et regagner Des Moines ou Port-au-Prince, acheter une propriété là-bas et vivre de leurs économies. La prospérité n'est pas toujours nocive.

Au bout de King George Road, où les cultures de gazon se déploient comme une prairie du Kansas, je vire dans la jadis campagnarde Quakertown Road, puis à gauche en épingle à cheveux sur la Route 1, enfin sur la bretelle de Grangers Mill Road, qui me permet de revenir vers le *Sleepy*

Hollow en évitant une demi-heure dans les bouchons des départs en congé du 4 Juillet. À ma droite, le centre commercial de Quakertown Mall se tasse tristement sur la vaste plaine de son parking, à peu près désert à présent, à l'exception de quelques voitures aux deux bouts, où les magasins, un Sears et un Goldbloom, s'accrochent encore, les promoteurs d'origine ayant domicilié leurs affaires dans une cellule de prison fédérale au Minnesota. Même le Cinéma XII, à l'arrière, ne présente plus qu'un seul film, dans deux de ses salles.

Débarqués du minuscule Island Pond, à l'extrême nordest du Vermont, mes clients les Markham, avec qui j'ai rendez-vous à neuf heures trente, vivent maintenant le dilemme de beaucoup d'Américains. À un moment donné des confuses années 60, mariés chacun de leur côté à l'époque, ils ont tourné le dos à un manque d'avenir dans leur plat pays (Joe enseignait la trigonométrie à Aliquippa ; Phyllis, une rouquine boulotte aux yeux légèrement exorbités, était femme au foyer dans la région de Washington) et sont partis en caravane pour le Vermont, en quête d'un mode de vie plus coloré, moins prévisible. Le temps et le destin ont bientôt suivi leur cours : les conjoints se sont éclipsés avec d'autres partenaires désassortis, les gosses ont plongé dans la drogue, sont tombées enceintes, se sont mariés, puis ont disparu du côté de la Californie, du Tibet ou de Wiesbaden. Joe et Phyllis sont restés tous les deux à flotter inconfortablement durant deux ou trois ans dans leurs entourages qui se recoupaient à l'occasion et leurs quêtes épisodiques, ils suivaient des cours, entreprenaient de nouveaux diplômes, expérimentaient les liaisons et, en fin de compte, ils ont cédé à ce qui s'était offert de façon évidente depuis le début : l'amour sincère et réciproque. Presque aussitôt, Joe Markham – un petit mec trapu au regard agressif, aux bras courts et au dos poilu, style Bob Hoskins, à peu près mon âge, qui jouait avant-centre pour les Aliquippa Fighting Quips et dont la « créativité » ne saute pas aux yeux – a rencontré la chance avec les poteries et les sculptures abstraites coulées au sable qu'il s'était mis à faire, une production qui n'avait été auparavant qu'un bricolage dont se moquait cruellement sa femme Melody, jusqu'au

51

moment où elle était repartie pour Beaver Falls, le laissant tout seul avec son emploi officiel aux services sociaux. Simultanément, Phyllis s'était découvert un génie inexploité pour la création de brochures d'aspect luxueux, sur papier original qu'elle était même capable de fabriquer (ce fut elle qui conçut le premier gros mailing de Joe). Et sans qu'ils aient eu le temps de s'en rendre compte, ils se sont retrouvés à expédier de tous côtés les œuvres de Joe et les luxueuses brochures descriptives de Phyllis. On a commencé à voir les poteries de Joe dans les grands magasins du Colorado ou de Californie, ou encore parmi les articles coûteux de catalogues élitistes de vente par correspondance et, à leur stupéfaction commune, il s'est mis à décrocher des prix dans de prestigieuses foires-expositions d'artisanat, auxquelles ils n'avaient même pas le temps d'assister tant ils avaient à faire.

Ils n'ont pas tardé à se construire une grande maison aux plafonds dignes d'une cathédrale, pourvue d'un âtre et d'une cheminée maçonnés avec la pierre prise sur place, le tout caché au bout d'une route boisée et privée, derrière un vieux verger de pommiers. Ils se sont mis à donner des cours gratuits à de petits groupes d'étudiants motivés, au Lyndon State College, une manière de s'acquitter de leur dette envers la collectivité qui leur avait permis de surmonter les moments difficiles, et pour finir ils ont eu une autre enfant, Sonja, ainsi nommée en souvenir d'une parente croate de Joe.

Naturellement, tous deux étaient bien conscients d'avoir eu une chance de pendus, étant donné les erreurs qu'ils avaient commises et tout ce qui avait foiré dans leur vie. Cependant, ni l'un ni l'autre ne considérait que la vie dans le Vermont constituait forcément leur destination ultime. Ils avaient une opinion assez sévère à l'égard des marginaux et des hippies vivant aux frais de la princesse, qui n'étaient selon eux que des improductifs dans une société en manque d'idées nouvelles. Le jour où ils ont débarqué à l'agence en ouvrant de grands yeux de missionnaires dépenaillés, Joe m'a déclaré : « Je ne voulais pas me réveiller un beau matin dans la peau d'un connard de cinquante-cinq ans à bandana et anneau dans l'oreille, qui radote sur le fait que le Vermont est pourri depuis que tout un tas de mecs dans mon genre se sont pointés pour foutre la merde. »

Il était temps d'inscrire Sonja dans une meilleure école, avaient-ils décidé, afin qu'elle puisse ensuite intégrer une école encore meilleure. Leur précédent assortiment de rejetons, équipé de ponchos et de doudounes, avait fréquenté les établissements locaux et cela n'avait pas donné de très bons résultats. L'aîné de Joe, Seamus, avait déjà fait de la taule pour vol à main armée, diverses cures de désintoxication et il était inapte à tout apprentissage ; une fille, Dot, avait épousé à seize ans un Hell's Angel et n'avait pas donné de nouvelles depuis longtemps. Un autre garçon, Federico, fils de Phyllis, faisait carrière dans l'armée. Par conséquent, forts de cette expérience cruelle mais instructive, ils souhaitaient évidemment assurer un parcours plus prometteur à la petite Sonja.

Ils se livrèrent donc à une étude comparative des endroits où les écoles étaient les meilleures et la vie agréable, tout en permettant un accès commode au marché new-yorkais, et c'est Haddam qui est sorti en tête sur tous les points. Après avoir arrosé le secteur de courriers et de C.V., Joe a réussi à se faire embaucher à Highstown chez Leverage Books, un nouvel éditeur de manuels scolaires, dans le secteur fabrication, où l'avantagent ses connaissances mathématiques et informatiques. Il y avait sur place plusieurs producteurs de papier, a découvert Phyllis, Joe ferait ses poteries dans un atelier qu'il construirait, rénoverait ou louerait, et ils pourraient continuer de les diffuser à l'aide des brochures imaginatives de Phyllis, tout en entreprenant une aventure nouvelle en un lieu où régnait la qualité dans les écoles, la sécurité dans les rues et une atmosphère radieuse sur une zone exempte de drogue.

Leur première visite se situait en mars, époque à laquelle ils avaient raison de penser que les offres affluaient sur le marché. Ils voulaient prendre leur temps, parcourir toute la gamme, parvenir à une décision mûrement réfléchie, faire leurs propositions vers le 1er Mai et se retrouver en train d'arroser leur pelouse pour le 4 Juillet. Naturellement, m'a dit Phyllis Markham, ils se rendaient bien compte qu'il leur faudrait sans doute « se restreindre » quelque peu. Le monde avait changé sous bien des aspects pendant qu'ils étaient enterrés dans le Vermont. L'argent n'avait plus la même valeur, il en fallait davantage. Pourtant, l'un dans l'autre, ils estimaient avoir bien vécu là-bas, fait des économies au cours des dernières années et que si c'était à refaire – le divorce, la divagation solitaire chacun de son côté, les ennuis des gosses – ils ne changeraient rien.

Après avoir décidé de vendre leur propre maison bâtie à la main, toute neuve, à la première occasion, ils ont trouvé un jeune producteur de cinéma disposé à l'acquérir avec une petite mise de départ et un étalement du reste sur dix ans. Joe m'a expliqué qu'ils voulaient s'interdire toute reculade. Ils ont entreposé leur mobilier dans la grange d'un ami, logé chez des amis partis en vacances, et pris un dimanche soir la route de Haddam dans leur vieille Saab, prêts à se présenter à une agence en qualité d'acquéreurs dès le lundi matin.

Mais ils ne se doutaient guère de ce qui les attendait.

Ce qu'il fallait aux Markham – leur ai-je dit – était très clair et ils avaient sacrément raison de le rechercher : un modeste quatre-cinq pièces de charme, avec peut-être quelques particularités sympathiques, mais qui soit compatible avec l'éthique « restreinte », la primauté de l'éducation, pour laquelle ils avaient opté. Une demeure équipée de parquets, de moulures, d'une petite cheminée en pierre, de rampes classiques, de fenêtres à meneaux, avec si possible une banquette encastrée sous l'embrasure. Le style Cap Cod, charpente en bois et toit pentu, ou la maisonnette traditionnelle rénovée, sur son lopin de terre bordé par le champ de maïs d'un vieux cultivateur ronchon, à moins que ce ne soit un petit étang ou un ruisseau. Datant d'avant la guerre, ou juste après. Un peu à l'écart. Une pelouse ombragée peut-être d'un vigoureux érable, quelques plantations à maturité, un garage adjacent qui nécessiterait peut-être d'être réaménagé. Mensualités tolérables ou crédit personnel, quelque chose de vivable. Rien d'ostentatoire : un foyer sensé pour un couple recomposé avec enfant abordant le troisième quart de la vie. Aux environs de cent quarante-huit mille dollars, quatre cents mètres carrés au mieux, à proximité d'une école secondaire, épicerie accessible à pied.

54

Le seul problème était, est encore, que ce genre de maisons – celles dont persistent à rêver les Markham en arpentant la région du Taconic, alléchés par les petites toitures enfouies dans les bois et les pelouses agrestes aperçues au passage, avec des murs de pierre moussue envahis par la végétation qui serpentent à perte de vue vers de mystérieux, merveilleux habitats du comté de Columbia – ces maisons sont de l'histoire ancienne. Et leurs prix ont cessé de fluctuer vers l'époque où Joe prenait congé de Melody et s'occupait de plus près de la séduisante Phyllis aux seins rebondis. Disons, 1976. Aujourd'hui, il faut bien compter quatre cent cinquante mille, à condition de trouver.

Et il ne me serait peut-être pas impossible d'y parvenir, si l'acquéreur n'était pas si pressé et ne s'évanouissait pas dès que la banque propose trente mille de moins que le prêt attendu, et que le propriétaire réclame vingt-cinq pour cent en espèces et déclare tout ignorer d'un concept nommé crédit personnel.

Aucune des offres que j'ai pu leur présenter n'approchait de leur rêve. Dans le secteur de Haddam, pour cent quarante neuf mille, on a une maison de style colonial de série, sur un lotissement presque terminé à Mallards Landing, qui n'est pas tout près : dans les deux cents mètres carrés avec garage, trois chambres, deux salles de bains, possibilité d'extension, pas de cheminée, de sous-sol ni de moquette, bâtie sur un lot de vingt mètres par soixante en « mitoyenneté » de manière à préserver le thème de l'espace libre, et avec vue sur le « lac » à fond de fibre de verre. Ma sélection les a plongés dans une profonde morosité de sorte qu'au bout de trois semaines de visites, ils se sont même refusés à descendre de voiture pour aller faire le tour de la plupart des maisons pour lesquelles j'avais pris rendez-vous.

À part ça, je leur ai montré un choix de maisons plus anciennes dans les faubourgs, dans la fourchette de leurs moyens – en général, de petits quatre-pièces un peu sombres à la façade de style vaguement néo-grec, bâtis à l'origine, à la fin du XIXe, pour les domestiques des riches, et qui appartiennent actuellement soit à des descendants d'immigrés siciliens venus dans le New Jersey faire la maçonnerie de la chapelle à l'institut de théologie, soit à des employés de l'industrie des services, des commerçants ou des Noirs. Ces maisons sont pour la plupart la version négligée, en réduction, des grandes demeures de la ville – je le sais parce qu'Ann et moi, nous en avons loué une quand nous sommes venus vivre ici il y a dix-huit ans ; les pièces sont carrées, avec peu de fenêtres, des plafonds bas, et communiquent par des chemins détournés, de sorte qu'à l'intérieur on se sent aussi coincé et mal à l'aise que dans le cabinet d'un chiropracteur au rabais. La cuisine se trouve toujours à l'arrière, il y a rarement plus d'une salle de bains (à moins qu'on n'ait fait des travaux, auquel cas la valeur a doublé) ; la plupart recèlent des sous-sols humides, de vieux dégâts causés par les termites, d'insolubles énigmes de structure, une tuyauterie en fonte qui risque de contenir du plomb, une installation électrique non conforme et un jardinet grand comme un mouchoir de poche. Et pour y avoir accès, il faut payer le prix fort si l'on veut éveiller le moindre intérêt. Ceux qui vendent constituent toujours la dernière ligne de défense contre la réalité et ils sont les premiers à sentir leur rareté menacée par de mystérieuses corrections du marché. (Les acquéreurs sont les seconds.)

En deux circonstances, j'ai même fini par faire visiter une maison à la petite Sonja (qui a l'âge de ma fille !) dans l'espoir qu'elle verrait quelque chose qui lui plairait (la décoration pimpante d'une « chambre rose » qui pourrait être la sienne, un coin idéal pour loger un magnétoscope, des équipements de cuisine qu'elle trouverait *cool*, après quoi elle ressortirait en traînant les pieds dans l'allée et en marmonnant que c'était le domicile de ses rêves et qu'il fallait absolument que ses parents y jettent un coup d'œil.

Mais ça n'a pas marché. Lors de ces deux expériences, tandis que Sonja errait d'une pièce vide à une autre en se demandant sûrement comment une petite fille de douze ans est censée décider d'acheter une maison, j'ai écarté les rideaux, j'ai vu dans ma voiture Joe et Phyllis se livrer à une âpre dispute qui avait couvé toute la journée, lui sur le siège avant, elle à l'arrière, le visage hargneux et refusant de se regarder. Une ou deux fois, Joe s'est retourné pour river sur elle des yeux en boutons de bottine aussi fixes que ceux d'un singe et aboyer une remarque dévastatrice, sur quoi Phyllis a croisé ses bras dodus, lancé un regard haineux en direction de la maison et secoué la tête sans prendre la peine de répliquer. Nous n'avons pas tardé à les rejoindre pour poursuivre la tournée.

Malheureusement, par ignorance et obstination, les Markham n'ont pas réussi à saisir la seule vérité gnostique de l'immobilier (une vérité impossible à révéler sans paraître malhonnête et cynique) : les gens ne trouvent ou n'achètent jamais la maison dont ils rêvaient. L'économie de marché, ai-je appris, ne se fonde même pas approximativement sur la satisfaction des exigences de qui que ce soit. Le principe consiste à vous montrer ce dont vous auriez cru ne vouloir à aucun prix, mais qui est disponible, si bien que vous cédez et commencez à trouver des moyens de vous réconcilier avec cette solution et avec vous-même. D'ailleurs, qu'y a-t-il là de mal ? Pourquoi n'obtiendriez-vous que ce que vous croyez chercher, ou seriez-vous limité par ce que vous pouvez simplement escompter ? Ça ne se passe jamais ainsi dans la vie, et si vous n'êtes pas un imbécile vous déciderez que c'est mieux comme ça.

Sur toutes ces questions, et particulièrement en ce qui concerne les Markham, ma propre attitude consiste à bien souligner que je reçois mon salaire du propriétaire qui vend, et que mon travail est de les familiariser avec notre environnement, de les laisser décider s'ils veulent réellement s'installer ici, puis d'employer mes réserves de bonne volonté à leur vendre en effet une maison. J'ai aussi insisté sur le fait que je m'applique à vendre des maisons de la manière dont j'aimerais qu'on m'en vende une : en n'allant pas forcément dans le sens du vent ; en ne prônant pas des opinions auxquelles je n'adhère pas ; en ne faisant pas visiter à mes clients une maison dont ils ont déjà dit qu'elle ne leur plairait pas, sous prétexte qu'il n'en aurait jamais été question ; en n'affirmant pas qu'une maison est « intéressante » ou « a un potentiel » si je considère que c'est une masure ; et enfin, au lieu de chercher à ce qu'on « croie en moi » (non que je ne sois digne de confiance, mais simplement je n'y fais pas appel), je leur demande d'avoir foi en ce qu'ils ont de plus cher – eux-mêmes, l'argent, Dieu, la permanence, le progrès, ou simplement une demeure qu'ils visitent, qui leur plaît et dans laquelle ils décident d'habiter –, et d'agir en conséquence.

En tout, les Markham ont déjà vu quarante-cinq maisons – en accomplissant avec un pessimisme croissant l'aller-retour du Vermont –, bien qu'ils se soient souvent bornés à jeter un coup d'œil à ces diverses offres de la fenêtre de ma voiture, tandis que nous longions lentement le trottoir. « Jamais je ne pourrai vivre dans ce tas de merde », a par exemple déclaré Joe en foudroyant du regard la bâtisse pour laquelle j'avais pris rendez-vous. « Ne perdez pas votre temps ici Frank », a lancé Phyllis, et nous voilà repartis. Ou alors, du fond de la banquette arrière, elle a déclaré : « Joe ne supporte pas les stucs. Comme il se refuse à le préciser, je préfère vous faciliter la vie. Il a passé son enfance dans du stuc à Aliquippa. En outre, nous préférerions ne pas avoir à partager l'allée carrossable. »

Et il ne s'agissait nullement d'offres désastreuses. Pas une seule, dans le lot, du genre qui nécessite de toute évidence des travaux importants, la main d'un bricoleur ou « rien qu'un peu d'amour » (d'ailleurs, ça n'existe pas à Haddam). Dans toutes celles que je leur ai montrées, ils avaient fichtrement la possibilité de prendre un nouveau départ sous de bons auspices, avec un peu d'huile de coude, un budget de rénovation limité et un peu de sens de l'espace.

Depuis mars, pourtant, les Markham n'ont toujours rien acheté, pas fait la moindre proposition, pas rédigé un bon petit chèque ni même visité un seul endroit une deuxième fois. Du même coup, ils sont pris de découragement à l'arrivée de la canicule estivale. Moi, de mon côté, pendant la même période, j'ai bouclé huit ventes satisfaisantes, présenté au moins cent autres offres à une trentaine de clients, j'ai passé bon nombre de week-ends sur la côte ou ailleurs avec mes enfants, j'ai assisté (de mon lit) aux dernières rencontres du tournoi national universitaire de basket, au premier match de base-ball à Wrigley, à tout Roland-Garros et à trois tours de Wimbledon ; et, moins agréable, j'ai suivi l'accablante campagne présidentielle, célébré mon quarante-quatrième anniversaire et senti mon fils devenir graduellement source de tourment et de souffrance pour lui et moi. Dans le même laps de temps, deux avions de ligne se sont méchamment crashés au large de nos côtes, l'Irak a empoisonné bon nombre de paysans kurdes, le président Reagan a fait un tour en Russie, il s'est produit un coup d'État en Haïti, la sécheresse a sinistré le centre des États-Unis et les Lakers ont remporté le championnat national de basket. La vie continue.

Entre-temps, les Markham ont commencé à grignoter la somme reçue comptant du producteur de cinéma qui habite à présent leur maison de rêve et qui fait interpréter des films porno par la jeunesse locale, c'est la conviction de Joe. Quant à l'indemnité de départ versée à ce dernier par les services sociaux du Vermont, il n'en reste rien, et pas grand-chose non plus de l'argent économisé sur les vacances. Phyllis, à son grand désarroi, s'est mise à souffrir de problèmes féminins douloureux et peut-être graves, qui l'ont obligée à aller en milieu de semaine subir des examens à Burlington, ainsi que deux biopsies, il est question d'une opération. Leur Saab s'est mise à chauffer et à hoqueter sur les trajets quotidiens pour conduire Sonja à son cours de danse à Crafstbury. Et comme si cela ne suffisait pas, leurs amis sont rentrés de leur expédition géologique au Great Slave Lake, si bien que Joe et Phyllis doivent envisager de regagner la petite bicoque d'origine, laissée depuis long-temps à l'abandon, sur leur ancien terrain, et éventuellement de demander l'allocation de soutien.

En outre, les Markham sont confrontés à la dose d'inconnu qu'implique l'achat d'une maison – une dose d'inconnu propre à affecter leur vie entière, même s'ils étaient de riches vedettes de cinéma ou tenaient le clavier pour les Rolling Stones. Après tout, c'est l'achat d'une maison qui va en partie déterminer leurs tracas à venir qu'ils ignorent encore, la vue apaisante qu'ils auront ou non de leurs fenêtres, le lieu où ils auront d'âpres disputes et feront l'amour, l'endroit et la situation où ils se sentiront piégés par la vie ou à l'abri des tempêtes, où la part ardente d'eux-mêmes qui finira par les abandonner (si surestimée qu'elle ait pu être) sera ensevelie, où ils risquent de mourir ou de tomber malades et d'aspirer à la mort, le toit qu'ils rega-gneront après les enterrements ou après leur divorce, comme moi.

Puis, c'est dans l'inconnu que leur réserve une maison qu'il faudra affronter toutes ces réalités imprévisibles de la vie, alors que sans aucun doute, et peut-être douloureusement, ils en sauront beaucoup plus long dès l'instant où ils auront signé les papiers, franchi le seuil, fermé la porte et où ils seront chez eux ; et par la suite, ils en découvriront encore davantage qui ne sera peut-être pas agréable, même s'ils tiennent à ce que cela n'ait aucune conséquence regrettable pour eux ni pour ceux qu'ils aiment. Il m'arrive de ne pas comprendre pourquoi quiconque achète une maison, ni d'ailleurs pourquoi on prend quelque décison que ce soit lorsqu'elle implique des risques évidents.

Dans mes fonctions auprès des Markham, je me suis efforcé d'adopter certains dispositifs pour combler les brèches. En somme, c'est mon boulot de m'occuper de ce sentiment d'inconnu et j'ai conscience des craintes qui se mettent à frémir dans l'esprit de la plupart des clients au bout d'un certain temps de recherche immobilière infructueuse : ce type serait-il un escroc ? Va-t-il me mentir pour me voler mon argent ? Cette rue est-elle en voie de déclassement et aurait-il des intérêts dans une nouvelle chaîne d'hospices ou de foyers de réhabilitation pour drogués ? Je n'ignore pas non plus que la cause la plus fréquente de défection des clients (en dehors de la grossièreté ou de l'imbécillité crasse de l'agent immobilier) est le soupçon dévastateur qu'on ne prête aucune attention à leurs désirs. « Il nous montre simplement ce dont il n'est pas encore parvenu à se débarrasser et il prétend nous convaincre que c'est bien » ou : « Elle ne nous a jamais rien fait visiter qui ressemble à ce que nous lui avons dit que nous cherchions » ou : « Il nous bouffe tout notre temps à nous balader à travers la ville en se faisant inviter à déjeuner par nous. »

Début mai, je leur ai déniché sur Burr Street, derrière le théâtre de Haddam, dans un hôtel particulier victorien réaménagé en appartements, une location meublée avec tout l'équipement ménager et un parking couvert. À mille cinq cents dollars, ce n'était pas donné, mais c'était à proximité des établissements scolaires et Phyllis aurait pu se passer d'une seconde voiture s'ils étaient restés là jusqu'à ce que

Joe reprenne le travail. Mais il m'a déclaré qu'il avait habité pour la dernière fois, il se l'était juré, « un appart' de merde sans eau chaude » en 1964, quand il finissait ses études à Duquesne, et qu'il n'avait pas l'intention d'infliger à Sonja la vie de rats de passage dans une piaule alors qu'elle aurait à s'adapter à l'environnement oppressif d'une nouvelle école pleine de gosses névrosés de riches banlieusards. Elle ne s'en remettrait pas. Il préférait encore tirer un trait sur toute cette connerie. Une semaine plus tard, je leur ai proposé un bungalow en brique et bardeaux, parfaitement aménageable, dans une petite rue derrière Pelcher – un truc temporaire, certes, mais où ils pourraient s'installer avec du mobilier à crédit et quelques bricoles à eux, exactement de la manière dont Ann et moi, ou n'importe qui d'autre, nous vivions lorsque nous étions jeunes mariés et trouvions que tout allait bien et de mieux en mieux. Mais Joe n'a même pas voulu passer devant en voiture.

Depuis le début du mois de juin, il est de plus en plus maussade et agressif, comme s'il lui venait une nouvelle vision du monde qui lui déplaît et s'il se fabriquait de farouches mécanismes de défense. À deux reprises, Phyllis m'a téléphoné tard le soir, une fois après avoir pleuré, pour me confier que Joe n'était pas un homme facile à vivre. Il prenait l'habitude, m'a-t-elle dit, de disparaître pendant une partie de la journée et s'était mis à faire de la poterie nocturne dans l'atelier d'une amie artiste, en buvant beaucoup de bière et rentrant à la maison passé minuit. Entre autres soucis, Phyllis est persuadée qu'il est capable de tout laisser tomber – le déménagement, les études de Sonja, l'édition de manuels scolaires, et même leur couple – pour retomber dans le mode de vie sans but, non conformiste, qui était le sien avant qu'ils s'unissent et se tracent une nouvelle voie. Peut-être, m'a-t-elle dit, ne pouvait-il pas supporter les conséquences d'une vraie intimité, qui signifiait pour elle le partage des ennuis autant que des réussites avec la personne qu'on aime, et peut-être aussi le fait d'essayer d'acquérir une maison avait-il ouvert en elle une porte sur de sombres couloirs qu'elle avait peur d'explorer ; heureusement pour moi, elle ne semblait pas disposée pour le moment à s'interroger sur ce dont il s'agissait au juste.

Bref, les Markham sont menacés d'une déstabilisation éventuellement catastrophique sur une pente socio-émotivo-économique, qu'ils n'auraient jamais pu imaginer il y a six mois. En outre, je sais qu'ils se sont mis à ruminer tous les autres faux pas qu'ils ont pu faire dans le passé, qui leur ont coûté cher et qu'ils tiennent à éviter désormais. En matière de regrets, les leurs n'ont rien de très original. Mais finalement, ce que le regret a de pire, c'est qu'il vous pousse à fuir le risque d'en endurer de nouveaux, tout en entrevoyant que rien ne vaut la peine d'être entrepris si cela n'est pas de taille à vous foutre la vie en l'air.

Une saveur métallique filtre au travers de l'ozone du New Jersey – exhalée par les moteurs surchauffés et les freins de poids lourds sur la Route 1 – et parvient jusqu'à la petite route vallonnée où je passe à présent devant un Q.G. pharmaceutique mondial tout neuf et opulent, contigu à un beau champ de blé géré par les agronomes de Rutgers. Juste après se trouve le lotissement de Mallards Landing (signalé par deux canards qui voguent sur une pancarte de style colonial en faux bois) ; les maisons à venir ne sont encore qu'un tracé fait de planches étriquées, la terre rouge et nue de leurs jardinets attend le gazon. Des banderoles orange et vert flottent sur le bord de la route : « Visitez nos maisons témoins », « Un plaisir abordable », « Le secret le mieux gardé du New Jersey ». Mais d'un côté, à deux cents mètres, à peu près là où se situera le centre de l'agglomération, on voit encore se consumer de longues piles inégales de troncs et de souches poussés là par les bulldozers. Et à peine deux fois plus loin, dans le fond, derrière le mur du bois de feuillus de troisième génération où ne vit aucun animal indigène, un gros dépôt pétrolier dresse dans une atmosphère de plus en plus lourde et orageuse ses deux énormes citernes au sommet desquelles clignotent des fanals rouge et blanc pour tenir à l'écart les mouettes tournoyantes et les jumbo jets qui descendent sur Newark.

Quand je tourne enfin à droite pour pénétrer dans le *Sleepy Hollow*, deux voitures sont garées sur le terrain sans issue, mais une seule a l'agaçante plaque verte du Vermont

– une Nova vert pâle rongée de rouille, empruntée par les Markham à leurs amis de Slave Lake, qui arbore sur le pare-choc un autocollant boueux proclamant LES ANESTHÉSISTES SONT DES NOMADES. Un agent immobilier plus calculateur aurait d'abord téléphoné sa « bonne nouvelle » fabriquée de toutes pièces, une baisse de prix inattendue sur une offre auparavant inaccessible, et laissé ce message hier soir à la réception en guise de supplice de Tantale et d'appât. Mais, à la vérité, j'en ai un peu marre des Markham – depuis le temps que ça dure – et je suis gagné par une humeur revêche, de sorte que je me contente de m'arrêter au milieu du parking en espérant que les vibrations de mon arrivée vont pénétrer les murs de carton-pâte du motel et faire surgir dehors le couple dans des dispositions contrites et pleines de gratitude, tout prêt à lâcher son capital dès l'instant où ils auront posé les yeux sur cette maison à Penns Neck dont, bien entendu, je ne leur ai pas encore parlé.

Un mince rideau s'écarte en effet à la petite fenêtre carrée de la chambre numéro 7. La figure ronde et lugubre de Joe Markham – qui semble changée (même si je ne saurais dire de quelle manière) – apparaît dans un lac d'obscurité. La tête se tourne, les lèvres bougent. Je fais un petit signe, le rideau retombe, et cinq secondes plus tard la porte rose s'ouvre pour laisser sortir dans la chaleur matinale Phyllis Markham, à la démarche gauche de femme encore inaccoutumée à son embonpoint. De ma place au volant, je remarque qu'elle a accentué la couleur cuivrée de ses cheveux, devenus d'un roux à la fois plus violent et plus foncé, et qu'elle a aussi adopté la coupe bombée, en forme de champignon, chère aux matrones désexuées des banlieues résidentielles ; dans le cas de Phyllis, cette coiffure révèle ses oreilles minuscules et fait paraître son cou plus court. Elle porte un informe pantalon corsaire kaki, des sandales et un épais chandail mexicain pour cacher ses rondeurs excessives. Comme moi, elle est quadragénaire, mais difficile d'être plus précis, et son attitude donne à penser qu'un nouveau fardeau de vraie détresse pèse sur la terre et qu'elle est seule à le savoir.

« Prêts à partir ? » dis-je par ma fenêtre à présent baissée, en décochant un sourire dans la brise qui vient de se lever, annonciatrice d'orage.

Je songe à la blague de Paul au sujet du cheval et j'envisage de la raconter, comme je le lui ai promis.

« Il dit qu'il ne vient pas », annonce Phyllis.

À la vue de sa lèvre inférieure, un peu gonflée et violacée, je me demande si Joe lui aurait collé une torgnole vigoureuse ce matin. Quoique, la bouche de Phyllis étant ce qu'elle a de mieux, il est plus vraisemblable qu'il s'est offert un petit exercice viril au réveil pour se chasser de l'esprit ses soucis immobiliers.

« Quel est le problème ? »

J'ai gardé le sourire. Les vieux papiers et la crasse du parking tournoient à présent dans le vent chaud, et j'aperçois dans le rétroviseur un nuage orageux, violet foncé, qui déboule de l'ouest en écumant les airs, se préparant à déverser sur nous une trombe d'eau. Mauvais augure pour la vente d'une maison.

« Nous avons eu une discussion en rentrant. »

Phyllis baisse les yeux, puis jette un regard inquiet derrière elle à la porte rose, comme si elle s'attendait à voir Joe surgir en treillis, poussant des cris de guerre et armant son M16. L'air de se protéger, elle consulte le ciel lourd.

« Cela vous ennuierait d'aller simplement lui parler ? » demande-t-elle d'une voix étouffée, après quoi elle relève son petit nez et contracte les lèvres tandis que deux larmes tremblent au bord de ses paupières. (J'avais oublié à quel point Joe lui a transmis son accent pâteux de l'ouest de la Pennsylvanie.)

C'est une habitude propre aux Américains de régler au moins une partie de leurs problèmes de coexistence en présence d'un agent immobilier, ou selon ce qu'il a pu dire ou faire. Pourtant, à mon avis, les gens feraient mieux de déblayer totalement leurs querelles conjugales, empoignades verbales et corps à corps affectifs avant de se mettre à visiter des maisons. Je suis relativement à l'aise face aux silences de plomb, aux apartés acerbes et cryptiques, aux yeux tournés vers le ciel et aux regards qui tuent échangés par d'éventuels acquéreurs, qui trahissent sans les étaler ouvertement les vrais règlements de compte, hurlements et conflits d'après minuit. Mais le code de conduite du client devrait prescrire : « Renoncez à toutes les grosses déconnades dès l'heure du rendez-vous afin que je puisse m'acquitter de ma tâche, autrement dit vous remonter le moral, offrir des possibilités nouvelles et inattendues, et assurer une aide combien nécessaire en vue d'un mieux-vivre. » Disons-le, les Markham sont tout près de se faire rayer des listes et, à la vérité, je suis très tenté de remonter ma vitre, de passer la marche arrière et de reprendre la route en direction de la côte.

Au lieu de quoi, je me contente de répondre :

« Que voulez-vous que je lui dise ?

— Annoncez-lui simplement qu'il y a une maison magnifique à vendre.

— Où est Sonja ? (Je me demande si elle se trouve à l'intérieur, seule avec son père.)

— Nous avons été obligés de la laisser à la maison, dit Phyllis en secouant la tête tristement. Elle donnait des signes de stress. Elle maigrit, et l'avant-dernière nuit elle a fait pipi au lit. Ces derniers temps ont été plutôt éprouvants pour nous tous, elle n'a pas été épargnée. »

Apparemment, elle n'a pas encore brûlé d'animaux tout vifs.

À contrecœur, j'ouvre ma portière. À côté du *Sleepy Hollow*, sur un bout de terrain étroitement clôturé, se dresse une minable boutique d'enjoliveurs, dont la marchandise étincelante, clouée et suspendue de tous côtés, sonne et résonne et miroite dans la brise. À l'intérieur de l'enceinte se tiennent deux Blancs âgés, devant la petite cahute de planches, complètement bardée d'enjoliveurs argentés. Les bras croisés sur son gros ventre, l'un d'eux est en train de rire en se balançant d'un côté à l'autre. L'autre n'a pas l'air d'y faire attention, il a les yeux fixés sur Phyllis et moi comme s'il suivait une transaction d'un autre ordre.

« De toute manière, c'est exactement ce que j'allais faire », dis-je en m'efforçant de sourire à nouveau.

Phyllis et Joe sont manifestement guettés par le découragement, et ils risquent d'aller s'adresser ailleurs, à la recherche d'un impossible nouveau départ, et d'acheter pour finir le premier bout de baraque merdique que leur montrera un autre agent.

Phyllis se tait, comme si elle ne m'avait pas entendu, elle garde un air morose et s'écarte, les bras enroulés autour d'elle, tandis que je me dirige vers la porte rose, d'un pas auquel la brise dans mon dos prête une vivacité qui m'étonne.

Je frappe et du même coup pousse la porte entrebâillée. À l'intérieur, il fait sombre et chaud, et ça sent le produit anti-cafards et le shampooing à la noix de coco de Phyllis.

« Comment ça va là-dedans ? » lancé-je d'un ton sinon assuré, du moins empreint d'une fausse assurance.

Une porte est ouverte sur un cabinet de toilette éclairé ; une valise et des vêtements épars gisent sur le lit défait. Je me demande si Joe n'est pas assis sur les chiottes et s'il me faudra parler sérieusement avec lui dans ces conditions d'options immobilières.

Mais je le découvre à cet instant. Il occupe un grand fauteuil de repos couvert de plastique, dans un coin obscur entre le lit et les rideaux de la fenêtre où j'ai tout à l'heure aperçu son visage. Je distingue sa tenue, des tongs turquoise, un short moulant en stretch d'aspect métallisé genre Lurex et une sorte de maillot de corps débardeur. Ses petits bras charnus s'appuient sur les accoudoirs, ses pieds sur le repose-pieds surélevé et sa tête à la renverse sur le coussin, de sorte qu'il ressemble à un astronaute en attente du grand lancement qui va l'expédier dans le néant.

« Alooors, crache Joe avec son accent d'Aliquippa. Vous avez une maison que vous voulez me fourguer ? Un trou à rats ?

– Ma foi, je crois en effet avoir trouvé quelque chose que vous devriez venir voir, Joe, franchement. »

Je m'adresse à la cantonade, pas spécifiquement à lui. Je vendrais une maison à quiconque passerait par là.

« Dans quel genre ? demande-t-il, immobile dans son siège spatial.

– Eh bien, genre avant-guerre, dis-je en essayant de me remémorer les exigences de Joe. Un jardin sur le côté, et derrière, et aussi devant. Des plantations à maturité. L'intérieur devrait vous plaire. »

66

Bien entendu, je n'y suis jamais entré. Mes informations proviennent du descriptif. Mais je suis peut-être passé devant au milieu d'une procession d'agents, auquel cas on se fait une idée assez juste de ce que les murs abritent.

« C'est votre boulot de merde d'affirmer ça, Bascombe. »

C'est la première fois que Joe m'appelle Bascombe, et cela ne me plaît pas. Je remarque que l'amorce d'un bouc agressif encadre sa petite bouche rouge, ce qui la fait paraître à la fois plus petite et plus rouge, comme si elle servait à une autre fonction. Je note aussi que son débardeur porte sur le devant l'inscription « Les potiers font ça avec les doigts ». Manifestement, Phyllis et lui sont en train de subir des altérations prononcées de la personnalité et de l'apparence, ce qui n'est pas sans précédent au stade avancé de la recherche d'une habitation.

Je me sens mal à l'aise de rester là sur le pas de la porte à scruter la pénombre, le dos fouetté par les bourrasques chaudes du vent d'orage. J'aimerais bien que Joe se remue le cul pour aller faire ce qui nous amène tous ici.

« Vous savez ce que je voudrais, moi ? »

Il s'est mis à tâtonner sur la table à côté de lui en quête de quelque chose – un paquet de cigarettes. Autant que je sache, Joe n'était pas fumeur jusqu'à ce matin. Il en allume pourtant une à l'aide d'un briquet en plastique à quatre sous, et souffle un gros nuage de fumée dans l'obscurité qui l'entoure. Je suis convaincu qu'il se prend pour un séducteur dans cette tenue.

« Je croyais que vous étiez venu chez nous pour acheter une maison.

– Ce que je voudrais, c'est que la réalité affirme ses droits, déclare Joe d'un ton content de lui, en reposant son briquet. Je me suis fait des illusions sur toute cette merde d'ici. Toutes ces foutaises. J'ai l'impression que toute ma putain de vie a été au service de la merde. J'ai pensé à ça ce matin en posant ma crotte. Vous n'y pigez que dalle, hein ?

– C'est-à-dire ? »

Cette conversation avec Joe ressemble à la consultation d'un oracle au rabais (qu'il m'est arrivé de pratiquer naguère).

« Vous croyez que votre vie mène quelque part, Bascombe. Oui, oui, c'est ce que vous croyez. Mais moi, ce matin, je me suis vu. J'ai fermé les vannes de mon cerveau et j'étais là dans la glace, en train de me regarder en face dans mon moment le plus humain, sous le toit de cette chierie de motel où je n'aurais jamais voulu amener une pute quand j'étais étudiant, sur le point d'aller visiter une baraque où je n'aurais jamais voulu habiter. Et en plus, je prends un boulot de merde pour avoir les moyens de me la payer. C'est pas mal, hein ? Joli scénario.

– Vous n'avez pas encore vu la maison. »

Je jette un coup d'œil par-dessus mon épaule et voit que Phyllis s'est installée sur la banquette arrière de ma voiture avant que la pluie commence, mais qu'elle me guette à travers le pare-brise. Elle craint que Joe ne bousille leur dernière chance de trouver un logement satisfaisant, et elle n'a peut-être pas tort.

De grosses gouttes sonores de pluie tiède se mettent à marteler le toit de l'automobile. Les rafales se font méchantes. C'est vraiment un mauvais jour pour une visite, le commun des mortels n'achète pas de maison en pleine tempête.

Joe aspire une grosse bouffée théâtrale de sa cigarette et souffle la fumée en expert par les narines.

« L'adresse est à Haddam ? » demande-t-il (un point toujours primordial).

Je reste momentanément sidéré de l'avoir entendu me déclarer que je crois que la vie mène quelque part. C'est vrai, je l'ai cru à d'autres époques de ma vie, mais l'un des conforts fondamentaux de la Période d'Existence consiste à ne pas se laisser tourmenter par la question, si aberrant que cela puisse paraître.

« Non, dis-je en me ressaisissant. C'est à Penns Neck. »

La bouche rouge, stupide sous son ombre de barbiche, monte et descend dans l'ombre.

« Je vois… Penns Neck. J'habite à Penns Neck, dans le New Jersey. Ça ressemble à quoi ?

– Je ne sais pas. À rien, sans doute, si vous ne le voulez pas. (Ou surtout si la banque ne le veut pas, ou si vous avez les traces d'un vilain contentieux dans votre dossier, ou une

68

condamnation, ou trop d'arriérés sur les versements pour votre Trinitron, ou si on vous a posé une petite prothèse cardiaque. Dans ce cas, retour à la case Vermont.) Je vous ai montré des tas de maisons, Joe, et aucune ne vous a plu. Mais vous ne pouvez pas dire, je crois, que j'ai essayé de vous forcer la main.

– Vous ne fournissez pas de conseils, c'est ça ? lance Joe, toujours cimenté à son fauteuil, où visiblement il se sent en position de force.

– Eh bien… Cherchez une hypothèque. Faites faire une expertise des fondations. Ne vous engagez pas pour une somme plus élevée que vous ne pouvez payer. Achetez bon marché, vendez au maximum. Le reste, ça ne me regarde pas vraiment.

– D'accord, dit Joe avec un rictus. Je sais d'où vient votre salaire.

– Vous pouvez toujours offrir six pour cent de moins que le prix demandé. C'est votre affaire. Je serai quand même payé. »

Joe tire encore à fond sur sa clope.

« Vous savez, j'aime bien voir les choses de haut, déclare-t-il d'un ton extrêmement mystérieux.

– Bravo. »

Derrière moi, l'air change rapidement sous l'effet de l'orage, et me rafraîchit le cou et le dos. Une douce odeur de pluie m'enveloppe. Le tonnerre gronde au-dessus de la Route 1.

« Vous vous souvenez de ce que je vous ai dit quand vous êtes entré ?

– Vous avez parlé de la réalité et de ses droits. C'est tout ce que je me rappelle. »

Je le contemple non sans impatience au fond de sa pénombre, avec ses tongs et son short en Lurex. Pas exactement la tenue habituelle pour visiter des maisons. Je consulte furtivement ma montre. Neuf heures et demie.

« J'ai complètement renoncé au devenir, reprend-il, en affichant un vrai sourire. Je ne hante plus la marge où se font les vraies découvertes.

– Il me semble que c'est un peu trop sévère, Joe. Ce n'est pas à une recherche sur le plasma que vous êtes en train de vous livrer, vous essayez simplement d'acheter une maison. Voyez-vous, d'après mon expérience, c'est quand on a l'impression de ne pas progresser qu'on avance sans doute le plus. »

Il s'agit là de ma part d'une conviction réelle – sans lien avec la Période d'Existence – et que j'ai l'intention de transmettre à mon fils si jamais j'arrive à le rejoindre, ce qui pour le moment semble hors de question.

« Lorsque j'ai divorcé, Frank, et que j'ai commencé à fabriquer des poteries là-haut dans le Vermont, à East Burke (Joe croise ses petites jambes et se cale avec autorité dans son fauteuil), je n'avais pas l'ombre d'une idée de ce que j'étais en train de faire. O.K. ? En somme, je ne maîtrisais rien. Les choses se sont goupillées toutes seules. Pareil quand Phyllis et moi on s'est mis ensemble – on est juste tombés l'un sur l'autre un beau jour. Mais c'est fini pour moi de ne rien maîtriser.

– Peut-être pas autant que vous vous l'imaginez.

– Si, si. Je ne maîtrise que trop. C'est ça le problème.

– Je pense que vous embrouillez des choses dont vous êtes déjà sûr, Joe. Toute cette affaire a été drôlement stressante pour vous.

– Mais là, j'arrive tout près de quelque chose, je le sens. C'est le plus important.

– Par rapport à quoi ? Je crois que la maison de Houlihan va beaucoup vous intéresser.

– Ce n'est pas ça que j'ai en tête. »

Il crispe ses deux rudes petits poings sur les accoudoirs en plastique. Joe est peut-être au bord d'une grosse crise de désorientation – une fêlure légitime. En fait, cela figure dans les manuels : le client se met à avoir une vision du monde totalement nouvelle, qui lui aurait permis, il en est sûr, si seulement il l'avait eue plus tôt, de trouver la voie d'un bonheur immensément supérieur ; là où cela devient du délire, c'est qu'il éprouve la conviction inexplicable que cette voie lui demeure ouverte ; que le passé, pour cette seule fois, n'opère pas comme il le fait d'habitude. C'est-à-dire, de façon irrévocable. Ce qu'il y a d'assez bizarre, c'est que ces illusions sont propres aux clients qui s'inscrivent dans la gamme des prix inférieurs à moyens, et qu'elles n'apportent en général que des ennuis.

Joe bondit soudain hors de son fauteuil et traverse au son du claquement de ses tongs l'obscurité de la petite chambre, tout en tirant de grosses bouffées de sa cigarette ; il regarde dans la salle de bains, puis va jeter un coup d'œil entre les rideaux en direction de ma voiture où Phyllis attend. Ensuite il fait demi-tour, tel un gorille nain dans une cage, et passe devant la télé pour regagner la porte de la salle de bains, en me tournant le dos, et son regard se fixe sur les louvres de verre dépoli de la fenêtre qui donne sur le passage crasseux derrière le motel, où se trouve un container bleu à ordures, plein à déborder de tuyauterie en P.V.C. blanc, et de signification aux yeux de Joe, je le sens. Notre conversation commence à avoir un côté prise d'otage.

« Que croyez-vous avoir en tête, Joe ? » lui dis-je, car je devine que ce qu'il attend, comme n'importe qui dans les affres d'un dilemme, c'est une corroboration : un accord qui s'impose à lui de l'extérieur. Une jolie maison qu'il pourrait à la fois se payer et aimer de tout son cœur dès l'instant qu'il la verrait pourrait être la parfaite corroboration, le signe qu'une communauté lui reconnaît sa place de la seule manière dont une communauté reconnaît quoi que ce soit : financièrement (ce qui s'exprime avec tact comme une question de comptabilité).

« Ce que j'ai en tête, Bascombe, répond-il en s'appuyant contre le chambranle et en gardant les yeux tournés d'un air désinvolte du côté du container bleu (le miroir où il s'est surpris sur le siège des toilettes doit être juste derrière la porte), c'est que si depuis quatre mois nous n'avons pas acheté cette putain de maison, c'est parce que je n'ai pas envie d'en acheter une. Et si je ne veux pas en acheter une, c'est parce que je ne veux pas me trouver piégé dans une vie de con dont je ne me sortirai qu'en cassant ma pipe. »

Joe pivote vers moi – petit homme corpulent aux bras de boucher poilus et à barbiche de sorcier, parvenu au bord du brusque précipice du temps qu'il reste à vivre un peu trop tôt pour être capable de l'affronter. Ce n'est pas ce que j'espérais, mais n'importe qui verrait qu'il est dans de sales draps.

« Ce n'est pas une mince décision, Joe, dis-je en tâchant d'exprimer de la compassion. Si on achète une maison, on en est le propriétaire. C'est certain.

– Alors vous me laissez tomber ? C'est ça ? » demande Joe avec un ricanement agressif, comme s'il venait de constater quel sordide agent je suis, qui ne s'intéresse qu'à ceux qui vendent leur âme.

Il doit être en train de rêver aux merveilles qu'il accomplirait à ma place, aux stratégies géniales qu'il saurait adopter pour convaincre un type astucieux, intéressant, dur à cuire tel que Joe Markham. Autre symptôme dûment recensé, mais favorable cette fois-ci : quand le client commence à voir les choses sous l'angle d'un agent immobilier, la bataille est à moitié gagnée.

Ce que je souhaite, naturellement, c'est qu'à dater de ce jour Joe passe à Penns Neck (New Jersey) l'essentiel sinon l'intégralité de la dernière partie de sa vie, et peut-être même en est-il à avoir des pensées similaires. Mon boulot consiste donc à le maintenir sur les rails, à lui fournir une corroboration intérimaire, le temps de l'embarquer dans une promesse de vente et de boucler le reste de sa vie autour de lui comme une selle sur un cheval rétif. Je mise donc sur le phénomène qui fait que la plupart des gens auront l'impression de montrer de la faiblesse si on leur permet simplement de défendre (à l'aide d'arguments aussi stupides qu'il leur plaira) la position inverse de celle qui est vraiment la leur. Ce n'est qu'une façon de plus de créer la fiction que nous maîtrisons quoi que ce soit.

« Je ne vous laisse pas tomber, Joe, dis-je, le dos envahi par une humidité de moins en moins agréable, en m'avançant dans la chambre où la rumeur de la circulation est à présent étouffée par la pluie. C'est simplement que j'essaie de vendre les maisons de la manière dont j'aimerais qu'on m'en vende une. Et lorsque je me casse le cul à vous faire visiter des offres de vente, à organiser des rendez-vous, à vérifier ceci ou cela jusqu'à frôler l'apoplexie, et que soudain vous battez en retraite, je suis prêt à déclarer que vous avez bien fait si j'en suis convaincu.

– En êtes-vous concaincu cette fois-ci ? » demande Joe avec le même rictus, mais un peu atténué.

Il sent que nous touchons ici au moment crucial, au point où je vais enlever ma casquette d'agent immobilier pour lui faire savoir ce qui est bien et ce qui est mal dans un plus vaste domaine, dont il pourra alors se contrebalancer.

« Je perçois très nettement votre réticence, Joe.

– Juste, réplique-t-il, inflexible. Si on a l'impression de foutre sa vie aux chiottes, pourquoi aller plus loin, hein ?

– Toutes sortes de possibilités se présenteront à vous avant que vous arriviez au bout.

– Ouais. (Je hasarde un nouveau coup d'œil en direction de Phyllis, dont la tête immobile découpe sa silhouette de champignon à l'arrière de ma voiture. Les vitres sont déjà embuées par les lourdes exhalaisons de son corps.) Tout ça n'est pas facile, conclut-il en expédiant son mégot droit dans lesdites chiottes.

– Si nous annulons cette visite, il vaudrait mieux extraire Phyllis de cette voiture avant qu'elle suffoque là-dedans. J'ai d'autres choses à faire aujourd'hui. Je pars en week-end avec mon fils.

– J'ignorais que vous aviez un fils. »

Bien entendu, en quatre mois il ne m'a jamais interrogé sur mon propre compte, à juste titre, puisque ça ne le regarde pas.

« Et aussi une fille. Ils vivent dans le Connecticut avec leur mère », dis-je avec un sourire amical, sous-titré « ce n'est pas vos oignons ».

« Ah, bon.

– Je vais chercher Phyllis. Elle aura besoin que vous lui expliquiez deux trois choses, je pense.

– D'accord, mais laissez-moi simplement vous poser une question. »

Joe croise ses petits bras et s'adosse à nouveau au chambranle, feignant une désinvolture encore plus marquée. Maintenant qu'il s'est défait de l'hameçon, il s'offre le luxe d'y mordre à nouveau de son propre gré d'incompris.

« Allez-y.

– À votre avis, comment va évoluer le marché de l'immobilier ?

– À court ou à long terme ? dis-je en faisant mine de retenir mes pas.

– Disons à court terme.

– Guère de changement, je pense. Les prix sont bas. Les prêts ne tombent pas du ciel. Ça va sans doute durer jusqu'à la fin de l'été, puis à la rentrée les cours vont sans doute grimper d'un coup. Évidemment, pour peu qu'une maison surcotée se vende à tarif réduit, c'est toute la structure qui se réajustera du jour au lendemain et nous aurons la partie belle. Tout est affaire d'intuition en la matière. »

Joe me dévisage, s'efforçant d'avoir l'air de réfléchir à ces révélations et d'insérer ses propres données fondamentales dans la nouvelle mosaïque. Mais, s'il est malin, il pense aussi au cannibalisme des forces financières qui rongent et broient le monde dans lequel il proclame vouloir faire son retour – au lieu d'acquérir une maison, d'établir son budget sur trente ans et d'installer sa petite couvée à l'abri de ses murs solides.

« Et à long terme ? »

Encore une fois, je regarde ostensiblement du côté de Phyllis, bien que cette fois-ci je ne la voie plus. Elle est peut-être partie faire du stop sur la Route 1 en direction de Baltimore.

« Le long terme est moins souriant. Du moins, pour vous. Les prix vont grimper en flèche après le 1er janvier. C'est certain. Les cours vont augmenter. En fait, le mètre carré ne peut pas baisser dans le secteur de Haddam. À marée montante, tous les bateaux montent. »

Je lui adresse un sourire suave. Dans l'immobilier, c'est vrai que tous les bateaux montent si le niveau monte. N'empêche que c'est en visant juste qu'on s'enrichit.

C'est évident que ce matin Joe s'est remis à ruminer tous ses gros tâtonnements – se marier, divorcer, se remarier, laisser Dot épouser un Hell's Angel, a-t-il eu raison d'abandonner l'enseignement de la trigonométrie à Aliquippa, n'aurait-il pas mieux valu s'engager dans les Marines d'où il sortirait à présent avec une bonne retraite et le droit à un prêt d'ancien combattant... Tout ça est partie intégrante du processus de vieillissement, lorsqu'on devient moins actif et qu'on a davantage l'occasion de se ronger les sangs à regretter tout ce qu'on a fait. Mais Joe ne veut pas commettre une nouvelle bourde, car il suffirait d'une de trop pour l'envoyer par le fond.

Le problème, c'est qu'il est bien incapable de distinguer son faux pas le plus fatal de l'idée la plus brillante qui lui soit jamais venue.

« Frank, j'étais là à réfléchir, commence-t-il en tournant la tête vers les louvres sales du cabinet de toilette comme s'il venait d'entendre quelqu'un l'appeler par son nom. (Il pourrait bien en cet instant être vraiment sur le point de décider quel est le fruit de ses réflexions.) Peut-être faudrait-il que je me mette à voir les choses sous un autre angle.

– Peut-être devriez-vous essayer de voir les choses de plain-pied, Joe. J'ai toujours pensé qu'en regardant de haut, comme vous disiez, on voit tout sur le même plan et que cela rend les décisions beaucoup plus difficiles à prendre. Il y a des choses qui sont plus importantes que d'autres. Ou moins. Et j'ai aussi une autre idée.

– Laquelle ? »

Les sourcils de Joe donnent l'impression de se tricoter ensemble. Il s'efforce activement d'adapter à son problème actuel de sans-abri ma métaphore du point de vue.

« Ça ne vous nuira en rien d'aller jeter un coup d'œil à cette maison de Penns Neck. Vous avez fait le voyage. Phyllis attend dans la voiture, elle est malade de peur que vous n'y alliez pas.

– Frank, quelle opinion avez-vous de moi ? »

À un certain point de désagrégation, c'est ce que tous les clients se mettent à avoir envie de savoir. Même si c'est presque toujours illusoire et dépourvu de signification, puisque dès que leur affaire est terminée ils sont à nouveau convaincus que vous êtes un escroc ou alors un crétin. Les relations amicales n'ont pas cours dans l'immobilier. Ce n'est qu'une apparence.

« Joe, je risque ici de bousiller tous mes atouts, mais j'estime que vous avez fait de votre mieux pour trouver une maison, vous êtes resté fidèle à vos principes, vous avez supporté l'angoisse autant que vous le pouviez. En d'autres termes, vous avez eu un comportement responsable. Et si cette maison de Penns Neck ressemble d'assez près à ce que vous cherchez, je crois que vous devriez plonger. Cesser de vous cramponner au bord de la piscine.

– Ouais, mais vous êtes payé pour croire ça, dit Joe, à nouveau bouder contre son chambranle. D'accord ? »

Mais je l'attends au tournant.

« D'accord. Et si je parviens à vous convaincre de claquer cent cinquante sacs sur cette maison, je pourrai lâcher le boulot pour aller vivre à Kitzbühel, et vous me remercierez en m'envoyant une bouteille de bon gin pour Noël, parce que vous seriez pas en train de vous geler les miches dans un hangar pendant que Sonja prendrait davantage de retard à l'école et que Phyllis remplirait des putains de formulaires de divorce contre vous qui n'auriez pas été fichu de vous décider.

– Je vois le topo, dit-il, maussade.

– Franchement, je ne tiens pas à aller plus loin sur la question. (Naturellement, il n'y a pas plus loin où aller, l'immobilier n'étant pas un domaine très complexe.) Je vais conduire Phyllis à Penns Neck, Joe. Et si ça lui plaît, nous reviendrons vous chercher pour que vous puissiez prendre votre décision. Sinon, je vous la ramène, n'importe comment. C'est une proposition sans risque. Entre-temps, vous pouvez rester ici à regarder les choses de haut. »

Joe me jette un regard culpabilisé.

« Bon, je viens, lâche-t-il, ayant apparemment trouvé la corroboration qu'il cherchait : le sans-risque, sauf celui d'être un idiot. Maintenant que j'ai fait tout ce foutu chemin. »

De mon bras droit mouillé, j'adresse un signe bref, le pouce levé, à Phyllis qui est, je l'espère, toujours assise dans la voiture.

Joe ramasse de la monnaie sur le dessus de la commode et fourre un gros portefeuille dans la ceinture serrée de son short.

« Je ferais mieux de vous laisser, Phyllis et vous, régler toute cette putain d'affaire et vous suivre comme un putain de toutou. »

Je lui souris à travers la pénombre de la chambre.

« Vous êtes encore en train de contempler la situation d'en haut.

– Et vous, vous voyez tout par le milieu de merde, voilà. »

Joe gratte la brosse de son crâne déjà dégarni et promène son regard dans la chambre comme s'il lui manquait quelque chose. Je n'ai pas la moindre idée de ce qu'il entend par là et je tendrais à croire qu'il serait bien incapable de l'expliquer.

« Si je mourais tout de suite, reprend-il, vous continueriez de vaquer à vos affaires.

– Que voudriez-vous que je fasse d'autre ? Mais je regretterais de ne pas vous avoir vendu une maison. Je vous le jure. Parce que vous auriez pu au moins mourir chez vous plutôt qu'au *Sleepy Hollow*.

– Faites-en part à ma veuve là-dehors », dit Joe en passant devant moi pour franchir la porte, qu'il me laisse le soin de refermer. Je rejoins ma voiture juste avant d'être trempé jusqu'aux os.

Et tout ça au nom de quoi ? D'une vente.

3

Sur la Route 1, dans ma Crown Vic climatisée, assis l'un à l'avant, l'autre à l'arrière, les Markham contemplent la horde matinale des voitures sous la pluie comme s'ils suivaient le cortège funéraire d'un parent auquel ils n'étaient pas particulièrement attachés. Certes, tout matin pluvieux d'été porte en lui un germe de mélancolie. Mais un matin pluvieux d'été loin de chez soi – quand on sent ses nuages personnels s'accumuler au lieu de passer – peut aisément donner l'impression de voir le monde du fond de la tombe. Ça, je le sais.

D'après ma propre analyse, les affres immobilières (ce dont souffrent les Markham, purement et simplement) n'ont pas leur source dans le fait d'acheter une maison, ce qui pourrait tout aussi bien constituer l'un des choix les plus riches d'espérance de toute une vie ; ni même dans la crainte de perdre de l'argent, qui n'est pas spécifique de ce domaine ; mais dans le constat réfrigérant, inévitable, qu'on est tout pareil à n'importe quel autre idiot d'Américain, dont on partage les désirs, les aspirations atrophiées, les peurs et les fantasmes imbéciles, étant tous sortis du même moule inaltérable. Et quand approche le moment de mettre le point final – quand l'affaire est conclue et consignée dans les registres officiels – on se sent bouclé encore plus étroitement et de façon plus anonyme dans l'ordre établi, et la probabilité de s'enfuir à Kitzbühel devient encore plus ténue. Tous autant que nous sommes, nous voudrions que les meilleures options nous restent ouvertes le plus longtemps possible ; nous voudrions éviter de faire un choix trop évident, mais aussi de faire le mauvais choix comme le premier jobard venu. À lui tout seul, ce sujet d'angoisse fabrique un cruel double dilemme qui nous rend tous fous comme des rats de laboratoire.

Ainsi, au cas où je demanderais aux Markham, qui fixent d'un regard morne les faubourgs noyés de pluie, les camions et les breaks Mercedes qui passent en chuintant et leur crachant des gerbes d'eau à leurs visages muets, au cas où je leur demanderais s'ils ont mauvaise conscience d'abandonner leur Vermont rustique au profit d'un système plus confortable pourvu de caniveaux, de protection efficace contre les incendies, de ramassage des ordures trois jours par semaine, ils le prendraient mal. Grand dieu, non ! s'écrieraient-ils. Au contraire, nous nous sommes découvert des besoins très particuliers qui ne peuvent être satisfaits que par certaines vertus suburbaines dont nous n'avions même jamais entendu parler. (De bonnes écoles, des galeries marchandes, des caniveaux, une protection efficace contre les incendies, etc.) En fait, je suis sûr que les Markham se font l'effet de pionniers, en train de reconquérir la grande banlieue sur des gens (comme moi) qui s'y sont crus chez eux durant des décennies et qui sont la cause de sa mauvaise réputation. Mais leur répugnance à monter dans le même bateau que tout le monde s'accompagne sans doute du conservatisme habituel aux pionniers : ne pas aller trop loin – en l'occurrence, l'appétit pour des cinémas trop nombreux, des rues trop sûres, des ordures trop fréquemment ramassées, de l'eau trop propre – l'enjeu de l'aventure suburbaine se trouvant porté à des hauteurs de plus en plus vertigineuses.

C'est mon travail – et il m'arrive souvent de réussir – de les ramener à des vues plus conviviales, d'apaiser à la fois leur angoisse de l'inconnu et du trop évident : faire valoir d'un côté les caractéristiques (toutes mineures) qu'ils ont en commun avec leurs voisins, de l'autre les aspects flatteurs et cruciaux par lesquels ils en diffèrent. Lorsque j'échoue dans cette tâche, lorsque je vends une maison mais laisse les acquéreurs aux prises avec leur angoisse intacte de pionniers, cela signifie qu'ils vont repartir sur les routes d'ici 3,86 années en moyenne, au lieu de s'implanter et de laisser le temps passer comme le font les gens (c'est-à-dire, le reste d'entre nous) qui n'endurent pas cette pression mentale.

Je quitte la Route 1 par la NJ 571 à Penns Neck et tend à Phyllis et Joe deux notices descriptives pour qu'ils puissent commencer à situer la maison de Houlihan dans le contexte de son voisinage. Ni l'un ni l'autre ne s'est montré bavard en chemin ; je suppose qu'ils laissent leurs égratignures émotionnelles du petit matin cicatriser en silence. Phyllis a posé une question sur « le problème des émanations de radon », plus grave selon elle que n'ont jamais voulu l'admettre nombre de leurs voisins du Vermont. Ses yeux bleus exorbités se sont assombris, comme si le radon n'était que l'un des éléments de la boîte de Pandore, l'une des horreurs qui menacent le Nord du pays et qui la tourmentent au point de la faire vieillir prématurément. À savoir, l'amiante dans les installations de chauffage scolaire, les métaux lourds dans l'eau de la nappe phréatique, les B escherichia coli, la fumée de bois, les hydrocarbones, les renards, écureuils, campagnols enragés, sans oublier les essaims de mouches, le verglas, la boue gelée – le yin et le yang confrontés au vécu des grandes étendues sauvages.

Pour ma part, je lui ai assuré que le radon ne posait pas de problème dans le New Jersey, grâce à la combinaison de sable et de terreau de notre sol, outre que la plupart des gens que je connaissais avaient fait inspecter et isoler leur sous-sol vers 1981, époque de la dernière alerte.

Joe avait été encore plus taciturne. Un peu avant que nous prenions la départementale, il a jeté un coup d'œil dans son rétroviseur latéral sur la route qui défilait derrière nous et demandé en marmonnant où se trouvait Penns Neck, au juste.

« C'est dans le secteur de Haddam, ai-je répondu, mais de l'autre côté de la Route 1, plus près de la ligne de chemin de fer, ce qui est un avantage.

– Je ne veux pas habiter un secteur, a-t-il déclaré après un moment de silence.

– Tu ne veux pas quoi ? a dit Phyllis, occupée à feuilleter le volume à couverture verte d'*Autonomie* que j'ai pris pour

81

Paul (mon vieil exemplaire personnel qui date de l'université, usé, relié par mes soins).

– Le secteur de Boston, le secteur des trois États, le secteur de New York. Personne n'a jamais parlé du secteur du Vermont, ni du secteur d'Aliquippa. On désignait simplement les endroits par leur nom.

– J'ai entendu des gens parler du secteur du Vermont, a rétorqué Phyllis en feuilletant les pages.

– Le secteur du D.C., a insisté Joe d'un ton de reproche, sans que Phyllis réagisse. Le secteur de Chicago. Le secteur de Dallas.

– Il vous appartient sans doute de rendre à ce lieu son existence perceptible, ai-je dit en passant devant la petite pancarte métallique semblable à une plaque d'immatriculation annonçant Penns Neck, presque cachée par un bouquet d'ifs. Nous y sommes, à Penns Neck », ai-je ajouté sans obtenir de réponse.

En réalité, Penns Neck ne constitue guère une ville, encore moins un secteur : quelques rues ordonnées, résidentielles de classe moyenne, situées de chaque côté de l'active 571, qui relie les environs boisés, tranquilles et opulents de Haddam à la plaine côtière en pente douce, modérément industrielle et surpeuplée, où les logements sont abondants et abordables, mais dont les Markham ne veulent pas. Il y a quelques décennies, Penns Neck jouissait du caractère mi-hollandais, mi-quaker d'un village pimpant, isolé dans les champs de maïs fertiles, fermes aux murs de pierre bien entretenus, érables et noyers, une nature pleine de vitalité. À présent, ce n'est plus qu'une vieillissante cité-dortoir de plus parmi d'autres cités-dortoirs plus importantes et plus récentes, malgré le fait que l'habitat y a résisté aux assauts de la modernité et a conservé un charme authentique de bourgade à l'ancienne. Mais il n'y a plus vraiment de centre, rien que deux ou trois antiquaires, un réparateur de tondeuses et un distributeur d'essence-épicier au bord de la départementale. Les services municipaux (je l'ai vérifié) ont été regroupés dans la ville voisine un peu plus loin sur la Route 1, avec une petite galerie marchande. À l'office immobilier de Haddam, j'ai entendu exprimer l'idée que l'État du New Jersey devrait rendre son autonomie administrative à Penns Neck et l'affecter au registre fiscal du comté, ce qui ferait baisser les taux d'imposition. Ces trois dernières années, j'ai vendu deux maisons ici, quoique l'une et l'autre famille soient déjà reparties de l'autre côté de New York pour des emplois plus intéressants.

Mais, à la vérité, je fais visiter aux Markham une maison à Penns Neck non pas parce que je crois que c'est celle qu'ils cherchent depuis le début, mais pour la seule raison qu'elle est dans leurs moyens et qu'ils sont peut-être, à mon avis, assez découragés pour dire oui.

Une fois qu'on a tourné le dos à la 571 en s'engageant dans l'étroit Friendship Lane, et franchi vers le nord un réseau de rues résidentielles pour aboutir à Charity Street, le vrombissement de la Route 1 devient inaudible et l'ambiance feutrée de maisons tranquilles, bien alignées à l'abri de grands arbres, de rangées d'arbustes plutôt gracieux et de pelouses où murmurent les systèmes d'arrosage matinaux, sans négliger l'interdiction du stationnement prolongé, tout cela ne tarde pas à combler l'espace où aiment à s'installer les soucis.

La maison de Ted Houlihan, au numéro 212, franche d'aspect et même pas si petite que ça, est une ferme réaménagée, de style américain à pignon, sise sur un terrain assez vaste, ombragé de vieux feuillus et de pins plus jeunes, davantage en retrait de la rue que ses voisines, et suffisamment surélevée pour suggérer qu'elle avait jadis plus d'importance. En fait, par son allure plus agréable, plus grande que les autres et subtilement décalée, elle donne l'impression d'avoir été la « ferme d'origine » au temps où il n'existait tout autour que des pâturages et des terres agricoles, où des faisans et des renards non contaminés par la rage hantaient les carrés de navets et où on ne connaissait pas le marché de l'immobilier. Elle a aussi un toit de bardeaux tout neuf d'un vert vif, une galerie en brique sur le devant, et des murs au revêtement de bois peint en blanc, plus vieux d'une génération mais assez similaire à celui des autres habitations de la rue, des bungalows modèles d'un étage, avec garage attenant et de petites allées cimentées jusqu'au trottoir, où se trouve chaque boîte aux lettres.

Mais nous tenons peut-être là – à ma surprise totale,

puisque, en réalité, je la découvre –, nous tenons peut-être la maison que les Markham ont cherché tout ce temps : la perle rare, celle que je n'avais jamais réussi à leur dénicher, celle du style Cap Cod trop à l'écart, avec trop d'arbres, celle du gardien, dépendance d'un manoir à présent disparu, celle qui « nécessite de l'imagination », celle sur laquelle aucun autre client ne serait tout à fait capable de « se projeter », un lieu chargé d'une « histoire » ou d'un « fantôme » mais qui pourrait présenter l'attrait d'un *je-ne-sais-quoi* aux yeux d'un couple aussi original que les Markham. (Oui, ces endroits-là existent, en effet. En général, ils viennent juste d'être transformés en cliniques gynécologiques spécialisées dans le traitement au laser, gérées par des médecins diplômés du Costa-Rica, et se trouvent le plus souvent sur des voies publiques plus fréquentées et plus anciennes, pas dans le voisinage d'un coin du genre de Penns Neck.)

Notre écriteau « Exclusivité Lauren-Schwindell » est planté devant sur la pelouse en pente, avec en-dessous le nom de l'agent négociateur, Julie Loukinen. L'herbe est tondue de frais, les arbustes taillés, l'allée carrossable balayée jusque derrière. Des lumières, à l'intérieur, luisent d'un éclat humide dans le jour chiche d'après l'orage. Une vieille Mercedes est garée dans l'allée et la porte d'entrée est ouverte (ce qui signifie : pas de climatisation). Ce pourrait être la voiture de Julie, mais comme nous n'avons pas prévu de faire visiter la maison à deux, elle appartient plus probablement à Houlihan, le propriétaire, qui devrait (selon les dispositions que j'ai prises avec Julie) être en train de consommer à mes frais un petit déjeuner tardif chez *Denny*.

Les Markham se taisent, le nez d'abord plongé dans leur notice descriptive puis collé à la vitre. C'est souvent le moment où Joe annonce qu'il en a assez vu.

« C'est ici ?

– Voici notre écriteau », dis-je en empruntant l'allée et en m'arrêtant à mi-chemin.

Il ne pleut plus. Derrière la vieille Mercedes, au bout de l'allée, après la maison, on aperçoit un garage en planches, indépendant, et une tranche de la verdure avenante du jardin. Les fenêtres et les portes sont dépourvues de barreaux de sécurité.

« Quel est le système de chauffage ? » demande Joe – habitué au climat du Vermont – en lorgnant à travers le pare-brise, son papier sur les genoux.

Mon propre exemplaire du descriptif me fournit la réponse que je lis à haute voix.

« Circulation d'eau chaude, plinthes électriques dans le séjour.

– Ç'a été bâti quand ?

– 1924. Le terrain n'est pas inondable, et il comporte une surface constructible si jamais vous voulez vendre ou vous agrandir. »

Joe me lance un regard noir de condamnation écologique, comme si la seule idée de morceler un terrain représentait un crime comparable à une destruction de la forêt primaire, et devrait être inconcevable. (Il serait le premier à mettre l'idée en œuvre, pour peu qu'il ait besoin de l'argent ou qu'il divorce. Quant à moi, évidemment, je passe mon temps à concevoir des aménagements.) Je reprends la parole.

« Le jardin de devant est agréable. Vous aurez l'occasion d'apprécier l'atout caché des ombrages.

– Quels arbres y a-t-il ? marmonne Joe, les yeux fixés sur le côté de la maison.

– Voyons un peu, dis-je en me penchant pour regarder par-delà son torse volumineux et poilu. Il y a un hêtre pourpre. Celui-ci, à mon avis, c'est un érable champêtre. Il y a un érable à sucre, cela devrait vous plaire. Un chêne écarlate. Et là, c'est peut-être un ginkgo. Un bon assortiment, du point de vue du sol.

– C'est de la merde, les ginkgos, déclare Joe, rivé à son siège, tout comme Phyllis, ni l'un ni l'autre ne faisant mine de descendre. Le terrain touche à quoi par derrière ?

– Il faudra examiner ça, dis-je bien que je connaisse la réponse.

– Est-ce le propriétaire ? » demande Phyllis.

Une silhouette a franchi le pas de la porte et on l'aperçoit qui se frotte le cou derrière l'écran-moustiquaire de toile

85

métallique : un homme de petite taille, en chemise et cravate, sans veste. Je ne suis pas sûr qu'il nous ait vus.

« Nous allons le découvrir. »

J'aimerais mieux pas, mais j'avance encore un peu la voiture avant de couper le contact et d'ouvrir aussitôt ma portière sur la touffeur estivale.

Une fois qu'elle a mis pied à terre, Phyllis fonce dans l'allée, avec la même démarche disgracieuse, bancale que tout à l'heure, les pieds un peu en canard, en balançant les bras, déterminée à aimer tout ce qu'elle pourra avant que Joe s'en mêle avec ses critiques.

Mais lui, avec son short argenté, ses tongs et son débardeur pathétique, s'attarde à mes côtés, puis s'immobilise net dans l'allée pour balayer du regard la pelouse, la rue et les constructions voisines, qui datent des années 50 et sont de moindre qualité, mais promettent moins de soucis de maintenance et s'ornent de pelouses plus modestes et faciles à entretenir. La maison des Houlihan est en fait la plus jolie de la rue, ce qui pourrait provoquer un marchandage difficile de la part d'un acquéreur expérimenté, mais il y a peu de risque aujourd'hui.

J'ai pris mon bloc sur la banquette arrière et enfilé mon coupe-vent en nylon rouge. Il arbore l'écusson « *Societas Progressioni Commissa* » de Lauren-Schwindell sur la poitrine et, en grosses lettres blanches, l'inscription AGENT IMMOBILIER, style F.B.I. Je le porte aujourd'hui malgré la chaleur et l'humidité afin de transmettre un message aux Markham : je ne suis pas leur ami ; il s'agit de faire mon travail, pas de me distraire ; nous avons un but. Le temps passe.

« C'est pas le Vermont, hein ? » observe Joe tandis que nous restons plantés là, côte à côte, sous les dernières gouttes éparses de la pluie du matin.

Il a fait exactement la même remarque au même moment devant je ne sais combien de maisons au cours des quatre derniers mois, bien qu'il l'ait sans doute oublié. Et ce qu'il veut dire, c'est : « J'en ai rien à foutre. Si vous ne pouvez pas me faire voir le Vermont, pourquoi me proposer quoi que ce soit ? » Après quoi, souvent sans même laisser à Phyllis le temps d'atteindre la porte d'entrée, nous faisions demi-tour pour nous en aller. C'est pour cela que Phyllis est si pressée d'entrer. Quant à moi, franchement, je suis déjà content d'avoir obtenu que Joe descende de la voiture et s'avance jusqu'ici, quelles que soient ses objections par la suite. Je lui fais la réponse habituelle.

« Non, Joe, c'est le New Jersey. Et c'est drôlement agréable. Vous vous êtes lassé du Vermont. »

Ce qui a généralement inspiré à Joe la réplique suivante : « Ouais, et ça prouve quel connard je suis. » Mais cette fois, il se borne à un « Ouais » et pose sur moi d'un air éloquent ses yeux bruns dont le petit iris paraît encore plus fixe, comme si un éclair essentiel l'avait illuminé et s'il avait enfin perçu certaines vérités.

« Ce n'est pas un drame, dis-je en remontant à moitié la fermeture Éclair de mon blouson, les pieds mouillés d'être restés sous la pluie au *Sleepy Hollow*. Vous n'êtes pas obligé d'acheter cette maison. »

En voilà une remarque à faire quand on est agent immobilier, au lieu de : « Vous êtes foutrement obligé de l'acheter. C'est la volonté manifeste de Dieu. Il ne vous pardonnera pas si vous vous y refusez. Votre femme vous quittera, elle emmènera votre fille à Garden Grove, elle la fourrera dans une école de l'Assemblée du Christ et vous ne la reverrez jamais si vous n'achetez pas cette baraque d'ici l'heure du déjeuner. » Mais je poursuis d'un ton aimable : « Vous pouvez toujours retourner dès ce soir à Island Pond, vous y serez à temps pour voir les corneilles rentrer au nid. »

Joe n'est pas sensible à l'humour des autres et il lève les yeux sur moi d'un drôle d'air (je mesure une bonne quinzaine de centimètres de plus que lui, massif comme un petit taureau). Il s'apprête visiblement à dire quelque chose sur un certain ton (sarcastique, sans aucun doute), puis il y renonce et reste à contempler la rangée sans prétention de maisons aux toits pentus, aux façades en pans de bois et briques (parfois équipées de barreaux), datant toutes de l'époque de son adolescence, et où l'on aperçoit, de l'autre côté de la rue, devant le 213, une jeune femme aux cheveux d'un roux saisissant – encore plus violent que celui de Phyllis – qui pousse une grosse poubelle roulante en plastique noir au bord du trottoir pour le dernier ramassage avant la fête du 4 Juillet.

C'est visiblement une jeune mère de famille, en blue jeans coupés à mi-cuisse, pieds nus dans ses tennis, avec une chemise bleue nouée de façon négligente mais étudiée, à la Marilyn Monroe, juste sous les seins. Quand elle cale sa poubelle à côté de la boîte aux lettres, elle tourne les yeux vers nous et nous adresse un signe de main jovial et insouciant, qui signifie qu'elle sait qui nous sommes – de nouveaux voisins potentiels, peut-être plus amusants que l'actuel propriétaire.

Je lui rends son salut, mais pas Joe. Il doit être en train de songer à regarder les choses de plain-pied.

« Sur la route, en venant, j'étais en train de penser… commence-t-il, tout en observant la jeune Marilyn qui remonte son allée et disparaît dans un garage vide – une fermeture de porte, un claquement d'écran – … de penser que l'endroit quel qu'il soit où vous nous ameniez aujourd'hui serait celui où j'allais vivre jusqu'à la fin de mes jours. (J'avais deviné juste.) Une décision qui repose presque entièrement entre les mains d'autrui. Et qu'en fait mon jugement ne vaut plus rien. (Joe n'est pas tombé dans le panneau quand je lui ai dit qu'il n'était pas obligé d'acheter.) Au point où on en est, je suis bien infoutu de voir si c'est bien ou non. Tout ce que je fais, c'est de tenir bon le plus longtemps possible dans l'espoir que les offres vraiment merdeuses se révéleront merdeuses à l'œil nu, et que ça au moins me sera épargné. Vous me suivez ?

– Je crois. »

J'entends à l'intérieur la voix de Phyllis, elle se présente à la personne qui était sortie sur le seuil – je persiste à espérer que ce n'est pas Houlihan en personne. Je voudrais entrer, mais je ne peux pas abandonner Joe, sous les chênes qui s'égouttent, à sa sombre rumination dont l'aboutissement risque d'être un désespoir corsé qui sabotera l'affaire.

En face, au 213, la rouquine que nous avons observée écarte d'un geste brusque les doubles rideaux d'une fenêtre à l'autre bout de sa maison. Je ne vois que sa tête, mais elle nous regarde effrontément. Joe est toujours perdu dans sa panique d'erreur de jugement.

« L'autre jour, pendant que Phyl et Sonja étaient à Crafts-bury, reprend-il d'un ton sinistre, j'ai téléphoné à une femme que j'ai connue. Je l'ai simplement appelée, comme ça. Là-bas, à Boise. J'ai eu une petite histoire – enfin, pas si petite – avec elle après que ça a fini de foirer avec ma première femme. Ou plutôt, juste avant, en fait. Elle aussi, elle est potière. Elle fait des objets qui ont un air léché et qui se vendent chez Nordstrom. On a bavardé un petit moment, le passé et tout ça, et puis elle a dit qu'il fallait qu'elle raccroche et elle m'a demandé mon numéro. Mais quand je le lui ai donné, elle s'est mise à rire. "J'ai eu dans mon carnet toute une collection de numéros de cabines téléphoniques pour te joindre, m'a-t-elle dit, mais mainte-nant je ne te trouve même plus dans les M." » Joe fourre ses petites mains sous ses aisselles humides et médite cette révélation, les yeux fixés du côté du 213.

« Elle ne pensait pas à mal, dis-je, pressé de rejoindre Phyllis (qui n'est guère encore allée plus loin que le pas de la porte, je l'entends s'exclamer de sa voix chantante qu'elle n'a jamais rien vu d'aussi joli que tout ce qui l'entoure). Vous vous étiez sans doute séparés en bons termes à l'épo-que, n'est-ce pas ? Sinon vous ne l'auriez pas appelée.

– Oh, absolument, répond Joe en caressant son petit bouc d'un côté puis de l'autre, comme s'il révisait à fond ses souvenirs. Pas de sang versé. Jamais. Mais je pensais vrai-ment qu'elle me rappellerait pour me dire qu'il fallait qu'on se revoie – j'en avais envie, pour être franc. Ça a le don de vous pousser à bout, cette recherche de maison. »

Joe, l'homme tenté de tromper sa femme, me dévisage d'un air important.

« Certes.

– Mais elle n'en a rien fait. Du moins, pas que je sache », conclut-il, le regard à nouveau tourné vers le 213, qui a des murs peints d'un vert plutôt éteint sur le bois au-dessus de la brique, et une porte d'un rouge fané sur le devant, par laquelle personne ne passe jamais.

Les rideaux de la chambre se referment. L'attention de Joe n'était pas fixée sur cette fenêtre. Un certain caractère somnolent de l'instant, de l'endroit, de l'humidité ou de la rumeur lointaine de la Route 1 l'a rendu capable, ô surprise, d'aller jusqu'au bout d'une pensée.

« Mais je ne crois pas que cela signifie grand-chose, Joe.

– Et je me fiche pas mal de cette femme. Si elle m'avait téléphoné pour m'annoncer qu'elle sautait dans un avion pour Burlington et qu'elle voulait qu'on se retrouve dans un *Holiday Inn* pour s'envoyer en l'air, je me serais sans doute défilé. »

Il ne se rend pas compte qu'il vient de se contredire en moins d'une minute.

« Elle l'a peut-être compris toute seule et a décidé d'y renoncer d'elle-même. Ce qui vous a épargné cette peine.

– Mais c'est mon erreur de jugement qui me frappe, dit Joe tristement. J'étais sûr qu'elle me rappellerait. Voilà tout. C'est sa réaction à elle, pas la mienne, et je n'avais même pas vu juste. Ça s'est résolu sans moi. Tout comme pour ce qui est en train de se passer ici.

– Cette maison va peut-être vous plaire. »

Joe tourne les yeux vers moi mais sans croiser les miens, il regarde en fait par-dessus mon épaule gauche, ce qui est sa façon coutumière et la plus aisée pour lui de s'adresser à vous.

« Nous avons le même âge. Vous avez divorcé. Vous avez eu des tas de femmes.

– Il est temps que nous allions visiter l'intérieur, lui dis-je tout en éprouvant une certaine compassion (le manque de confiance en son propre jugement – et, pis, le fait d'avoir des raisons tangibles de s'en défier – peut constituer l'une des causes majeures et aussi l'une des caractéristiques durables les plus pénibles de la Période d'Existence, qu'il faut neutraliser par le recours à la prudence). Mais, Joe, je voudrais vous confier quelque chose, poursuis-je en croisant les mains devant ma braguette sur laquelle je plaque mon bloc, tel un expert en assurances. Quand j'ai divorcé, j'avais la conviction que tout m'était arrivé comme ça, sans que j'agisse réellement, que j'étais sans doute un lâche ou du moins un trou-du-cul. Qui sait si j'avais raison ? Mais je me suis fait une promesse, c'est de ne jamais me plaindre de la vie et de continuer simplement à tâcher de faire de mon mieux, tant pis pour les erreurs, puisque n'importe comment, avec ou sans jugeotte, on ne dispose que d'une bien faible marge d'action sur l'issue des événements. J'ai tenu ma promesse. Et, à mon avis, vous n'êtes pas le genre de type à tracer le cours de sa vie en évitant les erreurs. Vous faites vos choix et vous les vivez jusqu'au bout, même si vous avez l'impression de n'avoir rien choisi du tout. »

Joe va peut-être croire, c'est ce que j'espère, que je lui ai fait un compliment de l'espèce la plus rare sur son caractère irréductible. Sa petite bouche cernée de poils forme à nouveau à son insu un O suggestif, tandis que ses yeux se réduisent à des fentes.

« Vous m'invitez à la fermer, quoi ?

– J'aimerais simplement que nous jetions un coup d'œil pour que vous puissiez réfléchir avec Phyllis à ce que vous allez décider. Vous n'allez pas vous tourmenter à l'idée de faire une erreur avant même d'avoir l'occasion de la commettre. »

Joe secoue la tête, il esquisse un rictus puis soupire – manie qui me déplaît intensément. Rien que pour cette raison, j'espère qu'il va acheter la maison de Houlihan et s'apercevoir un poil trop tard qu'elle est bâtie sur un trou d'égout.

« Mes professeurs, à Duquesne, me reprochaient toujours de trop intellectualiser, ricane-t-il.

– C'est ce que j'essayais de suggérer », dis-je au moment où la rouquine du 213 traverse le champ de sa baie vitrée, du nord au sud, totalement nue, précédée par une paire d'énormes seins blancs, les bras ouverts dans le style Isadora Duncan, en bondissant sur ses belles jambes musclées telle une décoration d'urne antique. « Ouaouh, regardez ça ! » m'exclamé-je.

Mais Joe s'est éloigné en secouant la tête à nouveau, impressionné par son propre cerveau, il a gloussé de contentement et il est déjà en train de gravir les marches de ce qui pourrait devenir son dernier domicile terrestre. Il vient pourtant de manquer la manière aimable dont une voisine informait le voisin potentiel de ce qui l'attendait ici, et franchement c'est une vision qui fait grimper hors cote mon estimation de la valeur de Penns Neck. L'atout caché du mystère et de l'imprévu est encore plus appréciable que les ombrages, et Joe, s'il avait vu la même chose que moi, aurait peut-être vu aussi où était son propre intérêt, et compris ce qu'il lui restait à faire.

En franchissant l'arche du petit vestibule, j'entends Phyllis, à l'arrière de la maison, déjà plongée dans une conversation apparemment sérieuse à propos de l'invasion de teignes qu'ils ont subie récemment au Vermont. J'ai maintenant la conviction qu'elle est en compagnie de Ted Houlihan, qui ne devrait pas se trouver ici à hanter sa propre demeure et à harceler mes clients pour s'assurer qu'ils sont le genre de personnes « fiables » (autrement dit des Blancs) à qui il pourra transmettre sans malaise son précieux droit de propriété.

Toutes les lampes sont allumées. Les parquets luisent, les cendriers sont propres, les radiateurs épousetés, les plinthes brossées, les boutons de portes astiqués. Une agréable odeur de cire se substitue à toute autre odeur – bonne stratégie de vente en créant l'illusion que personne n'habite réellement ici.

Joe, sans même proposer de se présenter au propriétaire, entreprend aussitôt son rituel d'inspection, auquel il procède d'un air d'efficacité militaire, brusque et muet. Moulé dans son short écrase-quéquette, il fait un tour rapide du salon, qui contient des canapés années 50 en parfait état, de robustes fauteuils capitonnés, des tables basses cirées, un tapis bleu ciel et quelques gravures de style ancien, achetées dans un magasin, représentant des chiens d'arrêt, des perroquets dans des arbres et des amoureux au bord d'un paisible lac en forêt. Joe passe la tête à la porte de la salle à manger, il contemple l'ensemble qui comprend la table et huit chaises en acajou massif. Ses yeux en boutons de bottines examinent les moulures du plafond, les barres de protection pour le pied des chaises, la porte battante qui ouvre sur la cuisine. Il manipule le rhéostat, ce qui a pour effet d'illuminer puis d'obscurcir le verre rose de la suspension, puis tourne les talons pour retraverser la salle de séjour et le vestibule, où les lumières sont aussi allumées et éclairent un tableau de sécurité où de gros chiffres de bande dessinée, connus des usagers, indiquent la place des clés. Suivi par moi comme son ombre, Joe passe de chambre en chambre en faisant claquer ses tongs, il jette un coup d'œil blasé, ouvre puis referme la porte coulissante d'un placard, dénombre mentalement les prises de courant, s'approche de la fenêtre, note la vue, soumet chaque châssis à une petite expérimentation pour vérifier s'il est correctement posé ou s'il n'y a pas d'adhérences de peinture, après quoi il s'intéresse aux sanitaires.

Dans la salle de bains principale, carrelée de rose, il se dirige vers le lavabo, ouvre à fond les deux robinets et attend afin de juger du débit, du temps que mettra l'eau à couler chaude et de l'efficacité de la vidange. Il actionne la chasse d'eau en scrutant la cuvette pour minuter l'évacuation. Dans la « petite » salle de bains, il lève le store vénitien de modèle récent et léger, et étudie à nouveau le jardin aux allures de parc, comme s'il contemplait la vue sereine qu'il aurait *après le bain* ou en satisfaisant de manière prolongée un autre besoin naturel. (Il m'est arrivé qu'un client, un éminent économiste allemand employé par l'une des cellules de réflexion locales, aille jusqu'à baisser culotte et à s'installer sur le trône pour un essai en conditions réelles.)

Au cours de chacune de ses inspections similaires, quatre mois durant, escorté par moi, Joe a mis fin à sa visite dès qu'il avait repéré trois vices majeurs : trop peu de prises électriques, plus de deux planches branlantes dans le parquet, la moindre tache d'inondation négligée sur un plafond, la moindre fissure ou un angle de mur douteux qui indique un tassement ou un « écartement ». Il a coutume aussi de borner pratiquement ses commentaires à quelques « hum » sans plus de précision. Dans une maison à niveaux décalés de Pennington, il s'est interrogé à haute voix sur les éventuels dommages non détectés causés par les racines d'un vieux tilleul planté à proximité des fondations ; une autre fois, à Haddam, il a marmonné les mots « peinture au plomb » en arpentant un sous-sol, en quête d'infiltrations. Toute réponse de ma part aurait été superflue, puisqu'il avait déjà trouvé son content d'éléments négatifs, à commencer par le prix, qui prouvait, a-t-il dit après coup dans les deux cas, que le propriétaire avait besoin de se faire extraire la tête d'entre les fesses.

Quand Joe effectue sa descente au sous-sol (après avoir appuyé sur l'interrupteur en haut de l'escalier, il actionne celui du bas pour tester le va-et-vient), content de ne pas le suivre, je saisis l'occasion de rejoindre Phyllis près de la porte vitrée ouvrant à l'arrière sur le jardin, où elle se trouve en effet en compagnie de Ted Houlihan. La cuisine-séjour donne de façon agréable sur un patio impeccable pavé de briques, entouré de torches de plein air, qui s'encadre dans la grande baie (une constante locale) dont le châssis n'est pas exempt de taches d'infiltration – défaut qui ne saurait échapper à Joe s'il arrive jusqu'ici.

Veuf et retraité de fraîche date, Ted Houlihan était employé en qualité d'ingénieur par le service Recherche et développement d'une société d'équipements de cuisine. Ce petit septuagénaire aux cheveux blancs, au regard vif, vêtu d'un pantalon de toile décolorée, de mocassins, d'une vieille chemisette en oxford bleu effiloché à point et d'une cravate à motif rouge et bleu, a l'air de l'homme le plus heureux de tout Penns Neck. (En fait, il ressemble étonnamment à Fred Waring, le vieux choriste à voix de miel, qui était un de mes favoris dans les années 50 mais, dans l'intimité, une brute intraitable malgré sa réputation de sentimental.)

Ted m'adresse par-dessus son épaule un grand sourire sincère lorsque je m'approche, vêtu de mon coupe-vent marqué AGENT IMMOBILIER. Nous nous voyons pour la première fois, et il me ferait plaisir s'il saisissait cette occasion de filer chez *Denny*. De violents « boum-boum-boum » commencent à résonner sous nos pieds, comme si Joe s'attaquait aux fondations à coups de masse.

« Je m'apprêtais à donner quelques explications à Mme Markham, Mr. Bascombe », dit-il en me serrant la main – la sienne est petite et dure comme une noix, la mienne charnue et moite, je ne sais pourquoi. « On m'a diagnostiqué un cancer des testicules il y a un mois, et il se trouve que j'ai un fils chirurgien à Tucson, alors c'est lui en personne qui va m'opérer. Ça fait des mois que je

94

retournais dans ma tête l'idée de vendre, mais hier, j'ai fini par décider que ça suffisait comme ça. » (Certes.)

En réaction à ce faire-part de cancer, Phyllis (et on la comprend) a pâli et son visage exprime le désarroi. Cela doit lui ramener à l'esprit son propre problème, ce qui constitue la énième raison de tenir les propriétaires à l'écart des clients : ils introduisent fatalement sur le terrain de la vente des histoires glauques et sans issue, ce qui me rend souvent la tâche quasiment impossible.

Pourtant, à moins que je me trompe complètement, Phyllis est déjà éblouie et charmée par tout ce qu'elle a vu. Le jardin, à l'arrière, est un mini-Watteau plein d'herbe, avec des tapis de buis vert foncé qui entourent les grands arbres. On a planté un peu partout des rhododendrons, des glycines et des pivoines. Une rocaille japonaise de bonne taille, avec un érable miniature, a été judicieusement disposée sous un grand chêne mouillé qui semble parfaitement robuste et ne menace pas de tomber sur la maison. Enfin, sur le côté du garage se dresse une vraie pergola, toute couverte d'une treille dense et de chèvrefeuille, avec en-dessous un banc de fer rustique de style anglais, comme un berceau d'amour – le décor idéal pour le renouvellement de ses vœux sacrés par une belle soirée de fin d'été, suivi d'ardentes étreintes *al fresco*.

« J'étais en train de dire à Mr. Houlihan, quel joli jardin il a », articule Phyllis en se ressaisissant, avec un sourire un peu tendu à l'idée de cet homme en face d'elle se faisant tailler les bourses par son propre fils.

Joe a cessé de taper sur je ne sais quoi en bas, mais j'entends d'autres bruits métalliques, raclements et gratouillages.

« J'ai quelque part un tas de photos de la maison et du jardin en 1955, quand nous l'avons acheté. Ma femme a trouvé que c'était le coin le plus joli qu'elle ait jamais vu, à l'époque. Il y avait un champ et un grand silo en pierre, là-derrière, et une étable où l'on trayait les vaches. »

Ted pointe un doigt tanné en direction du fond de la propriété, où se dresse un épais rideau de bambous tropicaux devant une haute palissade de planches peintes exactement de la même nuance de vert. La palissade se prolonge des deux côtés le long du terrain des maisons voisines, à perte de vue.

« Qu'y a-t-il là, à présent ? » demande Phyllis.

Tout son visage congestionné, bouffi exprime « Ça y est, cette fois c'est la bonne ». Joe est en train de grimper bruyamment les marches du sous-sol, ayant terminé son exploration et ses sondages. Je me l'imagine en mineur dans une cage d'acier qui remonte sur des kilomètres du tréfonds de la terre de Pennsylvanie, la figure noircie, l'orbite des yeux toute blanche, la gamelle bouclée de son déjeuner calée sous son bras noueux, une loupiote sur son casque. J'en suis à prendre le pari que la réponse de Ted Houlihan ne va pas défriser Phyllis Markham (façon de parler).

« Oh, l'État a installé là un de ses petits établissements, dit-il d'un ton jovial. Mais ce sont d'excellents voisins.

– Quel genre d'établissement ? interroge Phyllis avec un sourire.

– Hum... Il s'agit d'un petit établissement de sécurité, poursuit Ted. Du genre country club, vous savez. Rien de gênant.

– À quel usage ? insiste Phyllis, encore épanouie. Quel genre de sécurité ?

– La vôtre et la mienne, j'imagine, dit Ted qui tourne les yeux vers moi. N'est-ce pas, Mr. Bascombe ?

– C'est le centre de détention minimale de l'État de New Jersey, dis-je aimablement. C'est là qu'on met le maire de Burlington, ainsi que les banquiers, et des gens ordinaires comme Ted ou moi. Ou Joe. »

J'esquisse un léger sourire complice.

« Là, tout de suite derrière ? (Le regard de Phyllis tombe sur Joe, qui vient d'émerger des profondeurs – pas de noir de charbon ni de lampe ni de gamelle, rien que ses tongs, son débardeur et son short avec le portefeuille calé sous la ceinture – et paraît d'excellente humeur. Il a vu des choses qui lui ont plu et il envisage certaines possibilités.) Tu as entendu ce que Frank vient de dire ? »

Sa bouche charnue montre des symptômes de crispation soucieuse. Bizarrement, elle pose sa main à plat sur le sommet de sa calotte rousse et cligne des yeux, comme si elle cherchait à retenir quelque chose à l'intérieur de son crâne.

« Non », dit Joe en se frottant les mains.

Son épaule nue porte bien en fait une trace noirâtre, à force d'avoir fouiné partout. Il nous regarde tous les trois d'un air content – une expression satisfaite sans précédent de sa part depuis des semaines. Il persiste à ne pas faire mine de se présenter à Ted.

« Il y a une prison derrière cette palissade, annonce Phyllis, le doigt tendu hors de la fenêtre vers le bout de la pelouse.

– Ah, bon ? dit Joe sans perdre le sourire, en se penchant un peu pour mieux voir. Ça signifie quoi ? »

Il n'a pas encore remarqué les infiltrations.

« Qu'il y a des criminels dans des cellules dans le fond du jardin. »

Phyllis regarde Ted Houlihan en s'efforçant d'avoir l'air conciliant, comme s'il s'agissait simplement d'un petit malentendu fâcheux, qu'un alinéa de la promesse de vente suffira à dissiper. (« Le propriétaire s'engage à faire disparaître la prison régionale avant la date de cession. »)

« C'est bien ça ? insiste-t-elle, en ouvrant de grands yeux bleus au regard plus intense que d'habitude.

– Pas vraiment des cellules, à proprement parler, réplique Ted, parfaitement détendu. L'atmosphère est plutôt celle d'un campus universitaire – courts de tennis, piscines, cours d'enseignement supérieur. Vous pouvez vous-même assister à ces cours. De nombreux détenus rentrent chez eux pour le week-end. Franchement, je n'appellerais pas ça une prison.

– Voilà qui est intéressant, dit Joe Markham, la tête tournée vers le rideau de bambous et la palissade verte à l'arrière-plan. D'ici, on ne devine rien, hein ?

– Étiez-vous au courant ? me demande Phyllis, d'un ton encore aimable, mais je préférerais qu'elle me laisse à l'écart du débat.

– Naturellement. Cela figure sur le descriptif. (Je parcours des yeux mon feuillet.) "Contigu à une propriété de l'État le long de la limite nord du terrain."

– Je croyais que cela signifiait autre chose.

– En fait, je n'y ai jamais mis les pieds, intervient Ted Houlihan, pas démonté pour un sou. Ils ont leur propre palissade derrière la nôtre, vous ne la voyez pas. Et on n'entend jamais le moindre bruit. Ni sonnerie, ni sirène, ni rien. Si, pour Noël, ils ont des jolis carillons. Je sais que la fille qui habite de l'autre côté de la rue travaille là-bas. C'est le plus gros employeur de Penns Neck.

– Je pense seulement que ça pourrait poser un problème pour Sonja, articule doucement Phyllis à l'intention de tous.

– Je ne crois pas que ça représente un péril quelconque pour qui que ce soit, dis-je en imaginant la Marilyn Monroe d'en face en train de boucler son holster avant de partir au boulot tous les matins (quel effet peut-elle faire aux prisonniers ?). Ce n'est pas comme si Machine Gun Kelly était enfermé là. Ce sont sans doute des gens pour qui nous avons tous voté et pour qui nous voterons encore. »

Je décoche un sourire à la ronde. Il serait opportun que Ted propose tout de suite de nous faire faire le tour de sa propre installation de sécurité.

« La valeur de nos propriétés a pas mal augmenté depuis qu'ils ont construit ça, reprend-il. Le reste de la région, y compris Haddam, je crois bien, a plutôt régressé. En réalité, j'ai l'impression de partir au mauvais moment. »

Il nous regarde tous trois avec une expression à la Fred Waring, triste-mais-avisée.

« C'est sûr qu'elle a des sacrées qualités, la maison d'où vous partez, c'est moi qui vous le dis, commente Joe d'un air expert. J'ai examiné les solives et les appuis. On n'en fait plus d'aussi larges, sauf dans le Vermont. (Il adresse à Phyllis un plissement d'yeux destiné à l'informer qu'il a trouvé une demeure qui lui plaît, même si Alcatraz se trouve à côté. Joe vient de franchir un cap, trajectoire mystérieuse que nul n'est capable de lire pour quelqu'un d'autre.) Toute la tuyauterie et les branchements sont en cuivre. Les prises sont à trois fiches. On ne trouve pas ça dans une bâtisse plus ancienne. »

Joe dévisage Ted Houlihan d'un air presque irrité. Je suis sûr qu'il aimerait détailler le plan de la maison dans sa totalité.

« Ma femme tenait à ce que tout soit irréprochable, explique Ted, presque contrit.

– Où est-elle à présent ? demande Joe, plongé dans l'étude du descriptif.

– Elle est morte. »

Ted laisse un instant son regard dériver sur sa pelouse, errer parmi les pivoines blanches et les taillis d'ifs, puis remonter sur la pergola couverte de glycines. Un petit passage scintillant s'est entrouvert par lequel il s'est faufilé, et il a débouché sur un champ de maïs doré, où lui et la patronne jouissent de leur belle jeunesse. (Il ne m'est pas inconnu, ce passage, même si la rigueur de mes principes d'existence n'en autorise que rarement l'accès.)

Joe suit de son doigt courtaud et déchiffre attentivement certaines lignes du descriptif, assurément de l'ordre des « extras », « sup. des pces » et « écoles ». Il repère le nombre de mètres carrés qu'il pourrait affecter à son nouvel atelier. Le voici devenu un Joe acquéreur, férocement engagé sur la piste d'une bonne affaire.

« Joe, tu viens d'interroger Mr. Houlihan au sujet de sa femme, il t'a répondu qu'elle était morte, intervient Phyllis.

– Hmm ? »

« Elle est couchée là sous le carrelage de la cuisine, avec le sang qui lui coule des oreilles, en fait », aimerais-je déclarer pour secourir le vieux Ted perdu dans sa rêverie, mais je me tais.

« Ah, ouais, d'accord, désolé de l'apprendre », dit Joe en abaissant la notice descriptive et tournant ses sourcils froncés vers Phyllis, puis moi et enfin Ted Houlihan comme si nous lui avions tous crié en chœur : « Elle est morte, morte, espèce de connard, elle est morte », alors qu'il dormait à poings fermés. « Désolé, sincèrement. Quand est-ce arrivé ? »

Il me consulte d'un air incrédule.

« Il y a deux ans », répond Ted, revenu de son voyage dans le passé, avec un regard gentil à l'adresse de Joe.

Ses traits sont l'expression honnête de la triste dégradation de la vie. Joe secoue la tête comme s'il y avait là des choses réellement inexplicables.

« Allons visiter le reste des lieux, dit Phyllis, lasse sous l'effet du désenchantement. J'aimerais quand même y jeter un coup d'œil.

– Je pense bien, m'exclamé-je.

– Cette maison m'intéresse beaucoup, annonce Joe à la cantonade. Elle me plaît sous de nombreux aspects. Franchement.

– Je vais rester avec Mr. Markham, dit Ted Houlihan à qui Joe ne s'est toujours pas présenté. Je l'emmène voir le garage. »

Il ouvre la porte vitrée sur le charmant jardin figé dans le passé, tandis que nous rebroussons chemin, Phyllis et moi, sans élan, vers les entrailles de la maison, pour accomplir ce qui ne sera sans doute malheureusement qu'une vaine formalité.

Ansi que je m'y attendais, Phyllis ne manifeste qu'un intérêt poli, c'est à peine si elle passe la tête par la porte des paisibles petites chambres et de leurs cabinets de toilette, observe aimablement mais pour la forme les corbeilles à linge doublées de plastique et les tapis de bains en coton rose, et articule parfois un : « Je vois » ou : « C'est bien » à propos d'une baignoire avec douche qui paraît toute neuve. « Il y a des années que je n'ai pas vu ça », murmure-t-elle en découvrant une niche à téléphone aménagée au bout du couloir.

« Ils en ont pris grand soin, conclut-elle, debout dans le vestibule (mais en coulant un regard vers l'arrière de la maison, en direction de Joe qui se trouve à présent près du rideau de bambous, bras croisés, descriptif à la main, en train de causer avec Ted au soleil de ce milieu de matinée – elle voudrait s'en aller). Ça me plaisait tellement, pour commencer, ajoute-t-elle en se retournant vers le devant, où la poubelle de Marilyn-la-matonne-sexy attend au bord du trottoir.

– Ce que je vous conseille, c'est simplement d'y réfléchir, dis-je, platement à mes propres oreilles, mais c'est mon travail d'appuyer d'un doigt léger sur le plateau de la balance quand je sens que le moment est venu, quand il se présente à un acquéreur potentiel une chance en or de s'offrir le bonheur en devenant propriétaire. La question que je me pose, Phyllis, quand je vends une maison, c'est si le client ou la cliente en a pour son argent. (Je parais d'autant plus sincère que je le suis.) Vous pourriez croire que je me demande s'il ou elle ont trouvé la maison de leurs rêves, ou celle qu'ils cherchaient au départ. Mais en avoir pour son argent, faire un placement de valeur, franchement, c'est plus important, surtout dans l'état actuel de l'économie. Quand viendra le correctif, c'est la valeur réelle qui sera déterminante. Et avec cette maison (je promène un regard théâtral autour de moi et sur le plafond, comme si c'était là que la valeur plantait d'habitude ses drapeaux), avec cette maison, je crois que vous tenez une valeur réelle. » (C'est vrai, je le crois.)

Mon coupe-vent commence à fumer de l'intérieur, mais je préfère ne pas encore l'enlever.

« Je ne veux pas habiter à côté d'une prison », dit Phyllis d'un ton presque implorant.

Elle s'approche de l'écran de toile métallique et regarde dehors, ses mains grassouillettes enfoncées dans les poches de son corsaire. Peut-être cherche-t-elle à simuler un geste de propriétaire, la pause innocente, quotidienne face à la vue découpée dans sa porte d'entrée, dans l'espoir de sentir à quel moment vient le pincement, s'il vient, de penser que dans le voisinage immédiat se trouve une salle de télévision pleine d'insouciants fraudeurs du fisc, de prêtres lubriques et de gestionnaires malhonnêtes de fonds de retraite qui la narguent, et si c'est aussi intolérable qu'elle l'a cru. Elle secoue la tête, comme si elle venait d'identifier un goût désagréable.

« J'ai toujours cru que j'avais des idées progressistes. Mais c'est sans doute faux. À mon sens, ce genre d'institutions devrait exister en effet à l'usage d'un certain type de délinquants, mais sans que je sois obligée d'habiter à côté et d'y élever ma fille.

– Nous perdons tous un peu de souplesse en vieillissant. »

Je devrais lui raconter l'assassinat de Claire Devane dans un immeuble, et comment je me suis fait assommer sur le trottoir par une bande de glandeurs asiates. Le bon voisinage d'une petite prison ne paraît pas si mal venu.

J'entends Joe et Ted qui rient ensemble comme des copains de Rotary dans le jardin. « Ho ! Ho ! Ho ! », s'esclaffe Joe. D'âcres effluves de gaz émanent de la cuisine, supplantant l'odeur propre de l'encaustique. (Je m'étonne que cela ait pu échapper à Joe.) Ted et sa femme ont peut-être rêvassé ici, à moitié gazés et parfaitement béats, sans jamais savoir quelle en était la cause.

« Comment ça se soigne, les testicules ? C'est grave ? demande Phyllis, du même ton solennel.

– Je ne suis guère expert en la matière. »

Il faut que j'extirpe Phyllis des méandres les plus sombres de la vie, où elle a l'air de s'aventurer, et que je nous ramène aux aspects positifs de l'habitat proche d'une prison.

« Je pensais au fait de vieillir, reprend-elle en grattant d'un doigt sa coiffure champignonesque. Et à la saloperie que ça représente. » (En cet instant, elle perçoit tous les enfants de Dieu comme une espèce en voie d'extinction – peut-être la fuite de gaz en est-elle responsable –, exterminés non par la maladie mais par les analyses, les biopsies, les échographies et les froids instruments brutalement introduits dans nos recoins les plus sensibles.) « Je crois que je vais être obligée de subir une hystérectomie, dit-elle, en faisant face au jardin, mais d'un ton serein. Je n'en ai pas encore parlé à Joe.

– Navré de l'apprendre. »

Je ne sais pas trop si c'est le témoignage de sympathie qui convient et qu'elle attend.

« Ouais. Voilà. Mmm », soupire-t-elle, le dos tourné.

Elle ravale peut-être ses larmes. Quant à moi, je suis pétrifié. On passe sous silence cet aspect du métier d'agent immobilier : surmonter la tendance morbide du client, lorsque le saisit cruellement l'impression qu'en achetant une maison, on prend en charge la déchéance de quelqu'un d'autre, ses problèmes embusqués, des ennuis pour lesquels on se sentira responsable jusqu'au Jugement dernier et qui ne feront que se substituer à vos propres ennuis de vieille date, auxquels on avait fini par s'accoutumer. Il existe des ruses professionnelles pour triompher de ce genre de répugnance : insister sur la valeur du placement (je viens de le faire) ; sur la qualité technique de l'installation (Joe s'en est chargé) ; sur la plus grande longévité d'une construction ancienne, du fait qu'elle en a fini avec les problèmes initiaux, bla, bla, bla (Ted n'y a pas manqué) ; sur la situation générale d'insécurité économique (j'ai développé ce point dans mon édito de ce matin et je veillerai à ce qu'un exemplaire parvienne à Phyllis dès ce soir).

Mais pour son désarroi particulier, je ne possède pas d'antidote, sinon de faire des vœux pour un monde meilleur. Pas très efficace.

« Il me semble que le pays tout entier est en plein gâchis, Frank. En fait, nous n'avons pas les moyens d'habiter dans le Vermont, si vous voulez tout savoir. Mais à présent nous ne pouvons pas non plus vivre par ici. Or, avec mes soucis de santé, il nous faudrait planter des racines. » (Phyllis renifle, comme si ses larmes contenues refluaient.) « Je m'offre un grand huit hormonal, aujourd'hui. Désolée. Je vois tout en noir.

– Les choses ne vont pas si mal que ça, à mon avis, Phyllis. Par exemple, je crois que cette maison est très bien, un placement de valeur, comme je le disais à l'instant, que Joe et vous seriez heureux ici, ainsi que Sonja, et qu'à aucun moment votre voisinage ne vous tracasserait. N'importe comment, dans les zones suburbaines, on n'a aucune relation avec ses voisins. Ce n'est pas comme dans le Vermont. »

Je baisse les yeux sur mon descriptif pour voir s'il y aurait quelque nouveau détail sur lequel je pourrais détourner son attention : « cheminée », « gar./box », « lingerie », prix justifié de cent cinquante-cinq mille dollars. Des arguments sérieux, mais rien qui puisse arrêter le grand huit hormonal.

Perplexe, je contemple son derrière aux fesses mal définies et suis saisi d'une soudaine bouffée de curiosité saugrenue au sujet de leurs rapports sexuels, à Joe et elle. Sont-ils joviaux et blagueurs ? Pieux et réfrénés ? Démonstratifs, bruyants et mouvementés ? Phyllis a quelque chose de laiteux qui n'est pas toujours en évidence – empâtée comme elle est et empaquetée dans ses vêtements informes de mémère, avec ses yeux un peu saillants –, une sorte d'abondance généreuse, non maternelle, sûrement capable d'exciter un parent d'élève en velours côtelé et chemise de flanelle, rencontré par surprise dans la fraîche intimité du parking de l'école après la réunion du soir.

Mais la vérité, c'est que nous ignorons presque tout des autres et ne pouvons guère en découvrir davantage, même si nous passons du temps avec eux, écoutons leurs doléances, chevauchons le grand huit en leur compagnie, leur vendons des maisons, nous soucions du bonheur de leurs enfants – mais pour les voir disparaître en un éclair, un soupir ou un claquement de portière, et ne plus jamais revenir. De parfaits inconnus.

Et pourtant, c'est l'un des axiomes de la Période d'Existence que l'intérêt peut s'allier au désintérêt, l'intimité à la relation de passage, la sympathie à l'indifférence endurcie. Tout récemment encore (je ne sais pas trop quand cela a cessé), je pensais que le monde ne fonctionnait pas autrement ; l'équilibre de la maturité. Mais à présent, il semble que, sur bien des points, il faille prendre un parti : soit en faveur du désintérêt complet (mettre fin à la liaison avec Sally pourrait en être un exemple), soit en virant à l'égoïsme intégral (ne pas mettre fin à la liaison avec Sally pourrait en être un autre exemple).

« Vous savez, Frank... commence Phyllis qui, ayant triomphé de son moment de vague à l'âme, est entrée dans le salon des Houlihan, s'est approchée de la fenêtre en façade, à côté d'une petite table à rallonges et, à l'instar de la rouquine d'en face, a ouvert les rideaux, laissant déferler la lumière chaude de la matinée, qui dissipe l'inertie funèbre de la pièce en réveillant sur les objets, les canapés maniérés et les porcelaines féminines, les têtières et les bibelots astiqués (auxquels Ted, sentimental, n'a pas touché), un éclat qui semble venu de l'intérieur... Vous savez, Frank, j'étais là à me dire qu'on n'arrive peut-être jamais à trouver la maison qu'on veut. »

Phyllis examine avec sympathie le salon, comme si elle appréciait ce nouvel éclairage tout en songeant qu'il faudrait disposer autrement le mobilier.

« Mais si, lorsque je parviens à la dénicher. Et à condition que mes clients aient les moyens de l'acheter. C'est vrai qu'il vaut mieux se satisfaire d'une approximation et s'efforcer de donner vie à un lieu, au lieu d'attendre simplement que ce lieu vous la fournisse toute faite. »

Je lui décoche ma version personnelle du sourire bienveillant. Je décèle dans ses dernières paroles un signe positif, même s'il est évident que plutôt que de nous adresser l'un à l'autre, à présent, nous nous contentons d'exprimer nos points de vue respectifs, et que tout dépend de qui tiendra le discours le plus convaincant. C'est une forme de pseudo-communication stratégique à laquelle je me suis habitué dans l'immobilier. (De vrais échanges verbaux – tels ceux qu'on a avec une personne aimée, qu'on avait avec son ex-femme au temps où l'on était son mari – de vrais échanges verbaux sont exclus.)

« Avez-vous une prison derrière chez vous ? » me demande Phyllis à brûle-pourpoint.

Elle contemple ses orteils aux ongles vernis rouge vif, serrés dans ses sandales. On dirait qu'ils lui racontent quelque chose.

« Non, mais je vis dans l'ancienne demeure de mon ex-femme, j'habite seul, j'ai un fils épileptique obligé de porter un casque toute la journée, et j'ai décidé de vivre dans la maison de sa mère rien que pour lui assurer un semblant de continuité quand il vient me voir, puisque son espérance de vie n'est pas formidable. Ainsi, j'ai fait quelques concessions à la nécessité. »

Je la dévisage en battant des paupières. C'est elle, pas moi, que cette déclaration concerne. Elle ne s'y attendait pas, et paraît interloquée en découvrant d'un seul coup que nous nous en sommes tenus jusqu'ici aux rapports habituels entre vendeur professionnel et clients pénibles, mais que soudain on joue cartes sur table : leur situation véritable, à Joe et elle, fait l'objet des soins zélés d'un homme affecté de soucis encore plus graves que les leurs, qui dort moins bien, consulte davantage de médecins, reçoit des coups de téléphone plus préoccupants, pendant lesquels il s'angoisse encore davantage à entendre de sombres diagnostics, et dont la vie, dans l'ensemble, pèse plus lourd que la leur dans la mesure où il est plus près de la tombe (pas forcément la sienne).

« Frank, je ne voudrais pas comparer des blessures à des écorchures, dit Phyllis misérablement. Je suis navrée. C'est que je me sens très oppressée en plus de tout le reste. »

Elle m'adresse un sourire triste à la Stan Laurel et abaisse le menton comme il le faisait. Je trouve à son visage poupin une gentillesse, une malléabilité parfaites pour un théâtre enfantin alternatif dans une communauté du Nord-Est, mais qui conviendraient très bien aussi à Penns Neck, où un groupe amateur qu'elle mettrait sur pied pourrait monter *Peter Pan* ou les *Fantasticks* (sans la chanson du viol) à l'usage des ex-administrateurs et autres fraudeurs aux doigts poisseux, proies de la solitude de l'autre côté de la palissade, afin de leur procurer le sentiment au moins temporaire que la vie n'est pas complètement fichue, qu'il reste un espoir au-dehors, des tas de possibilités… même si c'est faux.

J'entends Ted et Joe racler leurs semelles humides sur les marches du jardin, puis piétiner le paillasson bienvenu, et un bout de phrase de Joe :

« Ça, ça vous donnerait la vraie mesure de la réalité, je vous le garantis.

– Je viens de prendre la résolution, pour la durée qui me reste à vivre, Joe, de renoncer à tout ce qui n'est pas essentiel, répond Ted, plein de douceur et d'intelligence.

– Je vous envie, croyez-moi. Parole, j'aurais intérêt moi aussi à en faire autant. »

Ces mots ont frappé l'oreille de Phyllis autant que la mienne. Nous savons l'un et l'autre que dans le domaine de ce qui n'est pas essentiel, l'un de nous deux est au premier rang de ce que Joe aimerait larguer.

« Les plaies et les bosses sont notre lot commun, Phyllis, mais ça m'ennuierait qu'elles vous fassent rater une sacrée bonne affaire, une maison épatante qui se trouve à votre portée.

– En avez-vous une autre à nous proposer aujourd'hui ? » demande Phyllis, abattue.

Je me balance un peu sur mes talons, bras croisés sur mon bloc.

« Je pourrais vous montrer un nouveau lotissement. (Je pense à Mallards Landing, évidemment, où le terrain est en effervescence, avec deux ou trois constructions terminées, et où les Markham vont sauter en l'air dès qu'ils en verront les banderoles battre au vent.) Le jeune promoteur est un très chic type. Ce serait dans vos moyens. Mais vous avez précisé que vous ne vouliez pas d'un logement neuf.

– Non, confirme Phyllis d'un ton sinistre. Vous savez, Frank, Joe est maniaco-dépressif.

– Non, je l'ignorais. »

Je serre plus fort mon bloc. Je commence à mijoter comme un pot-au-feu dans mon coupe-vent. Mais je n'ai pas l'intention de lâcher prise. Maniaco-dépressifs, escrocs condamnés, hommes et femmes à la peau couverte de tatouages provocants : tous ont droit à un coin où suspendre leur chapeau s'ils ont de quoi le payer. Le coup de me présenter Joe comme un détraqué est sans doute une invention complète, histoire de me faire savoir qu'elle peut me tenir tête sur le terrain de l'immobilier (je ne sais pourquoi, ses problèmes féminins de santé persistent à me paraître authentiques).

« Phyllis, il faut que vous réfléchissiez sérieusement au sujet de cette maison, Joe et vous. »

Je sonde intensément ses yeux d'azur obstinés, et il me vient à l'esprit pour la première fois qu'elle doit porter des lentilles de contact, car on ne trouve dans la nature aucun bleu qui s'en approche.

Encadrée dans la fenêtre, elle tient ses petites mains croisées devant elle comme une maîtresse d'école qui bombarderait d'une question piège le cancre de la classe.

« N'avez-vous pas parfois le sentiment qu'il n'y a plus personne qui vous recherche ? »

Le halo qui la baigne semble l'avoir mise en contact avec les forces de la sainteté. Elle a un vague sourire. Aux coins de sa bouche, les rides entaillent ses joues.

« Tous les jours que Dieu fait, dis-je en tâchant de réverbérer une expression de martyr.

– C'est ce que j'ai éprouvé lors de mon premier mariage. À vingt ans, quand j'étais étudiante à Towson. Et ça m'a repris ce matin au motel, pour la première fois depuis des années. »

Elle roule des yeux un peu dingues.

Joe et Ted sont à présent en train d'arpenter bruyamment le rez-de-chaussée. Ted déroule de vieux plans qu'il tenait soigneusement rangés. Ils ne vont pas tarder à interrompre ma petite séance avec Mrs. Markham.

« À mon sens, c'est un sentiment naturel, Phyllis, et je crois que vous veillez très bien l'un sur l'autre, Joe et vous. »

Je jette un coup d'œil pour voir si les géomètres s'approchent. Je les entends piétiner l'emplacement de l'ancienne chaudière, en parlant du grenier.

Phyllis secoue la tête et affiche un sourire béat.

« Le tout est de changer l'eau en vin, n'est-ce pas ? »

Aucune idée de ce que cela peut signifier, mais je lui adresse un regard professionnalo-fraternel pour signifier la fin de la compétition. Je pourrais même tapoter son épaule dodue, si cela ne risquait de la mettre sur ses gardes.

« Écoutez un peu, Phyllis. Les gens s'imaginent qu'une situation ne peut évoluer que de deux manières. La manière élaborée et la non élaborée. Moi, je crois qu'en général, les choses partent dans un sens puis nous les orientons dans la direction que nous voulons. Et quel que soit votre état d'esprit au moment où vous achetez une maison – même si ne prenez pas celle-ci ni aucune autre par mon intermédiaire – vous allez être obligés de… »

Là-dessus, un terme est mis en effet à notre séance. Ted et Joe rebroussent chemin du bout du couloir où ils ont renoncé à aller braver les toiles d'araignées dans les hauteurs invisibles de l'escalier pour examiner les ferrures de poutres mises en place par Ted en 58, au moment où l'ouragan Lulu est passé en pulvérisant les arbres, soufflant des bateaux sur des kilomètres à l'intérieur des terres et rasant des maisons plus imposantes que celle des Houlihan. Il fait trop chaud là-haut.

« La main de Dieu se manifeste dans les détails, observe l'un des nouveaux meilleurs amis du monde. Ou bien est-ce celle du diable ? » ajoute-t-il pourtant.

Phyllis assiste sans broncher à leur entrée en scène, au

cours de laquelle le duo esquisse un mouvement d'un côté puis de l'autre avant de nous repérer dans le salon. Ted, qui s'approche en tenant ses plans, m'a l'air globalement satisfait. Joe, avec sa barbiche immature, son short vulgaire et son débardeur « Les potiers font ça avec les doigts », semble au bord de la crise d'hystérie.

« J'en ai assez vu, crie-t-il d'une voix de chef de train, tout en jaugeant rapidement du regard le salon comme s'il le découvrait, pressant ses jointures épaisses les unes contre les autres en signe de satisfaction. J'en sais assez long pour prendre une décision.

– Parfait, dis-je. Dans ce cas, allons faire un tour en voiture. » (En langage codé : allons prendre un petit déjeuner et nous mettre d'accord sur une proposition pour revenir dans une heure.)

J'adresse à Ted Houlihan un signe de tête optimiste. De façon inattendue, il s'est révélé un protagoniste clé dans un dispositif reposant sur le principe diviser pour vaincre. Ses souvenirs, sa pauvre épouse défunte, ses *cojones* en péril, sa vision philosophe du monde et sa tenue décontractée consituent d'excellents procédés de vente. Il pourrait être agent immobilier.

« Cette offre ne traînera pas longtemps sur le marché », clame Joe à qui veut l'entendre dans le voisinage.

Il pivote sur place et fonce vers la porte de sortie comme s'il avait un essaim de guêpes à ses trousses.

« Bon, on va voir ça, conclut Ted Houlihan qui nous regarde, Phyllis et moi, avec un sourire sceptique, tout en roulant plus serré les feuilles de ses plans. Je sais que cet établissement derrière la palissade vous tracasse, Mrs. Markham. Mais quant à moi, j'ai toujours trouvé que cela améliorait la sécurité et la cohésion d'un quartier. C'est pas tellement différent d'avoir le siège d'une compagnie de téléphone ou une station de radio, si vous me suivez.

– Je comprends », dit Phyllis, qui n'en pense pas moins.

Joe a déjà franchi le seuil, descendu les marches et pris du recul sur la pelouse, d'où il étudie la toiture, les solives, les corniches, laissant béer sa bouche frangée de poils tandis qu'il traque un affaissement du faîtage ou des dégâts causés par le gel sous les auvents. C'est peut-être à cause de son traitement anti-maniaco-dépressif qu'il a les lèvres si rouges. Il me semble que Joe aurait besoin d'être un peu surveillé.

Je trouve dans la poche de mon coupe-vent une carte « Frank Bascombe, agent immobilier » que je cale sur le porte-parapluie à côté de l'entrée du salon où je viens de consacrer dix minutes aux paniques de Phyllis.

« Nous gardons le contact, dis-je à Ted. (Encore du langage codé. Moins spécifique.)

– Bien entendu », dit Ted avec un sourire chaleureux.

Phyllis effectue sa sortie en roulant des hanches, claquant les semelles de ses sandales, serrant au passage la main menue de Houlihan, avec une remarque sur la jolie maison qu'il habite et quel dommage qu'il soit obligé de la vendre, mais pour aller en hâte rejoindre Joe là où il s'efforce de se faire une idée claire des choses à travers le genre de brouillard dans lequel c'est son lot de se débattre.

« Ils ne la prendront pas », dit crânement Ted au moment où je me dirige vers le pas de la porte.

Plutôt que de la déception, je soupçonne qu'il est paradoxalement satisfait d'obtenir, grâce à l'élimination d'éléments étrangers, le loisir d'un bref refuge dans le climat domestique doux-amer qui est encore le sien. Voir Joe tourner les talons procurerait un soulagement à n'importe qui.

« Je n'en sais rien, Ted. On ne peut jamais prévoir ce que les gens vont décider. Sinon, je ferais un autre métier.

– Je serais content de savoir que d'autres que moi trouvent de la valeur à cet endroit. Ça me ferait du bien. On n'a plus tellement l'occasion de se trouver confirmé.

– Pas comme on voudrait. Mais c'est mon rôle à moi dans l'affaire. (Phyllis et Joe, plantés à côté de ma voiture, contemplent la maison comme si c'était un paquebot en train de mettre le cap sur le grand large.) Ne sous-estimez pas votre propre demeure, Ted, dis-je en saisissant à nouveau sa ferme petite main et en la serrant avec conviction, tandis que mes narines captent une dernière bouffée de fuite de gaz. » (D'ici cinq minutes, j'aurai droit au discours de Joe sur la question.) « Ne soyez pas étonné si je reviens dès ce matin avec une proposition d'achat. Ils ne trouveront rien de comparable à ce que vous avez ici, et j'ai bien l'intention de leur mettre les points sur les *i*.

– Il y a un type qui a escaladé la palissade, un jour, pendant que j'étais dans le fond du jardin à nettoyer les feuilles mortes, reprend Ted. On l'a fait entrer, Susan et moi, on lui a offert du café et un bon sandwich. C'était un conseiller municipal de West Orange. Il était passé chez nous sur un coup de tête. Mais pour finir, il m'a aidé une heure durant à ramasser mes feuilles mortes, et puis il est regrimpé de l'autre côté. Pendant un bout de temps, il nous a envoyé des cartes de vœux pour Noël.

– Il doit être retourné à la politique, dis-je, content que Ted ait épargné cette anecdote à Phyllis.

– Sans doute.

– À très bientôt.

– Je serai là. »

Ted referme derrière moi la porte de la maison.

Dans la voiture, les Markham semblent pressés de se débarrasser de moi le plus vite possible, et surtout ni l'un ni l'autre ne souffle mot d'une offre d'achat.

À l'instant où nous débouchons de l'allée, nous remarquons tous l'automobile d'un autre agent qui ralentit et s'arrête, avec à son bord un jeune couple – la femme filme la maison Houlihan au caméscope depuis le siège avant. Sur la portière luisante de la grosse Buick, côté volant, une inscription : L'IMMOBILIER EN MOUVEMENT – Freehold N.J.

« L'affaire sera classée d'ici le coucher du soleil », déclare Joe d'un ton neutre, assis à côté de moi, son emballement étrangement envolé.

Aucune allusion à une quelconque fuite de gaz. Phyllis n'a pas eu le temps de le chambrer, mais il peut suffire d'un regard pour condamner une ville.

« Possible », dis-je en braquant un regard meurtrier sur la Buick « EN MOUVEMENT ».

Ted Houlihan a peut-être déjà manqué à sa promesse d'exclusivité en notre faveur, et je suis tenté de mettre pied à terre pour aller expliquer deux trois choses à toutes les personnes intéressées. Il est vrai que la vue d'acquéreurs rivaux pourrait inciter à l'action Phyllis et Joe, qui lorgnent ces nouveaux venus dans un silence réprobateur, tandis que je m'engage dans Charity Street pour nous ramener.

En chemin vers la Route 1, Phyllis – qui a mis ses lunettes de soleil et ressemble à une diva – insiste soudain pour que je fasse « un tour » afin qu'elle voie de ses yeux la prison. Je retourne donc en arrière à travers un voisinage moins agréable, vire entre un Sheraton flambant neuf et une grosse église épiscopale au parking vaste et désert, puis rejoins la Route 1 au nord de Penns Neck. Un kilomètre plus loin, à quelque trois cents mètres au fond de ce qui ressemble à un pré fauché, se dresse un groupe de bâtiments bas, indistincts, d'un vert neutre, cerné sur tout le pourtour d'une double palissade, et qui constitue l'établissement intolérable. On aperçoit des panneaux de basket, un « diamant » de baseball, plusieurs courts de tennis clôturés et éclairés, un tremplin au-dessus de ce qui pourrait bien être une piscine de taille olympique, quelques « allées de réflexion » pavées et sinueuses qui mènent à des portions de terrain découvert où des hommes – certains paraissent âgés et claudiquants – se promènent deux par deux en bavardant, habillés en civil et non en tenue de bagnards. Il y a aussi, probablement pour créer le pittoresque, un gros troupeau d'oies du Canada qui glandent autour d'une mare ovoïde.

Pour ma part, je suis naturellement passé là-devant un nombre incalculable de fois sans guère y prêter attention (ce qui est le but recherché par les concepteurs de la prison, tout leur machin ayant l'air aussi banal qu'un golf). Mais à mieux regarder, une enceinte pleine de verdure estivale, avec de vrais arbres à proximité, où un détenu peut faire tout ce qui lui chante sauf se tirer – lire un livre, regarder la télé en couleurs, méditer sur l'avenir – et où l'on peut payer discrètement en un an ou deux sa dette envers la société, c'est en somme un endroit où n'importe qui pourrait être content de faire halte, le temps de voir un peu plus clair et de larguer la merde.

« On dirait un de leurs foutus collèges universitaires », dit Joe Markham, dont la voix continue de canonner force décibels mais qui semble plus calme.

Nous sommes garés sur le bas-côté d'en face, fouettés

par la circulation, tout près de la palissade et du panneau officiel, argent et noir, sur lequel on lit : ÉTABLISSEMENT MASCULIN DU N.J. – CENTRE DE SÉCURITÉ. Derrière, les drapeaux du New Jersey, des États-Unis et du Système pénitentiaire frémissent de concert sur leurs mâts respectifs, dans la brise légère et humide. Il n'y a ici ni corps de garde, ni barbelés, ni clôtures électriques, ni miradors avec fusils-mitrailleurs, grenades, projecteurs, ni chiens féroces – rien qu'un discret portail automatique avec un parlophone discret et une petite caméra de surveillance sur son pilier. Pas de gros-bras.

« Ça n'a pas trop vilaine allure, hein ? dis-je.

– Où se trouve la maison, d'ici ? » demande Joe toujours aussi fort, en se penchant devant moi pour mieux voir.

Nous scrutons la rangée de grands arbres qui sont ceux de Penns Neck, au sein desquels se cache la maison Houlihan dans Charity Street.

« On ne peut pas la voir, mais elle est là-derrière.

– Hors de vue, on n'y pense plus », dit Joe.

Il jette un coup d'œil à l'arrière à Phyllis abritée derrière ses lunettes noires. Le volume d'air déplacé par un gigantesque camion à ordures secoue au passage la voiture sur son châssis.

« Ils ont un trou dans la palissade par où on peut se filer des recettes, reprend-il avec un ricanement.

– Un gâteau fourré d'une lime », lance Phyllis, dont l'expression ne s'est pas résignée. (J'essaie en vain de croiser son regard dans le rétroviseur.) « Je ne vois pas où c'est.

– Moi, je le vois fichtrement bien », aboie Joe.

Nous restons encore là trente secondes à regarder, après quoi nous nous en allons.

En guise de contre-exemple et d'argument décisif, je nous amène devant Mallards Landing, où tout est identique à ce que c'était il y a deux heures, en plus mouillé. Quelques ouvriers sont au travail dans les pavillons à moitié montés. Une équipe de Noirs décharge de la plate-forme d'un camion des portions de gazon humide qu'elle entasse devant la maison témoin, censée être OUVERTE mais qui ne l'est pas, et qui ressemble en fait à une façade de décor de film où une famille américaine scénarisée aurait à payer un jour l'hypothèque du même scénario. Ce qui évoque pour moi et, j'en suis sûr, pour les Markham la prison d'où nous venons.

« Ainsi que je le faisais remarquer à Phyllis, dis-je à Joe, ceci serait dans vos prix, mais ne correspond pas aux souhaits que vous avez exprimés.

– Je préférerais attraper le sida qu'habiter dans cette camelote », crache-t-il, sans regarder Phyllis.

De la banquette arrière, celle-ci regarde du côté du dépôt d'essence, qui luit d'un éclat métallique, et des carcasses d'arbres entassées au bulldozer, qui finissent à présent de se consumer. « Qu'est-ce que je fais ici ? pense-t-elle sans doute. Quelle est la durée du trajet de retour par le Vermont Transit ? » En cet instant même, elle pourrait être en compagnie de Sonja à la coopérative des cultivateurs de Lyndonville, un foulard rouge noué sur la tête, occupée à faire gaiement mais judicieusement son marché du week-end – des trouvailles pour la « grande corbeille de fruits » qu'elle porterait à la fête organisé en l'honneur de l'Indépendance. Il y aurait des cerfs-volants chinois accrochés au-dessus des stands végétariens. Quelqu'un s'accompagnerait au tympanon pour interpréter de primesautières chansons de la montagne, bourrées de sous-entendus sexuels. Labradors et épagneuls seraient là à se gratouiller et se baguenauder, le cou ceint de bandanas aux couleurs vives. Où tout cela a-t-il disparu ? se demande-t-elle. Qu'ai-je fait ?

Soudain, un *bang* ! Quelque part, invisible, à des kilomètres de hauteur dans l'atmosphère paisible, un avion de chasse passe le mur du son harmonieux et du rêve, et l'écho du vrombissement roule vers la cime des monts et sur la plaine côtière. Phyllis sursaute.

« Merde ! s'exclame-t-elle. Qu'est-ce qu'on vient d'entendre ?

– J'ai lâché un pet », dit Joe en m'adressant son rictus, après quoi nous nous taisons.

Arrivés au *Sleepy Hollow*, les Markham, qui n'ont pas moufté pendant tout le reste du chemin, semblent à présent n'avoir aucune envie de descendre de ma voiture. Le parking miteux du motel est désert, à l'exception de l'antique Nova qu'on leur a prêtée, avec ses pneus désassortis et son stupide auto-collant sur les anesthésistes, encroûté de boue des Appalaches. Une femme de chambre menue, vêtue de rose, sa chevelure brune relevée en chignon, va et vient sur le seuil du numéro 7, en entassant dans une corbeille les serviettes et les draps sales de la nuit qu'elle remplace par des piles de linge propre.

Les Markham préféreraient la mort à n'importe quel endroit dans la fourchette de leurs moyens, et pendant un instant d'aberration je suis tenté de les laisser me suivre chez moi, de les loger pour un week-end de réflexion immobilière à Cleveland Street – une base non cafardogène à partir de laquelle ils pourraient aller à pied au cinéma, dîner à l'*August Inn* d'un honnête poisson ou de raviolis, et lécher les vitrines de Seminary Street jusqu'à ce que Phyllis ne puisse plus supporter l'idée de ne pas habiter ici, ou au moins à proximité.

Mais c'est tout simplement exclu, et mon cœur m'envoie aussitôt deux coups et demi de semonce. Non seulement je n'ai pas envie qu'ils se mettent à fourrager dans les accessoires de ma vie privée (ils ne manqueraient pas de le faire, ni d'affirmer le contraire), mais puisqu'il n'a pas été question d'une offre d'achat, je veux qu'ils soient abandonnés à une solitude sibérienne afin de savoir où ils en sont et ce qu'ils veulent. Il leur serait possible, certes, d'aller s'installer au nouveau *Sheraton* ou au *Cabot Lodge* et de casquer. Mais ces deux endroits, chacun à leur manière, sont aussi sinistres que le *Sleepy Hollow*. Dans mon ancienne vie de chroniqueur sportif, il m'est souvent arrivé de chercher un refuge et même une aventure exotique dans ce genre de planques sans âme, et de les trouver brièvement. Mais pas davantage. En aucun cas.

Joe vient de parcourir toute la liste de ses interrogations laissées sans réponse par la notice descriptive, qu'il a d'abord roulée puis pliée ; son assurance léonine commence à s'évanouir.

« Y a-t-il une chance d'obtenir une levée d'option pour la maison de Mr. Houlihan ? demande-t-il enfin, rompant le silence.

– Non.

– Houlihan consentirait-il un rabais de cinq mille cinq ?

– Faites une offre.

– Quand pourrait-il évacuer les lieux ?

– Très vite. Il a un cancer.

– Accepteriez-vous de rabattre votre commission à quatre pour cent ?

– Non. » (La question ne me surprend pas plus que la suivante.)

« À quelles conditions obtient-on un prêt bancaire actuellement ?

– Hypothèque sur trente ans, plus un pourcentage, plus les frais d'établissement du dossier. »

Nous épluchons tout ce que peut ratisser Joe. J'ai orienté sur mon visage le clapet de climatisation et le moment arrive où je frôle à nouveau la proposition de les loger chez moi. Sauf que la quarante-cinquième visite marque d'après les statistiques le point de non-retour et les Markham en sont aujourd'hui à la quarante-sixième. Passé ce stade, il est fréquent qu'un client n'achète rien et se tire vers d'autres localités, ou encore fasse quelque chose de cinglé comme d'embarquer sur un cargo pour Bahreïn ou d'entreprendre l'ascension du Matterhorn. En outre, je risquerais d'avoir du mal à les faire déguerpir. (À la vérité, je suis prêt à faire mon deuil des Markham, qu'ils aillent au diable chercher un nouveau départ.)

Évidemment, ils pourraient aussi me dire : « D'accord. On prend la baraque, on arrête de pinailler. C'est parti. Remplissons un formulaire de promesse de vente. » J'en ai un plein carton dans le coffre. « Voilà cinq mille dollars. On déménage au *Sheraton Tara*. Vous vous maniez le cul, vous retournez dare-dare prier Houlihan de plier bagage pour Tucson ou d'aller se faire foutre, parce qu'on ne monte pas au-dessus de cent cinquante mille, vu que c'est tout ce qu'on a. On lui laisse une heure pour se décider. »

Il y a des gens qui se comportent ainsi. Des maisons se vendent séance tenante : le chèque est signé, l'emprunt contracté, le déménageur contacté dans les courants d'air d'une cabine téléphonique devant chez *HoJo*. Ça me facilite pas mal le boulot. Mais quand ça se passe comme ça, il s'agit en général de riches Texans, de spécialistes de la chirurgie maxillaire ou de politiciens limogés pour magouilles financières qui cherchent un coin discret où se faire oublier jusqu'à ce qu'ils puissent reprendre la partie. Il est rare que cela arrive avec un potier et sa femme boulotte artiste en création de papiers qui veulent quitter leur pisseux Vermont pour réintégrer l'univers civilisé sans rien dans les poches ni la moindre notion de ce qui fait marcher le monde, mais pleins de certitudes sur la manière dont il devrait tourner.

Assis à côté de moi, Joe fait grincer ses molaires, respire comme un phoque et garde les yeux rivés sur la travailleuse immigrée qui lessive leur chambre à l'aide d'une serpillière et d'un flacon de Pin-net. Phyllis, immobile derrière ses lunettes de diva, rumine… quoi ? Allez savoir. Il ne reste plus de question à poser, plus de préoccupation à exprimer, plus de résolution ni d'ultimatum qui vaille d'être établi. Ils sont arrivés au moment où il ne reste qu'à agir. Ou non.

Mais, bon sang, ce n'est pas du goût de Joe, même si la maison lui plaît, et il est là à se creuser les méninges pour formuler une nouvelle remarque, trouver un obstacle à dresser. Sans doute va-t-il me refaire le coup de « voir de haut », ou d'avoir une grande révélation.

« Nous devrions peut-être en effet envisager une location », dit Phyllis d'un ton oiseux.

Je l'observe dans le rétroviseur, repliée sur elle-même comme une veuve affligée. Depuis tout à l'heure, elle ne quitte pas des yeux la boutique d'enjoliveurs à côté, où personne n'est en vue dans la cour détrempée par la pluie, quoique les enjoliveurs soient là à scintiller et cliqueter dans la brise. Peut-être y a-t-il là quelque chose qui lui apparaît comme une métaphore.

Mais, inopinément, elle se penche en avant et pose sur l'épaule nue et poilue de Joe une petite patte qui fait bondir celui-ci comme s'il venait de prendre un coup de couteau. Cependant, il comprend aussitôt que c'était un geste de solidarité et de tendresse, et lève lourdement le bras pour prendre la main de sa femme. Grand rassemblement général. Une action unitaire est imminente. C'est le geste fondateur du mariage, quelque chose qui m'a échappé je ne sais comment, et que je regrette amèrement.

« Les meilleures locations se présentent à la fin du semestre à l'Institut, quand les gens s'en vont. C'était le mois dernier, dis-je. Rien ne vous plaisait à ce moment-là.

– Voyez-vous un endroit où nous pourrions nous loger temporairement ? demande Joe en tenant mollement les doigts potelés de Phyllis, comme si elle était allongée près de lui sur un lit d'hôpital.

– Il y aurait éventuellement un endroit que je possède. Cela ne répondrait peut-être pas à vous souhaits.

– Qu'est-ce qui cloche ? interrogent-ils en chœur d'un ton méfiant.

– Rien du tout. Il se trouve que c'est dans un quartier habité par des Noirs.

– Oh, Seigneur ! s'exclame Joe, comme si s'était enfin révélé le piège qu'il prévoyait depuis longtemps. Il ne manquait plus que ça. Des moricauds. Merci du cadeau. »

Il secoue la tête d'un air dégoûté.

« Ce n'est pas notre façon de voir les choses à Haddam, Joe, dis-je tranquillement. Ce n'est pas mon approche de l'immobilier.

– Très édifiant, dit-il, furieux mais en serrant toujours la main de Phyllis, plus fort sans doute qu'elle ne le voudrait. Mais ce n'est pas vous qui vivez là-bas. Et vous n'avez pas d'enfants.

– Si, j'en ai deux. Et j'y habiterais sans problème avec eux si je n'avais pas déjà un autre toit. »

Je foudroie Joe d'un froncement de sourcils implacable, pour lui signifier qu'au-delà de l'ignorance qu'il a déjà manifestée, le monde qu'il a laissé derrière lui en mille neuf cent soixante-dix et des poussières est une coquille vide, et qu'il ferait mieux de renoncer tout de suite à m'attendrir s'il se trouve que le présent le dérange.

« Qu'est-ce c'est que vous possédez, des clapiers de merde où vous collectez le loyer tous les samedis matin ? lance-t-il d'un ton doucereux et mauvais. Mon paternel était dans ce racket à Aliquippa. Il avait des Chinois comme clients. Il portait un pistolet à sa ceinture, bien en vue. Je l'attendais dans la voiture.

– Je n'ai pas de pistolet. C'est pour vous rendre service que je mentionnais cet endroit.

– Merci bien. N'en parlons plus.

– Nous pourrions aller y jeter un coup d'œil, dit Phyllis en pressant les jointures poilues de Joe, à présent nouées en un petit poing menaçant.

– Oui, peut-être, quand les poules auront des dents. Seulement peut-être. »

Joe ouvre la portière à la touffeur bruyante de la Route 1.

« La maison de Ted Houlihan mérite qu'on y réfléchisse, dis-je au siège que Joe est en train de libérer, et à Phyllis que je regarde en coin sur la banquette arrière.

– Vous autres les agents immobiliers, reprend Joe du dehors, où je ne vois que son short écrase-couilles, tout ce qui vous intéresse, c'est cette saloperie de vente. »

Sur quoi il s'éloigne en direction de la femme de chambre qui, plantée à côté du numéro 7 et de sa corbeille de linge, le regarde venir comme si c'était une vision bizarre (c'est le cas).

« Joe n'a pas le sens du compromis, dit Phyllis gauchement. Peut-être aussi souffre-t-il de problèmes de dosage.

– Il est libre d'agir comme il lui plaît, en ce qui me concerne.

– Je sais bien. Vous être très patient envers nous. Je suis désolée que nous vous donnions tant de mal. »

Elle me tapote l'épaule, du même geste qu'elle a tapoté celle de ce connard. Le geste de la victoire. Je n'apprécie guère.

« C'est mon boulot.

– On vous tient au courant, Frank, dit Phyllis en se tortillant pour émerger au soleil de la matinée qui va sur les onze heures.

– Épatant, Phyllis. Appelez-moi au bureau et laissez un message. Je serai dans le Connecticut avec mon fils. Je n'ai pas si souvent l'occasion de lui consacrer du temps. Tout peut se passer par téléphone si nous avons à parler de quoi que ce soit.

– Nous faisons de notre mieux, Frank, reprend-elle en

119

battant des paupières à la pensée de mon fils épileptique, mais sans vouloir y faire allusion. Nous faisons vraiment ce que nous pouvons.

– Je vois bien », dis-je hypocritement, en tournant la tête pour lui décocher un sourire contrit, qui a le don de la propulser, sur le parking du petit motel délabré, à la poursuite de son invraisemblable mari.

Pressé de rentrer en ville, je fonce sur la chaussée fumante de la Route 1 et reprends King George Road, chemin le plus direct pour regagner Seminary Street. Je récupère pour mon usage personnel une plus grande partie de la journée que je n'escomptais. J'en profiterai pour passer à nouveau chez les McLeod, avant de faire un saut à *Franks* sur la Route 31, puis de filer tout droit sur South Mantoloking pour goûter plus tôt que d'habitude un moment de bonne compagnie avec Sally, sans compter le dîner.

J'avais espéré, naturellement, être de retour au bureau pour remplir un document de promesse de vente ou transmettre une proposition à Ted Houlihan, m'activer à mettre deux trois choses en branle – appeler un entrepreneur pour une inspection de l'infrastructure, m'assurer du dépôt de la somme convenue, vérifier le contrat de protection antitermites, contacter Fox McKinney à la Garden State Savings pour faire accélérer la procédure au bureau des hypothèques. Il n'y a rien qui puisse contenter davantage un propriétaire qu'une réponse rapide et ferme à sa décision de vendre. D'un point de vue philosophique, comme le disait Ted, cela témoigne de ce que le monde correspond plus ou moins à la meilleure idée que nous nous en sommes faite. (L'image qui nous en est renvoyée étant malheureusement en général de l'ordre de : « Mon vieux, on nous crée des difficultés sur ce coup-là, ça va prendre six semaines » ou : « Je croyais que ces trucs-là ne se fabriquaient plus depuis 58 » ou : « Cette pièce-là va demander un moletage spécial, et le seul à savoir faire ça est parti faire à pied le tour du Swaziland. Prenez des vacances, on vous rappellera. ») Et pourtant, si un agent réussit à enclencher une proposition bien étudiée sur une offre de vente toute fraîche, les chances de parvenir sans encombre à l'aboutissement sont décuplées par le simple effet de la satisfaction du vendeur, la confiance, le sentiment d'une confirmation et d'une signification immanente. Une vraie conclusion, en d'autres termes.

C'est donc une bonne stratégie d'abandonner les Markham à la dérive comme je viens de le faire, de les laisser tournicoter dans leur guimbarde, ruminer dans tous les coins sur les maisons qu'ils ont dédaignées, puis rentrer faire un somme au *Sleepy Hollow* – c'est-à-dire s'assoupir à la lumière du jour mais se réveiller en sursaut, désorientés et démoralisés après la tombée de la nuit, étendus côte à côte, contemplant les murs crasseux du motel, écoutant gronder la circulation des voitures où tous sauf eux embarquent pour un long week-end de détente au bord de la mer, attendus par de chers enfants aux dents parfaites, éclatants de bonheur, qui vont leur souhaiter la bienvenue sous les lumières de la galerie et de la porte d'entrée, des pichets de gin glacé à la main. (Pour ma part, j'espère recevoir d'ici peu un accueil de ce genre – être reçu comme une prime espérée et joyeuse s'ajoutant au plaisir des jours fériés, rire à n'en plus finir, me sentir soulagé du poids des malheurs du monde, quelque part où je serai hors d'atteinte des Markham. Il se peut qu'il y ait demain au petit matin rayonnant un appel frénétique de Joe résolu à faire une proposition avant midi, ou alors pas d'appel du tout – si le doute a vaincu et les a renvoyés au Vermont aux soins de l'aide sociale – auquel cas je serai débarrassé d'eux. Autre situation gagnante à tous les coups.)

Manifestement, cela fait un bout de temps que les Markham ne se sont pas regardés dans le miroir de la vie – oublions le numéro surprise de Joe ce matin. En somme, le mandat spirituel du Vermont, c'est qu'au lieu de s'examiner, on passe des années à contempler tout le reste de façon aussi pénétrante que possible, avec la conviction que tout ce qui vous entoure là-bas vous représente plus ou moins, et que c'est foutument bien puisqu'on l'est soi-même. (Emerson avait une opinion légèrement différente sur la question.) Mais dès qu'on prend pour objectif l'acquisition d'une maison où vivre, on ne peut se dérober à un certain regard sur soi.

À l'heure qu'il est, à moins que je me goure, Joe et Phyllis sont allongés dans la position exacte où je les ai imaginés, raides comme des bouts de bois, côte à côte, tout habillés sur leur lit étriqué, lumières éteintes, les yeux fixés sur le plafond sombre et souillé par les mouches, et, muets comme des cadavres, ils se rendent compte qu'ils ne peuvent pas éviter de se voir tels qu'ils sont. Le couple solitaire, inquiet, qui se retrouvera bientôt planté au milieu d'une allée carrossable ou assis sur un canapé ou des fauteuils de jardin à l'étroit sur la galerie (quel que soit le lieu où ils atterriront en prochain), déconcertés face à l'objectif d'une caméra de télé lorsqu'ils seront interviewés pour le 18 heures, non seulement en qualité d'Américains moyens mais de malheureux aux prises avec la situation de l'immobilier, membres indistincts d'une classe indistincte dont ils ne veulent pas faire partie – les frustrés, les exposés, ceux qui subissent, ceux qui sont contraints de vivre dans le morne anonymat d'une voie en cul-de-sac baptisée du nom de la fille du promoteur ou de ses copines d'école.

Et la seule chose qui les sauvera, c'est de parvenir à une conception différente d'eux-mêmes et de pratiquement tout le reste, d'établir de nouvelles approches fondées sur la conviction que, pour lancer de nouveaux feux, il faut finir d'éteindre les anciens, et de substituer à un entêtement borné le désir, par exemple, de rendre l'autre heureux sans sacrifier son quant-à-soi – ce qui les a amenés dans le New Jersey pour commencer, au lieu de rester là-haut sur la montagne et de devenir les victimes suffisantes de leurs propres erreurs imbéciles.

Certes, dans le cas des Markham, il est difficile de croire qu'ils vont y réussir. D'ici un an, Joe risque d'être le premier à se pointer à une fête du solstice d'été dans le pré fauché de frais d'un voisin, à siroter de la bière fermentée à la maison et brouter dans une assiette faite à la main des lasagnes végétariennes – avec des marmots nus qui gambadent dans l'herbe, l'odeur du compost, le bruit d'un ruisseau et d'un groupe électrogène au gaz à l'arrière-plan – et de discourir sur le thème du changement, impliquant que quiconque s'en révèle incapable est un lâche : philosophie forgée, bien entendu, sur l'enclume de leur propre expérience à Phyllis et lui (qui comprend le divorce, le manquement aux responsabilités parentales, l'adultère, l'égocentrisme et la dislocation spatiale).

C'est pourtant le changement, pour le moment, qui est en train de lui faire péter le ciboulot. Les Markham déclarent qu'ils ne veulent pas accepter de compromis par rapport à leur idéal. Or, ne pas acheter ce dont on n'a pas les moyens n'est pas un compromis, c'est l'expression de la réalité. Pour arriver à quelque chose, il faut apprendre à répondre dans la même langue.

N'empêche qu'ils trouveront peut-être des forces cachées : leur vasouillarde reproduction du geste de la chapelle Sixtine, par-dessus le dossier du siège, tout à l'heure dans la voiture, était un signe prometteur, mais il va leur falloir aller plus loin dans ce sens durant le week-end, pendant qu'ils seront livrés à eux-mêmes. Et puisque je n'ai pas reçu leur chèque, c'est en effet livrés à eux-mêmes qu'ils vont le passer – dans les affres, mais aussi, j'espère, dans un début de processus d'autoperception, en guise d'initiation sacrée à une vie ultérieure plus complète.

4

Il ne serait peut-être pas inintéressant d'évoquer ici ce qui a fait de moi un spécialiste du domaine résidentiel, bien loin de mes activités précédentes de nouvelliste raté et de chroniqueur sportif. Quiconque maîtrise bien sa vie devrait en avoir distillé tout ce qui compte en quelques principes et événements interconnectés, faciles à résumer en une quinzaine de minutes et qui n'entraînent pas tout un tas de pauses hésitantes et d'excuses relatives à la difficulté de bien comprendre ceci ou cela, faute d'avoir été là. (Presque personne d'autre ne peut jamais « avoir été là », et dans bien des cas c'est tant pis pour vous si vous y étiez forcément.) Et c'est sur ce mode distillé, épuré qu'on peut dire que le remariage de ma femme et son départ pour le Connecticut m'ont amené au point où j'en suis.

Il y a cinq ans, à la fin d'une mauvaise saison que mon amie le Dr Catherine Flaherty nomma « peut-être une sorte de crise majeure », ou « la fin de quelque chose de stressant suivie par le début de quelque chose d'indistinct », je laissai simplement tomber mon job dans un grand magazine sportif de New York pour me barrer en Floride, puis l'année suivante en France, que je ne connaissais pas mais où j'avais décidé qu'il fallait aller.

L'hiver suivant, ladite Catherine Flaherty, alors âgée de vingt-trois ans et pas encore docteur, interrompit ses études en médecine à l'université de Dartmouth et s'envola pour Paris afin de passer une « saison » avec moi, malgré l'avis contraire de son père (qui pourrait le critiquer ?) et sans présumer le moins du monde que nous avions un avenir commun, ni admettre d'ailleurs que l'avenir était à prendre en considération. Dans une Peugeot de location, nous nous sommes lancés tous les deux sur les routes menant à tout ce qui nous paraissait intéressant sur la carte de l'Europe. Je payais les frais grâce au produit de la vente de mes parts du magazine, et Catherine se chargeait de la lecture ardue des cartes, de demander notre chemin, de commander les repas, de trouver les toilettes, de téléphoner et de donner son pourboire au chasseur. Naturellement, étant venue en Europe au moins vingt fois avant d'être sortie de Choate, elle était capable en toutes circonstances de se souvenir d'un « bon petit restaurant sur la hauteur qui surplombe la Dordogne » et de nous y mener tout droit, ou d'un « bistrot intéressant pour déjeuner très tard » près du Palacio à Madrid, ou de trouver aux alentours d'Helsinki le chemin d'une maison où avait demeuré autrefois l'épouse de Strindberg. Le voyage avait pour elle la vertu d'un retour, nostalgique et sans but, à des triomphes passés, avec un compagnon non conventionnel, juste avant que la vie – la vie adulte et sérieuse – commence pour de bon et qu'il ne soit plus question de s'amuser, tandis que pour moi, c'était plutôt une expédition inquiète au travers d'un paysage *extérieur*, étranger mais passionnant, entreprise dans l'espoir d'atteindre un refuge temporaire où je me sentirais gratifié, requinqué, moins angoissé, peut-être même heureux et en paix.

Il n'est pas nécessaire d'entrer dans les détails de nos pérégrinations. (Les virées pseudo-romanesques de ce style doivent toutes se ressembler et tourner court.) Nous avons fini par nous « installer » à Saint-Valery-sur-Somme, en Picardie, au bord de la Manche. Nous avons passé là ensemble presque deux longs mois, dépensé une bonne part de ma fortune, roulé à bicyclette, lu des tas de livres, visité des champs de bataille et des cathédrales, expérimenté l'aviron sur les canaux, flâné pensivement le long de la rive herbue de l'estuaire du vieux fleuve, en regardant les pêcheurs à la ligne sortir des perches de l'eau, accompli pensivement à pied le tour de la baie jusqu'au village d'albâtre du Crotoy, puis au retour fait copieusement l'amour. En outre, je m'exerçais à parler le français appris à l'université, bavardais avec les touristes britanniques, suivais des yeux les voiliers, faisais voler des cerfs-volants, mangeais beaucoup de sableuses moules meunières, écoutais beaucoup de jazz « traditionnel », dormais quand je voulais et même quand je ne voulais pas, me réveillais à minuit et contemplais le ciel comme si j'étais en quête d'une vision plus claire de quelque chose sans trop savoir de quoi. Ainsi ai-je vaqué jusqu'à ce que je me sente parfaitement d'aplomb, pas amoureux de Catherine Flaherty mais pas malheureux non plus, même si d'autre part je ne me voyais pas d'avenir ni d'utilité et sentais l'ennui me gagner – comme n'importe quel Américain, j'imagine, après un séjour prolongé en Europe, lorsqu'il veut rester américain (c'est peut-être aussi ce qu'éprouve un entrepreneur de travaux publics détourneur de fonds pendant la dernière partie de son séjour au centre de détention de Penns Neck).

Mais ce que j'avais commencé à ressentir en France, c'était en fait une sorte de besoin déguisé (ainsi que l'est souvent le besoin) en absence de besoin, un état tout différent des perturbations grinçantes, tourbillonnantes, haletantes que j'avais traversées à la fin de ma carrière de chroniqueur sportif : le divorce, les regrets et la pulsion de pourchasser les femmes rien que pour me calmer, me distraire et me déconnecter un peu. Il s'agissait plutôt ici d'un besoin grave qui me concernait et ne concernait que moi, et non moi *avec* quelqu'un. Il s'agissait, j'en suis convaincu à présent, d'une pulsion profonde de ma maturité qui demandait que je m'en saisisse plutôt que de l'éviter sans fournir d'effort. (Rien ne vaut cinq semaines au contact d'une femme plus jeune que vous de vingt ans pour vous fourrer le nez dans le fait que vous disparaîtrez un jour, rendre d'un ennui pesant à vos yeux le concept de jeunesse et vous faire prendre tristement conscience de l'impossibilité permanente d'*être avec* une autre personne.)

Un soir, donc, devant une assiette de « ficelle picarde » et un verre de plus d'un pouilly fumé acceptable, il m'est venu à l'esprit que de me trouver là en compagnie de l'attirante, gentiment ironique Catherine aux cheveux de miel était indéniablement une sorte de rêve, et un rêve que j'avais voulu faire, mais que dorénavant ce rêve me retenait – de quoi, je ne savais pas trop, mais il fallait que je le découvre. Bien entendu, elle s'ennuyait sûrement à mort avec moi, mais elle avait continué de se comporter, en affichant un vague amusement, comme si j'étais un « type marrant », aux habitudes drôlement intéressantes et excentriques, à surtout ne pas prendre à la légère en tant qu'homme, et comme si le séjour en ma compagnie à Saint-Valery avait été déterminant pour que sa jeune vie s'enracine dans toute l'expérience souhaitable ; d'ailleurs elle ne l'oublierait jamais. Néanmoins, il lui était égal que je m'en aille et qu'elle reste, ou que nous nous en allions ou restions tous les deux. Elle avait déjà le projet de partir, sans avoir encore pensé à m'en parler ; et n'importe comment, quand j'aurais eu soixante-dix ans et des couches pour adultes, elle aurait eu la cinquantaine, des aigreurs causées par tout ce qu'elle aurait manqué et aucun empressement à me caresser dans le sens du poil – la seule chose dont j'aurais alors eu envie. De sorte qu'il n'était évidemment pas question de perspectives à long terme pour nous deux.

Mais sans plus de délai, le soir même, et sans un mot désagréable, nous nous sommes embrassés et avons levé le camp – elle pour regagner Dartmouth, et moi...

Haddam. Où j'ai débarqué, fort non seulement d'une détermination nouvelle et d'une fureur d'œuvrer sérieusement à mon propre bien et peut-être même celui d'autrui, mais aussi d'un sentiment de renouvellement que j'étais aller chercher loin et qui s'est aussitôt traduit en un sentiment de lien avec Haddam qui me sembla, en cet instant miraculeux, être ma résidence spirituelle plus qu'aucun autre lieu où j'aie séjourné, puisque c'était là que, d'instinct, j'avais été si pressé de revenir. (Certes, ayant vu le jour dans une vraie « région », imprégnée d'une identité aussi nonchalante et monotone que la côte du golfe du Mississippi, je ne pouvais pas m'étonner sincèrement de trouver, à la réflexion, un grand soulagement et une facilité à me nicher dans le simple environnement qu'offrait Haddam, si discret quant à son identité.)

Auparavant, quand j'étais chroniqueur sportif à New York, homme marié puis divorcé, je m'étais toujours perçu comme une présence spectrale, tel un caboteur dans le brouillard, s'efforçant de naviguer à proximité et surtout à portée d'oreille de la côte, sans jamais s'y amarrer. Tandis qu'à présent, grâce à la capacité de Haddam ou de n'importe quelle agglomération suburbaine d'accueillir tout nouveau venu, à moins d'ignominie (une indulgence particulière qui peut nous faire regretter le groupe résidentiel ou le lotissement les plus impersonnels), je me sentais citadin : le type qui échange une blague douteuse avec l'épicier italien, qui sait exactement quelle coupe de cheveux on lui fera au salon Barber's mais qui y va quand même, qui a élu plus de trois maires, qui se rappelle comment c'était avant que ça change, et qui du coup se sent chez lui. Naturellement, c'est sur le fonds personnel d'espoir et de validité que fleurissent ces dispositions.

Chaque âge de la vie arbore son petit fanion. Et le mien, lors de mon retour à Haddam, était indéniablement à deux faces. D'un côté, il y avait une impression d'heureux synchronisme dans lequel tous mes projets – renouer un contact étroit avec mes enfants après mon absence prolongée, me lancer à fond dans une nouvelle entreprise, peut-être entrer en campagne pour regagner un peu du terrain perdu auprès d'Ann – toutes ces tâches prometteuses semblaient guidées par une obscure étoile pour couvrir le champ de ma vie. J'étais dans un état de grâce où tout s'harmonisait et où rien ne pouvait me résister si je me mettais en tête de l'obtenir. (Les psychiatres comme celui que voit mon fils nous mettent en garde contre ce genre d'état, ils cherchent à nous arracher au poison de l'euphorie pour nous ramener les pieds sur terre, où ils tiennent à ce que nous cheminions laborieusement.)

L'autre impression, qui équilibrait la première, c'était que tout ce que j'envisageais alors était limité ou du moins déterminé par les simples réalités de mon existence ; je n'étais en somme qu'un être humain, sans plus de transcendance qu'un tronc d'arbre, et tout ce que je voudrais faire, il faudrait le peser en fonction de données pratiques et de critères invariables : « Cela pourrait-il réussir ? » et « Qu'est ce que cela apporterait, à moi ou à qui que ce soit ? »

Rétrospectivement, je pense que cette combinaison de poussées complémentaires a marqué le début de ma Période d'Existence, l'entrée sur la corde raide de la normalité, ce qui succède aux grosses turbulences qui ont amené le grand écroulement, l'époque de la vie où ce qui devait nous affecter « plus tard » nous affecte en effet, un temps où nous avançons plus ou moins tout seuls et dans la satisfaction, même s'il se peut que, par la suite, nous préférions ne pas en parler ni même nous en souvenir si nous avons à raconter notre propre histoire, tant le fait de passer simplement en tête à tête avec nous-mêmes nos moments de vérité entraîne de petites tensions et des ajustements mineurs.

Certains délestages semblaient cependant s'imposer pour que cette période soit un succès – ainsi que Ted Houlihan l'a dit voilà une heure à Joe Markham, qui n'y a sans doute pas prêté attention. La plupart des gens, quand ils atteignent un certain âge, se coltinent jour après jour le concept de complétude en se cramponnant de leur mieux à tout ce qui a pu faire partie d'eux, à un moment ou à un autre, afin d'entretenir l'illusion qu'ils sont pleinement présents à la vie. Il s'agit en général de parvenir à se rappeler l'anniversaire de la première personne à qui ils ont « cédé », ou du premier disque de calypso qu'ils ont acheté, ou de la réplique poignante de *Notre petite ville* qui, en 1960, leur avait paru résumer le sens de la vie.

Il vaut mieux renoncer à tout ça en même temps qu'à la notion de complétude, car au bout d'un certain temps, on se retrouve trop empêtré dans tout ce qu'on a fait, à quoi l'on a cédé, qu'on a loupé, combattu ou détesté pour pouvoir aller plus loin. En d'autres termes, quand on est jeune, on a l'avenir à affronter, mais quand on ne l'est plus, c'est le passé qui devient votre adversaire, avec tout ce que vous en avez fait et la difficulté de vous en éloigner. (Mon fils Paul est peut-être une exception.)

Quant à moi, puisque je m'étais délesté de mon emploi, de mon mariage, de la nostalgie et des regrets marécageux, je me sentais de plein droit un homme vibrant de possibilités et de détermination – comme on se sentirait juste avant de se lancer dans un sport tel que, disons, le ski de glacier, non pour aiguiser ses facultés ou jouer avec la mort, mais simplement pour célébrer l'ardeur de l'âme humaine. (J'aurais été bien incapable, évidemment, d'expliquer ce qu'était réellement ma détermination, et cela signifie sans doute que j'étais seulement déterminé à avoir une détermination. Mais ce que je craignais, j'en suis sûr, si je ne faisais pas quelque usage de ma vie, fût-il ridicule, c'était de la perdre, comme on le racontait à propos de la bite quand j'étais petit.)

Ce qui me rendait apte à une nouvelle entreprise, c'était d'abord de ne pas ressasser l'état de choses antérieur. De toutes façons, on se trompe en général à ce sujet, sinon qu'on était plus heureux en ce temps-là, mais on ne le savait peut-être pas, ou alors on était incapable de se saisir de ce bonheur, tant on pataugeait dans l'eau de rose ; ou encore, et c'est souvent le cas, peut-être n'a-t-on jamais été tout à fait aussi heureux qu'on aime à le croire.

Ma deuxième qualification, c'était de ne plus attacher autant de prix à l'intimité. (Elle avait commencé à perdre du terrain depuis la fin de mon union conjugale et l'échec d'autres attirances.) Quand je dis intimité, c'est de la véritable intimité que je parle, celle qu'on ne partage qu'avec une personne (ou peut-être deux ou trois) au long d'une vie, pas celle qui vous permet de causer, avec quelqu'un dont vous êtes proche, du choix d'un laxatif ou de problèmes dentaires, ou, si c'est une femme, de son cycle menstruel ou de vos douleurs à la prostate. Cela, c'est du domaine privé, pas de l'intimité. Je parle de la vraie – l'intimité silencieuse – où les paroles, les confidences, les promesses, les serments sont presque secondaires : l'intimité de la compréhension, de la compassion ferventes, sans rien de commun avec le fait d'être francs, ou de pouvoir « s'ouvrir » aux inconnus (qui d'ailleurs ne signifie rien). Mais je n'étais en manque par rapport à rien de tout cela ; en fait, je me sentais en mesure d'entrer tout droit dans mon nouveau cadre de référence – quelque fût sa configuration – assez bien préparé et équipé.

En troisième lieu, mais pas en dernier, je ne me tracassais pas vraiment à l'idée d'être ou non un lâche. (Cela me semblait important, et c'est toujours le cas.) Un soir, des années auparavant, quand j'étais chroniqueur sportif, alors que nous sortions, Ann et moi, d'un match Knicks-Bullets au Garden, un barjo devant nous se mit à brandir un pistolet et à menacer d'ouvrir le feu sur tout le monde. La rumeur balaya la foule comme une tornade sur un champ de blé. « Le mec est armé ! Attention ! » Je tirai Ann en toute hâte à l'intérieur des toilettes hommes qui se trouvaient là, afin de mettre un rempart de béton entre le canon du pistolet et nous. Il ne fallut guère qu'une vingtaine de secondes pour que le forcené soit plaqué au sol et bourré de coups de pieds par une escouade de gros-bras new-yorkais, et Dieu merci personne ne fut blessé.

Mais, une fois remontés en voiture, en attendant sous la bruine de pénétrer dans le morne souterrain pour regagner le New Jersey, Ann se tourna vers moi.

« Est-ce que tu t'es rendu compte que tu t'es jeté derrière moi quand ce type a pointé son arme ? me demanda-t-elle avec un sourire fatigué mais compatissant.

– Pas du tout ! J'ai bondi dans les toilettes et je t'ai tirée à l'intérieur avec moi.

– Oui, après. Mais d'abord tu m'as saisie aux épaules et tu t'es mis derrière moi. Ce n'est pas un reproche. Tout est allé très vite. »

Elle traça sur la buée de la vitre une ligne verticale au bas de laquelle elle ajouta un point.

« C'est vrai que tout est allé très vite. Mais tu te trompes quant à la façon dont ça s'est réellement passé, dis-je, troublé car, en effet, c'était allé très vite, j'avais réagi instinctivement et j'en gardais un souvenir imprécis.

– Alors, si ça s'est passé ainsi que tu sembles le croire, reprit-elle, sûre d'elle, dis-moi donc si cet homme – si c'était un homme – était blanc ou de couleur. »

Ann ne s'est jamais défaite des qualificatifs raciaux coutumiers à son papa du Michigan.

« Je n'en sais rien, répondis-je en suivant la courbe qui plongeait dans l'univers sinistre du souterrain. Il y avait trop de cohue. Il était trop loin devant nous. On ne le voyait pas.

– Moi, si, répliqua-t-elle en se redressant et lissant sa jupe sur ses genoux. Il n'était pas si loin que ça. Il aurait pu nous atteindre. C'était un petit basané, armé d'un petit revolver noir. Si nous le croisions dans la rue, je le reconnaîtrais. Mais peu importe. Tu as essayé de faire ce qu'il fallait. Je suis contente d'avoir été rien moins que la seconde personne que tu as songé à protéger quand tu t'es cru en danger. »

Elle me sourit à nouveau, me tapota la jambe d'un geste exaspérant et, le temps que je trouve quoi que ce soit à dire, nous arrivions déjà à la sortie 9.

Mais, des années durant, cela m'a ennuyé (qui n'aurait pas été ennuyé ?). J'avais toujours partagé la conviction des Grecs antiques que ce qui compte le plus dans la vie est d'ordre physique. Et cela m'ennuyait que lors de la dernière occasion que j'aurais eue de me jeter en guise de bouclier devant ma bien-aimée, j'aie paru pousser ma bien-aimée devant moi aussi lâchement qu'un froussard de corniaud (les apparences sont tout aussi graves que la vérité quand la lâcheté est en jeu).

Et pourtant, lorsque nous avons divorcé, Ann et moi, parce qu'elle ne pouvait plus supporter les diverses formes aberrantes que prenaient mon chagrin et mes regrets de la mort de notre fils aîné, et qu'elle a simplement déserté le nid familial (acte physique s'il en est), j'ai cessé presque aussitôt de me tracasser au sujet de cette histoire de lâcheté et j'ai décidé qu'elle avait eu tort. Mais, si par hasard elle avait eu raison, je trouvais plus courageux de vivre avec la connaissance spécifique de ma lâcheté et de chercher à progresser que de rester à jamais ignorant de moi-même sur ce terrain, et préférable, en outre, de persister à croire, comme nous le faisons tous dans nos rêves éveillés, qu'au moment où le voleur bondit hors de la ruelle en brandissant le couteau à découper ou le gros calibre, à la terreur de votre épouse et d'un tas de passants innocents (des vieillards en fauteuil roulant, votre prof de maths du lycée, Miss Hawthorne, qui fut si patiente, quand vous ne compreniez rien à la géométrie plane, qu'elle a changé le cours de votre vie), vous aurez le temps d'agir héroïquement (« Je ne crois pas que vous avez assez de couilles pour vous servir de ce machin-là, Monsieur, alors je vous suggère de me le donner et de décamper vite fait »). Il est préférable de souhaiter pour soi-même ce qu'il y a de mieux, préférable aussi (et ce n'est pas facile) que les autres aussi vous le souhaitent.

Ce ne serait pas très intéressant de m'écouter me répandre sur toutes mes tentatives, tout ce que j'ai pu entreprendre à cette époque – 1984, l'année d'Orwell, où Reagan fut réélu au terme de son premier mandat, celui qu'il avait plus ou moins passé à somnoler quand il n'était pas occupé à déclencher une guerre ou à mentir à ce propos en fourrant le pays dans la merde.

Durant les premiers mois, je passais trois matinées par semaine à lire à haute voix pour les aveugles sur WHAD-F.M. (98.6). Les romans de Michener et *Le Docteur Jivago* étaient les favoris des auditeurs ; c'est une chose qu'il m'arrive encore de faire quand j'ai le temps, et qui m'apporte de vraies satisfactions. Je sondai aussi, brièvement, la possibilité de devenir rapporteur judiciaire (ma mère avait toujours pensé que ce serait un excellent métier, car c'était utile et qu'on aurait toujours besoin de vous). Plus tard, je suivis toute une semaine des cours de conduite d'engins lourds, qui m'amusaient mais que je laissai tomber avant la fin (j'étais résolu à explorer des voies imprévues pour quelqu'un ayant ma formation). J'essayai de décrocher un contrat pour écrire un livre « d'après le récit » de tel ou tel, mais ne réussis pas à mobiliser mon ancien agent littéraire parce que je n'avais aucun sujet précis à proposer et qu'on ne s'intéressait plus qu'à de jeunes auteurs qui apportaient un projet promis au succès. Enfin, pendant trois semaines, j'ai réellement exercé les fonctions d'inspecteur pour une compagnie qui garantissait la « qualité des services » offerts par des motels et des restaurants médiocres d'un bout à l'autre du Middle West, mais j'y renonçai à cause des heures interminables à passer tout seul en voiture.

En même temps, je m'occupais activement d'assumer mes responsabilités auprès de mes deux enfants (alors âgés de onze et huit ans), qui vivaient avec leur mère dans la maison de Cleveland Street et grandissaient entre nos deux foyers selon le mode ordinaire des ménages divorcés, auquel ils paraissaient se faire, à défaut d'en être tout à fait ravis. C'est l'époque où j'adhérai au coûteux Red Man Club, car je tenais à leur enseigner à tous deux le respect de la nature, et où je projetais aussi une virée nostalgique dans le Mississippi, à l'occasion d'une réunion d'anciens élèves de mon école militaire, ainsi qu'un voyage dans les Catskills pour un week-end organisé avec énigme criminelle à la clé, une randonnée pédestre sur la piste des Appalaches et une descente en radeau de la Wading River. (Je l'ai dit, j'avais pleinement conscience qu'en m'éclipsant longuement en Floride puis en France, je n'avais pas été un père exemplaire et qu'il était temps de me rattraper, mais il me semblait que si l'un de mes parents s'était comporté ainsi, j'aurais compris, pourvu qu'ils me disent qu'ils m'aimaient et ne désertent pas tous les deux simultanément).

L'un dans l'autre, je pensais me mettre en situation d'accueillir ce qui pourrait se présenter de bien et je songeais même un peu à suggérer à Ann de reconsidérer la solution du mariage, lorsqu'un soir, début juin, c'est elle qui m'a appelé pour m'annoncer qu'elle allait se marier avec Charley O'Dell, qu'elle vendait sa maison, abandonnait son travail, inscrivait les enfants dans de nouvelles écoles, bref, déménageait de fond en comble au diable vert, autrement dit Deep River, et pour de bon. Elle espérait que ça n'allait pas me perturber.

Moi j'étais là sans plus savoir ce qu'il fallait dire, penser, encore moins éprouver, et je suis resté pétrifié de longues secondes à tenir le combiné contre mon oreille comme si la ligne était coupée, ou si une décharge mortelle s'était transmise à mon cerveau par l'intermédiaire de mon oreille et m'avait transformé en statue de sel.

N'importe qui, naturellement, aurait pu le prévoir. J'avais rencontré Charley O'Dell (un architecte de cinquante-sept ans, haute taille, chevelure prématurément blanchie, ossature forte, nez fort, forte mâchoire, plein de fric, l'esprit aussi prosaïque qu'un dictionnaire), à diverses occasions quand je venais chercher ou ramener mes enfants, et l'avais alors officiellement décrété « sans danger ». O'Dell est à la tête de la prétentieuse agence où il travaille tout seul, logée dans une ancienne chapelle de marins érigée sur pilotis (!) au bord des marais de Deep River et, bien entendu, il navigue sur son propre Alerion de huit mètres, construit de ses propres mains calleuses, et gréé de voiles cousues à la lumière des lampes en écoutant du Vivaldi, tsin tsin, tsin tsin tsin, tsin, tsin, tsin. Par une soirée de printemps, debout sur la petite galerie devant la maison d'Ann – la mienne à présent –, nous avons jacté ensemble pendant une bonne demi-heure, sans la moindre sincérité ni bienveillance, sur les stratégies diplomatiques destinées à attirer les Scandinaves au sein de la C.E.E., dont j'ignorais tout et me contrefichais. « Si vous voulez mon avis, Frank, les Danois sont la clé de tout cet édifice d'attardés » – un genou nu, bronzé, noueux calé sur la balustrade, chaussure de bateau sur mesure balancée au bout de son long orteil, menton appuyé sur son gros poing d'un air de penseur. Quand il ne porte pas un blazer et un nœud papillon, la tenue habituelle de Charley consiste en un vaste T-shirt blanc et un short en toile kaki, qu'on vous remet sûrement avec votre diplôme à Yale. Pour ma part, je le regardais droit dans les yeux comme si je l'écoutais passionnément, alors qu'en fait j'étais occupé à sucer une de mes molaires où j'avais découvert un goût musqué dans un recoin où je ne pouvais passer le fil dentaire, et aussi à songer que, si je parvenais à l'hypnotiser et à le faire disparaître par ma seule volonté, je pourrais jouir d'un moment en tête à tête avec mon ex-femme.

Mais chaque fois que nous nous attardions ensemble, elle et moi, près de ma voiture, dans la nuit silencieuse des couple divorcés qui s'aiment encore, Ann (j'aurais dû me méfier) refusait de me suivre sur le terrain des plaisanteries narquoises aux dépens de Charley, comme elle l'avait toujours fait pour ses autres prétendants – des plaisanteries au sujet de leurs goûts vestimentaires, de leurs mornes activités, de leur haleine, de leurs histoires d'anciennes épouses féroces. En ce qui concernait Charley, pas question de l'ouvrir. (Je croyais bien à tort que c'était par respect pour son âge.) Mais j'aurais dû faire plus attention et le torpiller comme l'aurait fait n'importe quel homme en possession de tout son bon sens.

Le résultat, en tout cas, quand Ann m'a annoncé la mauvaise nouvelle au téléphone en cette soirée de juin juste à l'heure du cocktail – l'heure où dans tout Haddam, le soleil ayant passé le coin de l'office, on transférait les glaçons dans des seaux en cristal, des gobelets plombés et de fines cruches suédoises, on dosait le vermouth, l'odeur de genièvre faisait palpiter les narines de maint ex-mari exténué mais non moins méritant –, c'est que j'ai pris un grand coup sur la tête.

Et ma première pensée consciente a été, bien sûr, que j'avais été cruellement trahi à un moment critique, le moment où j'avais presque réussi à renverser le cours des choses pour retrouver le long chemin du retour à l'écurie, le commencement d'une douce embellie de la vie, tous péchés pardonnés, toutes plaies cicatrisées.

« Te marier ? ai-je crié, de tout mon être, tandis que résonnait peut-être de façon audible le bruit de mon cœur cognant le fond de sa cavité. Te marier avec qui ?

– Charley O'Dell, a répété Ann, anormalement calme face à une nouvelle accablante.

– Tu épouses le maçon ! Pourquoi ?

– Sans doute parce que j'ai envie que quelqu'un me fasse l'amour plus de trois fois avant de disparaître, a-t-elle dit tout aussi calmement. Tu files en France et je n'ai plus de nouvelles de toi pendant des mois (ce qui était faux). Je crois vraiment que les enfants ont besoin de vivre mieux que ça. Et aussi parce que je ne veux pas mourir à Haddam, et parce qu'il me plaît de voir le Connecticut dans la brume matinale et d'aller faire de la voile. En termes plus conventionnels, je suis sans doute amoureuse de lui. Qu'est-ce que tu croyais ?

– Ça me paraît de bonnes raisons, ai-je dit, saisi d'un vertige.

– Je suis contente que tu m'approuves.

– Je ne t'approuve pas, ai-je protesté, essoufflé comme si je venais de courir longtemps. Tu emmènes les enfants avec toi ?

– Aux termes de notre divorce, rien ne s'y oppose.

– Et eux, qu'en pensent-ils ? »

Je sentais à nouveau mon cœur cogner à la pensée des enfants. C'était certes une question sérieuse, une question qui s'impose des années au-delà du divorce lui-même : la question de savoir ce que les enfants pensent de leur père si leur mère se remarie. (Il est rare qu'il s'en sorte bien. Des livres ont été écrits sur ce sujet, et ils n'ont rien de drôle : le père est perçu soit comme un figurant à la tête ornée de cornes, soit comme un traître insensible qui a obligé maman à épouser un nouveau venu poilu dont l'attitude invariable à l'égard des gosses est faite d'ironie, de mépris mal déguisé et d'irritation. Dans les deux cas, l'insulte colle à la blessure.)

« Ils trouvent ça épatant. Ou ils le devraient. Ils pensent que je serai heureuse, je crois.

– Bien sûr, pourquoi pas ? dis-je, dans du coton.

– Oui. Pourquoi pas. »

Puis il est tombé un long silence de glace, où nous avons tous deux reconnu le silence fatal, celui du divorce, de la fatigue d'un amour morcelé, rationné de diverses manières injustes, d'un amour perdu alors que quelqu'un aurait dû l'empêcher de se perdre mais ne l'a pas fait, le silence de la mort – longtemps avant qu'on ait seulement aperçu la mort du coin de l'œil.

« C'est tout ce que j'ai à dire pour le moment », a-t-elle ajouté.

Un lourd rideau s'était écarté brièvement, avant de se refermer.

Je me trouvais bel et bien à l'office au 19, Hoving Road, les yeux fixés, à travers la petite fenêtre en forme de hublot, sur la partie latérale de mon jardin, où le grand hêtre pourpre tendait des nappes d'ombre violette pré-crépusculaire sur le vert de l'herbe et des taillis en cette fin de printemps.

« Pour quand est-ce que tout ça est programmé ? ai-je demandé presque comme si je m'excusais, en portant la main à ma joue, qui était toute froide.

– Dans deux mois.

– Et le club ? »

Ann était restée au golf de Cranbury Hills en qualité de professionnelle donnant des leçons à temps partiel, et elle avait failli entrer dans l'équipe féminine de l'État. C'est même là qu'elle avait fait la connaissance de Charley, « invité » au titre de son appartenance à l'Old Lyme Country Club. Elle m'avait tout raconté (croyais-je) à son propos : quelqu'un de plus âgé qu'elle en compagnie de qui elle se sentait bien.

« J'ai déjà enseigné la pratique du golf à suffisamment de femmes comme ça... Ce matin, j'ai mis ma maison en vente à l'agence Lauren-Schwindell, a-t-elle ajouté après une pause.

– Je pourrais l'acheter, ai-je dit sans réfléchir.

– Ce serait original. »

Pourquoi j'avais lâché une telle énormité, je n'en avais pas la moindre idée, sinon pour lancer une réplique hardie au lieu d'éclater d'un rire hystérique ou de hurler ma peine.

« Je vais peut-être vendre ma maison à moi pour emménager dans la tienne », ai-je pourtant insisté.

Or, à mesure que les mots sortaient de ma bouche, j'acquérais la certitude que c'était exactement ce que j'allais faire, et sans perdre une minute – de façon, peut-être, à ce qu'elle ne puisse jamais se débarrasser de moi. (Ne serait-ce pas le sens laïque du mariage ? Le lien qu'on noue avec la seule personne au monde dont on ne se débarrassera qu'en mourant.)

« Je crois que je vais te laisser le soin de t'occuper des tractations immobilières, a dit Ann, prête à raccrocher.

– Charley est-il là ? »

J'étais tenté de faire tout de suite un saut là-bas pour lui casser la gueule, lui souiller de sang son T-shirt, lui coller quelques années de plus.

« Non, et ne viens pas ici, je te prie. Je suis en train de fondre en larmes, et je ne te ferai pas le cadeau de me voir ainsi. »

Comme je ne l'avais pas entendue pleurer, j'en ai conclu qu'elle mentait pour que je me sente un salaud, et j'en étais là en effet, bien que je n'eusse commis aucune saloperie. C'était elle qui se mariait, et moi qui me trouvais largué comme un estropié.

« Ne t'inquiète pas, ai-je dit. Je ne voudrais pas te gâcher ton plaisir. »

Et là, tout d'un coup, le combiné appuyé à mon oreille, j'ai senti un silence encore plus atone envahir les fibres optiques qui nous reliaient. Et la douleur aiguë de la mort annoncée d'Ann, pas à Haddam, pas tout de suite, pas même bientôt, mais pas non plus dans un délai très long – à la fin d'un laps de temps qui, puisqu'elle m'abandonnait pour se jeter dans les bras d'un autre, allait passer de façon presque imperceptible ; sa vie s'éteindrait à mon insu au fil d'une série de menus événements, visites aux médecins, crises d'angoisse, déceptions, mauvais résultats d'analyses, pénibles séances de rayons, petites batailles livrées, petites victoires, rechutes, puis échecs (l'inventaire morose des choses de la vie), qui auraient pour soudaine et brumeuse conclusion un appel au téléphone, un fax ou un télégramme annonçant : « Ann Dykstra est morte mardi matin. La cérémonie a eu lieu hier. J'ai pensé qu'il fallait que vous le sachiez. Condoléances. C. O'Dell. » Après quoi ma propre vie serait anéantie, terminée, et voilà. (C'est l'âge qui fait que tout ce qui arrive menace de ruiner les précieuses années qui me restent. On n'éprouve rien de tel quand on a trente-deux ans.)

Évidemment, ce n'était là que sentimentalisme de bas étage, du genre qui vous attire le froncement de sourcils des dieux de l'Olympe et leurs messagers chargés de punir les petits escrocs de l'émotion. Mais il est des sujets auxquels on ne peut réfléchir sans que surgisse l'hypothèse de leur disparition. Et c'est ce qui m'arrivait : un assaut de tristesse à l'idée qu'Ann s'éloignait pour aborder la partie de sa vie qui aboutirait à sa mort ; moment où je serais ailleurs, occupé à glandouiller sur rien d'important, comme je l'avais fait depuis mon retour d'Europe ou – selon le point de vue – depuis vingt ans. On ne penserait même pas à moi ou, pire, je serais seulement « un type avec qui Ann était mariée autrefois… Je ne sais pas pas trop ce qu'il est devenu. Il était bizarre ».

Mais si j'avais un rôle à jouer, le moindre rôle dans l'histoire, il fallait en parler tout de suite – au téléphone, à quelques rues de distance mais dans un voisinage différent (géographie du divorce), moi qui tout seul chez moi me sentais encore, dix minutes plus tôt, plein d'optimisme pour mes perspectives intactes, mais à présent aussi divorcé qu'on pouvait l'être.

« Ne l'épouse pas, chérie ! Épouse-moi ! À nouveau ! Fourguons nos deux putains de maisons et déménageons à Quoddy Head, où le produit de la vente me permettra d'acheter un petit journal. Tu t'exerceras à la navigation autour de l'île de Grand Manan, et les enfants apprendront à composer au plomb, ils pourront devenir de prudents petits marins, des experts du casier à homard, perdre leur accent du New Jersey, faire leurs études à Bowdoin et Bates. » Telles sont les paroles que je n'ai pas lancées dans le silence sans fond qui s'ouvrait devant moi. Elles ne m'auraient valu qu'un éclat de rire, puisque j'avais eu des années pour les prononcer et ne l'avais pas fait – ce qui signifie, vous dira le Dr Stopler de New Haven, que je ne le voulais pas vraiment.

« Je crois que je comprends, ai-je dit simplement, d'un ton convaincu, tout en me versant une dose convaincante de gin, sans un soupçon de vermouth. Et je t'aime, sais-tu.

– Je t'en prie. Vraiment, je t'en prie ! Tu m'aimes ? Qu'est-ce que ça change ? De toute façon, je t'ai dit tout ce que j'avais à te dire. »

Elle était, elle est toujours, le genre de personne terre-à-terre qui n'accorde aucun intérêt aux idées saugrenues (les seules, m'arrive-t-il de penser, qui m'accrochent), ce qui est sans doute la raison de son mariage avec Charley.

« Affirmer que certaines vérités importantes se fondent sur des preuves fragiles, ça ne va pas très loin, ai-je objecté d'un ton humble.

– C'est ta philosophie à toi, Frank, pas la mienne. Je te l'entends professer depuis des années. Seul compte pour toi le temps que peut tenir une situation improbable, n'est-ce pas ? »

J'ai bu ma première gorgée de gin rafraîchi juste à point. Je sentais poindre l'ivresse lente d'un de ces longs dialogues qui vous aiguisent l'esprit. Il n'est guère de sensations plus agréables.

« Il y a des gens pour qui l'improbable peut durer le temps de devenir vrai.

– Et il y en a d'autres pour qui c'est impossible. Si tu t'apprêtais à me demander de me remarier avec toi au lieu d'épouser Charlie, mieux vaut t'en abstenir. C'est non. Je ne veux pas.

– Je tentais simplement de m'appuyer sur une vérité éphémère, en un moment transitoire, et de progresser à partir de là.

– Eh bien, progresse. J'ai le dîner à préparer pour les enfants. Je veux bien admettre ceci, néanmoins : je croyais

que ce serait toi qui te remarierais après notre divorce. Avec
je ne sais quelle poule. J'admets mon erreur.
– Tu ne me connais peut-être pas très bien.
– Désolée.
– Merci de m'avoir appelé. Félicitations.
– Oui. Ce n'était rien. »
Puis elle m'a dit bonsoir avant de raccrocher.

Mais… rien ? Ce n'était rien ?
C'était quelque chose !
J'ai lampé mon gin d'une seule goulée frémissante, sans
reprendre mon souffle, pour faire passer la boule d'amertume. Rien ? C'était énorme. Et je m'en fichais qu'il
s'agisse de l'aristocratique Charley de Deep River, d'un
fluet Waldo de labo à stylos rangés dans sa poche de chemise ou du Lonnie tatoué de la station-service : j'aurais été
dans le même état. De merde.
Jusque-là, nous avions mis en œuvre, Ann et moi, un
bon *modus vivendi* plein d'efficacité, aux termes duquel
nous vivions chacun notre vie, chacun chez nous, dans une
petite ville proprette et sûre. Nous avions des emballements,
des malheurs, des désespoirs, des joies, toute une boîte de
vitesses bourrée des avancées et des reculs de la vie, sans
fin, mais fondamentalement nous étions les mêmes deux
personnes qui s'étaient mariées et qui avaient divorcé, seulement dans un arrangement différent : les mêmes planètes,
d'autres orbites, le même système solaire. Et au moindre
coup du sort, disons un accident de voiture entraînant un
long séjour en réanimation ou des traitements interminables, c'est l'autre qui aurait veillé à tout, pris les médecins
au collet, causé avec les infirmières, fermé et ouvert judicieusement d'épais rideaux, dosé les jeux télévisés au long
des après-midi silencieux, tenu à l'écart les voisins foui-
neurs et les membres de la famille perdus de vue, les anciens
flirts, les rancuniers venus chercher une réconciliation, qui
les aurait tous refoulés dans les couloirs, en parlant à voix
basse : « Elle a passé une bonne nuit », ou : « Il se repose
à présent ». Le tout pendant que le patient ou la patiente
aurait somnolé, et les indispensables machines cliqueté,

bourdonné, soupiré. Et simplement pour pouvoir rester en tête à tête. Autrement dit, chacun gardait sa place dans les pires moments de l'autre, sinon dans les meilleurs.

Pour finir, après une longue convalescence durant laquelle l'un ou l'autre aurait dû se rééduquer à des fonctions vitales élémentaires qui avaient toujours semblé aller d'elles-mêmes (marcher, respirer, pisser), on aurait eu certaines conversations clés, on aurait reconnu certaines erreurs (si ce n'était déjà fait au moment critique), et rétabli certaines vérités cruciales de façon à pouvoir forger une union toute neuve et indissoluble (cette fois-ci).

Ou peut-être pas. Peut-être nous serions-nous simplement séparés à nouveau, mais non sans avoir acquis une force, une compréhension, un respect nouveau au travers du vécu fragile de l'autre.

Mais tout cela s'était évanoui comme un pet dans un pot. Vingt dieux ! Si j'avais imaginé, en 81, qu'Ann se remarierait, j'aurais combattu tel un Viking au lieu d'accepter le divorce avec une abnégation timide et mal inspirée. Et j'aurais combattu pour une putain de bonne raison : elle pouvait mettre où elle voulait les papiers d'hypothèque, son existence était irrévocablement liée à la mienne. Ma vie se jouait (et dans une certaine mesure, elle se joue encore) sur un théâtre où elle fait continuellement partie de l'assistance (qu'elle y soit attentive ou pas). Toutes mes composantes d'honnêteté, de raison, de patience, d'amour se sont élaborées dans la dramaturgie expérimentale de notre vie commune, et je me rendais compte qu'en déménageant à Deep River, elle désarticulait tout cela, elle détruisait toute l'illusion, puisqu'elle allait se mettre en ménage avec un autre et ne me laisser que de vagues costumes usagés pour jouer mon propre rôle.

On peut le comprendre, j'ai sombré dans un abattement profond, sulfureux, désynchronisé, enfermé chez moi sans appeler quiconque des jours durant. Je continuais de m'imbiber de gin, ruminais l'idée de reprendre le stage sur les engins lourds, devenais un méchant embarras pour les gens qui me connaissaient et me sentais perdre une bonne part de ma substance.

J'ai parlé une ou deux fois avec mes enfants, qui semblaient considérer le mariage de leur mère et de Charley O'Dell avec tout l'optimisme d'un petit investisseur qui observe la montée d'une action sur laquelle il est sûr qu'il finira par perdre de l'argent. Paul, qui allait changer d'avis par la suite, déclarait d'un ton gêné que Charley était un type « O.K. » et il m'a avoué qu'il l'avait accompagné à un match des Giants en novembre (je l'ignorais parce qu'à l'époque j'étais en Floride et envisageais d'aller en France). Clarissa paraissait s'intéresser davantage à la noce en soi qu'à la notion du remariage de sa mère, qui n'avait pas l'air de la tracasser beaucoup. Elle se demandait ce qu'elle allait porter, où tout le monde allait coucher (au *Griswold Inn* à Essex), si je pourrais être invité (« Non ! »), et aussi si elle pourrait être demoiselle d'honneur au cas où je me remarierais à mon tour (ce qu'elle espérait, disait-elle). Pendant un moment, nous avons commenté toutes ces questions à trois voix grâce au circuit intérieur du téléphone. Je me suis efforcé d'apaiser les craintes, d'embellir les perspectives et d'éclaircir la discussion de plus en plus confuse quant à savoir s'ils risquaient et si je risquais d'être malheureux, jusqu'à ce que nous ayons tout dit, après quoi nous nous sommes quittés, pour ne plus jamais nous parler dans les mêmes conditions ni sur le même ton d'innocence. Fini. Pfft.

Le mariage fut une cérémonie intime mais élégante, « en plein air » à la résidence de Charley, « Le Tertre » (une prétentieuse transposition de fermette de l'île de Nantucket : baies gigantesques, bois importés de Norvège et de Mongolie, poutres et piliers taillés à la main, tous les équipements encastrés, feuillurés, panneaux solaires, chauffage par le sol, sauna finlandais, et ainsi de suite). La mère d'Ann est arrivée en avion de Mission Viejo, les vieux parents de Charley ont trouvé moyen de venir en voiture de Blue Hill ou Northeast Harbor ou je ne sais quelle autre enclave de magnats, après quoi l'heureux couple s'est envolé vers le Huron Mountain Club, où Anne avait été introduite par son père.

Quant à moi, à peine Ann avait-elle solennisé ses vœux

de seconde main, j'ai foncé dans mon propre projet (inspiré par le sens pratique dont j'ai déjà parlé, puisque le sentiment exalté de synchronisme ne m'avait pas réussi) d'acquérir sa maison de Cleveland Street au prix de quatre cent quatre-vingt-quinze mille dollars, en me débarrassant de ma grosse baraque ancienne à moitié en bois, aux corniches affaissées, sur Hoving Road, où j'avais vécu presque chaque instant de ma vie à Haddam et où j'avais cru à tort que je pourrais habiter indéfiniment, mais qui me donnait à présent l'impression de me retenir en arrière. Une demeure peut exercer sur nous ce pouvoir quasi déterminant, en nous ruinant la vie ou contribuant à sa perfection par le seul fait de subsister quelque part plus longtemps que nous ne le pouvons. (Dans les deux cas, c'est un pouvoir dont il vaut la peine de triompher.)

La maison d'Ann était un hôtel particulier bien entretenu, de style néo-grec des années 20, typique du caractère architectural succinct, élégant-mais-non-maniéré du cœur du New Jersey. Elle l'avait eu pour pas cher (avec mon aide) après notre divorce et y avait fait quelques travaux de modernisation (ouvertures à l'arrière, Vélux, moulures, consolidation de certains piliers au sous-sol, aménagement du second étage pour y installer le repaire de Paul, enfin quelques couches de peinture blanche sur les bardeaux et des volets verts tout neufs).

À la vérité, je m'y sentais chez moi, puisque j'y avais déjà passé en trois ans un bon nombre de nuits sans sommeil quand un des enfants était malade ou, dans les premiers temps de nos tristes limbes de divorcés, quand j'avais un coup de bourdon si fort qu'Ann, me prenant en pitié, me laissait me faufiler dans la maison et coucher sur le divan.

En d'autres termes, c'était un foyer ; sinon le mien, du moins celui de mes enfants, celui de quelqu'un. Tandis que depuis qu'Ann m'avait affranchi, ma propre maison me faisait un effet de sombre hangar, hanté de murmures et d'étrangetés, et je m'en sentais singulièrement distancié – que je fusse dans le jardin à pousser la tondeuse ou planté dans l'allée, mains sur les hanches, à superviser d'en bas le colmatage d'un nouveau trou d'écureuil sous la noue de la cheminée. Il ne s'agissait plus pour moi, me semblait-il, de préserver quelque chose en vue d'un objectif quelconque, moi-même y compris, mais seulement d'en reproduire les gestes, de rendre jointives les planches inégales de la vie.

Par conséquent, j'ai couru chez Lauren-Schwindell pour lancer les deux affaires en même temps : l'achat de la maison d'Ann et la mise en vente de la mienne. J'avais une arrière-pensée : pour peu qu'un ouragan se charge de venir séparer Charley O'Dell de sa nouvelle épouse dès la première semaine, nous pourrions, Ann et moi, sceller nos retrouvailles chez elle (avant de partir vivre dans le Maine presque comme des jeunes mariés).

Avant le retour des O'Dell (aucune nouvelle d'une annulation), j'avais donc fait une proposition sonnante et trébuchante pour acquérir le 116, Cleveland Street et, grâce à l'entremise experte du vieil Otto Schwindell en personne, j'avais conclu un accord extrêmement avantageux avec l'Institut de théologie qui allait convertir ma maison en un centre œcuménique où des hôtes tels que l'évêque Desmond Tutu, le Dalaï Lama et le supérieur de la fédération des Églises d'Islande pourraient prendre part à des colloques sur le sort spirituel du monde, et trouver parallèlement un accueil assez confortable pour descendre de leur chambre s'offrir un petit médianoche.

À vrai dire, le conseil d'administration de l'Institut avait été fort sensible à ma situation fiscale, puisque ma maison valait un exorbitant million deux, les cours étant alors au plus haut. Leurs avoués furent en mesure d'établir à mon nom une solide annuité, qui me rapporte des intérêts et se transmettra à Paul et Clarissa, en des termes selon lesquels je faisais virtuellement don de ma maison, ce qui me donnait droit à une déduction d'impôt colossale, et toucherais ensuite de généreux honoraires de « conseiller » en matières temporelles. (Cette échappatoire fiscale a été supprimée depuis, mais trop tard dans mon cas, ce qui est fait est fait.)

Par une belle journée d'août, j'ai simplement franchi le seuil et descendu les marches de ma maison, en abandonnant tout ce qu'elle contenait sauf mes livres et deux ou trois objets auxquels me liait un attachement nostalgique (ma carte de Block Island, une table à plateau articulé, un fauteuil en cuir qui m'étaient chers, mon lit nuptial), et j'ai pris la voiture pour aller m'installer dans la maison d'Ann, avec tous ses nouveaux-vieux meubles à la place exacte où elle les avait laissés. J'ai pu conserver mon ancien numéro de téléphone.

Et, à franchement parler, j'ai à peine remarqué la différence, tant j'avais connu chez moi de nuits d'insomnie ou erré chez elle d'une pièce à l'autre quand tout le monde dormait – sans doute pour chercher ma place, ou ce que j'avais fait de travers, ou le moyen d'insuffler un peu d'air à mon organisme de fantôme et de redevenir un protagoniste identifiable bien qu'amélioré de leur chère vie ou de la mienne. Une maison en vaut une autre pour ce genre d'activités privées. Et, là aussi, le poète avait raison : « *Que vagabonde la Fantaisie ailée, / Jamais le plaisir n'est au foyer.* »

Mes débuts dans l'immobilier sont venus comme un surgeon naturel de mes propres opérations de vente et d'achat. Lorsque tout a été terminé et que j'ai été « chez moi » dans la maison de Cleveland Street, je me suis remis à envisager de nouvelles entreprises, une diversification, un bon investissement de mon capital tout neuf. Un mini-entrepôt à New Sharon, la reprise en main d'un bar à homard dans une gare, une chaîne de stations de lavage de voitures automatique, tout cela se présenta. Mais sans que je me saisisse d'aucune de ces occasions, parce que j'étais encore un peu pétrifié, inapte ou réticent à passer à l'action, ou simplement peu inspiré. Sans Ann et mes enfants à proximité, je me sentais aussi solitaire, accessoire et exposé qu'un gardien de phare en plein jour.

Un célibataire quadragénaire, s'il ne se fond pas entièrement dans le paysage, perd souvent beaucoup de sa crédibilité et peut même attirer une attention malsaine dans une petite communauté conservatrice. Et moi, à Haddam, dans ma nouvelle situation, j'avais l'impression de courir le risque d'incarner le personnage que je ne voulais surtout pas être et que j'avais craint de devenir depuis mon divorce : le vieux garçon suspect, l'homme dont la vie est sans mystère, grisonnant, une amorce de bajoues, un peu trop bronzé et fringant, qui parade en ville au volant d'une Chevrolet 58 décapotable astiquée à mort, toujours tout seul par les douces soirées d'été, en polo jaune passé avec des lunettes de soleil vertes sur le nez, le coude appuyé à la portière, écoutant du jazz d'avant-garde, le sourire au lèvres et feignant de tout tenir bien en main, alors qu'il a les mains vides.

Mais, un matin de novembre, Rolly Mounger, l'un des courtiers de Lauren-Schwindell, celui qui m'avait piloté dans mes tractations avec l'Institut, un ancien pilier costaud de l'équipe de Fairley Dickinson, originaire de Plano (Texas), m'a appelé pour me parler de formulaires fiscaux qu'il faudrait me procurer après le Nouvel An et pour me tuyauter sur une « opération d'investissement », liée à une subvention gouvernementale pour le renflouage d'un complexe immobilier en faillite, à Kendall Park, qu'il mettait sur pied avec « d'autres mandants » – au cas où je souhaiterais qu'il me branche sur l'affaire (non). Il a ajouté, comme en passant, qu'il était pour sa part sur le point de lever le camp et de partir pour Seattle où il allait s'occuper d'une idée commerciale lucrative à propos de laquelle il ne souhaitait pas en dire plus ; serais-je disposé à passer à l'agence pour discuter avec quelques personnes de la perspective de m'y intégrer en qualité de spécialiste du domaine résidentiel ? Mon nom, a-t-il affirmé, était « sérieusement » revenu sur le tapis à de nombreuses reprises de diverses sources (pourquoi, et qui, je ne voyais pas, je ne l'ai jamais découvert et j'ai acquis la certitude que c'était pure invention). On estimait généralement, a-t-il poursuivi, que j'avais toutes les qualifications souhaitables pour ce travail : autrement dit, j'étais en quête d'une nouvelle situation, je n'avais pas de soucis d'argent (gros avantage dans n'importe quelle branche), je connaissais le coin, j'étais célibataire et sympathique. En outre, j'avais atteint la maturité – soit quarante ans passés – et ne semblais pas trop étroitement connecté à la population locale, facteur qui rendait fichtrement plus facile de se mêler de vendre des maisons.

Qu'en pensais-je ?

La technique, le remplissage des paperasses et « tout le

tintouin », m'a dit Rolly, je les apprendrais sur le tas tout en me tapant trois mois de cours du soir à l'institut Weiboldt de formation immobilière à New Brunswick, après quoi, à moi les planches officielles pour me mettre à imprimer des biftons comme eux tous.

Et j'avoue qu'après m'être séparé ou avoir été séparé de pratiquement tout mon contexte, au point de n'avoir presque plus rien à attendre, cette idée m'a paru raisonnable. Au cours des trois derniers mois, il m'était graduellement apparu que le fait d'endosser les conséquences de mes diverses foucades et décisions douteuses avait eu ses mauvais côtés autant que ses rétributions escomptées, et que s'il était possible de se trouver complètement paumé sans en être accablé pour autant, c'était mon cas. J'avais pris l'habitude d'aller tout seul à la pêche au Red Man Club trois après-midi par semaine, en passant parfois la nuit là-bas dans la petite loge en aggloméré destinée à procurer aux membres âgés du club un abri contre les intempéries. J'emportais un livre, mais finalement je restais simplement allongé dans le noir à écouter les gros poissons faire des bonds hors de l'eau et les moustiques heurter l'écran de toile métallique, tandis que, non loin, les pétarades de la nationale 80 traversaient la nuit et que, à l'est, la lueur de New York évoquait celle d'un temple incendié par les infidèles. Je sentais encore vibrer en moi un écho du synchronisme dont j'avais eu la sensation à mon retour de France. J'étais toujours résolu à emmener les enfants voir le Mississippi et les Pine Barrens dès que leur installation serait achevée, et j'avais même adhéré à l'American Automobile Association et reçu des cartes avec codes de couleurs et cotes attribuées aux divers lieux d'attraction le long des petites routes (en fait, Cooperstown et le Hall of Fame étaient du nombre).

Mais de menus détails – auxquels je n'avais même pas pris garde tant qu'Ann vivait à Haddam et que nous partagions les responsabilités – avaient commencé à me ronger. Un petit souci, un petit rien s'insinuait dans mes pensées – par exemple, comment me débrouiller pour faire réviser ma voiture mardi mais en même temps aller à l'aéroport prendre livraison d'un tapis grec commandé à Salonique, attendu depuis des mois, et que j'étais sûr de me faire voler par un employé filou de l'aéroport si je n'étais pas là pour mettre la main dessus dès qu'il serait sorti des soutes ? Fallait-il louer une voiture ? Envoyer quelqu'un à ma place ? Qui ? Et cette personne serait-elle disposée à y aller, si je parvenais à la trouver, ou me prendrait-elle pour un idiot ? Fallait-il téléphoner au négociant en Grèce pour le prier de retarder l'envoi ? Fallait-il appeler le transporteur et dire que je ne pourrais venir que le lendemain, auraient-ils l'amabilité de veiller à ce que le tapis soit mis en lieu sûr jusqu'à ce que je dispose de mon automobile ? Je me réveillais en sursaut dans la loge du Red Man Club ou dans ma nouvelle maison, tourmenté par ce genre d'angoisses, le cœur battant, en sueur, les poings crispés, et je cherchais comment venir à bout de ce problème et de cent autres tâches simples et ordinaires, comme si tout était prétexte à crise. Plus tard, je me dis qu'il était trop stupide de m'encombrer de tels soucis toute la journée. Je décidai alors de m'en remettre au destin, de faire un saut pour récupérer la chose quand je pourrais, ou d'oublier ce foutu tapis et d'aller tranquillement à la pêche. Mais ensuite, la crainte me prenait de tout laisser à vau-l'eau, de voir ma vie s'emballer, chavirer, voler en éclats dans tous les sens. Puis je me rendais compte que, d'ici quelques années, cette période m'apparaîtrait rétrospectivement comme un « mauvais moment » où j'avais perdu les pédales et où j'avais un comportement quotidien aussi aberrant et loufoque qu'une pleine cage de chimpanzés, tout en étant le dernier à m'en apercevoir (là encore, les voisins seraient les premiers : « Il passait vraiment beaucoup de temps tout seul, alors qu'il avait l'air d'un type plutôt bien. Jamais je n'aurais rien imaginé de pareil ! »).

À présent, bien sûr, en 1988, en regagnant les rues ensoleillées de Haddam, le ventre chatouillé d'attentes plus agréables pour le reste de la journée, je connais la source de ce dérapage. J'avais abondamment cotisé à la confrérie des récidivistes dans l'erreur et, m'en étant tiré comme je l'avais fait, je voulais toucher mes putains de bénéfices : je voulais que *tout* aille dans mon sens, être heureux sans arrêt, et ça me rendait fou que ça ne se passe pas ainsi. Je voulais que la livraison du tapis grec ne vienne pas se mettre en travers de la réparation du lave-glace de mon pare-brise. Je voulais que le fait d'avoir quitté la France et Catherine Flaherty pour rentrer chez nous dans les dispositions les meilleures et les plus entreprenantes m'apporte une généreuse récompense. Je voulais que le fait que ma femme se soit débrouillée pour divorcer de moi une nouvelle fois, en pire, et même me divorcer d'avec mes enfants devienne un élément de la vie auquel je m'habituerais en douceur et dont je saurais m'accommoder. En d'autres termes, je voulais des tas de choses (ce n'est là qu'un échantillonnage). Et je me demande en fait si tout cela ne constituait pas une autre « crise majeure », quoique ce soit peut-être aussi ce qu'on ressent quand on y survit.

Mais ce que je voulais surtout, c'était échapper à mes hantises afin d'être disponible pour le reste, et après avoir entendu la suggestion de Rolly Mounger, il m'est venu à l'esprit que je pourrais essayer une nouvelle voie (puisque je n'avançais pas par ailleurs) : je pourrais prendre au sérieux sa liste de mes « qualifications » et les laisser m'ouvrir un débouché inattendu – au lieu de persister à vouloir un état de satisfaction permanente – après quoi les tracas et les déboires pourraient s'estomper comme une fumée dissipée par le vent, et je me retrouverais éventuellement sinon à flot sur les vagues de maints événements spectaculaires, d'emportements intrépides et d'une joie de vivre triomphante, du moins aussi près que possible du bonheur quotidien. Bien entendu, ce code de conduite constitue le principe le plus prudent et le plus salubre de la Période d'Existence, dont l'immobilier est grâce à cela l'activité idéale.

J'ai répondu à Rolly Mounger que j'allais réfléchir sérieusement à sa suggestion, tout en observant que c'était une ouverture franchement inopinée. Il m'a dit qu'il n'y avait pas d'urgence à décider que l'on voulait entrer dans l'immobilier, que chacun, à l'agence, avait suivi pour arriver là son itinéraire et son calendrier personnel, et qu'il n'y en avait pas deux qui soient identiques. Lui-même avait été promoteur de grandes surfaces et, auparavant, conseiller stratégique d'un candidat du Parti Libertarien au Sénat. Une personne avait fait un doctorat en littérature américaine, une autre avait quitté sa place à la Bourse, un troisième était dentiste ! Ils travaillaient tous en indépendants mais agissaient de concert chaque fois que cela se pouvait, ce qui était drôlement confortable. Tout le monde s'était fait une « montagne de fric » au cours des dernières années et comptait en gagner autant avant l'échéance du grand correctif (« toute l'industrie » savait qu'il était inévitable). De son point de vue, qui favorisait, avouait-il, l'aspect commercial, il suffisait pour se réveiller riche du jour au lendemain de « trouver des bailleurs de fonds, mettre sur la table quelques facteurs clés et un plan de financement », de dénicher quelques lots délaissés dont le groupe pouvait prendre en charge le service de la dette et les impôts pendant un an, un an et demi, puis, le moment venu revendre tout le paquet à n'importe quels Arabes ou Japonais tombés du ciel et commencer à ramasser la mise. « Vous laissez vos bailleurs de fonds endosser les risques, m'a expliqué Rolly. Vous restez solidement assis dans votre fauteuil et vous touchez vos commissions. » (On pouvait aussi, naturellement, « participer » soi-même, et il a admis que cela lui était arrivé. Mais ce n'était pas sans danger.)

Cela ne m'a pas pris longtemps de faire le tour de la question. Si tout le monde arrivait là par les voies les plus variées, j'ai pensé que je trouverais bien la mienne pour fonctionner – confiant en l'idée que ce n'est pas une maison qu'on vend à quelqu'un, mais une vie (ce dont j'ai fait moi-même l'expérience). Je pourrais ainsi poursuivre mon projet initial d'aider mon prochain tout en pourvoyant à mes besoins, ce qui semblait une sage aspiration pour une phase de ma vie où j'avais décidé de me montrer moins exigeant, d'espérer des améliorations modestes et de me montrer disposé à partager le différentiel.

Trois jours plus tard, je suis allé à l'agence où j'ai été présenté à tout le monde – un assemblage de gens avec qui on sentait qu'on pourrait cohabiter au bureau. Une petite femme au cou fort, taille épaisse, grosse poitrine, appareil dentaire, cheveux décolorés platine, en costume et souliers d'homme perforés, nommée Peg (celle qui avait le doctorat en littérature). Un quinquagénaire de haute taille, poivre et sel, style Harvard dans son blazer bleu – c'était Shax Murphy (qui a depuis lors racheté l'agence), retiré d'une firme de courtage et resté propriétaire d'une maison à Vinalhaven. Ses longues jambes en pantalon de flanelle grise s'étalaient dans le passage entre les tables, ses longues chaussures lacées en maroquin luisant étaient croisées l'une sur l'autre, le visage rougi comme l'horizon de l'ouest au coucher de soleil par des années d'alcoolisme mondain, et il m'a inspiré une sympathie immédiate parce que, pour me serrer la main, il venait de poser un exemplaire corné de *Paterson*, d'où j'ai déduit qu'il devait se faire une idée assez juste de la vie.

« Vous n'avez qu'à vous souvenir des trois mots les plus importants chez nous, Frank, et vous vous en sortirez comme un chef dans cette boutique, m'a-t-il dit en agitant ses gros sourcils de haut en bas d'un air pseudo-sérieux. Parler, parler, parler. »

Après un reniflement puissant du fond de son grand nez rubicond et un roulement d'yeux, il a repris sa lecture.

Tous les autres membres de la boîte à cette époque – deux ou trois jeunes agents et le dentiste – sont partis depuis que le dérapage de 86 s'est mis à ressembler à une longue chute. N'ayant pas d'enjeux importants en ville ni de capital pour les soutenir, ils n'ont pas tardé à se disperser – vers l'école vétérinaire de l'université du Michigan, le New Hampshire d'origine, la marine. Et puis, bien sûr, il y avait Claire Devane, venue plus tard, qui a connu une fin tragique.

Le vieux Schwindell m'a accordé la plus brève et succincte des entrevues. C'était un petit tyran à la mine pâle et sévère, aux cheveux flasques, à la peau écailleuse, vêtu d'un costume en coton infroissable hors de saison, que j'apercevais en ville depuis des années, dont j'ignorais tout et qui me faisait l'effet d'une curiosité – alors que c'était lui qui avait tramé en coulisses mon affaire avec l'Institut. Il était aussi le « doyen » de l'immobilier du New Jersey et avait dans son bureau une trentaine de plaques qui en témoignaient, ainsi que des photos encadrées où on le reconnaissait en compagnie de vedettes de cinéma, de généraux et de champions à qui il avait vendu des maisons. Ayant officiellement cessé ses activités, il tenait bon dans son repaire du fond, tassé derrière un vieux bureau à plateau de verre encombré, à fumer des Pall Mall, sans jamais tomber la veste.

« Croyez-vous au progrès, Bascombe ? »

Le vieux Schwindell me scrutait de ses yeux d'un bleu décoloré. Il avait une grosse moustache jaunie par des millions de Pall Mall, et ses cheveux gris, épais sur les côtés où ils se mêlaient aux poils sortant des oreilles, étaient clairsemés sur le dessus, hérissés en mèches éparses. Il s'est mis soudain à tâtonner derrière lui, a saisi le tuyau de plastique branché à une bouteille d'oxygène sur roulettes et s'est passé autour de la tête un bandeau élastique de manière à ce que la petite muselière transparente s'ajuste sur son nez et lui insuffle de l'air.

« Vous savez que c'est notre devise, a-t-il haleté en baissant les yeux pour manipuler son tuyau de survie.

– C'est ce que m'a dit Rolly. »

Celui-ci n'avait pas soufflé mot du progrès, il n'avait parlé que de risques éventuels, d'impôts sur les plus-values et du danger de la participation, toutes choses qu'il n'aimait pas.

« Je ne vais pas vous interroger là-dessus dans l'immédiat, ne vous inquiétez pas, a déclaré le vieux Schwindell, en se retournant, mécontent du débit d'oxygène, pour tourner une molette verte sur la bouteille, et ne réussissant à obtenir que la moitié d'une respiration satisfaisante. Lorsque vous aurez passé un peu de temps ici et que vous en saurez un peu plus long, reprit-il avec difficulté, je vous demanderai de me donner votre définition personnelle du progrès. Et si votre réponse est mauvaise, je vous virerai sur-le-champ. » (Il a pivoté pour me faire face à nouveau et me décocher un vilain petit rictus aux dents ocrées, la bouche gênée par l'appareil, quoiqu'il respirât maintenant beaucoup mieux, peut-être n'avait-il même plus l'impression qu'il allait mourir tout de suite.) « Qu'en dites-vous ? Ça vous paraît honnête ?

– Oui. Je m'efforcerai de vous donner une bonne réponse.

– Je ne veux pas d'une bonne réponse. Je veux la réponse juste ! a-t-il crié. Personne ne devrait obtenir son diplôme

154

d'études secondaires sans savoir ce que signifie le progrès. Vous n'êtes pas d'accord ?

– Si, si, tout à fait, ai-je dit très sincèrement, même si, quant à moi, je trouvais que le progrès connaissait quelques reculs.

– Alors, ça ira pour commencer. N'importe comment, vous n'avez pas besoin d'être compétent. Le foncier se vend tout seul dans cette ville. Du moins, c'était le cas jusqu'ici. »

Il s'est mis à tripoter plus fébrilement ses tubes respiratoires, pour essayer de mieux les insérer dans ses vieilles narines poilues. L'entrevue était terminée, mais je suis resté planté là encore presque toute une minute avant d'être sûr qu'il n'avait rien à ajouter, si bien que pour finir, je me suis donné congé à moi-même.

Après quoi, dans la pratique, j'étais lancé. Rolly Mounger m'a emmené déjeuner au *The Two Lawyers*. J'aurais une « période d'initiation », m'a-t-il dit, trois mois environ, pendant laquelle je serais salarié (pas d'assurance ni de pourcentages). Tout le monde s'y mettrait et me prendrait en charge à tour de rôle, pour que je puisse acquérir les connaissances techniques et le jargon de l'agence. J'assisterais à *beaucoup* de visites de maisons, de tractations, d'inspections et de tournées, « histoire d'apprendre un peu tout », et en même temps je suivrais des cours à mes frais – « trois cents dollars *mas o menos* ». À la fin du cycle, je passerais l'examen d'État au motel *La Quinta*, à Trenton, puis je n'aurais plus qu'à « rafler les commissions et m'en mettre plein les poches ».

« J'aimerais bien pouvoir te révéler une seule putain de difficulté dans tout ça, Frank, m'a dit Rolly, comme ébahi, en secouant sa tête mafflue, taillée à la scie. Mais si c'était si foutument difficile, pourquoi est-ce que je le ferais ? Le boulot dur, je laisse ça aux autres ploucs. » (Sur quoi il a lâché un gros pet dans le faux cuir de son siège et il a balayé du regard les autres tables, épanoui comme un garçon de ferme.) « Tu sais, tu n'es pas censé mettre ton âme là-dedans. Le foncier, c'est une chose. La réalité, c'en est une autre – c'est quand tu nais et quand tu meurs. Ici, c'est ce qui se magouille entre les deux.

– Pigé », ai-je dit, tout en pensant que mon approche personnelle du métier ne serait sans doute pas tout à fait celle de Rolly.

Et voilà. Six mois plus tard, le vieux Schwindell a calanché sur le siège avant de sa Sedan de Ville, arrêtée au feu rouge au croisement de Venetian Way et de Lippizaner Road, avec un couple d'ophtamologistes dans la voiture, qu'il emmenait visiter une dernière fois avant signature la maison du président à la retraite de la Cour Suprême du New Jersey, tout près de mon ancienne maison dans Hoving Road (naturellement, l'affaire ne s'est pas conclue). Lorsque c'est arrivé, Rolly Mounger prospérait dans la vente de tranches de propriété à temps partagé aux gens de Seattle, la plupart des jeunes employés de l'agence s'étaient éclipsés vers d'autres secteurs postaux et moi, j'avais été admis par le conseil et je traquais les offres de vente.

Même si cela ne concernait que les sorties d'argent et en négligeant le point de vue de l'impôt, il était déjà vrai que la location coûtait moitié moins cher que l'achat, et nombre de nos clients commençaient à faire ce calcul. En outre – ainsi que je l'ai patiemment expliqué aux Markham, qui se rongent les sangs en ce moment au *Sleepy Hollow* – les frais d'entretien augmentaient plus vite que les revenus, de presque cinq pour cent. Enfin, d'autres mauvais signes abondaient. Les chiffres de l'emploi étaient en baisse. L'expansion sombrait. Les demandes de permis de construire se raréfiaient. C'était le « singe à l'œuvre à l'autre bout du bâton », selon l'expression de Shax Murphy. Et quant à ceux qui n'avaient pas le choix ou qui, comme moi, auraient pu avoir le choix mais s'y refusaient, tous ceux-là se préparaient pour la longue nuit qui tourne à l'hiver.

Mais, à la vérité, j'étais aussi heureux que je l'avais espéré. Cela m'amusait d'évoluer à la périphérie du monde des affaires et de pouvoir me tenir au courant des tendances du marché – tendances dont j'ignorais tout au temps où j'étais chroniqueur sportif. J'aimais bien gagner ma vie à la sueur de mon front, même si je n'avais pas besoin d'argent, ne trimais pas plus dur qu'aujourd'hui et ne ramassais pas des fortunes à tous les coups. Et je parvenais à goûter encore mieux la Période d'Existence, je commençais à la percevoir comme une stratégie efficace, permanente et adaptable pour traiter les déboires autrement que par l'affrontement.

Pendant un bref laps de temps, je me suis quelque peu intéressé aux colloques prévisionnels, aux réunions organisées par l'administration et les professionnels, et autres séminaires sur le contrôle du marché. J'ai assisté à la table ronde de l'immobilier, pris part aux débats du comité pour le droit au logement à Trenton. J'ai distribué des colis de Noël aux personnes âgées, collaboré à l'entraînement de l'équipe minime de base-ball, je suis allé jusqu'à me déguiser en clown et faire le chemin de Haddam à New Brunswick sur un chariot de cirque pour tenter d'inciter le public à nous percevoir autrement qu'une bande d'escrocs ou, tout au moins, de fumistes et de *losers*.

Mais je n'ai pas tardé à mettre la pédale douce. Deux jeunes cracks ont intégré l'agence après moi et ils sont emballés à l'idée de s'habiller en clowns pour prouver quelque chose. Tandis que je n'ai plus l'impression d'avoir quoi que ce soit à prouver.

Pourtant, je reste sensible à la griserie de sortir de ma voiture pour escorter des clients motivés le long d'une allée qu'ils découvrent, soleil et ombrages-sous-les-érables, et franchir avec eux le seuil de ce qui les attend – une maison vacante par une chaude matinée estivale où il fait plus frais dedans que dehors, même si la bâtisse n'a rien d'époustouflant, ou si c'est la trentième fois que je la fais visiter et si la banque l'a sur sa liste des biens hypothéqués à saisir. J'aime bien pénétrer dans la chambre d'inconnus et fouiner un peu, tout en espérant entendre une exclamation de plaisir, un : « Ahhh ! Alors ça, c'est déjà mieux ! » ou un chuchotement d'approbation échangé par le couple à propos d'un motif de gibier aquatique gravé sur la cheminée et qui se retrouve de façon surprenante sur le carrelage de la salle de bains ; ou partager la satisfaction que procure un détail pratique – un va-et-vient électrique, entre le rez-de-chaussée et l'étage, qui évite qu'on risque de se casser la figure en montant se coucher à moitié bourré, après s'être endormi sur le canapé en regardant le match des Knicks longtemps après que sa femme soit allée au lit parce qu'elle ne peut pas supporter le basket.

À part ça, depuis deux ans, je n'ai plus acheté de maison ni dans Clio Street ni ailleurs. Je gère mon petit empire du hot dog. J'écris mes éditoriaux et j'ai toujours aussi peu d'amis en dehors du boulot. Je prends part à l'annuelle opération portes ouvertes de l'immobilier, planté à l'entrée de nos plus belles offres avec un large sourire aux lèvres. Je fais de temps à autre une partie de volley-ball derrière Saint-Léon contre les équipes d'autres corporations. Et je vais à la pêche autant que je peux au Red Man Club, où j'emmène parfois Sally Caldwell en violation du règlement mais ne rencontre jamais d'autres membres, et où j'ai fini par apprendre à pêcher un poisson, à m'émerveiller un instant de ses splendeurs opalescentes et à le remettre ensuite à l'eau. Et puis, évidemment, j'assume mon rôle de père et de gardien envers mes deux enfants, bien qu'ils soient loin à présent, et s'éloignent de plus en plus.

En d'autres termes, je m'efforce d'avoir toujours l'esprit occupé par une tâche définie et réalisable, afin de ne pas disparaître. Mais il est vrai qu'au moment de glisser dans le sommeil, quand partent à la dérive les soucis et les déboires, il m'arrive de me sentir moi-même flotter et de ne plus trop savoir où je suis ni où je vais. Pourtant, à la vieille injonction : « Fais ta vie », je peux répondre : « J'ai déjà une existence, merci. »

D'ailleurs, c'est peut-être en cela que consiste le progrès auquel songeait le vieux Schwindell. Il ne s'agissait pas d'une formule philosophique énigmatique sur l'amélioration de l'homme au fil du temps pourvu qu'on en fasse un usage frugal, ni d'un théorème d'économiste sur l'équilibre de profits et pertes, ni de l'accession du plus grand nombre à un sort meilleur. Il voulait, je crois, m'entendre dire quelque chose qui lui démontre que j'étais simplement *vivant*, et qu'en faisant ce que je faisais – vendre des maisons – j'élargissais la vie et l'intérêt qu'elle m'inspirait, je renforçais ma tolérance à son égard, et celle d'autres protagonistes innocents, anonymes. C'était sûrement là ce qui l'avait hissé au rang de « doyen », et son moteur. Il voulait que j'éprouve chaque jour dans une petite mesure – ç'aurait été suffisant

– ce que j'avais éprouvé le jour où, sur le champ droit du Veterans Stadium, j'avais intercepté à bout de bras et à main nue une balle foudroyante venue toute chaude de la batte d'un Vengeur noir de Chicago, sous les yeux de mon fils et de ma fille muets de saisissement et d'admiration pour leur papa (autour de moi, tous se levèrent pour m'applaudir tandis que ma main commençait à enfler comme une tomate). Ce que j'avais éprouvé, donc, à ce moment, c'était que je ne pourrais jamais me sentir mieux dans ma peau – bien qu'à la réflexion, un peu plus tard, j'aie pensé simplement que ce qui m'était arrivé était sacrément bien et que ma vie n'était pas nulle et non avenue. Le vieil Otto aurait été satisfait, j'en ai la conviction, si je m'étais ramené devant lui avec une tirade dans le genre : « Voilà, Mr. Schwindell, je ne suis pas très fixé en ce qui concerne le progrès et, sincèrement, ma vie n'a pas été totalement transformée depuis que je suis devenu agent immobilier, mais je ne me sens pas menacé de me volatiliser, c'est à peu près tout ce que j'ai à dire. » Je suis sûr qu'il m'aurait renvoyé sur le terrain avec une bonne claque sur le dos et un cordial : « Foncez ! »

Et c'est peut-être ainsi, en réalité, que la Période d'Existence contribue à créer, ou du moins favorise les conditions d'une honnête indépendance, dans la mesure où elle vous rend visible tel que vous êtes, sinon forcément remarquable à vos propres yeux ou à ceux des autres, et où vous gardez en même temps suffisamment de raison et de courage, en un temps où s'estompent les impératifs, pour avancer vers là où se trouvent vos valeurs, comme si c'était important pour vous d'y parvenir.

La pluie qui est tombée à seaux sur la Route 1 et Penns Neck est passée à côté de Wallace Hill, si bien que, dans la chaleur, toutes les maisons proprettes sont fermées comme des huîtres dans le murmure de leur climatisation ; déjà montent de la chaussée des vibrations ondoyantes dans lesquelles personne n'a envie de s'aventurer à onze heures et demie. Tout à l'heure, lorsque j'aurai pris depuis long-temps la route de South Mantoloking et que l'ombre s'allongera au-delà des auvents et des sycomores, tout le monde sera sorti sur la galerie, les rires et les interpellations se croiseront comme lors de mon premier passage ce matin. Mais pour le moment, quiconque ne se trouve pas au travail, en classe d'été ou en prison est affalé dans la pénombre, à regarder les jeux télévisés en attendant le déjeuner.

La maison des McLeod a le même aspect qu'à huit heures et demie, quoique, entre-temps, quelqu'un ait retiré mon écriteau À LOUER de devant celle des Harris, où je m'arrête, prenant garde de ne pas me garer devant chez les McLeod pour éviter de les alerter. Je descends de voiture dans l'air moite, me débarrasse de mon coupe-vent et m'avance sur la pelouse desséchée pour jeter un coup d'œil. J'explore les deux côtés de la maison, derrière les hortensias, le buisson d'hibiscus et la petite galerie en haut des marches, au cas où les voleurs d'écriteau se seraient contentés de l'arracher et de le balancer sur place, comme ils le font en général, selon Everick et Wardell. Mais il n'est pas là.

Je retourne à ma voiture, ouvre le coffre pour en prendre un autre parmi tous ceux (À VENDRE, ENTRÉE LIBRE, PRIX RÉDUIT, CESSION EN INSTANCE) qui sont entassés là avec mon carton de formulaires, ma housse à costume, mes cannes à pêche, trois Frisbees, deux gants de baseball, des balles et les fusées de feu d'artifice que j'ai commandées spécialement à des cousins en Floride – tout l'attirail souhaité pour ma virée avec Paul.

J'apporte sur la pelouse le nouvel écriteau, retrouve les deux trous du précédent, enfonce les montants métalliques le plus loin possible, et tasse tout autour, du bout du pied, un mélange de terre et d'herbe jusqu'à ce que tout se présente comme avant. Puis je vais refermer le coffre, j'essuie la sueur de mes bras et de mon front à l'aide de mon mouchoir, et me dirige vers la porte des McLeod. Arrivé là, bien que j'aie l'intention de sonner, je me glisse sur le côté, tel un voleur, pour scruter à travers les vitres la salle de séjour plongée dans une ombre crépusculaire. Je distingue les deux enfants McLeod pelotonnés sur le canapé, leurs yeux de zombies rivés sur la télé (la petite Winnie serre dans ses menottes un lapin en peluche). Ni l'un ni l'autre n'a l'air de me voir, mais l'aîné, Nelson, tourne brusquement sa tête frisée et regarde la fenêtre comme si c'était un autre écran de télé, dont j'occuperais l'image.

Je souris et fais un signe amical. J'aimerais bien liquider vite cette affaire avant de passer à *Franks* et d'aller chez Sally.

Nelson me dévisage du fond de l'obscurité irréelle de la pièce, comme s'il s'attendait à ce que je disparaisse d'un instant à l'autre. Sa sœur et lui regardent le tennis à Wimbledon, et je me rends compte soudain que je n'ai aucun droit de rester là à épier par la fenêtre et que je cours le risque d'avoir méchamment affaire au caractère violent de Larry.

Le petit Nelson persiste à me contempler jusqu'à ce que j'agite à nouveau la main et m'écarte de la fenêtre pour regagner le seuil et appuyer sur le bouton de sonnette. Avec la rapidité d'un coup de feu, ses pieds nus frappent le sol et je l'entends partir en courant, pour aller, j'espère, tirer du lit ses flemmards de parents. Une porte claque à l'intérieur, et loin, loin, je perçois sous le bourdonnement de la climatisation une voix que je ne peux identifier, ni saisir au juste les paroles, mais c'est en tout cas de moi qu'il s'agit. Je tourne le regard vers la rue, l'alignement de maisonnettes blanches, vertes, bleues et roses aux toits verts et rouges, aux jardinets ordonnés – certains ont des plants de tomates le long du mur, d'autres des pois de senteur grimpants accrochés à des treillages et des piquets au bord de la galerie. On pourrait se croire dans le delta du Mississippi, si les véhicules le long du trottoir n'étaient tous des breaks élégants, des Ford et des Chevrolet dernier modèle (les Noirs sont parmi les tenants les plus loyaux du principe « Achetez américain »).

De la porte à moustiquaire de la maison d'en face émerge lentement une grosse dame noire, qui pousse devant elle un déambulateur en aluminium sur lequel est drapée une serviette jaune. Quand elle m'aperçoit en haut des marches des McLeod, elle s'immobilise pour me regarder fixement. C'est Myrlene Beavers, qui m'avait aimablement salué de la main les deux premières fois où j'étais passé là en voiture, en 1986, lorsque je prenais ma décision d'acheter quelque chose dans le quartier. Son mari, Tom, est mort voilà moins

161

d'un an, et, si j'en crois une lettre des Harris, Myrlene s'est mise à décliner.

« Qui c'est que vous cherchez ? me crie-t-elle à travers la rue.

– Je voudrais simplement voir Larry, Myrlene », crié-je à mon tour en lui adressant de grands gestes. (Diabétique ainsi que l'était son mari, elle souffre de cataracte et elle est en train de perdre complètement la vue.) « C'est moi, Myrlene. Frank Bascombe.

– Z'avez rien à faire là, dit Myrlene, ses cheveux gris d'acier hérissés en mèches démentes. J'vous préviens tout de suite. »

Elle porte une robe-housse orange vif à motif hawaïen, et ses chevilles enflées sont bandées. Je crains qu'elle ne tombe raide morte si elle s'énerve.

« Ça va, Myrlene. C'est seulement moi qui rends visite à Larry. Ne vous inquiétez pas. Tout va bien.

– J'appelle la police, clame-t-elle en pivotant péniblement pour faire face à sa porte, avec son déambulateur qui racle les planches de la galerie.

– Non, n'appelez pas la police ! »

Je devrais traverser la rue en courant pour qu'elle puisse me reconnaître et constater que je ne suis ni un cambrioleur ni un huissier, rien qu'un propriétaire qui collecte son loyer – à peu près ce que disait Joe Markham. Myrlene et moi, nous avons eu plusieurs conversations cordiales quand les Harris étaient encore là, elle assise sur le devant de sa maison, moi descendant de voiture ou la regagnant. Seulement, ce n'est plus pareil.

Mais, juste au moment où je suis sur le point de bondir pour l'empêcher d'appeler la police, j'entends à nouveau des pieds nus marteler le sol et s'approcher de la porte, soudain ébranlée par les verrous qu'on tire à l'intérieur, et qui s'entrouvre sur Nelson, chevelure blond-roux bouclée et peau café au lait, un petit Jackie Cooper mulâtre de six ans. Son visage vient juste à la hauteur du loquet de la moustiquaire et, face à lui, je me fais l'effet d'un géant. Muet, il lève simplement vers moi ses petits yeux marron à l'expression sceptique. Torse nu, il n'a sur lui que le short violet et jaune des Lakers. Un courant d'air climatisé me passe sur la figure, à nouveau en sueur. « *Advantage, Miss Navratilova* », annonce la voix neutre d'une arbitre anglaise, suivie par les applaudissements des spectateurs. (C'est la rediffusion de la rencontre d'hier.)

« Comment vas-tu, Nelson ? dis-je d'un ton enthousiaste – c'est la première fois que je lui adresse la parole, et il me regarde en papillotant comme si je parlais swahili. Tes parents sont à la maison, aujourd'hui ? »

Il jette un coup d'œil par-dessus son épaule puis retourne la tête vers moi.

« Nelson, si tu prévenais tes parents que Mr. Bascombe est là devant la porte, hein ? Dis-leur que je viens juste pour le loyer, pas pour assassiner quelqu'un. » (Je ne suis pas sûr que ce style d'humour tombe juste avec Nelson.)

Je préférerais ne pas fureter plus avant dans la maison. Certes, j'en suis propriétaire, et j'ai le droit d'entrer en des circonstances exceptionnelles. Mais les gosses sont peut-être abandonnés à eux-mêmes, et je ne voudrais pas me retrouver tout seul avec eux. J'ai dans mon dos la sensation d'une Myrlene Beavers en train de hurler dans son téléphone qu'un Blanc non identifié essaie au grand jour de pénétrer chez Larry McLeod.

« Nelson, insisté-je en transpirant dans ma chemise et me sentant bizarrement piégé, si tu me laissais juste franchir le seuil le temps que tu ailles chercher ton papa ? D'accord ? » (Je hoche vigoureusement la tête d'un air persuasif avant de tirer à moi la porte à moustiquaire, qui, à mon étonnement, n'est même pas verrouillée, et j'avance les épaules dans le courant d'air frais.) « Larry, dis-je assez fort dans la pièce noyée d'ombre, je passais simplement pour le loyer ! »

Winnie semble dormir, serrant contre elle son lapin en peluche. Sur l'écran de la télé se déploie le gazon de l'All England Club. Nelson garde les yeux levés vers moi (je me tiens penché au-dessus de lui), puis il fait demi-tour et va se rasseoir sur le canapé à côté de sa sœur, dont les paupières se soulèvent lentement, puis retombent. J'appelle à nouveau.

« Larry ! Vous êtes là ? »

Son gros pistolet n'est pas en vue sur la table, ce qui

163

peut signifier, évidemment, qu'il l'a avec lui. Je crois entendre un tiroir s'ouvrir et se refermer dans une pièce du fond ; une porte claque. Que dirait un jury de huit Noirs et de quatre Blancs – échantillonnage de mes pairs – si, pour avoir voulu percevoir mon loyer, ma mort venait à augmenter les statistiques d'homicide de veille de congé ? Je suis sûr qu'il me jugerait fautif.

Je recule sur le seuil et jette un regard en direction de la maison des Beavers. Je vois la housse orange de Myrlene osciller comme un mirage à travers la toile métallique, son poste de surveillance.

« Ne vous inquiétez pas, Myrlene, dis-je à la cantonade, ce qui a le don de faire disparaître dans l'ombre le fantôme orange.

– Qu'est-ce qu'y a ? »

Je me retourne vivement. Betty McLeod est là derrière la porte à moustiquaire, qu'elle est en train de verrouiller. Elle m'observe avec un froncement de sourcils peu amène. Elle porte une robe de chambre rose matelassée dont elle tient fermé le col festonné entre ses doigts maigres à la peau fripée.

« Il n'y a rien du tout, dis-je en secouant la tête d'une manière qui doit me donner l'air d'un détraqué. Je crois que Mrs. Beavers vient d'appeler les flics à mon sujet. Je passais simplement prendre le loyer. »

Je souhaiterais paraître m'en amuser, mais il n'en est rien.

« Larry est pas là. Il rentrera ce soir, alors il faudra que vous reveniez, lance Betty comme si je lui avais hurlé à la figure.

– Très bien, dis-je avec un sourire forcé. Prévenez-le simplement que je suis venu comme j'en ai l'habitude tous les mois. J'attends le loyer.

– Il vous paiera, répond-elle d'une voix aigre.

– Alors, c'est parfait. »

Tout au fond de la maison, j'entends une chasse d'eau, et le flot qui circule d'abord mollement puis avec plus de vigueur au long des nouvelles tuyauteries que j'ai fait poser il y a moins d'un an et qui m'ont coûté la peau des fesses. Manifestement, Larry vient de se réveiller, il a fait son long pipi du matin et va camper dans la salle de bains jusqu'à ce qu'on se soit débarrassé de moi.

Betty McLeod me défie d'un clignement d'yeux tandis que nous écoutons tous deux l'eau s'écouler. C'est une petite femme au visage pointu, au teint cireux, sortie de sa ferme du Minnesota pour entrer à l'université de Grinnell (Iowa) ; elle a épousé Larry pendant qu'elle faisait une maîtrise de sciences sociales à Columbia et que lui travaillait pour payer ses études de commerce dans un institut new-yorkais. Il avait été dans les Bérets verts et cherchait un moyen d'échapper à l'enfer de la métropole (j'ai su tout cela par les Harris). Naturellement, les parents luthériens sectaires de Betty faillirent avoir une attaque le premier Noël où elle amena à la maison Larry et le petit Nelson dans son moïse, même s'ils s'en sont remis depuis, paraît-il. Mais, depuis leur emménagement à Haddam, les McLeod ont mené une vie de plus en plus recluse ; Betty ne bouge pas de la maison, Larry travaille de nuit à l'usine de caravanes et les gosses sont leur seule manifestation extérieure. Rien là qui diffère grandement de la vie de beaucoup d'autres gens.

À la vérité, je n'aime guère Betty McLeod, bien que j'aie été content de leur louer la maison, à elle et Larry, parce que je pensais qu'ils devaient être courageux. Je lui ai toujours vu une expression d'éternelle désillusion, qui exprime son regret de tous ses choix cruciaux, même si elle reste totalement convaincue d'avoir pris en toutes circonstances la bonne décision d'un point de vue moral, et donc de valoir mieux que vous. C'est le triple paradoxe typique des progressistes : l'angoisse mêlée d'orgueil et de haine de soi. En outre, je crains que les McLeod ne soient le genre de famille capable de virer un beau jour à la paranoïa et de se barricader chez elle (dans la maison qui m'appartient), de pondre des manifestes confus, de tirer sur la police et de foutre le feu pour finir, en tuant tous ceux qui seront à l'intérieur. (Bien entendu, ce n'est pas une raison pour les expulser.)

« Bon, dis-je en reculant jusqu'en haut des marches comme si je m'apprêtais à partir, j'espère que tout marche au poil dans la maison. »

Betty me jette un regard lourd de reproche. Mais juste à cet instant, ses yeux dévient sur le côté, et je découvre en me retournant l'une de nos nouvelles voitures de police noire et blanche qui s'arrête derrière la mienne. Deux agents en uniforme sont assis à l'intérieur. L'un d'eux – le passager – parle dans son radiotéléphone.

« Il est toujours là en face ! braille Myrlene Beavers de l'intérieur de chez elle, parfaitement invisible. Ce Blanc ! Allez le prendre ! C'est une effraction ! »

Le policier qui envoyait un message radio dit à son collègue au volant quelque chose qui les fait rire tous les deux, puis il descend tête nue et s'engage d'un pas nonchalant dans l'allée.

Je connais ce flic, évidemment, depuis mon arrivée à Haddam. C'est le sergent Balducci, et si aujourd'hui il répond aux appels d'urgence, c'est seulement à cause du congé de fête nationale. Il appartient à une grande famille locale de policiers siciliens, et nous avons souvent, lui et moi, échangé quelques mots au coin d'une rue ou bavardé à mots contraints en buvant un café au *Coffee Spot*, sans avoir jamais vraiment fait connaissance. J'ai essayé une bonne demi-douzaine de fois (sans succès) de le dissuader de me mettre un P.V. de stationnement, et il est venu à mon aide le soir où j'avais enfermé mes clés à l'intérieur de la voiture devant le marchand de spiritueux. Il m'a aussi verbalisé pour trois infractions au volant, il est venu chez moi enquêter sur un cambriolage il y a des années de ça, quand j'étais marié, m'a un jour posé des questions et tapoté l'épaule peu après mon divorce, lorsque je me livrais dans les rues de mon quartier à de longues errances nocturnes, durant lesquelles il m'arrivait souvent de m'admonester moi-même tout haut, d'un ton désespéré. Dans tous les cas, il est resté aussi impersonnel qu'un inspecteur des impôts, s'en tenant à une politesse de fonction. (Honnêtement, je l'ai toujours considéré comme un trou-du-cul.)

Le sergent Balducci arrive presque jusqu'en bas des marches sans nous avoir regardés, ni Betty McLeod ni moi. Il ajuste le gros ceinturon noir qui contient tout son attirail de flic – bombe lacrymogène, radio, menottes, matraque, et son gros automatique de service. Il arbore son uniforme bleu et noir de la police de Haddam, impeccablement repassé, orné de divers symboles quasi militaires, galons et insignes, et soit son torse s'est encore empâté, soit il porte un gilet pare-balles sous sa chemise.

Il lève les yeux vers moi comme s'il me voyait pour la première fois de sa vie. Il fait un mètre quatre-vingts, il a une face aux sourcils lourds, aux pores dilatés, aussi vide que celle de la lune, des cheveux ras à coupe réglementaire.

« On a un problème par ici, messieurs-dames ? lance le sergent Balducci en posant son godillot ciré sur la première marche.

– Non, aucun, dis-je, le souffle court je ne sais pourquoi, comme s'il y avait bel et bien un problème caché (naturellement, mon intention est de montrer mon innocence). Mrs. Beavers s'est fait des idées. »

Je sais qu'elle est là à tout épier comme un faucon, son esprit ayant apparemment déménagé.

« C'est vrai ? demande le sergent Balducci en regardant Betty McLeod.

– Pas de problème, dit-elle passivement, derrière la moustiquaire.

– Nous avons reçu un appel pour nous signaler une effraction en cours à cette adresse, insiste le sergent Balducci de son ton officiel. Vous habitez ici, madame ? »

Betty fait signe que oui mais sans ajouter quoi que ce soit pour me tirer d'affaire.

« Et quelqu'un a-t-il pénétré chez vous par effraction ou tenté de le faire ?

– Pas à ma connaissance.

– Et vous, que faites-vous ici ? me demande Balducci en balayant des yeux le jardinet pour tâcher de repérer quelque chose d'anormal – un carreau cassé, un marteau ensanglanté, une arme munie d'un silencieux.

– Je suis le propriétaire. Je passais simplement pour affaires. »

Je me refuse à avouer que j'espérais me faire payer le loyer, comme si c'était un crime.

« Vous êtes le propriétaire de cette maison ? dit-il en continuant de fureter du regard un peu partout, mais finissant par revenir à moi.

167

« – Oui, et aussi de celle-là. » (Je montre l'ancienne demeure des Harris.)

« Comment vous vous appelez, déjà ? demande-t-il en tirant un petit carnet jaune à spirale et un stylo à bille de sa poche-revolver.

– Bascombe. Frank Bascombe.

– Frank… répète-t-il en écrivant. Bascombe. Propriétaire.

– C'est ça.

– Je crois vous avoir déjà vu, non ? »

Il baisse lentement les yeux, puis les relève vers moi.

« Oui. »

Je m'imagine aussitôt au milieu d'une rangée d'hommes mal rasés suspects de crimes sexuels, soumis à l'examen de Betty McLeod au travers d'un miroir sans tain. Il en a su long à mon sujet, autrefois, mais il n'en a rien retenu.

« Je ne vous ai pas arrêté un jour pour I.V.P. ?

– J'ignore ce que signifie I.V.P., mais vous ne m'avez jamais arrêté pour quoi que ce soit. Vous m'avez verbalisé à deux reprises (trois, en réalité) pour avoir tourné à droite au feu rouge dans Hoving Road sans avoir marqué un arrêt complet. Une fois alors que je ne l'avais pas fait, et une autre fois que je l'avais fait.

– C'est une bonne moyenne », remarque-t-il avec un sourire moqueur à mon égard tandis qu'il griffonne dans son carnet, où il note aussi le nom de Betty McLeod.

Myrlene Beavers sort sur sa galerie en raclant le sol avec son déambulateur, un téléphone jaune sans fil collé à l'oreille. Quelques voisines sont apparues sur le pas de leur porte pour voir ce qui se passe. L'une d'elle tient également un combiné sans fil. Elle est sans doute en communication avec Myrlene.

« Eh bien, déclare le sergent Balducci, sans quitter son sourire moqueur, en rajoutant quelques points sur les *i* avant de ranger son carnet. Nous allons vérifier tout ça.

– Bon, dis-je, mais je n'ai pas essayé d'entrer par effraction dans cette maison. » (Me revoilà le souffle court.) « La vieille dame d'en face délire. »

Je jette un regard incendiaire de l'autre côté de la rue à Myrlene la traîtresse, toujours à jacasser comme une pie avec sa voisine d'un peu plus bas.

168

« Dans le quartier, les gens exercent tous une surveillance les uns au profit des autres, Mr. Bascombe, dit Balducci en m'adressant un regard pseudo-sérieux, qu'il dirige ensuite vers Betty McLeod. Bien obligés. Si vous aviez encore des ennuis, Mrs. McLeod, n'hésitez pas à nous appeler.

– D'accord, se contente-t-elle de répondre.

– Mais elle n'a eu aucun ennui ! » m'exclamé-je en tournant vers Betty le visage de l'homme trahi.

Planté sur l'allée cimentée de cette maison qui m'appartient, le sergent Balducci me jette un coup d'œil semi-intéressé.

« Je pourrais vous coller à l'ombre le temps de vous calmer, lance-t-il d'un ton neutre.

– Je suis très calme, dis-je, furieux. Aucune colère à aucun propos.

– Tant mieux. Je ne voudrais pas que vous vous mettiez les tripes à l'envers. »

« Trop gentil ! Et vous, ça vous tenterait de vous faire enculer ? » ai-je sur le bout de la langue. Mais la vue de ses bras trapus qui sortent comme de gros salamis des manches courtes de sa chemise m'incite à penser que le sergent Balducci doit être un spécialiste de la clavicule fracturée et de la prise mortelle du genre de celle infligée à mon fils. Je me mords littéralement le bout de la langue en contemplant d'un regard morne, de l'autre côté de Clio Street, Myrlene Beavers qui continue de bavasser dans sa camelote de Noël tout en gardant les yeux fixés sur moi – ou je ne sais quelle image floue d'un démon blanc pour qui elle m'a pris – comme si elle s'attendait à me voir soudain prendre feu et disparaître dans une explosion sulfureuse. Quel dommage que son mari soit mort, me dis-je. Le bon Mr. Beavers aurait mis bon ordre à tout ça.

Le sergent Balducci retourne posément vers sa Plymouth, accompagné par les crachotis informes de la radio accrochée à son ceinturon. En ouvrant la portière, il se penche à l'intérieur, s'adresse à son collègue et tous deux s'esclaffent à nouveau tandis qu'il s'installe sur le siège et note quelque chose sur le bloc collé au tableau de bord. J'entends le mot « propriétaire », suivi d'un autre rire. Puis la portière claque et la voiture s'éloigne, dans le chuintement emphatique de ses gros pneus.

Betty McLeod n'a pas bougé derrière l'écran de sa porte, avec ses deux enfants café au lait qui guettent à présent de chaque côté de sa robe de chambre. Sur son visage, on ne lit ni sympathie, ni trouble, ni amertume, ni même un souvenir de ceux-ci.

« Je reviendrai quand Larry sera là, dis-je, sans espoir.

– Bon, très bien. »

Je la regarde d'un air ferme et accusateur.

« Qui d'autre est à la maison ? J'ai entendu la chasse d'eau.

– Ma sœur, dit Betty. Est-ce que c'est vos oignons ? »

Je la dévisage, m'efforçant de déchiffrer la vérité sur ses traits chafouins. Une sœur issue de Red Cloud ? Une svelte Sigrid aux grandes mains, s'offrant des vacances loin de ses propres malheurs nordiques, pour venir exprimer sa compassion à sainte Betty ? Possible, mais peu probable.

« Non », dis-je en secouant la tête.

Sur quoi Betty McLeod, sans crier gare, referme soudain sa porte d'entrée, en me laissant les mains vides, sur la galerie, matraqué par le soleil tropical. À l'intérieur, je l'entends se livrer au rituel de fermeture des serrures, et je reste un long moment, délaissé, à tendre l'oreille, puis je repars simplement vers ma voiture, puisque je ne peux plus rien faire d'utile. Il faudra maintenant attendre jusque après le 4 Juillet pour toucher mon loyer, si j'y parviens à ce moment-là.

Myrlene Beavers est toujours sur le devant de sa petite maison blanche où les pois de senteur s'entortillent aux montants de la galerie, le cheveu fatigué et humide, ses gros doigts cramponnés aux poignées de caoutchouc du déambulateur comme dans un wagonnet de montagnes russes. Les autres voisines sont rentrées à présent.

« Hé ! me crie-t-elle. Ils l'ont attrapé, ce voyou ? » (Son petit téléphone jaune est suspendu au déambulateur à l'aide d'un bricolage de cintre en plastique. Ses gosses lui ont sûrement acheté ça pour pouvoir garder le contact avec elle.) « Il essayait de pénétrer chez Larry. C'est vous qui devez l'avoir fait sauver.

– Oui, ils l'ont attrapé. Il ne menace plus personne.

– Tant mieux ! dit-elle, le visage éclairé par un grand sourire qui exhibe ses fausses dents. C'est magnifique, ce que vous faites pour nous. Nous vous sommes tous reconnaissants.

– On fait de son mieux.

– Mon mari, vous l'avez pas connu ? »

Les mains posées sur ma portière, je regarde avec compassion la pauvre Myrlene qui se déglingue et ne tardera pas à rejoindre son bien-aimé dans l'autre monde.

« Bien sûr que si.

– Ça, c'était un type drôlement bien, s'exclame Mrs. Beavers qui me vole ma pensée, et secoue la tête au souvenir du visage disparu.

– Il nous manque à tous.

– Que oui, dit-elle en entreprenant son pénible voyage de retour entre ses murs. Que oui, qu'il nous manque. »

5

Sorti de Haddam par Montmorency Road, je serpente au travers des élevages de chevaux, longues barrières blanches orthogonales, vastes prés en pente ; de petites routes aux noms agrestes (Rickett's Creek Close, Drumming Log Way, Peacock Glen) franchissent sur des ponts de bois des ruisseaux ombragés et rocheux, pour gagner sous les trembles les demeures de riches, nichées dans la verdure estivale. Chaque printemps, les sociétés de pêche lâchent discrètement des truites d'élevage pour que les fortunés riverains qui s'équipent chez Hardy puissent descendre au bord de l'eau mouiller leur ligne ; ici subsistent des parcelles de bois d'un grand âge, de hauts arbres qui virent défiler les armées révolutionnaires, qui entendirent les clairons, les cris et les chants de défi de nos ancêtres américains revendiquant leur liberté, et sous lesquels à présent de rousses héritières en jodhpurs passent d'un pas nonchalant en direction du paddock, prises de l'envie de faire toutes seules un petit tour à cheval avant le déjeuner. Il m'est arrivé de faire visiter des maisons dans ce coin, mais leurs propriétaires, gras et harnachés comme des pharaons, qui devraient se sentir grisés par les grâces de la vie, semblent toujours les gens les plus déplaisants de la terre et les plus portés à vous traiter comme de la valetaille quand vous vous ramenez pour « présenter leur merveilleuse demeure ». En général, c'est Shax Murphy qui s'occupe de ce rayon pour notre agence, car il possède ce qu'il faut de cynisme inné pour trouver tout ça hilarant, et n'aime rien tant que de prélever la peau des fesses de riches clients centimètre par centimètre. Pour ma part, je suis attaché au marché plus accessible, dont j'apprécie la saine mentalité.

En ce qui concerne les désagréables McLeod, je crois à présent comprendre quelle a été mon erreur : dès que j'ai acheté la maison dont ils étaient les locataires, j'aurais dû les convoquer pour une bouffe en plein air, les installer dans des chaises longues sur la terrasse, leur coller un double margarita à chacun, leur servir comme au ranch un plateau de grillades, d'épis de maïs, de salade de tomates à l'oignon sans oublier la tarte au citron, après quoi tout serait allé tout seul. Par la suite, quand les relations auraient tourné à l'aigre (ainsi qu'il arrive toujours entre propriétaire et locataires, sauf si ceux-ci ont l'instinct de gratitude, ou si le propriétaire est une poire), nous aurions eu un petit passé commun en guise de rempart contre la suspicion et l'hostilité, qui malheureusement sont devenues le *statu quo*. Pourquoi je ne l'ai pas fait, je l'ignore, sinon que ce n'est pas mon genre.

Je suis tombé sur *Franks* un soir d'été il y a un an, alors que je rentrais fatigué, le regard brouillé, du Red Man Club ou j'avais pêché jusqu'à dix heures. Sous son enseigne d'alors, le *Bemish's Birch Beer Depot*, la buvette est apparue presque miraculeusement dans la nuit à la sortie d'un virage sur la Route 1. J'avais les yeux brûlants, les paupières lourdes, la bouche sèche comme du papier, tout pour avoir envie d'une *root beer**.

Quiconque a plus de quarante ans (à moins d'être né dans le Bronx) possède des souvenirs d'une simplicité candide de ce genre d'endroits : une solide cabane en planches peinte en orange, avec une fenêtre à glissière pour accueillir le client, des guirlandes d'ampoules jaunes dehors, des troncs d'arbres et des barils en guise de poubelles blanchis à la chaux, des pneus blancs pour signaler le protocole du parking, abondance de recommandations sur des pancartes et de grandes chopes embuées pleines de *root beer* trop froide que vous pouviez déguster sur une table de pique-nique au bord du ruisseau ou sur un plateau en métal

---

* *Root beer* : boisson gazeuse non alcoolisée, à base de sucs végétaux. *(N.d.l.T.)*

avec votre flirt, à la lueur de la radio dans le sanctuaire de votre Ford 57.

Dès que j'ai repéré la buvette, j'ai braqué droit sur le parking, mais au moment précis où je m'y engageais je me suis apparemment assoupi de sorte que j'ai défoncé le barrage de pneus blancs, roulé sur les pétunias et heurté l'une des tables vertes de pique-nique que j'ai fendue ; Karl Bemish, le patron, a surgi de la porte latérale, équipé de son tablier et de son calot en papier, pour me demander où diable je me croyais, convaincu que j'étais soûl et qu'il faudrait me faire coffrer.

Tout cela n'a abouti à rien de fâcheux (loin de là). Naturellement, le choc m'avait suffisamment réveillé ; je suis descendu précipitamment en présentant mes excuses, j'ai proposé de faire un alcootest, tendu trois cents dollars pour couvrir mes dégâts, et expliqué que je revenais de la pêche, pas d'un débit de gin de Frenchtown, que j'avais foncé dans le parking parce que l'endroit m'avait paru irrésistible, au bord du ruisseau, avec les guirlandes d'ampoules et les troncs blanchis, et qu'en fait je restais preneur d'une *root beer* s'il acceptait de m'en servir une.

Karl s'est laissé apaiser par ma liasse de billets, qu'il a fourrée dans la poche de son tablier, et par son bon caractère, qui l'a conduit à admettre que certains actes sont innocents et que parfois (même si c'est rare), la cause invoquée pour justifier un incident peut en être la véritable explication.

Ma chope à la main, j'ai choisi une table non fendue et me suis assis, épanoui, sur la rive du Trendle Brook, dont le murmure me ramenait aux lointaines années 50, dans le Sud lointain, lorsque mon père, officier de marine, m'emmenait en balade pour que ma mère puisse se remettre du chaos que représentait la vie quotidienne seule avec moi, et que nous faisions halte en des endroit similaires.

Au bout d'un moment, Karl Bemish est ressorti, après n'avoir laissé allumée qu'une seule guirlande d'ampoules. Il apportait une autre *root beer* à mon intention et une vraie bière pour lui-même, et s'est assis de l'autre côté de la table, content de tailler une bavette de fin de soirée avec un inconnu qui, en dépit d'un comportement douteux pour

175

commencer, avait l'air d'un interlocuteur d'autant plus indiqué qu'il était la seule personne présente.

Karl était seul à tenir le crachoir, bien entendu. (Il manquait visiblement d'occasions de causer avec ses clients par la fenêtre coulissante.) Il était veuf, m'a-t-il dit, et avait travaillé au centre d'études ergonomiques, là-haut à Tarrytown, durant près de trente ans. À la mort de Millie, sa femme, trois ans plus tôt, il avait décidé de prendre sa retraite, de vendre ses parts de la société et de se mettre en quête d'une activité imaginative (cela me rappelait quelque chose). Il était très calé en ergonomie – science dont je n'avais jamais entendu parler –, mais ignorait tout du commerce, de la restauration, de la limonade et des contacts avec la clientèle. Et il admettait qu'il avait acheté la buvette sur un simple coup de tête, après avoir lu une annonce dans une revue professionnelle. Là où il avait grandi, dans la petite communauté polonaise de Pulaski, au fin fond de l'État de New York, il y avait un endroit tout pareil, au bord d'une petite rivière qui se jetait dans le lac Ontario, et c'était naturellement le « vrai rendez-vous » de tous les gosses et aussi des adultes. Il y avait fait la connaissance de sa femme et se souvenait même d'y avoir travaillé, vêtu d'une blouse en coton marron avec son nom brodé sur le devant en marron plus foncé et coiffé d'un calot en papier, même s'il avouait n'avoir jamais pu retrouver la moindre preuve qu'il y ait été employé, et l'avoir sans doute rêvé pour enjoliver son passé. En tout cas, dans sa mémoire, cet endroit et cette époque étaient les meilleurs de sa vie, et sa propre buvette lui donnait l'impression de leur rendre hommage.

« Évidemment, tout n'a pas tourné pour le mieux ici », m'a dit Karl.

Il a enlevé son calot blanc en papier et l'a posé sur les planches poisseuses de la table, révélant son crâne lisse, qui reflétait la guirlande d'ampoules reliée à la cabane. À soixante-cinq ans, c'était un gros costaud aux doigts boudinés, aux oreilles menues, il avait plutôt l'air d'un type qui aurait gagné sa vie en chargeant des briques.

« Moi, ça me paraît drôlement chouette, ai-je dit avec un regard admiratif autour de moi, où tout était peint de frais, lavé, balayé, aussi nickel qu'une cour d'hôpital. Je parierais que c'est une mine d'or que vous avez là. »

J'ai hoché la tête pour appuyer mon propos, plein aux ouïes de *root beer* onctueuse.

« Super, les dix-huit premiers mois. Ça marchait du tonnerre. Le gars d'avant avait tout laissé à l'abandon. J'ai mis du fric dedans et j'ai tout arrangé. Les gens du coin disaient que ça faisait plaisir de voir remettre en état un endroit qu'ils connaissaient bien et qu'ils souhaitaient voir repartir, et des automobilistes comme vous s'arrêtaient tard le soir. C'est redevenu un lieu de rendez-vous, ou plutôt c'était en train. Alors ça a dû me monter à la tête, parce que je me suis procuré en plus une machine à milk-shakes. Je disposais de liquidités. Ensuite, j'ai pris une machine à yaourts. Et puis un buffet roulant pour faire traiteur dans les réceptions. Après, la revue professionnelle m'a donné l'idée de racheter un vieux wagon-restaurant pour le mettre à côté et servir des repas ; peut-être embaucher un garçon, avoir un menu limité, le décorer avec des machines chromées, des vases, des tapis. Pour les grandes occasions. » (Karl a regardé par-dessus son épaule en direction du ruisseau et il a grimacé.) « Tout le tintouin est là derrière. J'ai acheté ce foutu wagon là-haut à Lackawanna et je me le suis fait apporter en camion en deux morceaux et monter sur un bout de voie ferrée. C'est à peu près à ce moment-là que mes ressources se sont épuisées. »

Karl a secoué la tête et chassé d'un revers de main un moustique posté sur son crâne.

« Dommage », ai-je dit.

En scrutant l'obscurité, j'ai pu distinguer une masse plus noire, inerte et menaçante dans la nuit. La mauvaise inspiration.

« J'avais de grands projets, a repris Karl Bemish avec un sourire vaincu qui voulait exprimer à nouveau la conviction qu'on peut agir innocemment mais que l'erreur est inhérente à toute grande idée.

– N'empêche que votre affaire tourne rond, ai-je dit. Vous n'avez qu'à remettre l'expansion à plus tard, le temps de reconstituer votre capital. »

C'étaient là des formules que j'avais apprises récemment dans l'immobilier et dont je connaissais à peine le sens.

« J'ai de lourdes dettes, a soupiré Karl comme si c'était une boule de plomb qui lui pesait sur le cœur, tout en tâtant du bout de l'ongle plat et rose de son pouce une vieille goutte de *root beer* durcie sur la table. D'ici… oh, six mois, je me retrouve le ventre en l'air. »

Il a reniflé et s'est mis à gratter l'écaille de sucre, recuite par un long été de déveine.

« Ne pourriez-vous pas recapitaliser ? Vendre le wagon, peut-être contracter un emprunt sous garantie ? » (Encore du jargon foncier.)

« J'ai rien pour le garantir. Et personne ne veut d'un foutu wagon-restaurant en plein centre du New Jersey. »

À présent, je me sentais en état de rentrer chez moi, pour boire quelque chose de sérieux et me pieuter. J'ai quand même poursuivi :

« Alors, qu'est-ce que vous comptez faire ?

– J'ai besoin d'un investisseur qui vienne liquider ma dette, et ensuite peut-être me faire confiance pour pas nous refoutre dans la merde. Vous connaissez quelqu'un de ce genre ? Parce que sinon je vais paumer la baraque avant d'avoir eu le temps de prouver que je suis pas un parfait fumiste. Ce serait dur. »

Karl n'essayait pas de blaguer, comme mon fils l'aurait fait. J'ai promené mon regard derrière lui sur sa petite buvette orangée, sur les pancartes soigneusement écrites à la main : « Promenez les chiens ici SEULEMENT ! », « PRIÈRE de ne pas laisser de détritus », « Nos clients sont nos MEILLEURS AMIS », « MERCI, à bientôt ! », « La ROOT BEER, c'est bon pour tous ! » C'était un charmant petit commerce, jouissant, sans aucun doute, de la bienveillance du voisinage et d'un emplacement favorable, à la fois suburbain et semi-rural – quelques vieilles fermes à proximité, avec de petites cultures maraîchères prospères, çà et là un pépiniériste producteur de cidre, quelques ateliers de poterie fondés par des hippies voilà deux ou trois décennies, et un ou deux médiocres terrains de golf déplumés. De nouveaux logements ne tarderaient pas à s'implanter sur le territoire des pâtures. La circulation ne mollissait pas au croisement de la 518 et de la 31, où il y avait déjà un double stop et où la croissance nécessiterait bientôt un feu, car la 31, si elle n'était plus la route principale, demeurait l'ancienne grand-route pittoresque menant des comtés du nord-ouest au centre administratif de l'État, à Trenton. Tout cela, c'était du profit en vue.

Il se pouvait effectivement, ai-je pensé, que Karl Bemish eût simplement besoin d'un petit coup de main pour le libérer de son endettement, d'un partenaire pour le conseiller et superviser les décisions importantes pendant que lui, il continuerait d'assurer la gestion quotidienne. Et sans savoir au juste pourquoi (en partie, sûrement, parce que je partageais une tranche de passé nostalgique avec le bon Karl), je n'ai pas pu dire non.

Je lui ai déclaré tout de go sous les eucalyptus, au milieu du nuage de moustiques de plus en plus dense autour de nos deux têtes, que je serais peut-être moi-même intéressé par une éventuelle association. Sans paraître surpris le moins du monde, il s'est aussitôt lancé dans l'exposé de plusieurs idées grandioses qu'il caressait, dont aucune ne marcherait à mon avis, ce que je lui ai dit tout de suite afin de lui faire savoir (et à moi aussi) que je pouvais me montrer ferme sur certains points. Nous avons encore parlé pendant une soixantaine de minutes, jusqu'à près d'une neure du matin. Puis je lui ai donné ma carte et lui ai dit de m'appeler au bureau le lendemain, en lui promettant que si je ne me réveillais pas convaincu qu'il était temps de me faire remplacer les méninges, nous pourrions nous rasseoir ensemble tous les deux pour examiner ses livres de compte, coucher sur le papier ses dettes en face de ses biens, de son revenu et de ses liquidités, et que s'il n'y avait pas de problème d'impôts ou de zones d'ombre (telles que l'alcool ou le jeu), je serais éventuellement preneur d'une part de son affaire de buvette.

Propos qui ont paru le combler d'aise, à en croire le nombre de fois où il a hoché la tête solennellement et s'est exclamé : « Ouais, c'est sûr, O.K., ouais, c'est sûr, O.K. Parfait, parfait, parfait. »

Mais qui n'aurait pas été content à sa place ? Un type surgi de la nuit fonce droit sur votre boutique, apparemment

179

soûl, et vous fout une table en l'air ainsi que vos pétunias. Mais avant même que la poussière ait eu le temps de retomber, vous vous retrouvez en train de faire des projets avec lui pour qu'il devienne votre associé et vous sorte de la merde où vous vous êtes fichu par suite d'un mélange d'optimisme imbécile, d'incapacité et de cupidité. Qui penserait que la corne d'abondance vient de se présenter face à sa porte ?

Et, de fait, il n'a pas fallu un mois pour que tout se mette plus ou moins en place. Je me suis associé à Karl en apportant le capital convenu de trente-cinq mille dollars, ce qui annulait essentiellement sa dette, et m'assurait aussi – Karl étant totalement à sec – le contrôle de l'affaire.

Je me suis aussitôt occupé de fourguer les machines à milk-shakes et à yaourts à un grossiste en matériel de restauration à Allentown. J'ai pris contact avec les gens de la compagnie de Lackawanna qui avait vendu à Karl le wagon-restaurant, « L'orgueil de Buffalo », et ils ont accepté de rembourser un cinquième de ce qu'ils obtiendraient en le revendant, en plus de se charger de l'évacuer. J'ai revendu la photocopieuse et le fax que Karl avait achetés dans le but de diversifier ses recettes par la mise à disposition de la clientèle de services allant au-delà de la vente de *root beer*. J'ai éliminé diverses innovations alimentaires pour lesquelles Karl s'était aussi équipé sans jamais les mettre en pratique pour cause de manque d'espace et d'argent – une machine à fabriquer des feuilletés, une autre, presque identique, pour les beignets façon Nouvelle-Orléans exclusivement. Karl avait des catalogues pour les appareils à daiquiri (au cas où il obtiendrait une licence de spiritueux), une crêpière à six plaques et tout un tas d'autre camelote dont personne n'avait jamais entendu parler au cœur du New Jersey. J'en suis venu à me demander si Karl, après la mort de sa femme, n'avait pas craqué nerveusement ou souffert d'une série de petites attaques qui auraient légèrement altéré ses facultés mentales.

Mais, assez vite, usant de simple bon sens, j'ai maîtrisé la situation et pu partager avec Karl le produit de la vente des équipements superflus, en réinvestissant la moitié de ma propre part dans le fonds de roulement (le buffet roulant,

180

j'avais décidé sur un coup de tête de le garder). J'ai aussi partagé avec lui quelques éléments de ma science des affaires récemment acquise à l'agence. La plus grosse erreur, lui ai-je dit, consistait à vouloir gonfler un bon investissement pour en doubler la valeur (ça ne marche presque jamais). Et deuxièmement, les gens n'échouaient pas seulement par excès d'avidité, mais parce qu'ils se mettaient à s'ennuyer dans le quotidien et dans ce qu'ils faisaient – même dans les tâches qui leur plaisaient – et qu'ils fichaient en l'air leurs bénéfices durement gagnés rien qu'en cherchant à relancer leur intérêt. De mon point de vue, il fallait limiter les frais, faire simple, ne jamais s'autoriser le luxe de s'ennuyer, se bâtir une clientèle, et plus tard revendre au premier nigaud venu qui se ruinerait en croyant « améliorer » votre conception. (Évidemment, je n'avais jamais mis en pratique aucun de ces principes : tout ce que j'avais fait, c'était acquérir deux locations et vendre ma propre maison pour acheter celle de ma femme – maigre qualification pour me lancer dans le commerce.) Tandis que je communiquais ces maximes à Karl, deux colosses noirs au service d'Allentown Restaurant Outfitters hissaient sur un camion ses machines à sorbets et à yaourts. L'illustration m'a paru frappante.

Mes dernières mises au point dans notre stratégie commerciale consistèrent d'abord à changer le nom de la buvette, *Bemish's Birch Beer Depot* (trop pesant), pour la baptiser *Franks*, sans apostrophe (le calembour* et le côté direct me plaisaient). Et par là-dessus, j'ai décrété que le client qui arrêterait sa voiture devant notre enseigne n'aurait que deux choses à se faire servir : une chope embuée de *root beer* et un sacrément bon hot-dog à la saucisse d'Europe centrale, du genre dont tout le monde rêve et qu'on a envie de trouver quand on roule à travers un coin pittoresque et qu'on est pris d'une petite faim. Remis à neuf dans sa veste blanche à monogramme, calot en papier sur son crâne luisant, solidement rétabli dans ses fonctions de propriétaire-tenancier, Karl Bemish s'offrait de grosses plaisanteries avec ses vieux clients et il avait le sentiment

* *Frank's* : chez Frank. *Frank* : saucisse de Francfort, hot-dog. *(N.d.l.T.)*

d'avoir enfin rétabli sa vie sur ses rails depuis la mort prématurée de sa chère épouse. Quant à moi, qui trouvais tout ça plutôt simple et amusant, il m'apparaissait que notre petite affaire correspondait assez bien à ce que j'avais cherché en vain à mon retour de France : l'occasion d'aider mon prochain, de mener à bien une bonne action et aussi de me diversifier sous une forme qui rapporterait des bénéfices (c'est déjà le cas) sans me rendre enragé. Une chance que je souhaite à tout le monde.

Je débouche des petites routes boisées de ces environs de Haddam à l'intersection avec la 31, au-dessus de laquelle une équipe de voirie avec un élévateur est occupée à suspendre le feu de signalisation prophétisé ; en casque blanc et tenue de travail, les hommes plantés tout autour observent l'opération comme s'il s'agissait d'un tour de prestidigitation. Une pancarte temporaire annonce « Ici vos impôts sont au travail – RALENTISSEZ ». Quelques voitures contournent prudemment l'obstacle, avant de mettre cap au sud en direction de Trenton.

Franks, avec sa nouvelle enseigne brun et orange où figure une chope couronnée de mousse, se dresse à la diagonale du camion jaune de la voirie. La voiture d'un consommateur, assis au frais derrière ses vitres teintées, est arrêtée sur un côté du parking dont on a refait l'asphalte. La vieille coccinelle Volkswagen rouge de Karl est garée près de la porte de derrière, le carton OUVERT est suspendu à la fenêtre. En me garant, j'avoue que j'admire sans réserve l'ensemble, et en particulier le buffet roulant chromé converti en voiture à hot-dogs, qui scintille dans son coin, astiqué par Everick et Wardell et tout prêt à être remorqué à Haddam lundi matin de bonne heure. Dans sa spécialisation efficace, son caractère compact et mobile, quelque chose me donne la sensation que c'est la meilleure acquisition que j'aie jamais faite, y compris même ma maison ; pourtant, il ne me sert pratiquement à rien et je sais que je ferais mieux de le revendre avant qu'il ait perdu toute valeur.

Aux termes d'un accord tacite que nous avons conclu,

182

Karl et moi, je fais un saut là-bas au moins une fois par semaine pour tout passer en revue, un plaisir pour moi, surtout aujourd'hui après mes déconcertants démêlés avec les Markham et Betty McLeod – peu typiques de mes journées habituelles, presque toujours agréables. Durant notre première année d'association, qui a connu à l'automne la plongée du marché (nous sommes passés au travers sans dommages), Karl s'est mis à me traiter comme un jeune patron non-conformiste, plein d'allant bien qu'un peu trop têtu, et il s'est fabriqué un personnage d'employé de toujours, excentrique, mais fidèle, dont la fonction consiste à me canarder de remarques caustiques à la Walter Brennan, le vieux Groot de *La Rivière rouge*, pour m'éviter de m'égarer. (Il est beaucoup plus heureux au poste d'employé qu'aux commandes, ce qui provient sans doute de toutes les années qu'il a passées dans l'ergonomie, mais pour ma part, je ne me suis jamais vu en chef de qui que ce soit, puisque parfois je n'ai même pas l'impression d'être vraiment le mien.)

Lorsque j'entre par la porte latérale marquée « Réservé au service », Karl est en train de lire le *Trenton Times*, perché derrière la fenêtre à glissières sur deux caisses à lait en plastique rouge qui datent du temps où il servait des milk-shakes. Il fait chaud comme dans une chaudière là-dedans, et Karl a un petit ventilateur à pales en caoutchouc braqué sur la figure. Comme d'habitude, tout est impeccable, puisque Karl, hanté par la crainte du carton rouge de l'inspecteur des services d'hygiène du comté, passe des heures tous les soirs à récurer et astiquer, lessiver et rincer, au point qu'on pourrait s'asseoir à même le ciment pour consommer tout un repas sans accorder une pensée à la salmonellose.

« Tu peux me croire, je commence à me faire un sang de tous les diables pour mon avenir financier, pas toi ? » lance-t-il d'un ton acerbe.

Ses lunettes en plastique sur le nez, il n'a pas donné d'autre signe de s'être aperçu de mon arrivée. Il porte sa tenue d'été : veste blanche à manches courtes, short aux genoux à carreaux blancs et noirs, sorti de la blanchisserie, qui laisse « respirer » ses mollets épais, charnus, aux veines

183

saillantes, socquettes en nylon noir et brodequins noirs à semelles de crêpe. Un antique poste à transistors, réglé à volume modéré sur la station de Wilkes-Barre dont le programme est composé exclusivement de polkas, diffuse *Il n'y a pas de bière au paradis.*

« Moi, je m'intéresse aux démocrates rien que pour voir la prochaine connerie qu'ils vont faire, dis-je comme si nous discutions depuis des heures, en allant ouvrir la porte de derrière sur la terrasse de pique-nique au bord du ruisseau, pour avoir un peu d'air. » (Karl est un partisan de toujours des démocrates qui s'est mis à voter républicain depuis une dizaine d'années mais se voit toujours en non-conformiste. À mes yeux, ceux-là sont les vrais renégats, même si Karl n'est pas un trop mauvais citoyen, dans l'ensemble.)

N'ayant rien à faire ici de spécial aujourd'hui, je me mets à compter les paquets de petits pains à hot-dogs, les boîtes de condiments (sauce épicée, moutarde, mayonnaise, ketchup, oignons tranchés), et à vérifier la livraison de saucisses et les tonnelets supplémentaires de *root beer* que j'ai commandés pour la fête.

« Il paraît que le bâtiment nous a fait une sacrée rechute le mois passé, douze points deux par rapport à mai. Bandes de connards. Ça sent mauvais pour l'immobilier, pas vrai ? »

Karl expédie une bonne chiquenaude sur la page du *Times*, l'air de vouloir redresser l'alignement des mots. Il aime bien que nous causions de cette manière quasi familière (finalement, c'est un vieux nostalgique à mon égard), comme si nous avions parcouru ensemble un long bout de chemin et acquis la même rude expérience du besoin et de la loyauté. Il me lorgne par-dessus son journal, enlève ses lunettes demi-lune, puis se lève et regarde par la fenêtre la voiture qui était garée sur le parking s'éloigner vers la Route 31 et prendre lentement la direction de Ringoes, au nord. La sonnerie de marche arrière du camion-grue de la voirie se met à tinter et la voix de basse d'un Noir à scander : « Allez, recule, allez, vas-y, vas-y, recule ! »

« Mais le chiffre des ventes de logements neufs est tombé de cinq points depuis un an, dis-je tout en jaugeant les paquets de saucisses dans le frigo, le visage baigné d'air glacé semblable à une lumière crue. Ce qui pourrait signifier que les gens vont acheter de l'ancien. Moi, ça ne m'étonnerait pas. »

En fait, c'est bien ce qui va arriver, et ces tristes abrutis de Markham auraient intérêt à rentrer *tout de suite* en contact avec moi et avec leur propre matière grise.

« Dukakis s'est fait attribuer le mérite du miracle du Massachusetts, c'est justice qu'on lui attribue aussi le désastre du Taxachusetts. Je suis bien content de vivre à présent dans le New Jersey, conclut Karl d'un ton indolent, sans cesser de contempler dehors les lignes toutes fraîches du parking.

– Voyons… »

Je me retourne vers lui, prêt à lui réciter yeux dans les yeux mon édito d'*Acquéreur/Vendeur*, mais je bute sur son gros derrière à carreaux et ses deux mollets pâles en dessous. Le reste de sa personne est penché en direction des ouvriers, leur élévateur et le nouveau feu en cours d'installation.

« Et les hot-dogs », remarque Karl, qui croit m'avoir entendu dire quelque chose que je n'ai pas dit, d'une voix étouffée par la chaleur où elle se perd, ce qui laisse plus de place à la charmante musique de polka. (Comme toujours, je me sens bien, ici.) « Je crois que personne a rien à foutre de cette élection, n'importe comment. C'est tout pareil aux conneries de matches all-stars. La grosse promo, et puis du vent. » (À l'appui de ses dires, Karl produit un gros bruit de pet avec la bouche.) « Nous sommes tous largués loin du gouvernement. Ça ne correspond à rien dans la vie que nous menons. Nous sommes dans les limbes. »

Manifestement, il est en train de me réciter l'article de je ne sais quel journaliste de droite qu'il vient de lire dans le *Trenton Times*. Le gouvernement et les limbes, ce n'est pas son truc.

Pour ma part, je n'ai plus rien à faire, et mon regard dérive par la porte latérale vers le parking, où la voiture à hot-dogs luit au soleil sur ses pneus tout neufs, avec son auvent vert et blanc replié au-dessus de la fenêtre, enchaînée à un fût à essence de deux cent cinquante litres rempli de ciment, lui-même rivé à une dalle coulée dans le sol (idée

185

de Karl afin de décourager toute tentative de vol). De voir l'extérieur sous cet angle, et en particulier le buffet roulant utilisable mais surtout gentiment ridicule, je me sens soudain à l'écart du monde, de façon inattendue, hormis ce qui se trouve ici, comme si Karl et moi nous étions l'un pour l'autre tout ce que nous avons sur terre. Bien entendu, c'est faux : Karl a ses nièces à Green Bay, j'ai deux enfants dans le Connecticut, une ex-femme, et une belle amie que je suis impatient d'aller retrouver. Pourquoi ce sentiment, pourquoi en ce moment, pourquoi ici, je n'en sais rien.

« Tu sais, je lisais ça hier dans le journal… » (Karl soulève du comptoir son torse lourd et pivote vers moi. Il se baisse pour arrêter le festival de polka.) « … On constate actuellement un déclin des oiseaux chanteurs dont les banlieues sont la cause directe.

– Je l'ignorais, dis-je en contemplant son visage lisse et rose.

– C'est la vérité. Les animaux prédateurs qui prospèrent dans les zones à problèmes dévorent les œufs et les petits des oiseaux. Les verdiers. Les gobe-mouches. Les merles. Les grives. Ils sont tous en train d'y passer.

– C'est dommage. »

Je ne trouve pas d'autre commentaire à lui fournir. Karl, ce qui l'accroche, ce sont les faits. Son idée d'un échange valable, c'est de vous confronter à quelque chose qui ne vous a jamais effleuré, une obscure bizarrerie historique, une statistique irréfutable, par exemple que le taux des taxes foncières dans le New Jersey est le plus élevé des États-Unis, ou qu'un Latino-Américain sur trois habite à Los Angeles, une information qui n'explique rien mais qui vous accule à la réaction la plus banale. Ensuite, il vous dévisage dans l'attente d'une réponse, qui se bornera forcément à un : « C'est inouï ! » ou : « Ça alors, ça me la coupe. » Un vrai dialogue spéculatif, non programmé, entre êtres humains n'a aucun attrait pour lui, en dépit de toute sa science ergonomique. Je m'aperçois qu'il est temps que je parte.

« Écoute, reprend Karl, oubliant le triste sort des grives, je me demande si on n'est pas en train de se faire repérer ici.

– Qu'est-ce que tu veux dire par là ? »

Un filet de sueur grasse, comme celle d'un hot-dog, ruisselle de mon cuir chevelu et s'infiltre dans le creux de mon oreille gauche avant que j'aie pu l'arrêter du doigt.

« Eh ben, hier soir, tu vois, juste à onze heures » (Karl a les deux mains appuyées au bord du comptoir derrière lui, comme s'il allait se propulser en avant), « j'étais en train de nettoyer. J'avise la voiture de ces deux Mexicains qui se ramène. Au ralenti. Et puis ils repartent sur la 31, et dix minutes plus tard, les voilà de retour. Ils traversent, toujours aussi lentement, et ils repartent.

– Comment sais-tu que c'étaient des Mexicains ? »

J'ai l'impression de loucher en le regardant.

« Parce que c'étaient des Mexicains. Ça se voyait, dit Karl, exaspéré. Deux petits mecs aux cheveux noirs coupés ras, dans une Monza bleue surbaissée, à vitres teintées, et ces lumières rouges et vertes qui clignotent autour de la plaque d'immatriculation ? C'étaient pas des Mexicains ? O.K. Des Honduriens, alors. Mais c'est pas ça qui change grand-chose, hein ?

– Tu les connaissais ? »

Je jette un coup d'œil inquiet par la fenêtre ouverte, comme si les étrangers suspects s'y pointaient en cet instant même.

« Non. Mais ils sont revenus, il y a à peu près une heure de ça, et ils ont pris de la *root beer*. Bagnole immatriculée en Pennsylvanie. CEY 146. J'ai tout noté.

– Tu as prévenu le shérif ?

– Il m'a répondu qu'il n'y a pas encore de loi pour interdire de pénétrer sur le parking d'une buvette. S'il y en avait une, on pourrait fermer boutique.

– Ah bon ! »

À nouveau, je ne sais que dire d'autre. Cette information ne diffère pas fondamentalement de celle qui concernait le déclin des oiseaux chanteurs. En même temps, cela m'ennuie d'entendre parler de rôdeurs suspects en Monza surbaissée. Un petit commerçant n'aime jamais ça.

« As-tu demandé au shérif une surveillance spéciale ? »

Un autre filet de sueur poisseuse me dégouline sur la joue.

187

« Je ne suis pas censé m'inquiéter, juste faire attention. » (Karl soulève son ventilateur à pales de caoutchouc et le tient de manière à me souffler de l'air chaud à la figure.) « J'espère simplement que si ces petits enfoirés décident de nous cambrioler, ils ne me tueront pas. Ou ne me laisseront pas à moitié mort.

– File-leur tout le fric, dis-je sérieusement. Ça se retrouve. Ne joue pas les héros. »

J'aimerais bien qu'il repose son ventilateur.

« Je veux pouvoir me protéger », réplique-t-il en opérant un petit repérage personnel et rapide par la fenêtre.

Je n'avais jamais songé à ma propre protection jusqu'au jour où je me suis fait assommer par le petit Asiatique avec sa grosse bouteille de Pepsi. Mais ce qui m'est venu à l'idée à ce moment-là, c'était de dissimuler un revolver, de me poster à l'affût au même endroit le lendemain soir et de les descendre tous les trois. Ce n'était guère faisable.

Derrière Karl, je vois l'équipe d'installateurs du feu de signalisation qui traverse la route en ordre dispersé et pénètre sur notre parking, sans avoir ôté leur casque ni leurs gros gants isolants. Deux ou trois époussettent vigoureusement leurs pantalons épais, d'autres rigolent. La moitié sont des Blancs, la moitié des Noirs, ce qui ne les empêche pas de faire la pause tous ensemble en ayant l'air d'être les meilleurs amis du monde.

De loin, j'entends l'un d'eux déclarer : « Je vais me farcir la grosse saucisse », ce qui fait rire ses compagnons encore plus fort. « Plus fort, qu'elle a dit », lance un autre. Et tous de s'esclaffer (trop bruyamment pour que ce soit naturel).

Quant à moi, je suis pressé de me tirer, de remonter en voiture, de régler la climatisation au maximum et de foncer vers la côte avant de me retrouver piégé à tartiner de la moutarde sur des petits pains, à servir de la *root beer* et à monter la garde contre les artistes du braquage. Il m'arrive de garder la forteresse quand Karl s'absente pour un examen médical ou une réparation des ratiches, mais je n'aime pas ça et, chaque fois, je me sens minable. Karl, pour sa part, se délecte à l'idée du « patron » coiffé d'un calot en papier.

Il a déjà commencé à aligner des chopes glacées sorties du congélateur.

« Comment va ce vieux Paul ? demande-t-il en oubliant ses Mexicains. Tu devrais l'amener ici et me le laisser pendant deux trois jours. Je le façonnerai. »

Karl connaît tout des ennuis de Paul avec les flics pour une histoire de capotes chouravées et son opinion est que tous les garçons de quinze ans ont besoin d'être façonnés. Je suis sûr que Paul donnerait cher pour passer deux jours en roue libre ici à faire feu de tous ses jeux de mots et plaisanteries, à engloutir de la *root beer* et des hot-dogs en quantité illimitée et à faire tourner Karl en bourrique.

Mais pas question. La vision du petit appartement de vieux garçon à Lambertsville, au premier étage, encombré de tout le mobilier de sa vie antérieure à Tarrytown, avec les photos de sa femme défunte, les placards bourrés de fourbis « masculins », les vieux articles de toilette puants sur le dessus de la commode garnie de napperons, l'égouttoir en caoutchouc vert, toutes les odeurs bizarres d'habitudes solitaires – je souhaite de tout mon cœur que soit évitée à Paul cette révélation en direct. Par crainte de mille choses, aussi : d'un jeu de photos « pour adultes » qui traînerait sur une table, d'un « magazine coquin » mélangé aux exemplaires du *Times* et d'*Argosys* sous le support de la télé, ou peut-être d'un certain caleçon « original » que Karl n'arborerait que chez lui et dont il voudrait faire profiter Paul. Les vieux solitaires sont pris de ces lubies, sans même qu'ils aient rien planifié, et crac crac ! l'oiseau est au nid. Aussi, malgré tout le respect que je dois à Karl, dont je suis content d'être l'associé dans le commerce du hot-dog et qui ne m'a jamais donné à supecter quoi que ce soit de louche chez lui, ma vigilance paternelle s'impose (même si elle n'a pas toujours été ce qu'elle aurait dû être, c'est incontestable).

Toute l'équipe d'ouvriers de la voirie est à présent plantée là-dehors, les yeux fixés sur la fenêtre fermée, l'air d'attendre qu'elle leur adresse la parole. Ils sont sept ou huit, et ils sont en train de chercher au fond de leurs poches l'argent du casse-croûte.

« Bon, alors comment ça se passe, les gars ? Envie d'un bon hot-dog ? crie Karl par son guichet, autant à mon inten-

189

tion qu'à la leur, comme si nous savions tous les deux à quoi nous en tenir : cet établissement est une mine d'or.

– Je crois que je vais filer.

– Ouais, d'accord, lance Karl, déjà tout à son affaire.

– On peut avoir un hamburger ? demande quelqu'un.

– Non, rien que des hot-dogs, répond Karl en faisant férocement coulisser sa fenêtre. Des hot-dogs et de la *root beer*, les gars, conclut-il en devenant jovial, penché en avant sur le comptoir, ses grosses fesses humides de transpiration à nouveau projetées en l'air.

– À très bientôt, Karl. Everick et Wardell se pointeront ici lundi à la première heure.

– C'est ça. Et comment », crie Karl.

Il n'a aucune idée de ce que j'ai pu dire. Il est dans son élément – la saucisse et la boisson gazeuse – et sa distraction épanouie me souhaite bon vent. Je n'en demande pas plus.

J'oblique maintenant vers le sud de Haddam pour rejoindre la très fréquentée 295 qui monte de Philadelphie, je contourne Trenton et longe le campus de la De Tocqueville Academy, que Paul pourrait fréquenter quand il viendra et s'il vient vivre avec moi, pour peu qu'il en ait envie, quoique, personnellement, je préférerais l'enseignement public. Puis je m'engage sur l'embranchement de la I 195 flambant neuve pour pratiquement survoler la large plaine résidentielle (Imlaystown, Jackson Mills, Squankum, aperçus à hauteur d'autoroute) en direction de la côte.

Je ne tarde pas à passer au-dessus de Pheasant Meadow, étalé le long de l'« ancienne » Great Woods Road en plein dans le couloir d'immenses pylones de haute tension, en forme de diapasons argentés. Tout près de l'autoroute, une pancarte démantibulée annonce : « UNE RETRAITE ATTIRANTE VOUS ATTEND À DEUX PAS ».

Déjà dégradé sans être vieux, Pheasant Meadow est le grand ensemble en copropriété où notre agent noir, Claire Devane, a connu une mort cruelle qui reste inexpliquée et inexplicable. Et de fait, en regardant défiler en contrebas ses petits bâtiments cubiques au revêtement de bardeaux, plantés sur ce qui était des champs cultivés, qui jouxtent à présent une rangée d'édifices pastel abritant les sciences médicales et un Tex-Mex en chantier, j'y reconnais l'architecture indigène de l'espérance perdue et du décès prématuré (mais je suis peut-être trop sévère, puisque, il n'y a pas si longtemps, moi, l'Américain moyen, j'y ai courtisé l'amour, dans ses petites pièces aux cloisons de papier, au plafond inégal, ses vestibules mal éclairés et le désert de ses parkings, auprès d'une chouette Texane qui m'aimait bien, mais qui a fini par se montrer plus raisonnable que moi.)

Entrée depuis peu à l'agence, Claire, née à Talladega (Alabama), ayant fait ses études à Spelman, avait épousé un brillant informaticien qui faisait carrière à Upper Darby dans une nouvelle et ambitieuse société de software, et pendant un doux moment, elle avait pu croire que sa vie était sur ses rails. Sauf qu'avant de dire ouf, elle s'était retrouvée sans mari, avec deux enfants à élever, vierge d'expérience professionnelle autre que d'avoir été chef de dortoir et, plus tard, trésorière de l'association d'étudiants Zeta Phi Beta, si inspirée dans cette fonction qu'à la fin de l'année, l'argent qui restait en caisse avait permis d'organiser une fête pour les gosses défavorisés d'Atlanta et aussi une sauterie avec les Omega de la fac de technologie de Géorgie.

Par un bel après-midi d'automne en 1985, au cours d'une virée dominicale « à travers le pays », qui incluait la visite de Haddam, une scène violente avait éclaté entre elle et son mari, Vernell, en plein milieu des embouteillages d'après l'office dans Seminary Street. Vernell venait d'annoncer qu'il était tombé profondément amoureux d'une collègue de la Datanomics, et que, dès le lendemain matin (!), il déménageait à Los Angeles pour « être auprès d'elle » au moment où elle lancerait sa propre entreprise, la création de programmes éducatifs ciblés sur l'industrie du bricolage. Ce qui ne signifiait pas forcément, admettait-il, qu'il ne reviendrait pas d'ici quelques mois, selon la tournure que prendrait la situation et à quel point Claire et les enfants lui manqueraient, toutes choses qu'il ne pouvait prévoir.

Mais Claire avait simplement ouvert la portière, elle était

descendue de la voiture au feu du carrefour Seminary-Bank, en face de l'église presbytérienne (où il m'arrive de faire mes dévotions), et elle s'était mise à marcher, en regardant au passage la devanture des magasins et en murmurant avec un sourire : « Crève, Vernell, crève tout de suite » à tous les presbytériens blancs et contrits dont elle croisait les yeux. (Elle m'a raconté cette histoire lors d'une halte sur la Route 1, à l'époque où nous étions au faîte de nos amours ardentes mais brèves.)

Plus tard, ce même après-midi, elle a pris une chambre à l'*August Inn* et appelé sa belle-sœur à Philadelphie, pour lui révéler la trahison de Vernell et lui demander de passer chercher les enfants chez la nourrice et de les expédier par le premier avion à Birmingham, où sa mère les attendrait pour les ramener à Tallageda.

Et le lendemain matin – lundi – Claire a simplement saisi le taureau par les cornes et elle s'est mise à chercher du travail. Même si elle ne croisait pas beaucoup de gens qui lui ressemblaient, m'a-t-elle dit, il lui semblait que Haddam valait bien une autre ville et sacrément mieux, surtout, que la ville de l'Amour fraternel*, où la vie avait capoté, et que pour mériter la confiance et l'estime de la société, un être humain devait se montrer capable de transformer une situation de merde en coup de chance, grâce à une bonne lecture des signes : les signes étant qu'une force supérieure avait rayé Vernell de la liste et, simultanément, l'avait déposée à Haddam en face d'une église. Elle y voyait la main de Dieu.

Elle avait trouvé en un clin d'œil un emploi de réceptionniste dans nos bureaux (cela se passait moins d'un an après mon arrivée). Au bout de quelques semaines, elle avait entrepris le stage d'agent immobilier que j'avais suivi à l'institut Weiboldt. Et dans les deux mois, elle avait récupéré ses enfants, acheté une Honda Civic d'occasion, emménagé à Ewingville dans un appartement au loyer abordable, pas trop loin de Haddam par des routes boisées, et acquis une confiance en elle toute nouvelle et inattendue, née de la résistance au désastre. Sans être à cent pour cent libérée de tout souci, elle était libre, au moins, et en mesure

* Philadelphie dont c'est le sens étymologique. *(N.d.l.T.)*

de joindre les deux bouts. Nous n'avons pas tardé à sortir ensemble, et quand elle a eu l'impression que cela ne débouchait sur rien, elle s'est trouvé un avocat qui travaillait dans un bon cabinet de la ville, un homme bien, plus âgé qu'elle, dont la femme était morte et dont les enfants insupportables étaient déjà adultes et volaient de leurs propres ailes.

C'est une belle histoire : l'esprit d'entreprise et la qualité humaine triomphant de l'adversité et de la trahison, et tout le monde à l'agence l'adoptant comme une petite sœur (même si elle ne traitait guère d'affaires avec la clientèle blanche fortunée que Haddam attire comme des mouches, et si elle s'était spécialisée dans les locations et les copropriétés, une part minime de notre marché).

Et pourtant, de la façon la plus mystérieuse, lors d'une visite de routine d'un appartement ici même, à Pheasant Meadow, qu'elle avait déjà montré à des clients une dizaine de fois et où elle était arrivée en avance pour allumer l'électricité, tirer la chasse d'eau et ouvrir les fenêtres – la routine – elle s'est fait attaquer par trois hommes au moins, selon la police. (Ainsi que je l'ai dit plus haut, des indices permettaient de penser que c'étaient des Blancs, bien que j'ignore d'où provenaient ces indices.) Deux jours durant, Everick et Wardell ont été soumis à un interrogatoire intensif, parce qu'ils avaient accès aux clés, mais ils ont été mis hors de cause. Toujours est-il que les inconnus ont ligoté les mains et les pieds de Claire, lui ont collé de l'adhésif transparent sur la bouche, puis l'ont violée et assassinée, en lui tranchant la gorge à l'aide d'un cutter.

On a d'abord soupçonné la drogue d'être le motif du crime, sans que Claire y soit impliquée d'aucune façon. Selon cette hypothèse, les inconnus auraient été occupés à reconditionner des paquets de cocaïne au moment où elle est malencontreusement entrée. La police sait que dans des cités à l'écart ou en voie de dégradation, des lotissements où la prospérité n'a fait que passer si elle a jamais existé, les logements vides servent souvent de repaires pour les transactions illicites de toute espèce – le trafic de drogue, la livraison de bébés brésiliens kidnappés à de riches Américains sans enfant, le stockage de diverses marchandises

193

de contrebande y compris des cadavres et des pièces détachées d'automobiles, des cigarettes et des animaux –, tout ce qui peut profiter de l'anonymat qu'assurent les grands ensembles. Selon la théorie personnelle de Vonda, notre réceptionniste, ce sont les propriétaires, de jeunes hommes d'affaires bengalis de New York, qui sont derrière tout ça et qui ont intérêt à faire dégringoler les cours pour des raisons fiscales (plusieurs agences, dont la nôtre, ont cessé de s'occuper de ce genre d'affaires). Mais il n'existe aucune preuve, ni aucune raison d'imaginer que quiconque aurait besoin de tuer une créature aussi adorable que Claire pour faire aboutir ses desseins. Seulement, c'est arrivé.

Aussitôt après l'assassinat de Claire, les femmes de l'agence, avec la plupart des autres agents immobiliers féminins de la ville, ont constitué des groupes de protection mutuelle. Certaines ont pris l'habitude de garder sur elles une arme, une bombe lacrymogène ou autre pour aller au travail. Elles ne circulent désormais que par deux. Plusieurs fréquentent des cours d'arts martiaux, et des séances sur le « deuil et comment y faire face » continuent d'avoir lieu dans divers bureaux après l'heure de la fermeture. (Nous avons été instamment invités à y assister, nous les hommes, mais j'avais l'impression d'en savoir déjà long sur le deuil et suffisamment sur la manière d'y faire face.) Il y a même un service téléphonique que tout agent femme peut appeler afin de demander à être accompagnée par un homme pour une visite qui l'inquiéterait, et il m'est arrivé deux fois de me déplacer simplement pour être là à l'arrivée des clients, au cas où il y aurait des problèmes (il n'y en a pas eu). Il n'est pas question que les clients soient mis au courant de ces précautions, bien entendu, sans quoi ils déguerpiraient loin de chez nous dès qu'ils soupçonneraient un danger. Dans les deux cas, j'ai simplement été présenté comme le « collaborateur » de Madame, sans autre explication, et dès qu'elle a été rassurée, je me suis éclipsé discrètement.

Depuis mai, le tout-Haddam de l'immobilier a souscrit au Fonds Claire Devane pour l'éducation de ses enfants (trois mille dollars ont été collectés jusqu'à présent, de quoi payer deux journées entières à Harvard). Mais malgré la tristesse, le malaise et le fait de s'apercevoir que « ce genre

194

de choses peut se produire ici aussi, malheureusement », que nul n'est à l'abri des statistiques criminelles, et que nous avons tort de croire que la sécurité est acquise, malgré tout cela, personne ne parle plus guère de Claire, à part Vonda, qui s'est presque approprié sa cause. Les enfants de Claire sont allés vivre avec leur père à Canoga Park, son fiancé Eddie la pleure sans ostentation (on l'a même vu déjeuner avec une assistante judiciaire qui avait failli louer ma maison). Même moi, je me suis résigné, ayant fait depuis longtemps mes adieux à Claire, quand elle était en vie. Tôt ou tard, quelqu'un d'autre occupera son bureau et les affaires continueront – triste à dire, mais c'est la vérité, et la volonté générale. Et de ce point de vue, aussi bien que dans le domaine intime, on pourrait déjà croire parfois que Claire Devane n'a pleinement compté dans la vie de personne d'autre qu'elle-même.

Ces temps-ci, je vais une fois par semaine passer une agréable soirée en tête-à-tête avec Sally Caldwell. Nous allons souvent au cinéma, puis prendre un martini et manger une tranche d'espadon grillé dans un bistro du-bout-du-quai, parfois nous balader le long d'une plage ou d'une jetée, après quoi le reste vient spontanément. Mais il m'arrive assez fréquemment de me retrouver sur la route du retour tout seul au clair de lune, vitres grandes ouvertes, le pouls régulier, en voyageur autonome, la tête pleine de souvenirs vibrants mais qui s'estompent déjà, et sans que je m'angoisse à cause d'un coup de téléphone tardif (comme celui de cette nuit), plein de frustration et de trouble, ou me mettant en demeure de préciser mes intentions de revenir immédiatement, ou m'accusant amèrement d'avoir manqué de franchise. (Certes, c'est possible, la franchise est une gageure plus difficile qu'il n'y paraît, mais quant à mes intentions, je n'en ai que de bonnes, si j'en ai peu.) En fait, il ne m'a pas semblé nécessaire d'être plus attentif à l'évolution de nos relations, elles ont obéi ou tout au moins se sont poursuivies en pilotage automatique, comme un petit avion qui survolerait un océan paisible sans personne réellement aux commandes.

Je ne prétends pas, évidemment, que ce soit pour le mieux – un paradigme de vie touchant à la perfection. C'est comme ça, voilà tout : de bonne qualité, dans l'éternité de l'instant présent.

Pour le mieux, ce serait… Disons, ce qui était bien, à un moment donné, c'était Cathy Flaherty dans un appartement plein de fenêtres donnant sur l'estuaire hivernal à Saint-Valery (les promenades dans le froid au long de la côte picarde, les pêcheurs sur leurs barques, les vues brumeuses de baies embrumées, etc.). Ce qui était bien, c'étaient les premiers temps (et même ceux qui ont suivi) de mon amour non payé de retour pour Vicki Arcenault, l'infirmière de Pheasant Meadow et Barnegat Pines (à présent la mère très catholique de deux enfants à Reno, où elle est responsable du service de traumatologie à St. Veronica's). Ce qui était bien, même, c'était une bonne part de mon travail de chroniqueur sportif (pendant un bout de temps, en tout cas), quand je consacrais mes efforts à donner la parole à ceux qui étaient incapables de s'exprimer, afin de rassasier sans mal des lecteurs paresseux mais affamés.

Tout ça, c'était bien, parfois même mystérieux, parfois assez visiblement compliqué pour sembler intéressant et même passionnant, la substance dont la vie se nourrit en grande partie et que nous prenons comme acompte sur ce qui nous est dû éternellement.

Mais le mieux ? Inutile de chercher. Le mieux, c'est un concept sans référence dès qu'on s'est marié et qu'on en a fait un gâchis, peut-être même dès qu'on a goûté son premier *banana split* à cinq ans et découvert, après l'avoir terminé, qu'on en voudrait un autre. En d'autres termes, mieux vaut tirer un trait dessus. Le mieux, c'est fini.

Ma belle amie Sally Caldwell est la veuve d'un type qui était mon copain à la Gulf Pines Military Academy, Wally Caldwell, de Lake Forest (Illinois), et à cause de cela, il nous arrive de nous comporter, Sally et moi, comme si nous avions une longue histoire commune douce-amère, d'amour perdu et renoué par le destin – ce qui n'est pas vrai. Sally, qui a quarante-deux ans, est simplement tombée un beau jour sur ma photo, mon adresse et une courte réminiscence personnelle au sujet de Wally dans le livre des anciens élèves, le *Pine Boughs*, imprimé à l'occasion de notre vingtième réunion annuelle, à laquelle je n'avais pas assisté. À l'époque, je n'avais pas plus de réalité pour elle que le fantôme de Bela Lugosi. Il se trouvait simplement qu'en m'efforçant d'exhumer un bon souvenir et en cherchant dans mon annuaire de l'école quelqu'un sur qui je pourrais épingler quelque chose d'amusant, j'avais choisi Wally et rédigé une évocation comique mais affectueuse où il était brièvement question de lui en état d'ivresse qui lavait ses chaussettes dans un urinoir (une invention complète, en fait, je l'avais choisi parce que j'avais appris sa mort par une autre publication de l'école). Mais Sally était tombée sur ma « réminiscence ». À vrai dire, c'est à peine si je me souvenais de lui, sinon que c'était un gros garçon à lunettes et à points noirs qui essayait toujours de fumer des Chesterfield avec un fume-cigarette – en dépit d'une certaine ressemblance, il se révéla que ce personnage n'était pas du tout Wally Caldwell, mais un autre, dont je n'ai jamais pu me rappeler le nom. Depuis lors, j'ai avoué mon truquage à Sally, et nous en avons bien ri tous les deux.

Par la suite, elle m'a raconté que Wally était parti au Viêt-nam à peu près au moment où je m'engageais dans les Marines, qu'il avait bien failli être pulvérisé dans un absurde accident de la Navy qui lui avait laissé des séquelles, des absences intermittentes. Il était quand même rentré à Chicago (où l'attendaient fidèlement Sally et ses deux enfants), il avait défait ses bagages, parlé d'entreprendre des études de biologie, puis simplement disparu au bout de deux semaines. Totalement. Désintégré. Fin de l'histoire. Un gentil garçon, qui aurait pu faire un bon horticulteur, était devenu un mystère à jamais.

À la différence de la prévoyante Ann Dykstra, Sally ne s'était jamais remariée. Pour des raisons fiscales, elle avait fini par être obligée de faire prononcer le divorce pour cause de disparition de son mari. Mais elle avait élevé ses enfants toute seule à Hoffman Estates, dans la banlieue de Chicago, obtenu à l'université Loyola son diplôme de gestion tout en travaillant à plein temps dans les voyages d'aventure organisés. Les parents aisés de Wally, à Lake Forest, lui assuraient de quoi joindre les deux bouts et un soutien moral, ayant admis que ce n'était pas sa faute à elle si leur fils avait pété les plombs et que l'amour n'a pas prise sur certaines altérations de l'être humain.

Les années avaient passé.

Dès que les gosses avaient été assez grands pour pouvoir sans risque être jetés hors du nid, Sally avait mis à exécution son projet de prendre le large dans la direction où le vent soufflerait. En 1983, au cours d'une balade à Atlantic City dans une voiture de location, elle avait quitté la Garden State Parkway*, en quête de toilettes propres, et avait débouché par hasard sur la côte à South Mantoloking, où elle était tombée sur la grande maison ancienne de style XVIIIe, à double galerie, au bord de la plage, face à la mer, un toit qu'elle pouvait s'offrir grâce à l'aide de ses parents et de ses beaux-parents, et où ses enfants seraient heureux de venir avec leurs conjoints et leurs amis, pendant qu'elle se lancerait dans une nouvelle activité professionnelle. (À savoir, directrice commerciale puis propriétaire d'une agence qui procure des billets pour les spectacles de Broadway à des personnes en phase terminale de leur maladie, convaincus que d'assister à la reprise d'*Oliver* ou de *Hair*, dans la distribution londonienne initiale, pourra leur illuminer la vie assombrie par l'imminence de la mort. Le nom de son agence est Rappel.)

La chance a voulu qu'en lisant mon C.V. et mon évocation du pseudo-Wally dans *Pine Boughs*, Sally a vu que j'étais agent immobilier dans le New Jersey et m'a contacté, dans l'espoir que je puisse l'aider à trouver un local plus grand pour ses bureaux.

J'ai débarqué un samedi matin, voilà près d'un an, et je l'ai vue – une beauté anguleuse, blond platine, les yeux bleus, très grande, des jambes interminables de mannequin (l'une est plus courte que l'autre de deux centimètres à la suite d'une mauvaise chute au tennis, mais cela ne lui enlève rien), et une façon de vous regarder parfois du coin de l'œil comme si une bonne part de ce que vous êtes en train de

_____

* La route de « l'État-Jardin », surnom du New Jersey. *(N.d.l.T.)*

raconter était complètement idiot. Je l'ai emmenée déjeuner chez *Johnny Matassa* à Point Pleasant, un déjeuner qui s'est poursuivi tard dans la nuit et qui a couvert des sujets ayant peu de rapport avec la recherche d'un lieu pour ses bureaux – le Viêt-nam, les perspectives du parti démocrate dans l'élection à venir, la dégradation du théâtre en Amérique et des soins aux personnes âgées, et quelle chance nous avions que nos enfants ne soient pas des drogués, de futurs inculpés ou des sociopathes inadaptés (là, je ne suis plus aussi sûr de moi). Et dès lors le reste est allé de soi : l'inévitable, non sans protection sanitaire.

À Lower Squankum, je bifurque pour gagner la NJ 34, qui devient la NJ 35, la route de la plage, et m'engage dans la masse asphyxiante de la circulation des lève-tôt du week-end de fête, les masochistes qui aiment tant se retrouver à touche-touche dans leurs voitures qu'ils sont prêts à se lever avant l'aube et à passer dix heures au volant pour venir de l'Ohio. (Je remarque que nombre d'entre eux se proclament des supporters de Bush, ce que je ressens comme une annexion mesquine de l'esprit de la fête nationale.)

Le long de la côte, de Bay Head à West Mantoloking, des banderoles patriotiques et des drapeaux américains flottent au-dessus des trottoirs, et j'aperçois par-dessus la digue, au bout des courtes rues, les voiliers qui s'élancent bord à bord sur une mer bleu acier embrumée. Mais on ne sent pas vraiment vibrer la ferveur patriotique, rien que l'habituel entassement de bruyantes Harley, de mobs, de Jeep décapotées d'où dépassent les planches de surf, coincées entre les Lincoln et les Prowler avec leurs autocollants de défi : « ESSAYEZ DE LA BRÛLER, CELLE-CI ! » Les trottoirs surchauffés grouillent de maigres adolescentes en bikini qui font la queue pour acheter des glaces, tandis que sur la plage les plates-formes de surveillance sont occupées par de vigoureux tombeurs et tombeuses, bras croisés, le regard vide rivé sur les vagues. Les parkings sont tous pleins, les motels et les terrains pour les caravanes, de l'autre côté de la route, sont entièrement réservés depuis des mois, et leurs occupants se bronzent sur des chaises longues apportées de la maison, ou lisent, vautrés sur des balcons étriqués, bordés de houx. D'autres restent simplement plantés sur les vieilles planches des années 30, la canne à la main, à rêvasser : « L'été, n'était-ce pas jadis une période d'euphorie intérieure ? »

Mais, sur la droite, vers l'intérieur des terres, la vue plonge derrière la ville sur les étendues saumâtres et nuageuses de l'estuaire à marée basse, presque hivernal, d'où émergent les saules, les églantiers et les coques de bateaux pourrissantes à demi ensevelies dans la vase ; plus loin, un grand château d'eau rose primevère domine tout et, derrière, les rangées de bâtisses recommencent. Nous sommes à Silver Bay, au ciel moucheté de mouettes sombres qui planent vers le large à la traîne de l'orage du matin. Je dépasse un motard en cuir, tout seul, debout sur le bas-côté près de son chopper en panne ; il contemple le panorama de l'estuaire et se demande sans doute comment faire pour le traverser et parvenir là-bas, où il pourrait trouver de l'aide.

Et voici que j'entre dans South Mantoloking, presque « à la maison ».

Je m'arrête devant une boutique dont l'enseigne proclame SPIRITUEUX, j'achète deux bouteilles de Round Hill Fumé Blanc 83, croque une barre chocolatée (je n'ai rien mangé depuis six heures du matin), puis je gagne la cabine téléphonique sur le trottoir venteux et poudré de sel pour appeler mon répondeur, j'ai envie de savoir si les Markham ont refait surface.

En fait, sur cinq messages enregistrés, le premier est de Joe Markham, à midi, rendu furieux par son propre désarroi. « Allô ! Bascombe ? Joe Markham à l'appareil. Rappelez-moi. Au 609 259 68 34. C'est tout. » Clac. Des mots à la mitraillette. Il pourra attendre un peu.

Deuxième message. Le ton est froid. « Oui, Mr. Bascombe ? Je m'appelle Fred Koeppel. Peut-être Mr. Blankenship vous a-t-il parlé de moi. (Mister qui ?) J'envisage de mettre en vente ma maison de Griggstown. Je suis sûr qu'elle trouvera très vite preneur. Le marché est favorable, paraît-il. En tout cas, je voudrais en parler avec vous. Peut-être vous confier l'affaire si nous pouvons nous mettre d'accord sur un pourcentage honnête pour votre commission. Elle se vendra toute seule, c'est mon opinion. Un simple travail de paperasses pour vous. Voici mon numéro… » Honnête ou pas, ma commission est de six pour cent. Clic.

Troisième message. « Joe Markham. (En gros, même topo.) Ouais. Bascombe. Rappelez-moi. Au 609 259 68 34. » Clac. « Ah, au fait, on est vendredi, treize heures, par là. »

Quatrième message. Phyllis Markham. « Salut, Frank. Essayez de nous joindre. (Tout sucre.) On aurait des questions à vous poser. D'accord ? Pardon de vous ennuyer. » Clac.

Cinquième message. Une voix que je ne reconnais pas, mais que j'attribue brièvement à Larry McLeod : « Écoute, ballot ! J' ouais t' régler ton compte, t' ouois un peu à qui t'as affaire ? Passque moi (les mots se font plus distincts, comme si c'était quelqu'un d'autre), j'en ai marre de tes conneries. Pigé, ballot ? Enculé ? » Clac. On finit par s'habituer à ce genre d'interlocuteurs, dans l'immobilier. Selon le point de vue de la police, tant qu'ils appellent, ils sont inoffensifs. Mais Larry ne me laisserait pas ce genre de message, même si ça le faisait bouillir que j'estime être en droit de toucher de l'argent sous prétexte qu'il habite une maison qui m'appartient. Je crois qu'une sorte de dignité l'en empêcherait.

Je suis soulagé de ne pas trouver de message d'Ann ni de Paul, ou pis. Lorsque la police d'Essex l'a emmené en centre de détention juvénile et qu'Ann a été obligée d'aller le chercher, c'est Charley O'Dell qui m'a téléphoné pour me dire : « Écoutez, Frank, cela ne peut que s'arranger. Dormez tranquille. Nous restons en contact. » S'arranger. Dormez tranquille. NOUS ? Je n'avais guère envie d'entendre à nouveau ce genre d'amabilités, mais je craignais d'y être exposé. Charley, cependant (sans doute à la requête d'Ann), l'a bouclée depuis lors sur les problèmes de Paul, laissant à ses vrais parents le soin de se débattre avec, et d'essayer de les résoudre.

Évidemment, Charley a ses propres soucis : une grosse fille blondasse, boutonneuse, nommée Ivy (Paul l'appelle Aïe-vé), qui suit un cursus d'écriture expérimentale à l'université de New York, et vit actuellement avec son professeur, âgé de soixante-six ans (encore plus vieux que Charley), tout en écrivant un roman qui dissèque la rupture de ses parents quand elle avait treize ans, œuvre qui débute (selon Paul, à qui elle en a lu des extraits) par les lignes suivantes : « Un orgasme, estimait Lulu, c'était comme Dieu, on lui avait dit que c'était bien mais elle n'y croyait pas vraiment. Tandis que son père était d'un tout autre avis. » Dans une autre vie, je pourrais éprouver de la compassion à l'égard de Charley, mais pas pour le moment.

Au bout de l'étroite Asbury Street, quand je gravis les vieilles marches en ciment de la digue et parviens sur la promenade au niveau de la plage, la maison vert foncé, sans plan précis, est fermée et Sally a l'air d'être sortie, à ma surprise, bien que toutes les fenêtres latérales soient béantes, au rez-de-chaussée et à l'étage, offertes à la brise. Il est vrai que je suis en avance.

Cela fait quelque temps que j'en détiens les clés, mais je reste un moment debout à l'ombre sur la galerie (mes bouteilles à la main dans leur sac en plastique), à contempler la plage tranquille, peu fréquentée, l'Atlantique silencieux, absolu et, sur fond de ciel bleu-gris, d'autres voiliers et planches à voile qui se coursent dans la brume d'été. Plus au large, la silhouette sombre d'un cargo découpée sur l'horizon progresse vers le nord. Pas très loin d'ici, au temps lointain d'après mon divorce, je m'embarquais fréquemment pour des mini-croisières charters de nuit avec le club des Hommes Divorcés, nous buvions de la grappa et allions pêcher le carrelet vers Manasquan, équipage un peu solennel, sans joie mais non sans espoir, dispersé à présent : la plupart sont remariés, deux sont morts, il en reste deux en ville. En 83, le groupe que nous formions profitait de ces parties de pêche nocturnes pour museler encore plus fermement nos doléances et nos peines – une formation utile pour la Période d'Existence, et un bon entraînement si l'on a résolu de ne jamais se plaindre de la vie.

Sur la plage, au-delà de l'allée de ciment ensablée, les parasols abritent des mères assoupies, couchées sur leur flanc rembourré, le bras étendu sur le bébé qui dort. Des secrétaires qui ont eu le congé de la mi-journée pour commencer le pont de la fête nationale sont allongées à plat ventre, en deux-pièces, épaule contre épaule, et bavardent, échangent des clins d'yeux et des cigarettes. Des petits garçons torse nu, semblables à des figurines, restent plantés à la limite de l'écume en se protégeant les yeux, tandis que passent des chiens qui trottent, des joggers bronzés qui courent à petites foulées et des personnes âgées vêtues de toilettes pastel qui déambulent derrière eux dans la lumière fractionnée. La rumeur humaine se dilue dans l'air quasi immobile et le soupir des vagues, le murmure des notes de radio voile les mots chuchotés. Il y a là quelque chose qui m'émeut et me tire presque une larme (mais pas tout à fait), une sensation d'avoir été ici déjà, ou tout près, d'avoir souffert ici autrefois et de m'y trouver à nouveau, à humer l'air tout comme avant. Mais rien ne se manifeste, rien ne m'adresse un signe. La mer se referme, et la terre aussi.

Je ne sais pas au juste ce qui me prend à la gorge : l'impression du lieu familier ou sa réticence à me témoigner sa familiarité. C'est encore un thème et un exercice fécond de la Période d'Existence, et un enseignement de la profession immobilière, que de renoncer à sanctifier les lieux – maisons, plages, villes natales, coin de rue où vous avez jadis embrassé une fille, terrain de manœuvres où vous avez défilé au pas, tribunal où vous avez obtenu un divorce par une grise journée de juillet mais où il ne reste pas trace de vous, nulle indication dans le souffle de l'air que vous ayez été ici, que vous ayez jamais été essentiellement vous, ni même que vous ayez *été*. Il nous semble peut-être qu'ils devraient nous manifester quelque chose, à cause de ce qui s'est passé là autrefois, allumer un feu chaleureux pour nous ranimer alors qu'à présent nous sommes presque inanimés, enfouis. Mais ils n'en font rien. Les lieux ne coopèrent jamais en vous rendant votre rêverie quand vous en avez besoin. Ils vous lâchent presque à tous les coups, ainsi que les Markham ont pu le découvrir dans le Vermont et, maintenant, dans le New Jersey. Mieux vaut ravaler votre larme, vous accoutumer aux petits accès sentimentaux et vous tourner vers ce qui vient après, et non ce qui était avant. Le lieu ne veut rien dire.

Après la fraîcheur du large couloir central, je pénètre dans la pénombre de la cuisine, plafond haut en étain, odeur d'ail, de fruits et de fréon du gros réfrigérateur, où je dépose mes bouteilles de vin. Une note « Rappel » est collée sur la porte : « F.B. Partie piquer une tête dans l'océan. On se retrouve à six heures. Amuse-toi. S. » Rien n'indique où elle pourrait être au juste, ni pourquoi elle éprouve le besoin d'écrire « F.B. ». Peut-être un autre « F. » rôde-t-il dans les parages ?

Je monte faire une sieste. La maison de Sally me rappelle toujours ma propre demeure familiale au temps où nous habitions Hoving Road – trop de grandes pièces, en bas, à doubles portes, volumineux lambris de chêne et lourdes barres de protection contre les pieds des chaises, trop de plâtres épais, et une orgie d'espaces de rangement. Sans compter la pénombre moisie de l'escalier de service, les parquets grinçants et polis par l'usage, les moulures, médaillons, écussons ébréchés, les becs à gaz sur les murs, vestiges d'une ère défunte, les vitraux, les pilastres de rampe sculptés et le vieux téton de la sonnette que seule l'oreille des domestiques pouvait capter (comme celle des chiens) – une maison faite pour élever une famille à l'ancienne mode ou pour se retirer, à condition d'avoir de quoi l'entretenir.

Mais celle de Sally me procure un malaise particulier à cause de sa foutue aptitude à créer l'illusion irréaliste et même effrayante d'un avenir – une raison supplémentaire pour laquelle je ne pouvais plus supporter la mienne, je pouvais à peine y dormir à mon retour de France, malgré tous mes grands espoirs d'alors. Je ne pouvais plus encaisser, tout d'un coup, sa masse enveloppante, cotonneuse, le poids de sa promesse mensongère que si les apparences peuvent rester inchangées, la vie aussi sera préservée. (À d'autres !) C'est pourquoi j'ai été si pressé de récupérer celle d'Ann, entièrement réaménagée – le sous-sol décapé, les lucarnes neuves, scellées, fabriquées dans le Minnesota, les sols couchés sur polyuréthane, les parois isolantes, les revêtements d'aluminium ourlé –, rien qui soit consacré par ou pour l'ancienneté, simplement la garantie d'un bâtiment assez commode à vivre pour une durée incertaine. Mais Sally, qui est déjà aussi coupée de son passé qu'une amnésique, ne voit pas les choses ainsi. Elle est plus calme, plus objective que moi, moins portée aux extrêmes. À ses yeux, sa maison est un bon vieux toit sous lequel elle dort, la toile de fond confortablement convaincante d'une vie qu'elle joue sur le devant de la scène, une capacité qu'elle a poussée jusqu'à la perfection et que je trouve admirable, puisqu'elle correspond si bien à ce que j'aurais voulu réaliser.

En haut du massif escalier de chêne, je vais tout droit vers la chambre aérée, aux rideaux bruns, sur le devant de la maison. Sally en a fait un principe – qu'elle soit ici ou à New York avec une charretée de condamnés qu'elle emmène voir *Carnival* –, quand je viens, je dispose d'un espace à moi. (Jusqu'à présent, l'endroit où je dors après le coucher du soleil n'a pas posé de problème : sa chambre à elle, à l'arrière.) Mais cette petite semi-mansarde, à l'ombre de l'auvent, qui donne sur la plage et le bout d'Asbury Street m'a été attribuée, sans quoi ce serait une chambre d'amis : papier peint à carreaux marron, un antique ventilateur au plafond, quelques gravures de chasse à la grouse, jolies mais viriles, une commode en chêne, un grand lit à tête de cuivre, une bonnetière convertie en meuble à télévision, un valet de nuit en acajou, et cela communique avec la sage petite salle de bains, chêne et vert sapin – un décor parfait pour quelqu'un (un homme) qu'on ne connaît pas très bien mais qu'on aime assez.

Je tire les rideaux, me déshabille et m'enfonce entre les draps frais imprimés d'un motif de cachemire bleu, les pieds encore humides de la pluie de tout à l'heure. Ce n'est qu'en tendant la main pour éteindre la lampe de chevet que je remarque sur la table un livre qui n'était pas là la semaine dernière, une édition de poche à couverture rouge usagée de *De la démocratie en Amérique*, livre que je défie de lire à quiconque n'est pas sous transfusion, et, posés bien en vue à côté, une paire de boutons de manchette en or gravés de l'ancre, de la chaîne et du boulet de l'USMC, les Marines, le corps où j'ai servi (même si ça n'a n'a pas duré longtemps). J'en ramasse un, je soupèse le bijou au creux de ma paume. Appuyé sur mon coude nu, j'essaie de me rappeler, dans le flou du temps lointain, si cet objet était un article des Marines, ou simplement une babiole fabriquée par un vieux dur à cuire pour commémorer sa vaillance outre-mer.

Mais je ne veux pas m'interroger sur l'origine des boutons de manchette, ni sur le propriétaire des manchettes amidonnées qu'ils attachaient, ni me demander s'ils ont été posés là afin que je m'y intéresse, ou s'ils ont un lien avec le coup de téléphone de Sally, hier soir, pour se plaindre d'une vie « bouchée ». Si j'étais marié avec elle, je me poserais ces questions. Mais ce n'est pas le cas. Si « ma chambre » du vendredi et du samedi devient, le mardi et le mercredi, celle du colonel Rex « Cogneur » Vaillant, j'espère simplement que nos chemins ne viendront jamais à se croiser. C'est une affaire à classer dans la rubrique « *laisser-faire* » de nos conventions. Le divorce, s'il fonctionne, devrait vous délivrer de ce genre de stress sans objet, ou du moins c'est mon sentiment en ce moment où je me dispose à un sommeil bienvenu.

Je feuillette rapidement le Tocqueville volume II éculé, cherche en vain sur la page de titre le nom du propriétaire, ailleurs une phrase soulignée, une note en marge (rien), puis me souviens de mon expérience à l'université : couché sur le dos, tenant le livre en l'air à distance appropriée, je l'ouvre au hasard et me mets à lire, histoire de savoir combien de secondes s'écouleront avant que mes yeux se ferment, que le livre retombe et que je glisse du rempart moelleux dans le royaume des rêves.

Je commence : « Comment les institutions et les mœurs démocratiques tendent à élever le prix et à raccourcir la durée des baux. » Trop ennuyeux même pour vous faire somnoler. J'entends dehors des rires de filles sur la plage, le bruit modéré des vagues, tandis qu'une douce brise de mer se lève et vient gonfler le rideau.

Je feuillette encore, remonte en arrière : « Ce qui fait

pencher presque tous les Américains vers les professions industrielles. » Aucun effet.

Nouvelle tentative : « Pourquoi on trouve aux États-Unis tant d'ambitieux et si peu de grandes ambitions. » Peut-être vais-je pouvoir m'accrocher à ça pendant au moins huit secondes : « La première chose qui frappe aux États-Unis, c'est la multitude innombrable de ceux qui cherchent à sortir de leur condition originaire ; et la seconde, c'est le petit nombre de grandes ambitions qui se font remarquer au milieu de ce mouvement universel de l'ambition. Il n'y a pas d'Américains qui ne se montrent dévorés du désir de s'élever ; mais on n'en voit presque point qui paraissent nourrir de très vastes espérances, ni tendre fort haut... »

Je repose le livre sur la table à côté des boutons de manchettes militaires. À présent plus éveillé que somnolent, j'écoute les voix d'enfants et, plus loin vers la croûte sablonneuse du continent, une femme qui dit : « Je ne suis pas difficile à comprendre. Pourquoi tu y mets tellement de foutue mauvaise volonté ? », à quoi un homme répond d'un ton plus neutre, comme embarrassé : « Mais non, pas du tout. Vraiment, pas du tout. » Ils continuent de parler, mais leurs voix se perdent dans le vent léger du bord de mer du New Jersey.

Puis, soudain, en contemplant le ventilateur en laiton qui tourne mollement, je suis saisi d'un étrange tressaillement – tzing-frrt ! – comme si un rocher, une ombre menaçante ou un projectile venait de me frôler à la vitesse de l'éclair et avait failli me blesser. Ma tête s'est jetée sur la droite, mon cœur s'est mis à cogner, pa-poum, pa-poum, pa-poum, exactement comme le soir d'été où Ann m'avait annoncé qu'elle épousait le grandissime architecte O'Dell, qu'elle déménageait à Deep River et me volait mes enfants.

Mais pourquoi, cette fois-ci ?

Il y a tressaillement et tressaillement, certes. Il y a le « tressaillement d'amour », le frisson – souvent assorti d'un gémissement animal – du fantasme de sexe fulgurant, suivi en général d'un sentiment de dépossession à couper au couteau. Il y a le « tressaillement de douleur », celui qu'on ressent dans son lit à cinq heures du matin, quand le téléphone sonne et qu'un inconnu vous annonce que votre mère ou votre fils aîné vient « malheureusement » d'expirer ; celui-ci s'accompagne normalement d'une peine annihilante, qui ressemble presque à un soulagement, mais pas tout à fait. Il y a le « tressaillement de fureur », lorsque Prince Sterling, le setter irlandais de votre voisin, ne cesse d'aboyer après les ombres d'écureuils des mois durant, nuit après nuit, vous enfermant dans un état d'insomnie et d'agitation qui touche à la démence, mais que son maître, croisé inopinément au bout de son allée au crépuscule, vous répond que vous donnez une importance démesurée à ces aboiements, que vous êtes trop tendu et que vous feriez mieux de respirer le parfum des roses. Ce tressaillement-là est souvent suivi d'un coup de poing à l'estomac.

Mais celui que je viens d'éprouver n'appartient à aucune de ces catégories, et il m'a laissé une sensation de vertige et de picotements, comme si l'on m'avait administré une décharge avec des électrodes branchées sur mon cou. Des taches noires me brouillent la vue, j'ai l'impression d'avoir des timbales collées sur les oreilles.

Mais, tout aussi soudainement, je perçois à nouveau les voix sur la plage, le claquement d'un livre qu'on referme, un rire léger, des sandales qu'on frappe l'une contre l'autre pour faire tomber le sable, une paume qui s'abat sur un dos cuisant et le « Aouououh ! » qu'elle provoque, tandis que le flot taquine gentiment le galet qui ne cesse de reculer.

Ce que je sens surgir en moi à présent (à la suite de mon « tressaillement de rescapé »), c'est une étrange curiosité : qu'est-ce que je fiche ici ? Et cela va avec la méchante sensation que je devrais être ailleurs. Mais où ? Où l'on me désire plutôt que de simplement m'attendre ? Où j'ai mieux ma place ? Où je trouve une extase plus pure que le simple contentement ? Quelque part, du moins, où le respect des accords, des conditions et des limites fixées ne serait pas si présent. Où le jeu transcenderait les règles.

Il fut un temps pour moi où un tel moment – être allongé dans une maison fraîche, accueillante, qui ne soit pas la mienne, dériver vers la somnolence tout en vivant l'attente excitante d'une visiteuse adorable et attentive, empressée de répondre à mes besoins parce qu'ils sont aussi les siens –, il fut un temps où cet état était ce qu'il y avait de meilleur dans ce foutu monde, où c'était en fait ce que le mot « vie » voulait dire, d'autant plus grisant et délectable que j'en avais conscience au moment même où il se produisait, et que je savais, avec certitude, que personne d'autre ne pouvait s'en douter, de sorte qu'il était tout, tout, tout à moi, plus que quoi que ce fût d'autre.

Ici et maintenant, tous les accessoires sont en place, les lumières et les distances sont réglées. Sally est certainement déjà en chemin, impatiente (ou au moins contente) de monter en courant, de se jeter sur le lit, de trouver une fois de plus le chemin de mon cœur et de le parcourir, mettant en déroute tout l'escadron des inquiétudes de la nuit dernière.

Mais la griserie (la mienne) a déserté, et au lieu d'être allongé là tout vibrant d'attente, j'écoute distraitement les bruits de la plage ; disparu cet état qui était le mien, que je voudrais retrouver. Il n'en reste qu'un fantôme, et dans mon état de manque je me demande où il s'est enfui et s'il reviendra. Le vide, en d'autres termes. De quoi tressaillir, non ?

C'est peut-être une autre façon de « s'anéantir dans sa vie », ainsi qu'il arrive, paraît-il, sans qu'ils le sachent, aux grands patrons de compagnies de télécoms, aux parents trop consciencieux et aux grossistes en bois de construction. On atteint simplement un stade où tout vous semble identique, mais rien ne vous touche vraiment. On ne s'est aperçu de rien, mais on se comporte comme si l'on était mort.

Pour dissiper cette triste sensation de vacuité, j'essaie de toutes mes forces de me rappeler la première fille que j'aie jamais « fréquentée », m'appliquant, tel un collégien, à me projeter des images mentales aguichantes au point de provoquer une excitation tangible, après quoi le sommeil vient tout seul. Seulement, il n'y a rien sur ma pellicule, je ne parviens pas à me souvenir de ma première expérience sexuelle, bien que, selon les experts, ce soit le seul acte qu'on n'oublie jamais, même quand depuis longtemps on ne sait plus monter à bicyclette. Il reste là inscrit dans la mémoire quand vous gisez emmailloté dans vos couches, parqué sur une galerie à la maison de retraite, égaré au milieu d'une rangée d'autres vieillards somnolents, avec l'espoir de reprendre un peu de couleur aux joues avant que le déjeuner soit servi.

J'ai quand même l'impression que c'était une brunette au teint terreux, une nommée Brenda Patterson, qu'avec un camarade de l'école militaire nous avions persuadée de venir « golfer » en notre compagnie sur l'herbe chaude du terrain de la base aérienne de Keesler, dans le Mississippi ; nous avions dû la soûler d'arguments et de taquineries pour obtenir qu'elle enlève sa culotte dans la cabane puante en contreplaqué des toilettes proches du neuvième trou et, en échange, moi et mon copain « Angle » Carlisle, nous lui avions gravement accordé la même faveur (nous avions quatorze ans ; le reste est flou).

Sinon, c'est à Ann Arbor, des années plus tard, qu'en flirtant sous un bosquet de cèdres de l'Arboretum en dessous du pont du chemin de fer, je suis parvenu en plein jour de grisaille à convaincre une certaine Mindy Levinson de se laisser faire, avec nos culottes à moitié baissées, des brindilles et des piquants qui meurtrissaient nos tendres chairs. Je me rappelle qu'elle avait cédé, mais l'inspiration me semble tellement absente de toute l'affaire que je ne suis même pas sûr d'être allé jusqu'au bout.

Et voici qu'abruptement, j'ai l'esprit envahi d'un fourmillement de phrases, de mots, suite de coq-à-l'âne qui se dévident dans un désordre de syntaxe. Il m'arrive de pouvoir m'endormir ainsi, dans un processus halluciné où le sens retourne au non-sens (pour moi, la recherche du sens entraîne toujours une tension pénible et parfois l'insomnie). Dans mon cerveau, j'entends : « Essaie de brûler le motard de la vie bouchée dans l'Ohio… Il existe un ordre naturel des choses sous la robe de cocktail… Je maîtrise l'ogive nucléaire de l'hystérectomie (pas vrai ?)… Donne-leur la parole, allez recule, vas-y, allez, à long terme c'est moins bon pour vous… Le diable est dans les détails, à moins que ce soit Dieu… »

L'effet ne se produit pas cette fois-ci, apparemment. (Le rapport que ces fragments peuvent avoir entre eux, c'est une énigme que je laisse au Dr Stopler.)

Quelquefois, mais pas tellement souvent, j'aimerais bien être encore un écrivain, vu tout ce qui passe par la tête de n'importe qui et se perd en fumée, tandis que pour un écrivain – même un écrivain foireux –, il y a bien moins de gaspillage. Quand vous divorcez de votre femme, par exemple, et repensez après à l'époque, disons douze ans plus tôt, où vous aviez failli rompre une première fois mais sans aller jusqu'au bout parce que vous aviez décidé que vous vous aimiez trop ou que vous n'étiez pas si bêtes, ou parce que vous aviez moins de bon sens que de bonne volonté ; si, en y repensant après, une fois que tout est fini, vous vous dites que vous auriez dû divorcer depuis longtemps, car il vous semble à présent que vous avez manqué quelque chose de merveilleux et d'irremplaçable et, du coup, vous êtes envahi d'une âpre nostalgie dont vous ne parvenez pas à vous délivrer – si donc vous étiez écrivain, même un simple nouvelliste inaccompli, vous sauriez quoi faire de ces ruminations pour ne plus avoir à y revenir sans arrêt. Vous n'auriez qu'à écrire tout ça, mettre des guillemets aux répliques les plus abominables et affligeantes, les attribuer à quelqu'un qui n'existe pas (ou, mieux, à un ennemi personnel à peine déguisé), rajouter un peu de pathos et vous débarrasser de votre fardeau pour le plus grand divertissement des lecteurs.

Certes, on n'efface jamais rien tout à fait – ainsi que Paul est en train de le découvrir péniblement –, si insouciant que l'on soit ou doué pour l'oubli, ni même si l'on est aussi bon écrivain que Saul Bellow. Mais il faut bien apprendre à ne pas tout trimballer constamment au fond de soi jusqu'au moment où cela pourrit ou explose. (La Période d'Existence, c'est moi qui vous le dis, est conçue précisément pour ce genre de réajustements.)

Par exemple, je ne me tourmente jamais en me demandant si mes parents se félicitaient de n'avoir que moi ou s'ils auraient voulu avoir un autre enfant (une angoisse à base de souvenir, de quoi vous rendre fou). Et c'est simplement parce que j'ai écrit jadis l'histoire d'un couple plein d'amour qui a un enfant mais en voudrait bien un autre, bla bla bla, et pour finir la mère fait une sortie solitaire en bateau par une journée chaude et venteuse (très similaire à celle d'aujourd'hui), débarque à Hot Island où elle se promène pieds nus sur le sable, ramasse quelques vieilles canettes vides, et contemple le continent jusqu'au moment où, grâce à ce que dit une religieuse à des enfants infirmes qui se trouvent là, elle se rend compte que de souhaiter l'impossible, c'est – vous l'avez deviné – comme d'errer sur une île en compagnie d'inconnus, à ramasser de vieilles canettes, alors qu'elle ferait mieux de regagner le bateau (dont la sirène est en train de retentir), afin de retourner auprès de son fils et de son mari, partis pour la journée pêcher le bar, mais qui seront bientôt de retour et affamés, et qui, ce matin même, lui ont dit combien ils l'aimaient tous les deux, ce qui n'a fait que lui donner un sentiment de tristesse et de solitude d'ermite, et l'envie d'une sortie en bateau…

Évidemment, cette histoire intitulée *L'Attente au large* faisait partie d'un recueil de nouvelles dont j'étais l'auteur. Mais depuis dix-huit ans que j'ai cessé d'écrire, il m'a fallu trouver d'autres moyens de me défendre contre les pensées désagréables et angoissantes. (Un de ces moyens consiste à les écarter.)

Peu après mon mariage avec Ann, en 1969, lorsque nous vivions à New York et que j'écrivais frénétiquement, hantais le bureau de mon agent dans la 35e Rue et montrais tous les soirs à Ann mes précieuses pages, elle se plantait devant la fenêtre avec une moue parce qu'elle ne trouvait guère de traces, lui semblait-il, de sa propre présence dans ma production – aucun profil de golfeuse athlétique d'ascendance hollandaise vigoureuse et résolue, décochant des répliques implacablement spirituelles ou incisives pour remette à leur place des personnages plus falots, hommes ou femmes, qui seraient tous, bien entendu, des raseurs ou des traînées. Je lui rétorquais que si j'avais pu la cerner en quelques lignes – et Dieu me damne si je mens près de vingt ans plus tard – cela aurait signifié que je la voyais moins complexe qu'elle n'était et donc que déjà je me distanciais d'elle, ce qui m'amènerait à la laisser de côté comme un souvenir ou un souci (cela n'a pas manqué d'arriver, mais pas pour ce motif, ni de façon très efficace).

J'essayais souvent de lui dire que sa contribution n'était pas d'engendrer un personnage, mais de rendre urgentes mes petites tentatives de création, en étant si merveilleuse que je l'aimais ; mes nouvelles n'étant en somme que des mots qui prêtaient des formes variées à des mystères plus vastes, impérieux mais inexprimables, tels que l'amour et la passion. Ainsi, lui expliquais-je, elle était ma muse ; les muses n'étant pas des elfes charmants et joueurs qui se penchent sur votre épaule pour suggérer un meilleur choix des expressions et qui gloussent lorsque vous avez mis dans le mille, mais des forces vitales ou mortelles qui menacent de vous aspirer par le fond de votre coque de bateau si vous n'êtes pas capable d'entasser suffisamment de caisses – les mots, dans le cas d'un écrivain – pour colmater la brèche. (Jusqu'à présent, je n'ai rien trouvé pour remplacer cette force-là, ce qui peut expliquer ce que j'ai pu ressentir ces temps derniers et, en particulier, aujourd'hui, ici.)

Ann, évidemment, trop terre à terre à sa manière michigano-hollandaise, n'aimait guère mes propos qui lui semblaient masquer une zone secrète, et croyait toujours que je lui racontais des foutaises. Si nous avions à cette minute même une conversation à cœur ouvert, elle finirait par me demander pourquoi je n'ai jamais rien écrit sur elle. Et je lui répondrais que c'est parce que je refusais de me servir d'elle, de l'enfermer dans des mots, de l'écarter en la consignant quelque part où elle serait identifiable, mais toujours amoindrie par rapport à ce qu'elle était réellement. (Elle ne me croirait toujours pas.)

Je m'efforce d'enfiler ces pensées bout à bout tout en regardant le ventilateur au plafond dérouter la lumière dans la pénombre de ma chambre : « Ann voudrait bien… Horn Island… Dieu me damne les elfes de Round Hill… Essayez de la brûler, celle-ci… »

Quelque part, très, très loin, il me semble entendre des pas, puis le bruit étouffé d'un bouchon qu'on extrait du goulot, d'une cuillère posée doucement sur le métal d'une cuisinière, une radio à bas volume qui diffuse le jingle du bulletin d'information que j'écoute régulièrement, une sonnerie de téléphone qu'on décroche, une voix ravie suivie d'un rire clément – de délicieuses sonorités domestiques si rares à mes oreilles, ces temps-ci, que je resterais étendu là à les écouter jusqu'à bien après la tombée de la nuit si seulement je le pouvais.

Je descends pesamment l'escalier, encore vaseux et déphasé, après m'être brossé les dents et aspergé la figure. En fait, mes dents n'ont pas l'air non plus d'être bien en face, on dirait que je les ai broyées sous l'effet d'un cauchemar (je suis probablement menacé dans l'avenir d'une lugubre « urgence de nuit »).

C'est le crépuscule. J'ai dormi pendant des heures en croyant que je ne dormais pas, et je ne me sens plus embrumé mais épuisé, comme si j'avais rêvé que je courais un marathon, les jambes lourdes et endolories jusqu'à l'aine.

En contournant le pilastre au bas de la rampe, j'aperçois, par la porte d'entrée ouverte, quelques silhouettes noyées d'ombre sur la plage et plus loin, en mer, les feux d'une plate-forme pétrolière qu'on ne distingue pas le jour dans la brume, petites lumières blanches qui coupent comme des diamants le ciel obscur du levant. Je me demande où est le cargo, celui que j'ai vu tout à l'heure, sans doute rentré au port.

La cuisine est éclairée faiblement par une bougie unique, mais il y a aussi le clignotement vert, rien à signaler, du tableau de sécurité au fond du couloir – comme chez Ted Houlihan. En général, Sally garde les lumières éteintes tant qu'il en subsiste un peu dehors, puis elle dispose des bougies parfumées dans toute la maison et marche pieds nus. C'est une coutume que j'ai presque appris à respecter, ainsi que ses regards en coin qui vous font savoir qu'elle vous a percé à jour.

Il n'y a personne dans la cuisine, où la bougie ocrée palpite à mon intention sur le comptoir. Un nuage d'iris violets et de glycines blanches dans un vase en céramique décore la table. Dans un légumier en faïence, des pâtes papillons refroidissent à côté d'une miche de pain français et de ma bouteille de Round Hill dans son rafraîchisseur. Deux fourchettes, deux couteaux, deux cuillères, deux assiettes, deux serviettes.

Je me verse un verre de vin et me dirige vers la galerie.

« Je me demande si je t'entends venir avec tes gros sabots », dit Sally alors que je suis encore dans le couloir. (Dehors, à ma surprise, il fait presque complètement nuit,

214

la plage semble déserte, comme si les deux dernières minutes avaient duré toute une heure.) « Je suis en train de m'imprégner de la splendeur du jour finissant, poursuit-elle, mais je suis rentrée depuis une heure et je t'ai regardé dormir. »

Elle tourne la tête pour me sourire dans l'ombre de la galerie et tend vers moi sa main que j'effleure, tout en restant debout près de la porte, subjuguée momentanément par la crête blanche des brisants surgis de la nuit. Nos « accords » consistent entre autres à ne pas nous autoriser d'effusions fallacieuses, comme si elles étaient responsables dans le passé des difficultés de notre génération. Inquiet, je me demande si elle va renouer le fil du récit d'hier soir, où je fonçais à travers les champs de maïs les bras en croix tel le Christ en personne, et me reparler de sa bizarre sensation d'une vie bouchée – les deux exprimant sous forme codée des plaintes à mon égard, que je comprends mais auxquelles je ne sais que répondre. Je n'ai pas encore ouvert la bouche.

« Pardon de t'avoir réveillé hier soir. Je me sentais tellement bizarre… » reprend-elle.

Elle est assise dans un grand fauteuil à bascule en bois, vêtue d'un long caftan blanc fendu des deux côtés pour laisser libres de se mouvoir ses jambes interminables et ses pieds nus. Ses cheveux blonds sont retenus en arrière par une barrette en argent, sa peau bronzée, ses dents lumineuses. Un parfum humide d'huile de bain flotte dans l'air de la galerie.

« J'espère que je ne ronflais pas, dis-je.

– Mais non. Tu es ce dont rêvent les épouses. L'homme qui ne ronfle jamais. Tu as remarqué, j'espère, que j'ai mis Tocqueville à côté de ton lit, puisque tu pars en expédition et que tu lis de l'Histoire au milieu de la nuit. J'ai toujours aimé ce livre. »

Et de répondre, hypocrite : « Moi aussi. »

C'est alors que j'ai droit au fameux regard. Elle a les traits fins, le nez acéré, le menton anguleux et des taches de rousseur : un joli lot. Elle porte de fines boucles d'oreilles en argent et de lourds bracelets sertis de turquoises.

« Tu as quand même marmonné quelque chose à propos d'Ann, il était question d'épouses, ou d'ex-épouses. »

C'est cela qui me vaut le regard, pas mon mensonge quant à Tocqueville.

« Je me souviens seulement d'avoir rêvé de quelqu'un qui ne payait pas à temps ses primes d'assurance, et ensuite il s'agissait de savoir s'il valait mieux se faire tuer, ou torturer et tuer après.

– Je sais ce que je choisirais. »

Elle absorbe une gorgée de vin, en tenant le verre dans ses deux paumes, les yeux rivés sur la nuit qui a envahi la plage. La lueur mouillée de New York éclaire le ciel éteint. Au loin, sur le continent, on entend une course de drag cars ; les pneus crissent, une sirène s'excite.

Chaque fois que Sally devient songeuse, j'en déduis qu'elle repense à Wally, son cher disparu, qui flotte à présent dans l'ozone, quelque part au milieu des étoiles glacées, « mort » pour le monde mais (vraisemblablement) pas pour elle. Sa situation ressemble à la mienne – le divorce au sens générique –, avec tout ce qu'il y a là d'inachevé, que l'esprit remâche, à défaut d'autre chose, comme un morceau de viande avariée qu'on ne peut pas avaler.

J'imagine parfois qu'un soir, au crépuscule, elle sera ici sur sa galerie, à s'interroger comme en ce moment, et que ce bon vieux Wal fera son apparition, d'un pas plus traînant que dans son souvenir, plus mou du côté du ventre, les yeux écarquillés et le visage plus bouffi, mais lui-même, indéniablement, s'étant soudain, en pleine carrière de fleuriste florissant à Bellingham ou de fabricant de textiles à Pékin, au fin fond de l'Illinois, réveillé au milieu d'un film, disons, ou sur un ferry, ou au milieu du Sunshine Bridge, et ayant aussitôt repris le chemin de la banlieue de Chicago d'où il s'était éclipsé un matin de jadis. (Je préférerais ne pas assister à ces retrouvailles.) Dans ma version, ils s'étreignent, pleurent, dînent ensemble à la cuisine, boivent trop de vin, ont plus de facilité à se parler qu'aucun des deux ne l'aurait cru ; plus tard, ils retournent s'asseoir dans l'obscurité de la galerie, se tiennent la main (éventuellement), commencent à se rapprocher, envisagent de monter dans la chambre, où une autre bougie est allumée – tout en pensant

216

qu'ils connaîtraient là une excitation étrange, mais pas vraiment supportable. Ils laissent simplement tomber cette idée, rient un peu, embarrassés de l'avoir eue sans se l'être communiquée, puis ils se sentent de moins en moins à l'aise, et sont même gagnés par la froideur et l'impatience, au point qu'il devient bientôt manifeste qu'aucun langage ne saurait suffire à combler le gouffre des années d'absence, sans négliger le fait que Wally (alias Bert, Ned ou autre) est attendu à Pékin ou dans le Nord-Ouest, vers le Pacifique, par sa nouvelle épouse de longue date et ses enfants déjà presque grands. De sorte que peu après minuit, le voilà qui s'éloigne dans l'allée et disparaît dans le néant avec tous les autres dont le cas est classé par les tribunaux sans qu'ils soient tout à fait morts pour autant (cela ne se passe pas très différemment pour Sally et moi, sinon que je réapparais toujours).

Tout autre développement serait bien sûr trop complexe et pénible : eux tous au grand complet qui se retrouveraient à la télé, tirés à quatre épingles, inconfortablement assis sur des canapés – les gosses, les épouses, l'amant, un prêtre ami de la famille, le psychiatre, priés d'expliquer le fond de leur pensée face à des gradins couverts de grosses dames pressées de se lever pour déclarer que quant à elles, elles ne pourraient sans doute pas « faire autrement que de se sentir méchamment jalouses, quoi », si elles se trouvaient à la place de l'une ou l'autre femme, et qu'en réalité « personne sait trop bien si Wally dit la vérité d'un côté ou de l'autre… » C'est bien vrai. Et d'ailleurs on s'en fiche.

Quelque part sur l'eau, une embarcation invisible se transforme soudain en rampe de lancement d'une fusée lumineuse, étincelante qui décrit un arc de cercle dans le ciel d'encre et explose en gerbes roses et vertes illuminant tout le firmament comme l'aube de la création, puis d'autres détonations en ricochet lancent leurs giclées, avant que tout le machin s'estompe et disparaisse, tel un esprit de la nuit volatilisé.

Des ombres sur la plage poussent en chœur des « Oooh ! » et des « Aaah ! » et applaudissent chaque explosion. Leur présence est une surprise. Nous attendons le prochain boum, pschht et crac, mais rien ne vient. J'entends quelqu'un protester d'un ton déçu : « Oh, merde... » « Une, c'était déjà bien », dit une voix. « Une, c'est jamais assez de n'importe quoi », répond l'autre.

« C'était mon premier feu d'artifice officiel du week-end, dit Sally joyeusement. C'est toujours grisant. »

Elle garde les yeux fixés sur le ciel là où des bribes de fumée bleuâtre subsistent sur le fond noir. Nous restons tous deux en suspens, comme si nous attendions une autre mise à feu.

« Dans le Mississippi, ma mère en achetait des petites qu'elle faisait partir dans ses mains. Des "minettes", elle appelait ça », dis-je, toujours adossé au chambranle, le verre à la main, telle une star de cinéma sur une photo de presse.

Deux gorgées sur un estomac à peu près vide, et je suis légèrement éméché. Sally me jette un regard inquisiteur.

« Elle était très frustrée par la vie, ta maman ?

– Pas que je sache.

– Ah, bon. On peut émettre l'hypothèse qu'elle faisait ça pour se réveiller.

– Peut-être. »

Cela me met mal à l'aise d'être amené à penser à mes loyaux parents d'une manière critique ; si j'allais plus loin dans ce sens, même brièvement, j'y trouverais sans doute l'explication de toute ma vie. Mieux vaut en faire une nouvelle.

« Moi, quand j'étais petite, dans l'Illinois, mes parents trouvaient toujours moyen de se bagarrer le soir du Nouvel An, reprend Sally. Ils hurlaient, se jetaient des choses à la figure et on entendait la voiture démarrer en pleine nuit. Ils buvaient trop, évidemment. Mais mes sœurs et moi, on était surexcitées à cause du grand feu d'artifice de Pine Lake. Et on aurait voulu s'entasser sur la banquette arrière pour y aller et tout regarder de la voiture, sauf qu'elle était toujours partie, alors on n'avait plus qu'à sortir dans le jardin devant la maison, dans la neige et le vent, et voir ce qu'on pouvait, c'est-à-dire pas grand-chose. Je suis sûre qu'on inventait le plus clair de ce qu'on prétendait avoir vu. Du coup, face aux feux d'artifice, je réagis toujours comme une petite fille, ce qui est un peu idiot, sans doute. Je devrais me sentir lésée, mais pas du tout. Au fait, tu as vendu une maison à tes clients du Vermont ?

– Je suis en train de les ferrer. » (J'espère.)

« Tu es très fort dans ton métier, non ? Tu vends quand personne d'autre n'y arrive. »

Elle se balance d'avant en arrière, sous la seule impulsion de ses épaules. Le lourd fauteuil à bascule fait grincer les planches de la galerie.

« Ce n'est pas un travail très difficile. Il s'agit simplement de promener des gens en voiture, et de leur parler ensuite au téléphone.

– Ça ressemble à ce que je fais, moi aussi », dit Sally d'un air heureux, sans cesser de se balancer.

Son travail à elle est plus admirable, mais plus lourd de deuil. Pour rien au monde je ne voudrais l'exercer. Mais, tout d'un coup, j'ai l'envie brûlante de l'embrasser, de lui toucher l'épaule ou la taille ou n'importe quoi, d'inspirer une pleine bouffée de l'odeur douce et crémeuse de sa peau dans la tiédeur de cette soirée. Je m'avance donc, « avec mes gros sabots », sur le plancher sonore, me penche gauchement comme un médecin trop grand qui chercherait à capter un battement de cœur contre son oreille nue, et je pose sur sa joue et aussi sur son cou un baiser dont j'aimerais bien qu'il mène à beaucoup plus.

« Hé là ! Veux-tu arrêter ça », s'exclame-t-elle en ne plaisantant qu'à moitié, tandis que je m'imprègne des parfums exotiques de son cou, que je sens la moiteur de son omoplate.

Au bord de la joue, juste sous l'oreille, elle a une trace de duvet blond, un coin délicat, peut-être sensible, que j'ai toujours trouvé excitant mais dont je n'ai jamais su au juste quel usage faire. Mon baiser, en tout cas, ne provoque guère qu'une pression sur mon poignet, plus indulgente qu'ardente, et une inclinaison de la tête dans ma direction. Je reste d'abord planté là avec mon verre vide, les yeux dans le vague du côté de la plage, puis je regagne mon poste d'écoute contre le chambranle, à demi conscient d'avoir commis quelque infraction, sans être fixé plus précisément. Peut-être de nouvelles restrictions s'exercent-elles.

Ce que je voudrais, ce n'est pas baiser farouchement, virilement, pour toute la nuit dès cet instant même ni dans deux minutes, mais l'avoir déjà fait ; l'avoir derrière moi comme un acte consommé et bien consommé, et que nous éprouvions le bien-être d'après l'amour, détendu, amical, confiant ; être le preux chevalier qui trouve moyen de sauver la soirée de la menace du néant – que j'ai subi avant de m'assoupir et que j'ai su nous épargner par mes tours de magicien depuis des mois, en débarquant toujours plein de bonnes idées (ce que j'essaie aussi de faire avec Paul ou qui que ce soit), lançant une expédition au musée Mer-Air-Espace sur l'*Intrépide*, un tour en canoë sur le Batsto, une virée du week-end jusqu'au champ de bataille de Gettysburg, couronnée par un voyage en ballon qui avait tenté Sally mais pas moi. Sans oublier une balade de trois jours pour admirer les couleurs du Vermont l'automne dernier, qui n'a pas été une réussite, car nous avons passé presque deux journées entières coincés dans un cortège au ralenti de cars de tourisme et d'Indiens du Wisconsin, les prix étaient décuplés, les lits trop petits et la nourriture infecte. (Pour finir, nous sommes revenus un jour plus tôt que prévu, en nous sentant vieux et fatigués – Sally a dormi presque tout au long du trajet – et même pas d'humeur à boire un verre ensemble quand je l'ai déposée au coin d'Asbury Street.)

« J'ai fait des papillons, dit Sally très tranquillement, après que, dans le long silence causé par mon baiser inopportun, nous avons tous deux pris conscience que nous n'allions pas monter nous faire plaisir. C'est ce que tu préfères, non ? Les *farfalle* ?

– C'est le mets que j'aime le plus voir. »

Elle tourne à nouveau la tête pour me sourire, en étirant ses longues jambes de façon que les menues saillies des chevilles se dessinent élégamment.

« J'ai l'impression de me désagréger », dit-elle.

En fait, c'est une joueuse de tennis agressive qui déteste perdre et, malgré sa jambe plus courte, elle est de force à terrasser un homme en pleine possession de ses moyens.

« Es-tu en train de penser à Wally ? »

Ma seule raison de lui poser la question est qu'elle m'a traversé l'esprit.

« Wally Caldwell ? articule-t-elle comme si le nom ne lui était pas familier.

– C'est une idée qui m'est venue. À cette distance de toi.

– Seul son nom survit. Cela date de trop longtemps. (Je ne la crois pas, mais peu importe.) Il m'a fallu tirer un trait sur lui. Il m'a quittée, et il a aussi abandonné ses enfants. Alors… dit-elle en secouant son épaisse chevelure blonde comme si le spectre de Wally rôdait dans la nuit, cherchant à s'immiscer dans notre conversation, et si elle voulait le chasser. Non, en réalité, ce à quoi je pensais – et j'y pensais aussi tout à l'heure dans la voiture en allant à New York prendre des billets – c'est à toi, au moment où je te trouverais ici quand je rentrerais, à ce que nous ferions, et à la gentillesse que tu manifestes toujours. »

Mauvais présage, on peut me croire.

« J'espère bien que je suis gentil », dis-je en espérant que ceci aura le don d'interrompre ce qu'elle se prépare à ajouter. (Il faut être un couple marié solide comme le roc pour pouvoir s'entendre qualifier de gentil sans qu'un « mais » suive derrière comme une chèvre importune. Un couple marié solide comme le roc présente toutes sortes d'avantages.) « Mais quoi ?

– Mais rien. C'est tout, réplique Sally en croisant les bras sur ses genoux repliés, ses longs pieds nus posés côte à côte sur le rebord de son fauteuil, son long corps se balançant d'avant en arrière. Faut-il qu'il y ait un « mais » ? Non, je pensais simplement, en conduisant, que je t'aimais bien. Voilà. Je peux essayer de me montrer moins facile à vivre.

– Je me sens très bien avec toi. »

Un bizarre petit sourire narquois étire ma stupide bouche et me crispe les joues sans que je le veuille.

Sally se retourne carrément et lève les yeux vers moi dans la pénombre de la galerie.

« Tant mieux », me lance-t-elle bien en face.

Je me tais, le rictus subsiste.

« Pourquoi souris-tu ainsi ? demande-t-elle. Tu as un drôle d'air.

– Je ne sais pas vraiment. »

Je pose le doigt sur ma joue et j'appuie, ce qui a pour effet de résorber le sourire têtu dans mon habituelle contenance de citoyen. Sally me scrute comme si elle était capable de discerner quelque chose qui se dissimule dans mon visage, quelque chose qu'elle n'a jamais vu mais tient à vérifier parce qu'elle a toujours soupçonné que c'était là.

« Quand arrive le 4 Juillet, j'ai toujours l'impression qu'à cette date je devrais avoir mené quelque chose à bien, ou pris une décision. Cela faisait peut-être partie de mes problèmes d'hier soir. C'est à force d'avoir suivi pendant tant d'étés des cours de vacances. Comme si à l'automne, c'était trop tard. Je ne sais même pas trop tard pour quoi. »

Mais moi, je songe à une expédition plus réussie pour aller admirer les couleurs de la saison. Dans le Michigan : Petoskey, Harbor Springs, Charlevoix. Un week-end à Mackinaw Island, en louant un tandem. (J'ai fait tout ça autrefois avec Ann, évidemment. Rien de neuf.)

Sally lève les deux bras au-dessus de sa tête, croise les doigts et s'offre un souple étirement de yoga, qui détend tous les nœuds et fait glisser ses bracelets vers le coude en une petite cascade sonore. La cadence adoptée ce soir, cette lenteur méditative des choses frôle le fond d'un problème entre nous. Je voudrais bien qu'on en reste là.

« Je t'ennuie », dit-elle, les bras en l'air, lumineuse.

Elle n'a rien d'une gourde et elle est un régal pour les yeux. Un type qui ne serait pas un crétin devrait trouver le moyen de l'aimer.

« Non, tu ne m'ennuies pas. » (Je ne sais pourquoi, je me sens pris d'allégresse. Peut-être l'attaque d'un front froid vient-elle de passer, et chacun sur la côte s'est-il senti mieux tout à coup.) « Je ne suis pas fâché que tu m'aimes bien. Je trouve ça épatant. »

Je devrais sans doute l'embrasser à nouveau. Pour de bon.

« Tu vois d'autres femmes, non ? demande-t-elle tout en tâtonnant du bout des pieds pour enfiler une paire de sandales dorées à talons plats.

– Pas vraiment.

– Que signifie "pas vraiment" ? »

Elle ramasse son verre de vin sur le plancher. Un moustique me bourdonne à l'oreille. Je commence à être pressé de rentrer à l'intérieur et de changer de sujet.

« Ça signifie non, c'est tout. Je suppose que si je rencontrais quelqu'un que j'aie envie de voir ("voir" – je déteste ce mot ; je préfère sauter ou me farcir, niquer ou bourrer), je n'y trouverais pas d'inconvénient. En ce qui me concerne, en tout cas.

– Oui », se contente de répondre Sally.

L'impulsion qui lui a fait mettre ses sandales n'a pas eu de suite. Je l'entends remplir d'air ses poumons, puis souffler lentement. Elle tient son verre par la base ronde et lisse.

« Je pense que tu vois d'autres hommes, dis-je d'un ton optimiste, ce qui me ramène à l'esprit les boutons de manchettes.

– Naturellement. »

Elle hoche la tête, les yeux fixés par-dessus la balustrade de la galerie sur de petits points jaunes sertis dans la nuit à une distance impossible à évaluer. Je nous revois à nouveau, membres du Club des hommes divorcés, réfugiés sur notre vaisseau immobile, qui contemplions avec nostalgie la terre mystérieuse (peut-être précisément cette maison-ci), et nous imaginions des vies, des fêtes, de fraîches salles de restaurants, des soirées où nous aurions aimé avoir notre place. N'importe lequel d'entre nous aurait regagné la côte à la nage en bravant le reflux de la marée pour se trouver à ma place actuelle.

« Cela me procure une drôle de sensation de voir d'autres hommes, articule soigneusement Sally. La sensation que je le fais sans avoir aucun projet. »

À mon vif étonnement, je crois la voir essuyer du bout des doigts une larme au coin de son œil. C'est pour cela que nous restons dehors. Moi, bien entendu, j'ignorais qu'elle « voyait » réellement d'autres hommes.

« De quelle attente parles-tu ? dis-je, trop sérieusement.

– Oh, je ne sais pas. » (Elle renifle pour me faire comprendre que je n'ai pas à craindre d'autres pleurs.) « L'attente est une mauvaise habitude. Je ne l'ai que trop pratiquée. Non, rien, j'imagine. »

Elle passe la main dans ses cheveux drus, qu'elle rejette en arrière d'un petit mouvement de la tête. J'aimerais l'interroger au sujet de l'ancre et du boulet, mais ce n'est pas le moment, puisque cela ne m'amènerait qu'à être renseigné.

« Tu crois, toi, que tu attends qu'il arrive quelque chose ? » reprend-elle en me jetant un regard sceptique.

Quelle que soit ma réponse, elle la prévoit irritante, mensongère ou éventuellement stupide.

« Non, dis-je en une tentative de franchise que je ne peux sans doute pas faire passer en cet instant. D'ailleurs, je ne sais pas non plus ce que j'aurais à attendre.

– Voilà. Que peut-il y avoir de bon dans une situation dont on ne pense pas qu'elle vous réserve un bienfait, tôt ou tard ? Où est l'heureux mystère ?

– L'heureux mystère, c'est le temps que ça peut durer tel que c'est. Moi, ça me suffit. »

La Période d'Existence par excellence. Sally et Ann se rejoignent dans leur hostilité à ce point de vue.

« Oh la la la la ! » (La tête renversée en arrière face au plafond où nulle étoile ne brille, elle éclate d'un drôle de rire aigu d'adolescente.) « Je t'ai sous-estimé. C'est génial. Je… peu importe. Tu as raison. Tu as complètement raison.

– J'aimerais me tromper, dis-je, convaincu de faire une tête de demeuré.

– Bon, dit Sally en me regardant comme un spécimen d'une rareté exceptionnelle. Mais se tenir prêt à ce que les faits vous donnent tort, ce n'est pas exactement prendre le taureau par les cornes, hein, Franky ?

– D'abord, je n'ai jamais compris pourquoi on irait prendre un taureau par les cornes. C'est le bout le plus dangereux. »

Je n'aime guère être appelé Franky, comme si j'avais six ans et un sexe indéterminé.

« Bon, écoute. D'un point de vue purement hypothétique. Rien de personnel. » (Le ton est à présent sarcastique. Ses yeux étincellent malgré l'obscurité, captant une lumière je ne sais où, peut-être la maison d'à côté où des lampes se sont allumées, ce qui lui donne un air accueillant.) « Quel effet cela te fait-il de dire à quelqu'un, à une femme, que tu l'aimes ?

224

– Je n'ai pas vraiment quelqu'un à qui je pourrais le dire. »

La question n'a rien de rassurant.

« Mais dans le cas contraire ? Cela pourrait t'arriver. »

Cette enquête semble indiquer que je suis devenu un visiteur aimable, mais exclu de tout projet, du fait qu'il s'inscrit dans une autre éthique.

« Je me montrerais prudent.

– Tu es toujours prudent. »

Sally me connaît bien, elle sait que je suis parfois tatillon mais souvent imprudent, en réalité. C'est encore de l'ironie de sa part.

« Je redoublerais de prudence.

– Mais quel sens cela aurait-il pour toi si tu le disais ? »

En fait, peut-être pense-t-elle que ma réponse revêtira un jour une signification importante pour elle, expliquera pourquoi certaines options ont été prises et pas d'autres : « C'est un épisode de mon histoire auquel j'ai eu de la chance de survivre » : ou : « Cela éclaire la décision que je pris alors de quitter le New Jersey pour aller travailler auprès des indigènes de Pago Pago. »

« Eh bien, dis-je, car elle mérite une réponse honnête, ce serait d'ordre prospectif. Cela signifierait, j'imagine, que j'aurais trouvé chez quelqu'un qui me plairait de quoi me donner envie de fabriquer toute une personne à partir de ces premiers éléments, et de la garder à proximité.

– Quel rapport avec le fait d'être amoureux ? demande-t-elle, insistante, en me regardant d'un air qui pourrait me donner de l'espoir.

– Il faudrait évidemment que nous soyons d'accord pour admettre que c'est cela, l'amour. Peut-être est-ce trop strict. » (Mais je ne le pense pas.)

« Oui, c'est strict. »

Une sirène de bateau mugit dans les ténèbres de l'océan.

« Je voulais éviter d'exagérer, dis-je. Quand j'ai divorcé, j'ai promis de ne jamais me plaindre de la tournure que prendraient les choses. Et ne pas exagérer est une façon de m'assurer que je n'ai pas lieu de me plaindre. »

C'est ce que j'ai essayé d'expliquer ce matin à Joe la-bite-écrasée. En vain. (Mais que faut-il en conclure quand on se surprend à exposer ses desiderata deux fois dans la même journée ?)

« On doit pourtant pouvoir trouver des arguments qui t'amènent à t'écarter de ta stricte conception de l'amour, non ? N'est-ce pas ce que : "J'aimerais me tromper" voulait dire ? »

Sally s'est mise debout en parlant. Elle lève à nouveau les bras, son verre de vin à la main, et exécute des torsions du buste. Sa jambe plus courte que l'autre ne se voit pas. Elle mesure un mètre soixante-dix-huit. Presque aussi grande que moi.

« Pas que je sache.

– Ce ne serait sûrement pas facile, j'imagine. Il faudrait des circonstances exceptionnelles. »

Elle observe la plage où quelqu'un vient d'allumer un feu de camp illicite, qui prête en cet instant à la nuit quelque chose de charmant et joyeux. Le malaise que j'éprouve pourtant, et aussi un élan d'affection et d'admiration pour l'exigence de Sally me poussent à passer mes bras autour d'elle par-derrière, à la serrer contre moi et à lui donner un baiser dans le cou qui réussit mieux que le précédent. Sa peau n'est plus humide sous le caftan, où je remarque qu'apparemment elle ne porte rien d'autre, et elle est délicieuse. Mais ses bras restent inertes à ses côtés. Elle ne me rend pas mon étreinte.

« Au moins, tu n'as pas à te tourmenter pour trouver le moyen de reprendre confiance. Toute cette merde dont mes agonisants ne parlent jamais. Ils n'en ont pas le temps.

– La confiance, c'est pour les oiseaux du Bon Dieu », dis-je, sans dénouer mes bras.

Je vis pour ces instants-là, les éclairs inattendus de pseudo-intimité et de plaisir. C'est merveilleux. Mais je ne crois pas que nous ayons beaucoup avancé, et j'en suis désolé.

« Bon, dit Sally qui se remet d'aplomb sur ses pieds et repousse doucement mes bras sans se retourner, puis se dirige vers la porte, en boitant maintenant de façon perceptible. La confiance, c'est pour les oiseaux. Et voilà tout. Enfin, les choses sont comme elles doivent être.

– J'ai drôlement faim. »

Elle rentre dans la maison, laisse la porte à moustiquaire se refermer.

« Alors, viens manger tes papillons en salade. Tu as des dizaines de kilomètres à faire avant de te coucher. »

Tandis que le bruit de ses pieds nus sur le carrelage s'éloigne vers le fond du couloir, je reste seul dans les chaudes senteurs marines mêlées de fumée de bois flotté, une odeur de barbecue parfaite pour le week-end de fête. Chez les voisins, quelqu'un allume la radio, d'abord très fort, puis plus bas. « Écoute à l'aise », la station de New Brunswick. C'est Liza qui chante, et pendant une minute je flotte moi-même comme de la fumée sur ses paroles : « *N'est-ce pas romantique ? Dans la nuit, la musique... Les ombres mouvantes tracent la magie antique... J'entends jouer les brises... On est fait pour aimer... N'est-ce pas romantique ?* »

Pendant le dîner, à la table ronde en chêne sous la lumière vive du plafond, assis de part et d'autre du vase d'iris violets et de glycine blanche et d'une corbeille débordante de légumes d'été, notre conversation est électrique, dans le coup, un peu étourdissante. Si j'ai bien compris, c'est le prélude à mon départ, tout souvenir de langueur et de discussion sérieuse sur les conceptions de l'amour écarté désormais, dissipé comme la fumée dans le vent de mer. (La police est arrivée, et les gens qui avaient allumé le feu se sont fait embarquer dès qu'ils ont voulu protester que la plage appartenait à Dieu.)

À la lumière des bougies, Sally est toute animée, ses yeux bleus pleins d'éclat, son superbe visage anguleux bronzé et adouci. Nous nous gavons de papillons en parlant de films que nous n'avons pas vus mais aimerions voir (moi, *Moonstruck*, *Wall Street* ; elle, *L'Empire du soleil*, peut-être *Gens de Dublin*) ; nous évoquons l'éventuelle panique sur le marché du soja maintenant que la pluie a mis fin à la cruelle sécheresse dans le Middle West ; nous discutons « soja » ou « soya » ; je lui raconte les Markham, les McLeod et mes problèmes avec eux, ce qui nous amène par ce biais à l'affaire d'un journaliste noir qui a abattu un intrus dans son jardin ; Sally admet qu'il lui arrive d'avoir un revolver dans son sac, ici même, à South Mantoloking, tout en étant convaincue qu'il risque de devenir l'instrument de sa mort. Durant un court moment, je parle de Paul, observant qu'il n'est guère attiré par le feu, ne torture pas les animaux, ne fait pas pipi au lit, que je sache, et qu'il viendra, j'espère, vivre avec moi à l'automne.

Puis, mû par je ne sais quelle impulsion, je m'engouffre dans le foncier. J'annonce qu'on a construit il y a deux ans aux États-Unis deux mille trente-six centres commerciaux, mais que les chiffres se sont écroulés depuis, avec l'arrêt de nombreux gros projets. Je déclare qu'à mon sens, l'élection ne pèsera guère sur le marché immobilier, sur quoi Sally se souvient du montant des taux (8,75 %) l'année du bicentenaire ; je remarque que j'avais alors trente et un ans et que j'habitais Hoving Road. Tandis qu'elle passe au mixer des myrtilles avec du kirsch pour napper le gâteau de Savoie, je cherche à écarter la conversation d'un passé trop proche, en racontant comment mon grand-père Bascombe, rentré tard dans la nuit à la maison après avoir perdu au jeu la ferme de famille dans l'Iowa, mangea tout un bol de je ne sais quelles baies dans la cuisine, puis sortit sur la galerie devant la maison pour se tuer d'un coup de fusil.

J'ai cependant observé, tout au long du dîner, que nos regards à Sally et moi ont persisté à se croiser et souvent à s'affronter. À un moment donné, en faisant le café avec le système à filtre et piston, elle m'a jeté un coup d'œil comme pour établir que nous venons d'en apprendre beaucoup l'un sur l'autre, que nous nous sommes rapprochés, mais que j'ai eu un comportement étrange sinon cinglé et qu'elle ne serait pas surprise si je me levais d'un bond pour me mettre à réciter du Shakespeare en latin de cuisine ou à siffler *Yankee Doodle* par le trou du cul.

N'empêche que vers dix heures, nous sommes installés confortablement dans nos fauteuils à la lumière d'une nouvelle bougie ; après avoir terminé le café, nous nous sommes remis au Round Hill. Sally a noué en arrière ses cheveux drus et nous sommes embarqués dans un débat sur la manière dont nous percevons nos propres personnages (moi, essentiellement comme un comique ; Sally se voit « accommodante », quoique de temps en temps, à l'en croire, elle se mette à pratiquer une « obstruction » féroce – je ne m'en suis jamais aperçu). Bizarrement, elle a de moi, dit-elle, une image de prêtre : en fait, je ne peux rien imaginer de pire, les prêtres étant les gens les moins informés d'eux-mêmes, les moins éclairés, les plus irrésolus, isolés et frustrés (les politiciens se classent en deuxième position). Je décide de ne pas y prêter attention, ou tout au moins d'interpréter cela comme une marque de bienveillance de sa part, une façon de me qualifier moi aussi d'accommodant, ce que je serais volontiers si je le pouvais. Je lui dis que je vois en elle une femme d'une grande beauté avec une tête solide sur les épaules, qui me paraît irrésistible et inadaptable à la construction dont je parlais tout à l'heure, ce qui est vrai (je reste un peu secoué d'être perçu comme un prêtre). Cela nous entraîne sur le terrain des fortes convictions, qui compteraient peut-être plus que l'amour. J'explique (Dieu sait pourquoi, puisque ce n'est pas particulièrement vrai) que j'ai une pêche d'enfer ces temps-ci, grâce à la Période d'Existence, dont je lui ai déjà exposé le principe dans d'autres contextes. J'admets volontiers que j'aurais peut-être du mal à me souvenir avec précision de cette phase de ma vie (hormis sa présence à elle), et que je me sens parfois hors de portée de l'affection, mais que cela tient à la condition humaine et qu'il n'y a pas de quoi se mettre martel en tête. Je lui avoue encore que je ne verrais pas d'inconvénient à finir ma vie en « doyen » des agents immobiliers du New Jersey, un vieux racorni qui en aurait oublié plus long que les jeunots ne pourraient jamais apprendre. (Otto Schwindell sans les Pall Mall ni les poils dans les oreilles.) Elle espère, déclare-t-elle d'un ton très convaincu, sans cesser de me sourire, que je parviendrai à accomplir quelque chose de mémorable, et je suis tenté à nouveau d'aborder la question des boutons de manchette à l'emblème des Marines et du rapport qu'ils peuvent avoir avec les actions mémorables, et aussi de faire allusion à Ann, pour ne pas donner l'impression que j'en suis incapable ou que son existence même jette le discrédit sur Sally, car il n'en est rien. Je décide d'éviter l'un et l'autre sujet.

Puis la voix de Sally se fait graduellement plus grave,

prend des intonations de gorge que j'ai déjà entendues, lors de soirées bien remplies comme celles-ci, lorsque la flamme jaune file et vacille, que la chaleur est tombée et qu'un insecte heurte de temps à autre la toile métallique ; des intonations qui disent par elles-mêmes : « Si on pensait à quelque chose d'un peu plus direct pour nous faire du bien à tous les deux, boucler la soirée par un acte de simple amour du prochain et de désir. » Je ne doute pas que ma propre voix ait la même résonance.

Mais j'ai toujours la contraction dans le bas-ventre (elle aussi, je crois), une agitation liée à une pensée qui refuse de s'effacer et que chacun de nous attend d'entendre formuler par la bouche de l'autre – trop importante pour ne pas étouffer les doux soupirs du désir. À savoir que nous avons décidé l'un et l'autre, dans notre cheminement personnel, de ne plus nous revoir. (« Décidé » n'est pas vraiment le mot qui convient. Accepté, concédé, admis seraient plus près de la réalité.) Il y a entre nous tout ce qu'on veut, de quoi puiser du réconfort pour toute une vie, et pas seulement ça. Mais voilà, ce n'est pas suffisant, et une fois qu'on s'en est rendu compte, il ne reste pas grand-chose à ajouter. Que ce soit à long terme ou à court terme, il semble que rien ne compte assez fort entre nous. Ce sont ces faits que nous exprimons tous deux à travers nos voix de gorge et les mots que Sally en vient à articuler réellement : « Il est temps pour toi de reprendre la route, frangin. » Elle me regarde à travers la flamme clignotante comme si elle était en quelque sorte fière de nous, ou pour nous. (De quel exploit ?) Elle a depuis longtemps retiré ses bracelets incrustés de turquoises et les a empilés sur la table, où elle les déplaçait pendant que nous parlions comme en un jeu de divination. Quand je me lève, elle commence à les remettre un par un.

« J'espère que tout va très bien se passer avec Paul », dit-elle avec un sourire.

L'horloge du couloir sonne la demie de dix heures. Je regarde autour de moi comme pour consulter une pendule plus proche, mais cela fait un bon moment que je sais l'heure minute par minute.

« Ouais, moi aussi », dis-je en tendant à mon tour mes bras vers le plafond avec un bâillement.

Debout à présent près de la table, dont ses doigts effleurent le bois, elle continue de sourire, telle mon admiratrice la plus inébranlable.

« Veux-tu que je refasse du café ? »

Mes lèvres s'étirent sottement.

« Je conduis mieux en dormant. »

Et me voilà parti, longeant bruyamment le couloir sous le clignotement vert du tableau de sécurité – qui aurait d'ailleurs pu passer au rouge.

Sally me suit à trois mètres, sans hâte, en boitant plus visiblement du fait d'être pieds nus. Elle me laisse trouver la sortie tout seul.

« Bon, eh bien voilà… »

Je me retourne. Elle sourit toujours, à deux mètres de moi. Mais moi, je ne souris pas. Le temps de parvenir jusqu'au seuil, l'envie m'a pris d'être invité à rester, me lever tôt, boire une tasse de café et filer dans le Connecticut après une nuit d'adieux et de possibles révisions. Je ferme les yeux et feint de chanceler un peu, façon d'exprimer : « Merde, je suis plus fatigué que je ne croyais et je risque même de représenter un danger pour moi-même et pour les autres. » Mais j'ai trop longtemps attendu que quelque chose m'arrive, et si je demandais à remettre mon départ au lendemain, je suis persuadé qu'elle appellerait simplement le *Cabot Lodge* à Neptune pour me réserver une chambre. Je n'ai même plus droit à la mienne là-haut. Ma soirée s'est mise à ressembler à une visite immobilière au terme de laquelle je me contente de laisser ma carte dans l'entrée.

« Je suis bien contente que tu sois venu », dit Sally.

Je craindrais pour un peu qu'elle aille jusqu'à me mettre son pied au cul pour me faire franchir la porte par laquelle j'étais entré, voilà des mois, en toute innocence. Plus maltraité que Wally.

Mais, au lieu de cela, elle s'approche, agrippe les manches courtes de ma chemise au-dessus des coudes – nos visages sont à la même hauteur –, me plaque sur la bouche un baiser violent mais pas haineux et murmure « Adieu » en un souffle qui n'éteindrait pas la flamme d'une bougie.

231

« Adieu », dis-je en tentant d'imiter son chuchotement séducteur et de le traduire en un bonjour. Mon cœur bat la chamade.

Mais mon sort est réglé. Passer la porte et descendre les marches. Dans les vestiges d'odeur de barbecue, longer l'allée de ciment ensablée et regagner au bas de l'escalier Asbury Street, au bout de laquelle les amoureux paradent en voiture dans les lumières d'Ocean Avenue. Je m'installe au volant de ma Crown Vic ; en mettant le contact, je ne peux m'empêcher de tourner la tête pour scruter l'ombre des voitures garées derrière moi des deux côtés, dans l'espoir de repérer l'autre mec, s'il existe, quelqu'un qui serait planqué là dans sa tenue kaki, attendant que j'aie décampé pour pouvoir suivre ma trace en sens inverse et prendre ma place dans la maison et dans le cœur de Sally.

Mais je ne vois personne à l'affût. Un chat émerge de la rangée de voitures opposée à celle que j'occupe et traverse en courant. La lumière d'un porche luit sur Asbury Street. Presque toutes les maisons sont éclairées, les télés ronronnent chaleureusement. Je ne trouve rien de suspect, rien à ruminer, rien qui puisse me retenir ici une seconde de plus. Je braque, fais marche arrière, déboîte, jette un bref coup d'œil à ma fenêtre déserte là-haut, et puis je m'en vais.

6

Le long du bord de mer noyé d'encre, dans la nuit figée, chargée d'océan, vitres grandes ouvertes pour me tenir en éveil : la Garden State, Red Bank, Matawan, Cheesequake, la montée escarpée du pont sur le Raritan et, au-delà, les rangées de lumières jaunâtres de Woodbridge.

Naturellement, la circulation est intense. L'été, beaucoup d'Américains ne partent en balade qu'à la nuit tombée, car « cela ménage le moteur », « il y a moins de flics », « on paie l'essence moins cher aux pompes ». La bretelle de la sortie 11 grouille de feux rouges arrière : véhicules utilitaires, caravanes, camping-cars, breaks, remorques, vastes berlines pare-chocs contre pare-chocs, aux conducteurs nerveux car leur destination ne pouvait attendre le lendemain matin : une nouvelle maison à Barrington, une location de vacances sur le lac Memphrémagog, d'inconfortables retrouvailles dans le chalet d'un frère plus prospère à Mount Whiteface – partout des gosses à bord qui braillent, un berceau pliant ficelé sur la galerie, l'équipement de survie harnaché au pare-chocs avant, et les ceintures de sécurité qui oppressent la respiration de toute la putain de famille.

Et en plus, c'est le moment de l'année où le bail vient à expiration, où le contrat se termine, où tombe l'échéance. Dans la file, au péage, on voit aux portières des figures aux traits tirés, le tourment des fronts plissés qui se demandent si tel chèque est compensé, si la personne qui garde la maison avertit dûment la police de l'enlèvement du mobilier, de la serrure forcée, du garage visité par effraction – si un numéro minéralogique a été relevé sur le véhicule au moment où il disparaissait au tournant d'une rue calme de banlieue. Les vacances ne sont pas toujours une fête.

Les flics, cela va de soi, sont là en force. Devant moi, sur l'autoroute, les gyrophares bleus clignotent au loin et à proximité tandis que je franchis le péage et fonce vers Carteret, les flammes des raffineries et les cuves de refroidissement d'Elizabeth. Je m'aperçois que j'ai bu un verre de Round Hill de trop et que j'ai à fournir un effort visuel pour me diriger entre les réflecteurs et les flèches « SERREZ À GAUCHE », là où les cantonniers font leur nuit sous des rangées de projecteurs : ici aussi, nos impôts sont au travail.

Si j'avais été plus malin, bien sûr, j'aurais simplement embarqué Sally avec moi, bouclé la maison, enclenché l'alarme de sécurité, inauguré un nouveau stratagème à la rescousse de l'amour défaillant, puisque, en cet instant, je suis convaincu que toute décision qui ait pu être prise ne saurait aboutir. Au-delà d'un tournant indistinct mais critique de la vie (sans doute proche de l'âge que j'ai), l'on voit s'écrouler la plupart de ses résolutions récentes et l'on finit par suivre le foutu chemin de la facilité, ou l'impulsion la plus forte. (En fait, les deux risquent de se mélanger et d'entraîner des tas de dégâts.) En même temps, il devient de plus en plus difficile de croire qu'on peut maîtriser quoi que ce soit par la force de ses principes ou de la discipline, malgré tous nos beaux discours en ce sens, et nos efforts pour y parvenir. En filant le long de l'aéroport de Newark, j'éprouve la certitude que Sally aurait tout laissé tomber pour venir vivre avec moi pour peu que je le lui aie demandé. (Comment Ann prendrait cela, c'est une autre histoire.) Je suis sûr que Paul en aurait été très content. Sally et lui auraient pu conclure une alliance secrète contre moi, et qui sait ce que la situation nous aurait réservé ? Pour commencer, je ne me retrouverais pas tout seul dans ce couloir d'air empesté par la pollution, roulant vers un lit vide dans Dieu sait quel motel de Dieu sait quel État.

Dans mes activités quotidiennes, c'est un fait que je préserve une bonne part de flexibilité, de sorte que mon emploi du temps et mes déplacements sont souvent aléatoires. Lorsque la pauvre Claire Devane est allée à son rendez-vous de quinze heures à Pheasant Meadow et qu'elle est tombée sous la tronçonneuse de la poisse, tout un réseau de cris d'alerte et d'angoisse aux échos d'amour, d'honneur et de dépendance s'est aussitôt mis à résonner, du nord au sud, d'un océan à l'autre. L'instant sismique de sa perte en tant qu'entité humaine a été enregistré instantanément par tous ceux avec qui elle avait été en contact. Tandis que moi, chaque jour, je peux me lever pour aller vaquer normalement à mes occupations normales, mais je peux aussi faire un saut à Trenton, dévaliser les magasins ou conclure un marché, puis m'envoler pour Caribou, dans l'Alberta, et m'enfoncer tout nu dans les marécages sans que personne se doute de quoi que ce soit d'anormal dans ma vie, ni même s'aperçoive de ma disparition. Cela pourrait prendre des jours, sinon des semaines, avant qu'il se produise un sérieux remue-ménage à mon sujet. (Ce n'est pas vraiment comme si je n'existais pas, mais je n'existe pas tant que ça.) Si donc je ne passais pas demain chercher mon fils, ou si par provocation j'amenais Sally en qualité de dernière recrue de l'équipe, ou si je me pointais avec la dame énorme du cirque ou une pleine caisse de cobras, les réactions de toutes les personnes concernées seraient aussi minimes que possible, moitié afin de préserver la liberté et la flexibilité de chacun, et moitié parce qu'on ne ferait pas tellement attention à moi. (Ce qui correspond à mes propres vœux, bien entendu – le caractère nonchalant de ma vie de célibataire en pleine Période d'Existence – mais peut aussi signifier que le *laissez-faire* n'est pas exactement la même chose que l'indépendance.)

En ce qui concerne Sally, cependant, j'endosse la responsabilité de ce qui s'est passé ce soir. Car, en dépit d'autres progrès que j'ai pu faire, il me reste encore à apprendre à *désirer* réellement. Lorsqu'il m'est arrivé de passer plus d'une journée en compagnie de Sally – à parcourir les Green Mountains, ou douillettement installés dans une suite nuptiale de la *Colonial Inn* du champ de bataille de Gettysburg, ou seulement assis ensemble à contempler les lumières des plates-formes pétrolières et des cargos sur l'Atlantique, comme nous l'avons fait ce soir –, la pensée qui me vient toujours à l'esprit, c'est : « Pourquoi est-ce que je ne t'aime pas ? », si bien qu'aussitôt je m'apitoie sur elle et ensuite sur moi-même, ce qui peut conduire à l'amertume et au sarcasme ou simplement à une soirée comme celle d'aujourd'hui, où les gentillesses de surface recouvrent des meurtrissures (sous lesquelles les sentiments profonds restent soigneusement enfouis).

Mais ce qui me tracasse à propos de Sally – à la différence d'Ann, qui continue de tout déterminer pour moi du seul fait d'être en vie et de partager une histoire inéluctable –, c'est qu'elle ne détermine rien, ne présuppose rien et promet en somme de ne se mêler de rien de tel (sauf en m'aimant bien, ainsi qu'elle l'a admis). Et, tandis que dans le mariage il y a la crainte insidieuse, mais non sans confort, que le *moi* ne s'efface rapidement au profit d'un moi amalgamé chimiquement avec un autre, face à Sally, la perspective est de n'être que moi. À jamais. Je resterais seul responsable de tout ce dont je me mêlerais, pas de « chimie » accueillante ou de grisant synchronisme sur lesquels se rabattre, pas d'*autre* imposé, rien que moi et mes actes, elle et les siens, côte à côte, et cela me fait bien plus peur.

Telle est l'origine de ce que nous avons tous deux éprouvé dans la pénombre de la galerie : la sensation de ne pas attendre que quelque chose arrive ou change. Ce qu'on aurait pu prendre pour des actes creux et rituels, des sentiments creux ou rituels, c'étaient en fait des actes et des sentiments vrais – rien à voir avec le néant. Cela correspondait à ce que nous éprouvions réellement au moment où nous l'éprouvions : notre simple présence, seuls et ensemble. Il n'y avait en fait rien à redire. Si l'on voulait, on pourrait appeler notre « relation » le partage de la Période d'Existence.

Manifestement, ce qu'il faut que je fasse, c'est simplement sauter le pas, exprimer clairement ce qui me plaît chez Sally (un sacré paquet), céder à ce qui vaut la peine d'être désiré, accepter ce qui m'est offert, substituer à la question piège : « Pourquoi est-ce que je ne t'aime pas ? » une interrogation préférable et qui peut recevoir une réponse : « De quelle manière puis-je t'aimer ? » Il est vrai qu'en cas de réussite, cela aboutirait sans doute à me faire reprendre le cours de la vie à peu près à l'endroit où m'aurait amené un mariage satisfaisant, si j'avais été capable de tenir bon assez longtemps.

Après la sortie 16 ouest et la traversée de la Hackensack River en face du Giants Stadium, j'oblique sur l'aire de repos du centre Vince Lombardi* pour prendre de l'essence, pisser un coup, m'éclaircir l'esprit avec une tasse de café et écouter mon répondeur.

Le Vince est un pavillon en brique rouge de style colonial, dont le parking, ce soir à minuit, est couvert de voitures, de cars de tourisme, de caravanes et de camionnettes – tous mes adversaires de l'autoroute. Au milieu de mouettes éparses, sous le halo de lumières orangées, les conducteurs et passagers s'engouffrent à l'intérieur d'un air hébété, chargés de sacs de couches-culottes, de bouteilles Thermos et de réceptacles à détritus sortis de la voiture ; ils ont l'esprit braqué sur des provisions de hamburgers Roy Rogers, de nouvelles babioles à l'effigie des Giants, de capotes rigolotes, sans oublier à la sortie un coup d'œil rapide à la collection de souvenirs du grand homme à l'époque glorieuse où il était l'un des « Cinq blocs de granit » à Fordham, puis en qualité de dirigeant irréductible des Packers et enfin conseiller des Skins renaissants (quand l'amour-propre comptait encore). Vince était né à Brooklyn, mais il a commencé sa carrière d'entraîneur près d'ici, dans l'équipe de St. Cecilia, à Englewood, c'est pourquoi il a son aire de repos. (Du journalisme sportif, il vous reste ce genre de connaissances.)

Profitant d'un moment de répit aux pompes à essence, je fais le plein avant d'aller me garer dans les lignes arrière, au milieu des poids lourds et des autocars, puis je traverse le parking pour entrer dans le bâtiment. Il y règne un chaos de grand magasin avant Noël mais aussi, bizarrement, une sorte de somnolence (comme à quatre heures du matin dans un casino d'antan à Las Vegas), avec sa salle obscure de jeux vidéo qui clignotent, de longues queues aux comptoirs *Roy's* et *Nathan's* de super-burgers ou hot-dogs et les familles qui déambulent tout en mangeant dans une semi-catatonie, ou discutent autour d'une table en plastique couverte de papiers sales. Nul air de fête du 4 Juillet.

Je rends visite à l'antre des urinoirs, où la chasse d'eau

---

* Célèbre joueur puis entraîneur de football américain. *(N.d.l.T.)*

se déclenche dès qu'on a fini et où, décemment, aucun portrait de Vince n'orne les murs. Je me tape la courte file d'attente réservée au « Café express », puis emporte mon gobelet en carton vers la rangée de téléphones, pris en otages comme d'habitude par une vingtaine de routiers en chemise à carreaux, munis de gros portefeuilles attachés au bout d'une chaîne, tous accoudés aux mini-cabines en métal, se bouchant l'oreille avec les doigts pour tailler une bavette interurbaine.

J'attends que l'un d'eux remonte son jean avant de s'éloigner comme s'il venait de se livrer en secret à quelque acte sexuel, puis je m'empare du téléphone pour relever mes messages, que je n'ai pas écoutés depuis près de neuf heures de temps. (Le combiné reste imprégné de la chaleur crasseuse de la poigne du routier ainsi que de l'odeur d'eau de cologne des distributeurs des toilettes, à laquelle de nombreuses femmes doivent trouver possible de s'habituer.)

Le premier message (il y en a dix !) est de Karl Bemish : « Ouais, Frank. Autant que tu le saches. Les petits Frito Banditos viennent de passer par là. CEY 146. Note le numéro au cas où ils me zigouilleraient. Y a maintenant un autre Mexicain assis à l'arrière. J'ai téléphoné au shérif. Faut pas s'inquiéter. » Clic.

Le deuxième message est un nouvel appel de Joe Markham : « Écoutez, Bascombe. Bon Dieu. 259 68 34. Rappelez-moi. Indicatif 609. On sera là ce soir. » Clic.

Le troisième a raccroché. Sans doute Joe, saisi de frénésie et de mutisme.

Mais le quatrième message est de Paul, d'humeur sauvagement hilare. « Pâtron ? Allô allô, pâtron ? » (Son imitation approximative de l'accent de Rochester. Quelqu'un glousse à l'arrière-plan.) « Si vous avez envie de vous envoyer en l'air, y a qu'à vous enfoncer une fusée dans le cul ! » (Éclat de rire plus fort, peut-être la petite amie de Paul, l'inquiétante Stephanie Deridder, à moins que ce soit simplement Clarissa Bascombe, la complice.) « Bon, bon, attendez un peu. » (Il se lance dans un nouveau numéro. Fâcheux.) « Espèce de larve, parasite, ver de terre ! Ici le docteur Sion. Le docteur Derek Sion, qui appelle pour vous donner vos résultats. Ça se présente mal pour vous, Frank.

L'oncologie récapitule l'ontogenèse. » (Impossible qu'il sache ce que cela signifie.) « Ouah, ouah, ouah, ouah, ouah ! » (Ceci est un très mauvais signe, évidemment, quoiqu'ils se marrent tous les deux comme des baleines. Un tintement de pièces glissées dans la fente d'un téléphone.) « Prochain arrêt la Forêt Noire. Je prendrai du *torte, bitte*. Ouah, ouah, ouah. Mettez-nous en deux, d-e, Doktor. » J'entends le combiné tomber, je les entends s'éloigner en pouffant de rire. J'attends indéfiniment qu'ils reviennent (comme s'ils étaient là en ce moment et si je pouvais parler à Paul, comme si cela ne remontait pas à plusieurs heures). Mais l'enregistrement s'arrête. Un mauvais appel, qui me laisse dans le désarroi.

Le cinquième message provient d'Ann (tendue, distante, un ton pour s'adresser au plombier qui lui aurait mal raccordé ses tuyaux). « Frank, voudrais-tu me rappeler ? D'accord ? Passe par mon numéro personnel : 203 526 16 89. C'est important. Merci. » Clac.

Sixième message, encore Ann : « Frank. Veux-tu m'appeler ? N'importe quelle heure ce soir, où que tu sois, au 526 16 89. » Clac.

Septième message, on a raccroché.

Huitième message, Joe Markham : « On retourne dans le Vermont. Alors allez vous faire foutre, connard. Espèce d'enculé ! Vous pouvez toujours… » Clic ! Bon débarras.

Neuvième message, Joe à nouveau (quelle surprise !) : « On prend tout de suite la route du Vermont. Alors foutez-vous ce message où je pense. » Clic.

Dixième message, Sally : « Salut ! » Une longue pause pour mettre de l'ordre dans ses pensées, puis un soupir. « J'aurais dû être mieux ce soir. J'ai seulement… je ne sais pas. » (Une pause. Un soupir.) « Mais… je regrette. J'aimerais que tu sois encore ici, même si ce n'est pas ton cas. J'aimerais, j'aimerais, j'aimerais. Si nous… hum… Évidemment. Rappelle-moi dès que tu rentres. J'irai peut-être te rendre visite. Bonsoir. » Clic.

Hormis le dernier, une série de messages plus déstabilisants que d'habitude à minuit moins dix.

Je compose le numéro d'Ann qui répond aussitôt.

« Que se passe-t-il ? dis-je, plus inquiet que je ne voudrais le paraître.

– Je suis désolée, dit-elle d'une voix pas franchement désolée. La situation s'est un peu dégradée ici, aujourd'hui. Paul a craqué, et j'avais pensé que tu pourrais peut-être passer le chercher plus tôt que prévu, mais maintenant ça va mieux. Où es-tu ?

– Au Vince Lombardi.

– Où ça ?

– C'est sur l'autoroute. » (Elle y est déjà venue, en fait. Mais il y a des années, il est vrai.) « Je peux être là dans deux heures. Qu'est-il arrivé ?

– Oh… Charley et lui se sont disputés dans le hangar à bateau, à propos de la manière dont il fallait s'y prendre pour vernir le canot de Charley. Il l'a frappé au menton d'un coup de tolet. Je ne suis pas sûre qu'il l'ait fait exprès, mais Charley est tombé. Il a failli perdre connaissance.

– Comment est-il à présent ?

– Ça va. Rien de cassé.

– C'est à Paul que je pensais, il va mieux ? »

Une pause, le temps d'un rétablissement.

« Oui. Il a disparu pendant un moment, mais il est rentré vers neuf heures – en violation des règles imposées par le juge. Il t'a appelé ?

– Oui, il m'a laissé un message. »

Inutile de préciser les détails : aboiements, rires hystériques. (Être grand, c'est être incompris.)

« Est-ce qu'il était dingue ?

– Il semblait seulement surexcité. Je crois que Stéphanie était avec lui. »

Nous sommes d'accord, Ann et moi, au sujet de Stéphanie, à savoir que leur « chimie » à eux deux est assez désastreuse. À notre avis, les parents de Stéphanie feraient bien de l'envoyer dans une école militaire pour les filles, de préférence dans le Tennessee.

« Il est très perturbé. Je ne sais pas vraiment pourquoi. »

Ann boit une gorgée de quelque chose où tintent des glaçons. Ses goûts en matière de boissons ont changé depuis qu'elle est dans le Connecticut ; elle est passée du bourbon (qu'elle préférait quand nous étions mariés) à la vodka-citron vert, qu'apparemment Charley O'Dell excelle à préparer. Dans l'ensemble, j'ai de plus en plus de mal à la suivre, c'est sans doute à cela que sert le divorce. Mais quant à la question du « pourquoi » de Paul, j'estime que chaque jour déverse un tombereau de bons prétextes pour « craquer ». Paul, en particulier, ne doit pas en manquer. L'étonnant, c'est que cela ne nous arrive pas plus souvent à tous autant que nous sommes.

« Comment va Clary ?

– Très bien. Ils sont maintenant couchés tous les deux dans sa chambre à lui. Elle dit qu'elle veut veiller sur lui.

– Les filles mûrissent plus vite que les garçons, sans doute. Et Charley ? Il a pu mener à bien le vernis de son canot ?

– Il a une grosse bosse. Écoute, je suis désolée. Mais tout va bien à présent. Redis-moi où tu as l'intention de l'emmener ?

– Visiter les *halls of fame* du basket et du baseball. » (Soudain, l'idée me paraît d'une stupidité effarante.) « Veux-tu que je l'appelle ? »

Mon fils dispose de sa ligne personnelle, ainsi qu'il convient à un adolescent du Connecticut.

« Viens simplement le chercher comme tu comptais le faire. » (La voilà mal à l'aise, pressée de raccrocher.)

« Et toi, comment vas-tu ? »

Je me rends compte que cela fait des semaines que je ne l'ai pas vue. Pas une éternité, mais c'est long. Cela me met en rage, allez savoir pourquoi.

« Ça va très bien, dit-elle d'un ton las en évitant le pronom personnel.

– Tu passes suffisamment de temps sur des voiliers ? Tu contemples la brume matinale ?

– Où veux-tu en venir quand tu prends ce ton ?

– Je n'en sais rien. » (C'est la vérité.) « Ça me soulage, c'est tout. »

Le silence téléphonique s'installe. Le tohu-bohu des jeux vidéo et des stands de nourriture me cerne. Un autre routier en blue-jean et chemise à carreaux, cheveux ondulés et portefeuille gonflé attend, planté là au milieu de la rangée,

241

une liasse de papiers d'allure professionnelle à la main, et me foudroie du regard comme si j'occupais sa ligne attitrée.

« Confie-moi quelque chose de vrai », dis-je.

Je ne sais pas pourquoi, ma propre voix me fait un effet intime et elle en réclame autant en échange. Mais je devine l'expression apparue sur le visage d'Ann. Elle a fermé les yeux, puis les a rouverts de façon à regarder dans une tout autre direction. Puis elle a levé le menton pour contempler le plafond laqué de la pièce exquise à l'architecture unique où elle se trouve. Ses lèvres pincées dessinent une petite ligne inflexible. En fait, je suis content de ne pas le voir de mes yeux, car je n'aurais plus qu'à me taire comme un sale gamin.

« Peu m'importe vraiment ce que cela signifie, dit-elle d'une voix glaciale. Il ne s'agit pas ici d'une conversation amicale, mais de pure nécessité.

– Je voudrais simplement que tu aies quelque chose à me raconter d'important, ou d'intéressant, ou de franc. C'est tout. Rien de personnel. »

Je cherche en fait à entendre un écho de la discussion avec Charley, celle dont Paul m'a parlé. Ce n'est pas tout à fait innocent. Ann se tait. Ce qui me pousse à reprendre, un peu penaud :

« Moi, je vais te raconter quelque chose d'intéressant.

– Et de franc ? demande-t-elle d'un ton acerbe.

– Eh bien… »

Naturellement, j'ai ouvert la bouche sans aucune idée des mots que j'allais prononcer, des convictions à proclamer ou défendre, de l'aspect de la condition humaine à placer sous mon petit microscope. C'est effrayant. Et c'est pourtant ce que nous faisons tous – découvrir où l'on en est en s'entendant parler. (Parler, parler, parler.)

Je suis sur le point d'annoncer : « Je vais me marier. » Mais je m'interromps après « Je », ce qui peut passer pour « Euh… » C'est pourtant bien ce que j'aurais envie de dire, car il s'agit d'un acte important à accomplir, et la seule raison qui m'arrête (à part le mensonge), c'est que j'aurais ensuite à répondre de cette assertion et qu'il me faudrait inventer toute une série de faits « ultérieurs » et d'affreux coups du sort pour m'en sortir. En outre, la vérité risquerait d'être découverte et j'aurais l'air pathétique aux yeux de mes enfants, qui ont déjà certaines réserves sur mon compte.

Le péquenaud de routier persiste à me regarder d'un sale œil. C'est un grand mec au long torse, aux pommettes creuses et aux yeux enfoncés. Sans doute encore un adepte de l'eau de Cologne. Je remarque que son bracelet-montre est formé d'une chaîne de crochets plaqués or, au moment où il m'en désigne le cadran en articulant : « Je suis en retard. » Je me contente pourtant d'articuler n'importe quoi en réponse, puis je me retourne dans l'étouffante demi-cabine qui m'isole du reste de l'humanité.

« Tu es toujours là ? demande Ann d'un ton irrité.

– Hum. Ouais », dis-je avec un battement de cœur inopiné, les yeux fixés sur le café que je n'ai pas bu (j'ai la tête un peu cotonneuse, peut-être un reste d'ivresse). « J'étais en train de penser qu'au moment où l'on divorce, on croit que tout va changer et qu'on largue plein de choses. Mais finalement, je crois qu'on ne largue rien du tout ; on ne fait qu'en embarquer davantage, une putain de cargaison. C'est ainsi qu'on découvre les limites de son tempérament et la différence entre ne pas pouvoir et ne pas vouloir. On peut découvrir aussi qu'on est un peu cynique.

– J'avoue que je ne comprends rien à ce que tu racontes. Est-ce que tu es soûl ?

– Ce ne serait pas impossible. Mais n'empêche que je dis la vérité. »

Ma paupière droite papillote, mon cœur cogne dans le thorax. Je me suis fait peur.

« Tout peut arriver.

– Est-ce que tu te fais l'effet d'une personne qui aurait déjà été mariée ? »

Je cale mon épaule un peu plus profondément dans mon petit cercueil métallique, en quête du calme qu'il peut receler.

« Je ne me fais pas l'*effet* d'avoir été mariée, s'exclame Ann de plus en plus exaspérée. Je l'ai été. Autrefois. Avec toi.

– Cela fera sept ans le 18. »

J'ai le dos soudain parcouru d'un sillon de glace en m'apercevant que je suis vraiment en train de parler avec

243

Ann. En cet instant. Au lieu de ce que je fais la plupart du temps : la garder présente à l'esprit sans lui parler, en écoutant tout au plus sa voix enregistrée. Je suis tenté de lui expliquer combien cette sensation est exceptionnelle, pour essayer de l'intéresser à nouveau à moi. Et puis après ? C'est alors que résonne un tintamarre assez fort pour faire sauter la boîte crânienne, boum-boum-boum-ding-ding-ding ! Crrraaash ! De l'autre côté du hall, dans la caverne des jeux vidéo, quelqu'un a décroché je ne sais quel terrifiant jackpot. Les autres joueurs – des adolescents fantomatiques, d'allure droguée – se rapprochent pour mater.

« Je commence à ne plus me sentir comme avant, dis-je dans le boucan.

– Comment cela ? Veux-tu dire que tu n'éprouves plus ce qu'on éprouve quand on est marié ?

– Voilà. C'est un peu ça.

– C'est parce que tu n'es pas marié. Tu devrais te marier. Ce serait une très bonne chose pour nous tous.

– C'est chouette d'être mariée à ce vieux Charley, hein ? »

Je suis content de ne pas avoir prétendu que j'allais me marier. Je serais passé à côté de quelque chose.

« Oui, assurément. D'ailleurs il n'est pas vieux. Et cela ne te regarde pas. Alors, cesse de me poser ce genre de questions, et s'il te plaît, ne va pas t'imaginer que si je refuse de te répondre, cela signifie quoi que ce soit. » (Nouveau silence. J'entends son verre tinter et se poser fermement sur une surface dure.) « Il s'agit de ma vie privée, reprend-elle après avoir dégluti, et ce n'est pas que je ne puisse pas en parler ; je ne *veux* pas en parler. Ce n'est pas un sujet de conversation. Rien que des mots. Il se peut que tu sois l'homme le plus cynique de la terre.

– J'espère que non, dis-je en sentant à nouveau un sourire idiot s'étaler sur ma figure.

– Tu devrais te remettre à écrire des nouvelles, Frank. Tu as renoncé trop vite. » (J'entends je ne sais quel tiroir s'ouvrir et se refermer là où elle est, les suppositions se bousculent dans mon esprit.) « Tu pourrais faire dire à chacun ce que tu veux, et tout irait à merveille – pour toi, en

244

tout cas. Sinon que cela n'arriverait pas vraiment, ce qui n'est pas non plus pour te déplaire.

– Tu crois que c'est ça que je voudrais ? »

Certes, c'est sur une pensée à peu près identique que je me suis endormi chez Sally.

« Tu voudrais simplement que tout semble baigner dans la perfection et que tout le monde semble content. Et cela ne te gêne pas si "sembler" tient lieu d'"être". Du coup, faire plaisir à quelqu'un devient un acte de lâcheté. Rien de neuf dans tout cela. Je ne sais pas pourquoi je me donne tant de mal.

– C'est moi qui te l'ai demandé. »

Je subis ici une attaque frontale subreptice contre la Période d'Existence.

« Tu voulais que je te dise quelque chose de vrai. Il ne s'agit là que d'évidences.

– Ou qui m'inspire confiance. Je m'en contenterai.

– J'ai envie d'aller dormir. S'il te plaît. D'accord ? J'ai eu une journée éprouvante. Je ne veux pas me disputer avec toi.

– Nous ne sommes pas en train de nous disputer. »

J'entends à nouveau le tiroir s'ouvrir et se refermer. Derrière moi dans la galerie des boutiques de cadeaux, un homme crie : « Je freine pour une bière » et s'esclaffe.

« Tout est entre guillemets avec toi. Rien n'est vraiment tangible. Chaque fois que nous parlons ensemble, j'ai l'impression que tout sort de ta plume. Même mes propres répliques. C'est terrible. Non ? Ou triste ?

– Pas si elles te plaisaient.

– Oh, ça... dit Ann, comme si, quelque part dans les ténèbres infinies, une lumière venait de briller à une fenêtre, dont l'éclat extraordinaire l'aurait émue et momentanément transportée. Sans doute, reprend-elle, apparemment stupéfiée. Écoute, j'ai affreusement sommeil tout d'un coup. Il faut que j'y aille. Tu m'as épuisée. »

Ce sont les paroles les plus intimes qu'elle m'ait adressées depuis des années ! (J'ignore ce qui peut les avoir motivées.) Pourtant, plus triste que ce qu'elle trouve triste, le fait est que de les entendre me laisse sans rien à ajouter, même pas une réplique que je pourrais mettre dans sa bouche. Se rapprocher, même à peine, même pour un battement de cœur, c'est une autre façon de raconter une histoire.

« Je serai là demain matin, dis-je avec élan.

– Très bien. Ce sera très bien, chéri. » (Un lapsus.) « Paul sera content de te voir. »

Ann raccroche sans même me laisser le temps de lui dire bonsoir.

Un certain nombre de voyageurs sont maintenant ressortis du Vince dans la nuit noire, suffisamment réveillés pour conduire encore une heure, jusqu'à ce que le sommeil ou la police les rattrape. Le camionneur qui me zyeute de travers est maintenant en train de causer avec un de ses pareils, également vêtu d'une chemise à carreaux (version verte ; on ne les trouve que dans les boutiques de routiers). L'interlocuteur est un type gigantesque, à l'énorme goitre du Milwaukee, bretelles rouges, vilaine coupe de cheveux ras et énorme boucle de ceinturon argent et or de roi du rodéo pour maintenir son jean en place sur ses parties génitales minuscules, j'en mettrais ma main au feu. Tous deux secouent la tête d'un air dégoûté à mon adresse. Leur urgence est manifestement plus importante que la mienne – un numéro qui commence par 900 pour savoir lesquelles de leurs putes préférées s'activent à la station BP sur la Route 17 au nord de Suffern. Je suis sûr qu'ils votent Républicain ; je dois avoir la mine du client le plus facile à intimider.

Dans un moment d'abattement causé par Ann, je décide quand même d'appeler les Markham, puisque à mon avis les proclamations de Joe sur leur départ ne sont que du baratin, et qu'ils doivent être tous les deux en train de regarder la chaîne câblée HBO, ce qui leur manque le plus à Island Pond.

Le standard sonne longuement avant que réponde une femme qui devait dormir l'instant d'avant.

« Ils sont partis, je crois, articule-t-elle douloureusement comme si on lui envoyait une lumière dans l'œil. Je les ai vus qui chargeaient leurs bagages dans la bagnole vers neuf heures. Mais je peux toujours essayer d'appeler la chambre. »

L'instant d'après, Joe est à l'appareil.

« Salut, Joe, ici Frank Bascombe, dis-je, jovial. Navré d'avoir été hors de portée. J'ai eu des problèmes familiaux dont je ne pouvais pas me dégager. » (Mon fils a matraqué le coquin de sa mère à coups de tolet, après quoi il s'est mis à aboyer comme un loulou de Poméranie, ce qui nous a tous fait régresser de quelques cases.)

« Qui tu crois qui appelle ? » lance Joe en ricanant à l'intention évidente de Phyllis, sans doute écroulée à côté de lui dans la lumière glauque de la télé, à se goinfrer de chips. (J'entends un coup de cloche et une voix d'homme qui jacte en espagnol. Ils doivent regarder la soirée de boxe à Mexico, de quoi exciter l'humeur combative de Joe.) « Je croyais vous avoir dit qu'on se barrait d'ici.

– J'espérais bien vous avoir avant votre départ, juste pour voir si vous auriez des questions à me poser. Je pensais que vous aviez pu prendre une décision. Je rappellerai demain matin si cela vous convient mieux. »

Je néglige le fait que Joe m'ait traité de connard et d'enculé sur mon répondeur.

« Nous avons déjà contacté un autre agent immobilier, dit Joe d'un ton méprisant.

– Eh bien, je vous ai montré tout ce qu'il y avait de disponible à ma connaissance. Mais la maison de Ted Houlihan mérite qu'on y réfléchisse. Ça va bouger très vite là-bas si d'autres agences sont sur le coup. Il serait opportun de faire une proposition si vous vous sentiez tenté.

– Causez toujours », ironise Joe.

J'entends un goulot de bouteille tinter contre le bord d'un verre, puis d'un second. « Vas-y, vas-y », beugle-t-il à sa femme.

« Laisse-moi lui parler, dit-elle.

– Pas besoin. Vous avez autre chose à me faire savoir ? demande-t-il dans le combiné où je perçois le gratouillis de son bouc à la manque. On regarde les combats. C'est le dernier round. Après, on se tire. »

Joe a déjà oublié l'histoire de l'agent de rechange.

« Je voulais simplement reprendre contact. Votre message semblait témoigner d'une certaine agitation.

– Ça fait des années-lumière. Nous voyons une autre personne demain. Il y a six heures, nous aurions eu une proposition à faire. Maintenant c'est fini.

– Cela peut constituer une bonne stratégie de consulter quelqu'un d'autre à ce stade, dis-je d'un ton que j'espère exaspérant.

– Tant mieux. Je suis content que l'idée vous plaise.

– Si je peux faire quoi que ce soit pour Phyllis et vous, vous avez mes coordonnées.

– Oui. Zéro. Zéro, zéro, zéro, zéro, zéro, zéro.

– Le 609 d'abord. Ne manquez pas de dire au revoir de ma part à Phyllis.

– Bascombe t'envoie ses hommages chaleureux, mon chou, lance Joe d'un ton narquois.

– Laisse-moi lui parler, dit-elle à l'arrière-plan.

– Un mot de trois lettres qui rime avec "con".

– Tu n'as pas besoin d'être aussi dégueulasse. Il fait de son mieux.

– Tu veux dire que c'est un trou-du-cul ? » dit Joe en couvrant à moitié le récepteur de manière à ce que je l'entende en pouvant feindre le contraire, et qu'il puisse dire ce qui lui plaît tout en feignant de n'en avoir rien fait ; passé un certain stade, je n'en ai strictement rien à foutre.

Mais leur situation semble très proche de ce que j'avais imaginé ce matin : qu'ils allaient connaître une terrible phase d'épreuve du feu où leur perception d'eux-mêmes serait en jeu, une phase dont ils sortiraient déboussolés. Ensuite, ils erreraient dans le brouillard jusqu'à ce qu'ils parviennent à prendre une décision, moment où j'avais l'intention de leur parler. Tandis que je les ai appelés alors qu'ils sont encore désorientés et font semblant d'être résolus. Si j'avais attendu jusqu'à demain, ils seraient dans la camisole de force et mûrs pour le grand saut ; ce qui est vrai pour eux est vrai pour nous tous (et signe de maturation) : on peut tempêter, casser les meubles, se soûler la gueule, bousiller sa Nova et s'écorcher les poings contre les briques de verre du mur extérieur de la morne chambre où l'on est temporairement logé, mais au bout du compte on n'aura rien changé aux données du problème, la décision devant laquelle on reculait restera à prendre, et sera sans doute exactement celle que vous repoussiez et qui vous a fait piquer une crise.

Les choix sont limités, en d'autres termes. Même si, pour le savoir, il faudrait que les Markham aient vécu moins longtemps dans le Vermont débilitant – à cueillir des baies, épier les biches et fabriquer avec des méthodes ancestrales des fringues tissées à la main. En un sens, je fournis un service qui va nettement plus loin qu'on ne pourrait le croire à première vue : un contact avec la réalité.

« Frank ? »

Phyllis a pris le téléphone. J'entends un bruit de fond de meubles de motel qu'on traîne et qu'on cogne, comme si Joe entreprenait de les embarquer dans la voiture.

« Je suis toujours là », dis-je tout en pensant que je devrais appeler Sally.

Je pourrais lui faire prendre un avion demain matin pour Bradley, où Paul et moi nous la cueillerions au passage sur le chemin du Basketball Hall of Fame, après quoi nous repartirions pour Cooperstown sous la forme d'une famille de structure nouvelle : père divorcé, plus fils habitant dans un autre État et en proie à de fortes perturbations psychiques, plus veuve maîtresse du père, qui éprouve à son égard énormément d'affection et d'incertitude, et pourrait aussi bien l'épouser que ne jamais la revoir. Paul considérerait que c'est de notre temps.

« Joe et moi, je crois que nous nous sommes à peu près mis d'accord à propos de toute cette affaire », dit Phyllis.

Elle me fait l'effet d'avoir à fournir un effort physique pour parler, comme si elle était restée enfermée dans un placard ou s'était péniblement faufilée entre de gros rochers. Je l'imagine vêtue d'une robe rose de grand-mère, les bras dodus au-dessus du coude, peut-être en chaussettes à cause de la climatisation dont elle n'a pas l'habitude.

« C'est épatant. »

Bing, bing, bing-ta-da bing. En face, dans la galerie des jeux, les gosses font des cartons sur le Samurai Showdown. Dans son fonctionnement, le Vince ressemble davantage à un centre commercial de petite ville qu'à un partiel musée du sport.

« Je suis désolée que ça tourne comme ça après tout le travail que vous avez fourni », reprend-elle en parvenant à grand-peine à se libérer de ce qui l'entrave. (Peut-être Joe et elle font-ils une partie de bras de fer.)

« Nous nous affronterons un autre jour », dis-je aimablement. (Je suis convaincu qu'elle voudrait m'exposer leurs raisons complexes, à Joe et elle, pour changer de monture à mi-parcours. Mais si je suis disposé à l'écouter me dévider son discours, c'est seulement parce qu'il la conduira au désespoir dès qu'elle aura fini. Pour des clients butés comme les Markham, la pire option est d'avoir à se fier à leur propre jugement ; il est beaucoup plus facile, plus rassurant et moins périlleux de laisser un professionnel rémunéré dans mon genre vous dire ce qu'il faut faire, car le conseil ira toujours dans le sens des conventions.) « Afin que vous soyez sûrs d'avoir pris la bonne décision. »

Je continue de caresser l'idée que Sally s'envole pour venir me rejoindre : je la vois comme si j'y étais monter dans le petit avion, pleine d'entrain, son sac de voyage à la main.

« Frank, Joe a dit qu'il s'imaginait planté dans l'allée, en train de se laisser interviewer par un journaliste de la télé locale, dit Phyllis d'un ton penaud, et qu'il ne voulait pas être cet homme-là, pas dans la maison de Mr. Houlihan. »

J'ai dû parler à Joe de ma technique de se projeter sa propre image et d'apprendre à l'aimer, puisqu'il la revendique à présent comme sa philosophie personnelle patentée. Il semble qu'il soit sorti de la chambre.

« Quelles questions lui posait-on ?

– Ce n'était pas ça le problème, Frank. C'était l'ensemble de la situation. »

Derrière les portes de verre, dans la lumière orange du parking, passe un gros car de tourisme vert et doré qui va se garer. Sur le flanc, on lit « Eureka » en écriture cursive aux courbes marquées. J'ai remarqué ces véhicules en allant chez Sally par la Garden State. Ils sont en général bourrés de schnocks québécois qui vont jouer au casino à Atlantic

City. Ils font la route d'une seule traite, débarquent à une heure du matin, jouent pendant quarante-huit heures d'affilée (en mangeant et buvant sur le pouce), puis remontent dans le car et dorment tout le long du trajet de retour à Trois-Rivières, où ils arrivent à temps le lundi pour une demi-journée de travail. À chacun sa manière de s'amuser. Quant à moi, je préférerais avoir décampé quand ils feront irruption.

Mais Phyllis a remporté un round, en laissant Joe se convaincre que c'est lui, avec son sale caractère et son refus farouche du compromis, qui a mis son veto à la maison Houlihan.

« En plus, poursuit Phyllis, l'accent traînant, ce qui m'apparaît aussi fort qu'à Joe, c'est que nous n'avons pas à nous laisser dicter nos actes par une économie trompeuse.

– De quelle économie s'agit-il ?

– Celle du logement. Si nous n'achetons pas tout de suite, cela peut être plus favorable par la suite.

– Très juste. On ne se baigne jamais deux fois dans le même fleuve. Mais ce qui m'intrigue, c'est si vous avez la moindre idée de l'endroit où vous habiterez à la rentrée des classes.

– Mais oui, répond Phyllis sur un ton compétent. Au pire, nous pensons que Joe n'aurait qu'à louer un pied-à-terre près de son travail et que je pourrais rester temporairement à Island Pond. Sonja conserverait ses camarades à l'école. Nous avons l'intention d'en parler à l'autre argent. »

Elle a réellement prononcé : « argent », et c'est la première fois que je l'entends faire un tel lapsus. J'y lis un signe de sa régression vers un type de caractère antérieur, plus désespéré mais aussi plus calculateur (processus qui n'a rien d'inhabituel non plus).

« Bon, eh bien votre raisonnement me semble irréfutable.

– Vous le pensez vraiment ? demande Phyllis d'une voix où perce soudain la peur comme un clou dans un pneu. Joe dit qu'il n'a jamais senti qu'il s'était un jour passé quelque chose d'important dans aucune des maisons que vous nous avez montrées. Mais moi je n'en étais pas si sûre.

– Je me demande à quoi il pensait en disant cela ? Peut-être l'assassinat d'une célébrité ? Ou la découverte d'un nouveau système solaire grâce au téléscope braqué par une lucarne du grenier ?

– Eh bien, si nous quittons le Vermont, d'après lui, ce devrait être pour pénétrer dans une sphère d'événements plus importants qui nous élèveraient tous les deux. Les endroits que vous nous avez proposés, ils ne lui ont pas fait cet effet-là. Vos maisons conviendraient peut-être mieux à quelqu'un d'autre.

– Ce ne sont pas mes maisons, Phyllis. Elles appartiennent à d'autres personnes. Je me contente de les vendre. Des tas de gens s'en accommodent très bien.

– J'en suis convaincue, répond Phyllis, morose. Mais vous me comprenez.

– Pas vraiment. »

La théorie de Joe sur les événements importants me donne à penser qu'il a déjà perdu sa très récente notion de la corroboration. Mais cela m'est passablement égal. Que Joe loue une garçonnière à Manalapan, que Phyllis trouve un poste de remplacement « intéressant » à l'école d'artisanat alternatif d'Island Pond et s'insère dans un nouveau groupe de passionnés du papier, avec des amies à la langue acérée mais qui la soutiendront, pendant que Sonja se fera une place à la Lyndon Academy, et pour moi le couple Markham sera de l'histoire ancienne d'ici Thanksgiving. Car c'est cela l'enjeu, bien entendu (toute décision d'ordre immobilier recouvre des implications plus profondes) : être ensemble, est-ce que cela justifie les conneries incroyables par lesquelles il faut passer pour satisfaire les besoins de l'autre ? Ne serait-il pas simplement plus agréable de faire le chemin tout seul ?

« Visiter des maisons constitue un très bon révélateur de ce qu'on est au juste, Phyllis », lui dis-je (c'est précisément ce qu'elle ne voudrait pas entendre).

« J'aurais aimé jeter un coup d'œil à votre maison de couleur… je veux dire la maison à louer. Mais ça n'inspirait rien de bon à Joe.

– Phyllis, je vous appelle d'une cabine sur l'autoroute, alors il vaut mieux que je raccroche avant qu'un camion me passe sur le corps. Mais le marché des locations est assez limité, je crois que vous allez vous en rendre compte. »

Je repère un bataillon de Canadiens glousseurs, en bermuda pour la plupart, qui traversent le parking, pressés de vider une mousse, d'engloutir un pavé et de renifler la vitrine des trophées de Vince puis de retourner se taper un dernier petit somme avant le marathon du jeu.

« Frank, je ne sais pas quoi vous dire. » (J'entends un objet en verre tomber et se fracasser.) « Oh, merde ! s'exclame Phyllis. Au fait, il ne s'agit pas d'un agent qui opère sur Haddam. Elle est plutôt dans le secteur de New Brunswick. »

Une portion du New Jersey qui ressemble aux zones de broussailles desséchées de la banlieue de Youngstown (Ohio). C'est aussi là que Skip McPherson loue une patinoire avant le lever du jour.

« Eh bien, ça va sûrement vous changer, vous autres.

– Mais c'est un peu une façon de repartir du bon pied, non ? dit Phyllis, cédant à un début de panique.

– Enfin, Joe se verra peut-être mieux là-bas. Quant à repartir du bon pied, tirez un trait là-dessus, Phyllis. Ça ne fait que s'inscrire dans la suite de votre recherche.

– Dites, que va-t-il advenir de nous, Frank ? »

Les Québécois déferlent dans le hall, en se poussant du coude et rigolant comme une bande de supporters de hockey – hommes et femmes. Ce sont des Blancs costauds, heureux de vivre, bien adaptés, qui ne sont pas disposés à louper un repas ou à se saper à moins d'une bonne raison. Ils se répartissent par deux ou par trois, les gars et les filles, et franchissent bruyamment les doubles portes métalliques des toilettes. Les Canadiens sont les Américains que je préfère. Je devrais même songer à aller vivre là-bas, puisqu'on y trouve tout ce qu'il y a de bien aux États-Unis et presque rien de ce qu'il y a de mauvais, sans négliger une prise en charge de la santé du berceau au cercueil, et un nombre très réduit des crimes que nous engendrons. Une retraite attirante vous attend au nord du quarante-neuvième parallèle.

« Vous avez entendu ma question, Frank ?

– Oui, Phyllis. Reçu cinq sur cinq. » (Les dernières des Québécoises, le sac à la main, disparaissent en riant dans les toilettes, où elles vont aussitôt déblatérer contre les hommes et commenter leur « veine » d'être tombées sur une telle bande d'abrutis.) « Joe et vous, vous vous stressez pour rien sur une idée du bonheur, Phyllis. Dès que votre nouvel agent vous montrera une maison qui ne vous déplaît pas trop, vous ferez mieux de l'acheter et de vous mettre au travail pour être heureux. Ce n'est pas si difficile.

— Sans doute que je vois simplement tout en noir à cause de mon opération. Je sais bien que nous avons déjà de la chance. Beaucoup de jeunes ne peuvent même plus s'offrir un logement par les temps qui courent.

— Beaucoup de vieux non plus. » (Je me demande si Phyllis se range avec Joe parmi les jeunes.) « Bon, il faut que je me sauve.

— Comment va votre fils ? Vous ne m'avez pas dit qu'il souffrait de la maladie de Hotchkin ou d'une lésion au cerveau ou quelque chose comme ça ?

— Il commence à aller mieux, Phyllis. » (Jusqu'à cet après-midi.) « C'est un garçon épatant. Merci de penser à demander de ses nouvelles.

— Joe aussi nécessite pas mal de soins en ce moment », reprend Phyllis pour m'empêcher de raccrocher. (Dans les toilettes, une femme pousse un cri d'Indien qui les fait toutes hurler de rire. J'entends claquer la porte d'un cabinet. « Non mais... Écoutez ça », répond l'un des hommes à côté.) « Nos rapports se sont un peu altérés, Frank. Ce n'est pas facile de partager son intimité avec quelqu'un quand il s'agit pour les deux de la deuxième fois.

— Ce n'est pas facile non plus la première fois », dis-je, impatienté.

Phyllis semble vouloir en venir quelque part. Mais où ? J'ai eu affaire une fois à une cliente – épouse d'un professeur d'histoire des religions et mère de trois enfants, dont l'un était autiste et restait dans la voiture, attaché avec un harnais – qui m'a demandé si cela m'intéressait de me mettre à poil avec elle sur le parquet d'une maison de style ranch à Belle Mead, qui plaisait à son mari mais qu'elle voulait revoir parce qu'il lui semblait que le plan au sol manquait de « fluidité ». Un exemple de pur transfert. Mais, dans l'immobilier, tout le monde sait à quoi s'en tenir sur les à-côtés sexuels : des heures passées en tête à tête dans un espace fermé (les sièges avant d'une voiture, une maison déserte et provocante) ; l'impression pas tout à fait mensongère de vulnérabilité et d'abandon ; la perspective d'un avenir assorti de rencontres inattendues, excitantes au bout du carré de laitues, de regards qui se croisent furtivement sur un parking en été ou au travers d'une vitre en présence d'un conjoint. Au cours de ces trois années et demie, il m'est arrivé de ne pas être un citoyen d'une vertu exemplaire. Sauf qu'on risque de perdre sa licence à ce jeu-là et de s'exposer aux sarcasmes de la communauté, ce qui m'est moins indifférent qu'autrefois.

N'empêche que je me surprends à imaginer Phyllis au corps opulent non pas vêtue d'une robe imprimée de pétunias roses, mais d'une courte combinaison sous laquelle elle est nue, qui tient un verre de whisky à la main tout en me parlant et regardant à travers le store le parking mal éclairé du *Sleepy Hollow* tandis que Mombo, le jeune fils moitié polynésien de l'aubergiste, torse nu et muscles bandés, pousse une poubelle vers le container de l'autre côté du mur de la salle de bains où, derrière la porte fermée, Joe les-gros-bras assouvit encore d'un air maussade un besoin naturel peu grisant. C'est la deuxième fois aujourd'hui que je songe à Phyllis « sous cet angle », en dépit de son état de santé. Une question se pose : pourquoi ?

« Alors, vous vivez seul ? demande Phyllis.

– Pardon ?

– Parce que Joe s'est imaginé à un moment donné que vous étiez une pédale.

– Non. Erreur de branchement », comme dit mon fils.

Je suis un peu effaré, quand même. En deux heures de temps, on m'a qualifié de prêtre, de connard et maintenant d'homo. Apparemment, je me fais mal comprendre. J'entends résonner un nouveau coup de cloche à Mexico, Joe vient de monter le son de la télé.

« Eh bien, chuchote Phyllis, je viens de me dire pendant une seconde que j'aimerais bien vous suivre là où vous allez, Frank. Ce serait agréable.

– Vous ne seriez pas à la fête avec moi, Phyllis. Je vous assure.

255

– Oh, c'est du délire. Je ne sais pas ce que je raconte. »
(Dommage qu'elle ne puisse pas monter dans le car avec
les Canadiens.) « Vous savez écouter, Frank. Je suis sûre
que c'est un atout dans votre profession.

– Parfois. Mais pas toujours.

– Vous êtes trop modeste.

– Bonne chance à vous deux.

– Nous vous ferons signe, Frank. Soyez sage. Merci pour
tout. »

Clic.

Les routiers qui me menaçaient du regard ont disparu. Et
les deux groupes de Canadiens émergent à présent de leurs
lieux d'aisances respectifs, les mains humides, le nez curé,
le visage rafraîchi, les cheveux gardant la trace du peigne
mouillé, les pans de chemise momentanément rentrés dans
le pantalon, s'esclaffant encore des secrets perfides qu'ils
ont échangés à l'intérieur. Ils foncent chez *Roy*, tandis que
leur maigre chauffeur en uniforme, debout derrière les portes de verre, savoure une cigarette et un moment de calme
dans la nuit chaude. Il tourne les yeux dans ma direction,
me voit dans ma rangée de téléphones qui le regarde, secoue
la tête d'un air de dire que nous savons tous deux à quoi
nous en tenir, balance son mégot et s'éloigne hors de vue.

Sans avoir gardé du dîner le moindre sentiment de
défiance, je compose le numéro de Sally, convaincu que
j'ai pris une mauvaise décision à son égard, que j'aurais dû
rester et plaider tendrement ma cause en homme qui sait se
faire comprendre. (La décision que je prends maintenant
est peut-être pire, évidemment : fatigué, agité, à moitié ivre,
maîtrisant mal mon élocution. Mais mieux vaut parfois
prendre une mauvaise décision que pas de décision du tout.)

D'après son message, Sally doit être dans un état d'esprit
similaire, et j'aurais envie de faire demi-tour pour foncer
chez elle, me fourrer dans son lit et nous endormir ensemble
comme un vieux couple marié, puis, demain, l'emmener
avec moi et commencer à instaurer dans ma vie une pratique
normale du désir, qui ne serait pas désagréable ; bref, de
cesser de me tenir à distance. Quarante télépathes capables

256

de retrouver Jimmy Hoffa sous des couches de terre et de gravats ou de vous dire dans quelle rue de Great Falls habite Norbert, votre jumeau disparu, ne pourraient pas me dénicher une « meilleure affaire » que Sally Caldwell. (Certes, c'est l'un des paradoxes fondamentaux de la Période d'Existence qu'au moment même où l'on croit faire surface, on ne fait peut-être que s'enfoncer davantage.)

« Casse-toi, maudite tête-de-nœud », braille l'un des Canadiens tandis que j'écoute sonner indéfiniment le téléphone de Sally.

Ma décision suivante est vite prise : lui laisser un message pour dire que je reviendrais à toute vitesse si je savais où elle était, mais que je suis tout prêt à lui affréter un Piper Comanche pour l'amener à Springfield, où nous passerons la prendre Paul et moi à temps pour déjeuner ensemble.

Mais au lieu de sa douce voix et de son prudent message de diversion – « Bonjour ! Nous ne sommes pas là, mais votre appel recevra toute notre attention » –, je n'obtiens qu'une sonnerie interminable. Je vois d'ici le téléphone qui vibre désespérément sur la table à côté de son grand lit, que j'imagine tendrement ouvert mais vide. Je refais le numéro et j'essaie de me représenter Sally qui se précipite hors de la douche ou, rentrant à cet instant même d'une promenade nocturne et songeuse sur la plage de Mantoloking, qui grimpe les marches quatre à quatre en oubliant sa claudication, dans l'espoir que ce soit moi. Oui, c'est moi. Mais la sonnerie continue dans le vide.

Une odeur surcuite, presque nauséeuse, de hot-dogs envahit le hall en provenance de *Nathan's*.

« Et ta mentalité aussi, c'est un égout, lance l'une des Québécoises à un homme planté dans la file d'attente.

– Bon, et la tienne, c'est quoi ? Un bloc opératoire ? J'suis pas marié avec toi, O.K. ?

– Pas encore », s'esclaffe un autre.

Ayant échoué, je n'ai plus qu'à partir, et je traverse à grands pas le hall vers la sortie. Des garçons efflanqués de Moonachie et de Nutley s'amènent vers les jeux *Mortal Kombat* et *Drug War*, avides de massacres. D'autres voyageurs aux yeux battus franchissent les portes principales, en quête d'un soulagement de quelque espèce, indifférents à la vitrine des trophées de Vince, à ce stade avancé de la nuit. Je devrais profiter de ce que je suis ici pour acheter un petit cadeau à Clarissa, mais il n'y a en vente que de la camelote ayant trait au football et des cartes postales qui montrent l'autoroute du New Jersey sous tous les aspects au long des quatre saisons (il me faudra lui trouver quelque chose demain), et j'émerge de l'air conditionné en plein devant le chauffeur Eureka, une jambe appuyée sur son mastodonte au repos, entouré à présent de mouettes blanches immobiles, dans la nuit.

Je repars sur l'autoroute encombrée, noyée de lumières. La montre de mon tableau de bord indique 12 : 40. Nous sommes déjà demain, le 2 juillet, et mes aspirations présentes se concentrent sur le sommeil, car le reste de la journée sera difficile si tout se déroule bien dans le moindre détail, ce qui semble exclu ; je suis donc résolu, après ce départ tardif et tout le reste, à poser ma tête sur un oreiller quelque part dans le Connecticut, pour avoir l'impression d'avoir avancé et m'encourager à poursuivre la route.

Mais l'autoroute me met des bâtons dans les roues. En plus de l'afflux aux rampes d'accès, du ralentissement causé par des travaux, des barrières sur la voie de gauche et d'une atmosphère de chaleur mécanique qui ferait craindre pour un peu l'explosion de tout le bord de mer, il y a un redoublement de circulation enragée, une sorte de tout-pour-le-tout général, comme si le fait de se laisser surprendre dans le New Jersey passé ce soir signifiait la mort certaine.

À la sortie 18 Est Ouest, à la fin de l'autoroute, les voitures s'entassent en avant, plus loin, sur toute la boucle et à perte de vue en direction du pont George Washington. Les signaux automatiques au-dessus des voies avertissent les automobilistes éprouvés : ENCOMBREMENTS PROLONGÉS, EMPRUNTEZ UN ITINÉRAIRE DE DÉLESTAGE. Il serait plus judicieux de leur conseiller : VOYEZ DANS QUEL PÉTRIN VOUS ÊTES. RENTREZ CHEZ VOUS. J'imagine des kilomètres de bouchons sur la voie express de traversée du Bronx (et mon inconfort, coincé là-haut au-dessus de l'enfer du *no man's land* urbain), suivis par des accidents mortels sur la Hutch, un nouvel embouteillage sans fin au péage, une suite monotone et accablante d'écriteaux COMPLET jusqu'à Old Saibrook et au-delà, qui aboutiraient à ce que je dorme sur la banquette arrière sur je ne sais quelle aire de repos infestée de moustiques et, dans le pire des cas, me fasse détrousser et tabasser, ou pourquoi pas assassiner par des adolescents aux abois – qui me suivent peut-être en ce moment même depuis le Vince – et que mon corps soit abandonné au bec des rapaces, dans la désolation du côté de Darien.

Mal conseillé, j'emprunte donc un itinéraire de délestage.

Sinon qu'il n'existe pas vraiment d'itinéraire de délestage, rien qu'un *autre* itinéraire, beaucoup plus long, un tracé incohérent qui consiste à mettre le cap à l'ouest pour aller vers l'est : aller chercher la 80, où les automobilistes non avertis affluent tous en sens inverse, puis rouler vers l'ouest jusqu'après Hackensack, emprunter la 17 qui traverse Paramus, bifurquer au nord sur la Garden State (encore !), sinon que bizarrement elle est dégagée ici ; River Edge, Oradell, Westwood, deux péages pour rejoindre la voie ferrée, repartir à l'est vers Nyack, le pont du Tappan Zee et Tarrytown (ancien habitat de Karl Bemish) jusqu'à l'endroit où l'Est s'offre à moi tout comme jadis dut s'offrir le Nord à ce bon vieux Henry Hudson en personne.

Ce qui devrait se faire en une demi-heure par une nuit d'été normale – la G.W. vers Greenwich et une coûteuse petite auberge avec vue sur le golfe au clair de lune – me prend une heure et quart, et je suis encore au sud de Katonah. J'ai les yeux brûlants, des visions de fantômes qui surgissent des fossés et des ravines, la menace d'un assoupissement intempestif me force à m'agripper au volant comme un coureur en proie à une crise cardiaque sur le circuit du Mans. J'envisage à plusieurs reprises de renoncer, de me ranger sur le bord de la route et de céder à la fatigue, me livrant au sort conçu à mon intention par les rôdeurs de la nuit embusqués sur les pourtours de Pleasantville et de Valhalla – ma voiture dépouillée de ses roues, mon coffre forcé, bagages et écriteaux répandus par terre, éventrés, mon portefeuille subtilisé par des ombres en blouson de cuir.

Mais je suis trop près du but. Et au lieu de rester sur la

bonne 287, large et sûre, jusqu'à la bonne 684, large et sûre, et de parcourir la trentaine de kilomètres qui m'amèneraient à Danbury (des motels à gogo, et peut-être même un bar ouvert toute la nuit), je vire au nord vers Katonah, après avoir vérifié sur ma carte AAA quel est le plus court chemin pour le Connecticut.

Puis, presque imperceptible, une petite pancarte en bois annonce CONNECTICUT, avec une flèche peinte à la main qui semble tout droit sortie des années 30. Je suis sa direction sur la NY 35, creusant de mes phares ses lacets étroits, bordés de murs de pierre et de forêts, vers Ridgefield, éloigné d'une vingtaine de kilomètres d'après mes calculs (les distances ne sont pas si longues qu'il y paraît sur la carte à petite échelle). Et dix minutes plus tard, montre en main, le bourg endormi se dresse devant mes yeux dans un joli paysage bucolique, qui signifie que j'ai apparemment, sans le savoir, traversé la frontière de l'État.

Ridgefield, où je m'aventure prudemment, à l'affût des flics et des motels, est un village qui, même dans la lumière blafarde de son éclairage au sulfure de baryum, rappellerait à n'importe qui, sauf un autochtone Haddam (New Jersey), en plus riche. Une grand-rue étroite, de style anglais, prend naissance à l'extrémité boisée du sud, traverse un quartier de belles demeures au caractère architectural mélangé, aux pelouses luxuriantes sous des bosquets de hickory, chacune munie d'un solide dispositif de sécurité ; puis elle serpente dans une zone commerciale de boutiques de style Tudor, au cachet vieillot sous leurs bardeaux (opulentes agences immobilières, concessionnaire automobile, traiteur japonais, fournitures pour la pêche, caviste, libraire). Un mail orné d'un monument aux morts entouré de murs occupe le centre du bourg, flanqué de grosses églises protestantes et de deux autres maisons de maître converties en cabinets d'avocats. La réunion du Lions Club a lieu le mercredi, celle des Kiwanis* le jeudi. D'autres rues, plus courtes, divergent en courbes ondulantes vers des quartiers plus modestes mais richement boisés eux aussi, avec des ruelles baptisées Pudding, Petit Coup, Chêne-Pourpre et Jaspe. On

---

* Club pour hommes d'affaires et de professions libérales. *(N.d.l.T.)*

peut penser que quiconque est logé dans le Bronx sous la voie express viendrait vivre ici s'il en avait les moyens.

Mais si on la traverse en voiture à deux heures dix-neuf du matin, la « ville » s'achève sitôt commencée et on se retrouve trop vite sur la Route 7, sans avoir repéré au passage le moindre endroit où s'arrêter pour se renseigner, ni aperçu une seule enseigne de motel – rien que deux auberges plongées dans le noir (*Le Château* et *Le Périgord*), où le voyageur pourrait savourer son homard thermidor face à sa secrétaire, ou un roulé de veau et une omelette norvégienne en compagnie de son fils pensionnaire d'une école toute proche. Ne comptez pas y trouver une chambre. Ridgefield est une localité qui n'invite personne à s'attarder, où les services ne s'adressent qu'à la population locale, ce qui m'ôterait personnellement toute envie d'habiter là.

Exténué et déçu, je vire à regret au feu sur la Route 7, résigné à chercher un refuge à Danbury, vingt-cinq kilomètres plus loin et sûrement bourré à présent de voitures rangées côte à côte dans l'obscurité des parkings de motels. J'ai tout faux ce soir. Il fallait soit rester de force chez Sally, soit m'arrêter à Tarrytown.

Pourtant, dans la pénombre, au croisement de la voie ferrée, là où la 7 s'apprête à s'enfoncer dans le taillis profond du Connecticut, je vois trembloter la lueur rouge du néon que j'avais cessé d'espérer. MOTEL. Et pas d'écriteau « Complet » pour m'achever. Je fonce droit dessus comme un missile.

Mais quand je pénètre sur le petit parking en demi-lune (cela s'appelle *Brise Marine*, quoiqu'il n'y ait aucune mer à proximité d'où soufflerait la brise), je tombe sur un branlebas de combat. Les hôtes du motel sont sortis de leurs chambres en pantoufles, peignoir et T-shirt. La police est là en force – encore des gyrophares bleus – et une grosse ambulance blanche et orange, clignotant de tous ses feux et hayon béant, semble prête à accueillir un passager. Tout cela baigne dans la lumière irréelle et l'impression de ralenti d'un plateau de cinéma (pas vraiment ce que j'espérais) et je suis tenté de passer mon chemin, si cela ne me condamnait à nouveau à dormir sur la banquette de la voiture en faisant des vœux pour qu'on ne m'assassine pas.

L'activité des policiers se concentre à l'extrémité du parking, devant la dernière porte ; je me gare donc à l'autre bout, après le bureau de réception, qui est éclairé et où l'on distingue par la fenêtre un comptoir d'accueil. Si je parviens à me faire attribuer une chambre à l'écart du remue-ménage, je peux encore compter sur un tiers de nuit de sommeil.

Dans le bureau, la climatisation est au maximum, et l'air est imprégné d'une agressive odeur de cuisine provenant de l'appartement situé derrière une tenture rouge. Le réceptionniste, originaire du sous-continent indien, est un homme fluet, à l'air morne, qui lève sur moi des yeux papillotants du bureau où il est assis à l'abri du comptoir. Il parle au téléphone à une vitesse foudroyante et dans une langue qui ne me paraît pas être la mienne. Sans s'interrompre, il cueille sur la pile posée devant lui une petite fiche d'inscription qu'il fait glisser sur le plateau de verre du comptoir, où se trouve un stylo à bille au bout d'une petite chaîne. Sous la glace, on a plaqué diverses consignes écrites à la main et sans ambiguïté, concernant l'usage des chambres : pas d'animaux, pas de téléphone facturé, interdiction de cuisiner, pas de location à l'heure, interdiction d'introduire toute personne supplémentaire (je n'ai aucun projet de cette sorte).

Le réceptionniste, vêtu d'une chemise blanche réglementaire à manches courtes, au col sale, et d'un pantalon noir, continue de parler, pris d'une grande agitation à un moment donné et se mettant même à vociférer, tandis que je finis de remplir mon formulaire et que je le pousse vers lui avec ma carte Visa. Aussitôt, il pose simplement le combiné, se racle la gorge, se lève et se met à griffonner sur la fiche avec son propre stylo. Apparemment, ma requête est assez identique à celles des autres clients pour que nous puissions nous épargner les frais d'amabilité.

« Alors, que s'est-il passé là-bas ? dis-je en espérant m'entendre répondre que tout est terminé et que d'ailleurs il n'y avait pas de quoi en faire un fromage – peut-être un simple exercice *in situ* de la brigade locale au bénéfice des notables de Ridgefield.

– Ne vous inquiétez pas, dit l'employé d'une voix crispée

de nature à faire naître l'inquiétude chez n'importe qui. Tout va bien à présent. »

Il insère ma carte Visa dans le vérificateur de crédit, me jette un coup d'œil sans sourire et respire avec lassitude en attendant que les petits chiffres verts certifient que mon compte est suffisamment solvable pour une facture de cinquante-deux dollars quatre-vingts.

« Tant mieux, mais qu'est-il arrivé ? » insisté-je en feignant la sérénité parfaite.

Il pousse un grand soupir.

« C'est mieux simplement de pas s'en mêler. »

Les seules questions auxquelles il a l'habitude de répondre concernent le prix des chambres et l'heure limite pour les évacuer. Il a un cou long et mince qui conviendrait mieux à une femme, et des touffes de poils de moustache qui lui ombrent les commissures de la bouche. Il n'inspire pas une grande confiance.

« Simple curiosité, dis-je. Je n'avais pas l'intention d'aller me promener de ce côté-là. »

Je regarde par la fenêtre au-dehors, où les lumières des voitures de police et de l'ambulance continuent de trouer la nuit. Sur la Route 7 se sont arrêtées plusieurs voitures de badauds dont le visage est éclairé par les gyrophares. Deux agents de la police routière du Connecticut, coiffés d'un large Stetson, sont en train de discuter à côté de leur véhicule de patrouille, les bras croisés dans leur uniforme raide qui leur donne un air musclé et sévère, mais sûrement maîtres d'eux.

« Peut-être des gens ils se sont fait voler là-bas dans le fond », dit le réceptionniste en me tendant le reçu de carte bleue pour que je le signe.

Au même instant, une femme de petite taille, aux cheveux épais, à la taille ronde sous son sari rouge et noir apparaît en écartant la tenture avec une expression courroucée. Elle interpelle l'employé et tourne les talons. Je ne sais pourquoi, je devine qu'elle vient de parler sur un autre poste à l'interlocuteur qu'il a délaissé à mon profit et qui le réclame à nouveau – peut-être pour commenter avec la famille à Karachi le fait-divers qui est en train de se dérouler ici.

« Comment est-ce arrivé ? dis-je en apposant mon nom sur les pointillés.

– On n'en sait rien. »

Il secoue la tête tout en comparant les signatures, puis sépare les minces feuillets du reçu, sans avoir à aucun moment accordé la moindre attention à la femme qui s'est montrée et éclipsée. C'est elle, j'en suis sûr, qui est responsable de l'odeur délétère de cuisine.

« Je leur ai donné la chambre, reprend-il. Au bout d'un petit moment y a une grosse agitation là-dedans. J'ai pas vu ce que c'était.

– Quelqu'un a-t-il été blessé ? »

Je contemple mon reçu dans sa main en regrettant de l'avoir signé.

« Possible. J'en sais rien, répond-il en me tendant ma carte, le reçu et une clé. Vous récupérez là caution pour la clé quand vous libérez la chambre. À dix heures.

– Parfait, dis-je avec un sourire morne, tenté de repartir vers Danbury.

– C'est à l'autre bout, O.K. ? »

Il pointe le doigt dans la direction de l'aile que j'espérais, avec un sourire machinal qui découvre ses petites dents régulières. Il doit geler dans sa chemise à manches courtes, pourtant, il retourne aussitôt au téléphone et se met à marmonner dans sa langue inextricable, en baissant le ton jusqu'au chuchotement de crainte sans doute que je ne connaisse un mot ou deux de ourdou et aille cracher le morceau.

Quand je ressors sur le parking, l'atmosphère me semble encore plus électrique et surchauffée. Les clients du motel ont commencé à retourner se coucher, mais les radios des policiers crépitent, les lettres rouges de l'enseigne MOTEL grésillent et des vibrations subsoniques encore plus denses semblent émaner de l'ambulance, des voitures de police et de badauds. Un putois a été tiré de son sommeil dans les parages et sa puanteur arrive par vagues du bosquet au-delà des lumières. Je pense à Paul, qui n'est plus si loin d'ici, et je lui souhaite d'être endormi au creux de son lit, comme je devrais l'être moi-même.

La dernière porte de la rangée est ouverte à présent, et

des silhouettes s'agitent dans la lumière crue qui brille dans la chambre. Plusieurs policiers locaux se tiennent autour d'un break Chevrolet de deux tons de bleu, garé juste devant la chambre, éclairé à l'intérieur, les cinq portes béantes. Un canot en remorque derrière le break est bourré d'équipement de vacances – une bicyclette, des skis nautiques, quelques meubles de jardin attachés ensemble, des bouteilles de plongée et une niche en bois. Les flics promènent là-dessus le faisceau de leurs torches électriques. Un gros Bugs Bunny hilare est fixé par des ventouses à une vitre latérale à l'arrière.

« On est plus en sécurité nulle part », dit derrière mon épaule une grosse voix pâteuse qui me fait sursauter.

Je pivote et vois debout tout près de moi un énorme Noir à la forte respiration, vêtu d'un uniforme vert de déménageur de la société Mayflower. Il tient sous son bras une mallette noire et porte sur sa tunique le nom « Tanks » dans un écusson jaune surmonté de la fleur rouge. Il regarde la même chose que moi.

Nous nous trouvons juste derrière ma Crown Victoria et, en même temps que je découvre sa présence à lui, je repère son camion Mayflower rangé de l'autre côté de la Route 7, sur l'espace découvert devant un éventaire de produits saisonniers, fermé à cette heure de la nuit.

« Qu'est-ce qui se passe au juste ?

– C'est des mômes qui sont rentrés dans la chambre des propriétaires du break, pour les voler. Et ils ont trucidé le gars. Ils les tiennent tous les deux là-bas » (il pointe son index), « dans cette voiture de police. Quelqu'un ferait mieux d'aller leur loger une balle dans la caboche à tous les deux et qu'on en parle plus. »

Mr. Tanks (son prénom, son nom, son surnom ?) se remet à souffler comme un phoque. Il a une large face de trois-quarts aile, un gros nez aux narines dilatées et des yeux enfoncés presque invisibles. Le bas de son uniforme consiste en un short vert absurde qui contient difficilement son cul et ses cuisses, et des chaussettes en nylon noir qui font ressortir ses volumineux jarrets. Il mesure une tête de moins que moi, mais on n'a pas de mal à l'imaginer portant une armoire ou une cuisinière à bras-le-corps du haut en bas d'un escalier de plusieurs étages.

Je vois que les deux agents en Stetson montent la garde à côté de leur voiture, arrêtée en plein milieu du parking, tous phares allumés. Par la vitre arrière, je discerne dans l'ombre un premier visage blême puis un second – des figures d'adolescents, penchées en avant d'une manière indiquant qu'on leur a mis les menottes. Tous deux se taisent et semblent observer les agents. Celui que je distingue le mieux paraît sourire en réponse au doigt pointé de Mr. Tanks.

Mais la vue de ces deux visages déclenche en moi un spasme semblable à des pales de ventilateur qui me tourneraient dans le ventre. Je me demande si le « tressaillement » va me reprendre, mais ce n'est pas le cas.

« Comment sait-on que c'est eux qui ont fait le coup ?

– Passqu'i' se sauvaient, voilà tout, répond Mr. Tanks, sûr de lui. Moi, je roulais sur la 7. Et v'là la voiture de police qui me dépasse à cent cinquante à l'heure. Trois kilomètres plus loin, je vois tout le monde. Deux gars plaqués à plat ventre sur le capot. Ça faisait pas cinq minutes. C'est l'agent de patrouille qui m'a tout raconté. »

Mr. Tanks ponctue son discours d'un nouveau souffle menaçant. Son odeur insistante de camionneur mêle une agréable senteur de cuir à celle qui doit provenir du rembourrage des caisses.

« Bridgeport, murmure-t-il, en prononçant "port" comme "pote". Ils tuent pour tuer.

– D'où venaient les autres ?

– De l'Utah, je crois. » (Il garde le silence quelques secondes.) « Avec leur petit bateau en remorque. »

Au même moment, deux ambulanciers en chemise rouge apparaissent à la porte de la chambre, charriant un brancard pliant en métal. Des sangles y maintiennent un long sac en plastique noir, qui a l'air fait pour contenir un jeu de clubs de golf, et sous lequel on devine le corps inerte. L'instant d'après, un Blanc de petite taille, un costaud au cou épais en chemise blanche à manches courtes et cravatée, pistolet à la ceinture et badge au bout d'un cordon à son cou, escorte dans la nuit une femme blonde en robe bleue de mince cotonnade à fleurs ; il lui tient l'avant-bras comme si elle était en état d'arrestation. Ils se dirigent d'un pas rapide vers la voiture de patrouille, où l'un des agents en Stetson ouvre la portière arrière et entreprend d'en extraire le garçon qui souriait tout à l'heure. Mais l'inspecteur lance une phrase en avançant et l'agent s'écarte en laissant le garçon où il est, tandis que le second agent sort une torche électrique.

L'inspecteur guide la femme blonde vers la portière ouverte. Elle semble chanceler un peu. L'agent braque sa torche en plein dans la figure du gosse. Il a le teint terreux et semble en nage même à cette distance, les cheveux rasés sur les côtés et longs sur la nuque. Il ouvre grand les yeux face à la lumière comme s'il désirait livrer tout ce qu'il y a à savoir de lui.

La femme ne lui jette qu'un bref regard et détourne la tête. Le garçon dit quelque chose – je vois bouger ses lèvres – et la femme parle à l'inspecteur. Puis tous deux pivotent et repartent vers la chambre. Les agents referment précipitamment la portière et grimpent à l'avant de chaque côté. Leur sirène lance un hululement, leur phare bleu clignote une fois et la voiture – une Crown Vic identique à la mienne – avance mollement de quelques mètres avant de pousser un rugissement de moteur, de braquer ses roues et de s'élancer sur la Route 7, où elle disparaît vers le nord. On ne la voit déjà plus quand la sirène repart.

« Où c'est que vous comptez aller après ? » demande Mr. Tanks de sa voix bourrue.

Il est en train d'éplucher soigneusement deux tablettes de Spearmint qu'il fourre d'un coup dans sa grande bouche. Il serre toujours contre lui sa mallette.

« À Deep River, dis-je, rendu presque muet par ce dont je viens d'être le témoin. Je passe prendre mon fils. »

Les spasmes de mon ventre se sont calmés.

Sur la 7, les badauds commencent à s'en aller. L'ambulance, toutes portes closes à présent, lumière éteinte à l'intérieur, fait lentement marche arrière devant la porte de la chambre puis s'éloigne dans la même direction que la voiture de patrouille – vers Danbury, je suppose – sous ses gyrophares blanc et rouge, mais sans hurlement de sirène.

« Et après, où c'est que vous allez tous les deux ? »

Il roule en boule l'emballage de son chewing-gum et mâchonne vigoureusement. À l'annulaire de la main gauche, il porte une grosse chevalière incrustée d'un diamant, du genre qu'une personne de forte taille pourrait se faire confectionner ou alors recevoir en récompense de sa victoire au Super Bowl.

« Visiter le Baseball Hall of Fame, dis-je en me tournant aimablement vers lui. Y êtes-vous déjà allé ?

– Non, jamais », répond-il en secouant la tête.

Sa bouche exhale une forte odeur sucrée et mentholée. Ses cheveux sont courts, noirs et drus, mais ne couvrent pas tout le crâne. Des îlots de peau brune et luisante apparaissent çà et là, et lui donnent l'air plus vieux qu'il n'est à mon avis. Nous devons avoir le même âge.

« Qu'est-ce que vous faites comme boulot ? » reprend-il.

Les lettres au néon rouge de MOTEL s'évanouissent, remplacées par un simple COMPLET qui se met à grésiller. Le réceptionniste abaisse les stores du bureau et, presque aussitôt, la lumière s'éteint.

Nous ne sommes pas en train de lier connaissance, mais simplement de porter un bref témoignage à deux voix sur le caractère périlleux de la vie et notre présence précaire en ce monde. À part ça, nous n'avons aucune raison de rester là ensemble.

« Agent immobilier, à Haddam, dans le New Jersey. À deux heures et demie d'ici environ.

– C'est une ville de riches, remarque Mr. Tanks qui mâchonne toujours avec la même énergie.

– Il y a des gens riches qui y vivent. Mais d'autres se contentent de vendre des propriétés. Et vous, où habitez-vous ?

– Je suis divorcé. J'habite pratiquement mon camion. »

Il tourne sa large figure nocturne en direction de son véhicule. Dans la pénombre, là-bas, l'énorme poids-lourd arbore l'effigie du vaillant navire *Mayflower*, en vert sur des vagues jaunes. C'est ce que j'ai vu de plus patriotique dans tout le secteur de Ridgefield. J'imagine Mr. Tanks allongé dans sa cabine high-tech, vêtu (je ne sais pourquoi) d'un pyjama de soie rouge, branché à travers son casque d'écoute sur un CD d'Al Hibbler, occupé à feuilleter un numéro de *Playboy* ou du *Smithsonian* tout en mastiquant le sandwich « gourmet » acheté en route et réchauffé dans son mini micro-ondes. Cela vaut bien ce que je fais, moi. Peut-être les Markham devraient-ils songer à la vie de camionneur au lieu de la grande banlieue.

« Ça ne doit pas être si mal que ça, dis-je.

– Ça vieillit. D'être à l'étroit, ça vieillit. » (Mr. Tanks doit peser dans les cent trente kilos.) « J'ai une maison qui m'appartient à Alhambra.

– C'est votre femme qui habite là-bas, alors ?

– Non, grommelle-t-il. Rien que mes meubles. J'y passe de temps en temps quand mon chez-moi me manque trop. »

À la porte de la chambre toujours éclairée où a eu lieu un assassinat, les flics locaux claquent les portières du break et franchissent le seuil, en parlant à voix basse, leur casquette en arrière sur le crâne. Nous sommes les derniers spectateurs, Mr. Tanks et moi. Je suis sûr qu'il doit être près de trois heures. Il me tarde d'aller me mettre au lit et de dormir, mais j'hésite à laisser Mr. Tanks tout seul.

« Permettez que je vous pose une question, reprend-il, en étreignant toujours sa mallette sous son bras colossal et mâchant gravement son chewing-gum. Puisque vous travaillez à présent dans l'immobilier… » (Comme si je n'y étais que depuis quinze jours. Il évite de me regarder. Peut-être cela l'embarrasse-t-il de s'aventurer sur le terrain de ma profession.) « J'envisage de vendre ma maison, dit-il, les yeux fixés droit devant lui dans la nuit.

– Celle d'Alhambra ?

– Mmmm. »

Un souffle bruyant s'échappe encore de ses grosses narines.

« Les cours tiennent bon en Californie, à ce qu'il paraît, si c'est ce que vous voulez savoir.

– Je l'ai achetée en 76. » (Nouveau soupir.)

« Alors c'est tout bon pour vous. »

Je me demande bien pourquoi j'affirme une chose pareille alors que je n'ai jamais mis les pieds à Alhambra, que j'ignore le taux d'imposition, les données raciales, l'état du marché. Et je risque fort de visiter le véritable palais de l'Alhambra avant l'Alhambra de Mr. Tanks.

« Ce que je me demandais, dit-il en passant sa grosse main sur son visage, c'est si je ne devrais pas m'installer de ce côté-ci.

– À Ridgefield ? »

Je ne suis pas sûr qu'ils soient faits pour aller ensemble.

« N'importe où.

– Vous avez des amis ou de la famille par ici ?

– Non.

– Le siège social de Mayflower se trouve-t-il dans le coin ? »

Il secoue la tête.

« Où on habite, ils s'en fichent. On fait que conduire leurs camions. »

Je dévisage Mr. Tanks avec curiosité.

« La région vous plaît ? »

Autrement dit, la côte, de la péninsule du Del-Mar-Va* à Eastport, du Water Gap à Block Island**.

« C'est pas mal. »

Ses yeux enfoncés se rétrécissent et ses paupières battent, comme s'il me suspectait de m'amuser de lui. Mais il n'en est rien. Je crois comprendre parfaitement bien où il veut en venir. S'il m'avait répondu de façon conventionnelle – que sa tante Patsy habitait à Brockton, ou son frère Sherman à Trenton, ou qu'il visait un poste dans la gestion de la société Mayflower, siège social situé à, disons, Frederick (Maryland), ou Ayer (Massachusetts), et qu'il avait besoin d'emménager à proximité – cela aurait paru frappé au coin du bon sens. Mais beaucoup moins intéressant d'un point de vue humain. Tandis que, si je ne me trompe, sa question est d'ordre beaucoup plus divinatoire, c'est de ce qui peut advenir qu'il s'agit (et non d'économie régionale ni de la chute des cours du mètre carré résidentiel dans le complexe urbain de la capitale du Connecticut).

Son propos, en fait, est du genre que pour la plupart nous

---

* Delaware-Maryland-Virginia. *(N.d.l.T.)*
** Ile au large de l'État de Rhode Island, au nord-est du Connecticut. *(N.d.l.T.)*

nous tenons à nous-même en silence, et qui, s'il reçoit des réponses satisfaisantes, peut donner naissance à de belles sensations de synchronisme comme celle que j'ai éprouvée à mon retour de France, voilà quatre ans : on se trouve miraculeusement au centre de tout, et tout ce qu'on fait semble guidé par la radiation d'un invisible rayon astral issu d'un point de l'espace trop éloigné pour le situer, mais qui vous conduit – pour peu qu'on parvienne à simplement le suivre et rester en ligne – là précisément où l'on sait qu'on veut arriver. Les chrétiens ont leur version plus austère de ce rayon, de même que les jaïnistes. Sans doute aussi les patineurs sur glace, les champions de rodéo et les conseillers pour âmes en peine. Mr. Tanks fait partie de la multitude de ceux qui cherchent, pleins d'espoir, à sortir d'une condition dont ils sont las pour accéder à quelque chose de mieux, et il veut savoir ce qu'il devrait faire – grave question.

Moi, naturellement, j'aimerais bien l'aider à aligner ses petites étoiles, et sans éveiller en lui la crainte que je ne sois un fou dangereux, un requin de l'immobilier ou un homo aux appétits multiraciaux. Fournir un tel secours est une fonction importante de la profession immobilière, dans sa conception la plus généreuse.

Je croise les bras et me laisse aller sur le côté, si bien que ma cuisse s'appuie contre l'arrière de ma Crown Victoria. Je laisse passer quelques secondes.

« Je crois savoir exactement ce que vous avez en tête.

– À propos de quoi ? demande Mr. Tanks d'un air suspicieux.

– De chercher l'endroit où vous devriez vivre, dis-je d'une façon aussi peu agressive, requine et homo que possible.

– Ouais, enfin c'est pas vraiment important, réplique-t-il, mû par le réflexe de fuir la question aussitôt après l'avoir soulevée. Mais d'accord. J'aimerais bien m'installer quelque part ailleurs, vous voyez ? Avoir un voisinage, quoi.

– Est-ce que ce serait pour y habiter ? dis-je d'un ton professionnel et compétent. Ou seulement pour que vos meubles y habitent ?

– J'habiterais là, répond Mr. Tanks, qui hoche la tête et

271

scrute le ciel comme pour y voir son avenir projeté. Si l'endroit me plaisait, ça me gênerait même pas forcément de me retrouver dans un endroit où j'aurais été avant. Vous comprenez ?

– Assez bien, dis-je en pensant "parfaitement".

– La côte Est, je m'y sens un peu chez moi. »

Mr. Tanks tourne soudain la tête vers son camion de l'air d'avoir entendu un bruit et de s'attendre à découvrir quelqu'un en train d'escalader le flanc pour pénétrer à l'intérieur et lui voler sa télé. Mais il n'y a personne.

« Où avez-vous passé votre enfance ? »

Il ne quitte plus son véhicule des yeux.

« Dans le Michigan. Mon paternel était chiropracteur à l'U.P. Y avait pas tellement de Noirs qui faisaient ce boulot.

– Non, c'est sûr. Ça vous plaît, cette région ?

– Ah, ouais. Et comment. »

Inutile de lui confier que j'ai vécu là-bas et que nous avons sans doute des expériences en commun. Le divorce, pour commencer. N'importe comment, mes souvenirs ne recouperaient sans doute pas les siens.

« Alors, pourquoi ne pas y retourner pour acheter une maison ? Ou en bâtir une ? Je vois pas trop où est le problème. »

Mr. Tanks se retourne et me regarde comme si je l'accusais d'avoir un problème mental.

« C'est là qu'est mon ex-femme à présent. Ça marche pas.

– Avez-vous des enfants ?

– Non. C'est pour ça que j'ai pas été au Hall of Fame. »

Ses gros sourcils se froncent. En quoi est-ce que cela me regarde qu'il ait des enfants ou non ?

« Bon. Voici ce que je peux vous dire… »

J'aimerais quand même, pour encourager Mr. Tanks, lui fournir quelques données utiles pour réfléchir à ce qu'il doit faire. En réalité, je crains qu'il n'ignore à quel point je sais ce qu'il ressent pour l'avoir ressenti moi-même. Nulle déception n'égale l'échec à partager une compréhension essentielle. Je reprends ma phrase en me corrigeant :

« Voici ce que je tiens à vous dire. Je vends maintenant des maisons. Et je vis dans une ville très agréable. Nous allons voir monter les prix, et je crois que les taux d'intérêt vont grimper en flèche d'ici la fin de l'année, et même peut-être avant.

– C'est trop riche par là-bas. J'y ai été. Je me suis occupé du déménagement de la mère d'un joueur de basket, elle s'installait dans une grande maison. Un an plus tard, je l'ai redéménagée.

– Vous avez raison, ce n'est pas donné. Mais permettez-moi d'ajouter que, de l'avis de la plupart des experts, un prix d'achat de deux fois et demie votre revenu imposable annuel constitue un endettement acceptable. Or j'ai en main en ce moment des maisons à Haddam » (proposées une à une aux Markham, rejetées une à une) « à deux cent cinquante mille, et j'en aurai d'autres d'ici peu. Et je suis convaincu qu'à long terme, qu'on élise Dukakis, Bush ou Jackson » (tu parles !), « les prix se maintiendront dans le New Jersey ».

Le « Mmmm » de Mr. Tanks me donne exactement l'impression de m'être exprimé en requin de l'immobilier. Il se peut en somme qu'on n'y coupe pas à partir du moment où l'on fait ce métier. Mais, de mon point de vue, si je vous vends une habitation dans une ville où la vie est tolérable, je vous rends un grand service. Et si je n'y parviens pas, c'est que vous préférez vous en tenir à votre idée (pourvu qu'elle soit dans vos moyens). En outre, je n'apprécie pas l'idée du fossé racial, au bord duquel il a dû arriver à Mr. Tanks de buter. Je veux garantir à chacun les mêmes droits et les mêmes libertés. Et si cela implique de débiter comme du bon pain la terre du New Jersey pour qu'on en ait chacun sa tranche, ainsi soit-il. N'importe comment, on sera tous morts dans quarante ans.

En d'autres termes, je n'ai pas honte. Et Mr. Tanks serait en lui-même une bonne acquisition et le bienvenu à Cleveland Street dans la mesure où son portefeuille lui permettrait d'y accéder (quant à son camion, évidemment, il faudrait qu'il se débrouille pour le garer ailleurs). Je ne rends service à personne si je n'essaie pas de l'en convaincre.

« Alors, c'est quoi le revers de la médaille pour un agent immobilier ? »

Il regarde à nouveau ailleurs – par-dessus les toits du *Sea*

Breeze, où la lune a monté dans le ciel, cernée d'un halo. Mr. Tanks vient de me faire comprendre qu'il n'est pas disposé pour le moment à acquérir une maison dans le New Jersey. Ça le regarde. Peut-être est-ce sa manière de mener la conversation avec tout le monde – son « truc » étant de se lamenter de ne pouvoir habiter quelque part qui serait mieux – et je lui ai gâché son plaisir en essayant de trouver où et comment. Peut-être est-il très heureux comme ça, en vouant sa vie au déménagement d'autrui.

« Au fait, je m'appelle Frank Bascombe. »

Une façon de le saluer et de prendre congé, la main tendue vers son ventre volumineux. Il se contente de me toucher les doigts sans empressement. Mr. Tanks a beau avoir une allure d'ailier pour l'équipe de ce bon Vince aux temps glorieux de Bart Starr-Fuzzy Thurston, il serre la main comme une jeune fille qui fait son entrée dans le monde.

« Tanks, grommelle-t-il.

– Ma foi, franchement, je me demande s'il y a un revers de la médaille, dis-je pour répondre à sa question sur mon métier, avant de reprendre mon souffle, en proie à un épuisement soudain qui me vide la tête, par manque de sommeil. Pour ma part, quand ça me débranche, j'essaie de ne pas m'en occuper et de rester chez moi à lire un bon livre. Mais s'il faut trouver un mauvais côté, c'est sans doute d'avoir des clients qui se figurent que je veux à tout prix leur vendre une maison qui ne leur plaît pas, en me fichant qu'elle leur plaise ou pas. Ce qui n'est jamais vrai. »

Je passe la main devant mon visage et soulève mes paupières pour les garder ouvertes.

« Vous n'aimez pas qu'on interprète vos manières de travers, c'est ça ? »

Mr. Tanks adopte un air amusé. Il produit un drôle de gargouillis du fond de la gorge, qui me met mal à l'aise.

« Probablement.

– Je vous prenais tous pour des filous, dit Mr. Tanks comme s'il parlait d'autre chose à quelqu'un d'autre. Pareil que les vendeurs de bagnoles d'occasion, mais avec les baraques. Ou l'assurance obsèques. Ce genre de magouilles.

– C'est sûrement l'impression de certaines personnes. »

(Il me vient à l'esprit que nous sommes plantés à cinquante centimètres de ma cargaison de pancartes immobilières, de formulaires de promesses de vente, de reçus de versements, de notices descriptives, de prospectus, d'affichettes PRIX RÉDUIT et VENDU. Autant d'outils de malfrat, aux yeux de Mr. Tanks.) « Il est vrai que je désire éviter tout malentendu. Je n'agirais jamais envers vous comme je ne voudrais pas qu'on agisse envers moi – en matière d'immobilier, en tout cas. »

À cause de la fatigue, ces paroles ne sonnent pas tout à fait ainsi que j'aurais voulu.

« Mmmm… » fait simplement Mr. Tanks.

Nous n'allons pas tarder à achever notre mission de témoins de l'étrangeté du monde.

Soudain, au bout de la rangée là-bas, par la porte de la chambre éclairée face à laquelle nous avons veillé, sortent deux policiers en tenue, suivis par le détective trapu, par une femme policier en tenue qui tient par le bras la jeune épouse en robe bleue qui tient par la main une toute petite fille blonde, qui regarde avec appréhension autour d'elle dans la nuit et jette un coup d'œil en arrière vers la chambre qu'elle vient de quitter, puis, réflexe de mémoire, se retourne et lève les yeux vers le cher Bugs Bunny hilare collé à la vitre du break. Elle porte un petit short jaune bien propre, des tennis avec des socquettes blanches, et un chandail rose vif décoré sur le devant d'un cœur rouge semblable à une cible. Elle a les genoux un peu cagneux. Ayant encore regardé autour d'elle sans reconnaître personne, elle fixe Mr. Tanks tandis qu'on l'entraîne à travers le parking vers un véhicule d'allure anonyme qui les conduira, sa mère et elle, dans une autre ville du Connecticut, où il n'est pas arrivé quelque chose d'abominable. Pour y dormir.

Elles ont laissé leur chambre grande ouverte, le canot bourré de choses qu'on peut voler, et que quelqu'un devrait s'occuper de mettre à l'abri. (De quoi me réveiller et me tracasser au beau milieu de la nuit autrefois, en 1984, même si ç'avait été l'objet de mon amour à moi qui venait de se faire assassiner.)

Mais, au moment où elle se penche pour monter dans la voiture, la jeune femme se retourne pour regarder sa chambre, le break et le *Sea Breeze*, puis, sur sa gauche, Mr. Tanks et moi, ses compagnons en quelque sorte, qui l'observent à distance avec compassion tandis qu'elle affronte seule la douleur et l'égarement. La lumière qui tombe sur son visage plein de fraîcheur me permet de voir l'expression déroutée qui crispe tout à coup ses traits. Elle vient de se rendre compte qu'elle a perdu la sécurité du cadre où elle avait sa place deux heures plus tôt, qu'elle est entrée dans un nouveau réseau dont la méfiance est à la fois la substance et le lien. (Ce n'est pas sans ressemblance avec l'expression du garçon qui a tué son mari.) Certes, je pourrais établir un contact avec elle – un mot, un regard. Mais ce serait éphémère, alors que c'est de la méfiance dont elle a besoin à présent, et qui pointe. Recevoir tôt dans la vie une leçon de méfiance n'est pas ce qu'il y a de plus mauvais.

Son visage disparaît dans l'ombre de la voiture de police. La portière claque fort, et, en l'espace de trente secondes tous ont disparu – les gars de la police locale dans leur Fairfield Sheriff's, partie en tête sous son gyrophare ; la voiture anonyme, conduite par la femme policier – dans la même direction que l'ambulance. C'est à nouveau lorsqu'ils sont hors de vue, engloutis au loin par les taillis, que se met à hurler la sirène. On ne les ramènera pas cette nuit.

« Je suis bien sûr qu'ils avaient leur assurance en règle, dit Mr. Tanks. Des Mormons... Ils ont pas de retards de paiement, eux. Ces gens-là, ils négligent rien. » (Il consulte sa montre, enfoncée dans son bras puissant. L'heure ne lui fait ni chaud ni froid. Je me demande comment il sait que c'étaient des Mormons.) « Vous savez comment faire pour empêcher un Mormon de vous voler votre sandwich quand vous allez à la pêche, hein ?

– Comment ? »

Drôle de moment pour raconter une blague.

« Vous emmenez un aut' Mormon avec vous. »

Mr. Tanks produit à nouveau son gargouillis du fond de la gorge. C'est sa manière à lui de résoudre l'insoluble. J'ai quand même été tenté – puisque son opinion des agents immobiliers est que nous sommes les proches cousins des maquilleurs de voitures et des escrocs à la concession mortuaire – de lui demander ce qu'il pense des chauffeurs de camions de déménagement. On en entend de toutes les couleurs sur leur compte dans ma branche, où ils passent en général pour le maillon faible de leurs entreprises. Mais je parierais qu'il n'en pense rien. Je ne crois pas que Mr. Tanks pratique beaucoup le regard analytique sur sa propre personne. Il préfère sûrement concentrer son attention sur ce qui se passe devant son pare-brise. En cela, il ressemble aux gens du Vermont.

Parmi les arbres touffus derrière le *Sea Breeze*, j'entends un chien aboyer, peut-être après le putois, et ailleurs une faible sonnerie de téléphone. Nous n'avons guère communiqué, Mr. Tanks et moi, malgré mon désir d'y parvenir. Je crains que nous ne soyons pas sur la même longueur d'onde.

« Je crois que je vais aller me pieuter, dis-je comme si l'idée venait de m'effleurer, en adressant à Mr. Tanks un sourire qui n'est que de surface, sans sceller une relation.

– On parlait de mauvaise interprétation et de pas être compris de travers… »

Je suis surpris qu'il ait encore présente à l'esprit notre conversation de tout à l'heure.

« C'est bien vrai, dis-je sans savoir ce qui est vrai.

– P't'êt' bien que je me ramènerai dans le New Jersey pour vous acheter une grande maison, annonce-t-il d'un ton impérial, tandis que j'esquisse un mouvement du côté de ma chambre.

– J'espère que vous le ferez. Ce serait une bonne idée.

– Dans vos quartiers de luxe, y en a où on me laisserait garer mon camion ?

– Il faudrait peut-être un peu de temps pour arranger ça. Mais on trouverait bien une solution. » (Par exemple un mini-entrepôt à Kendall Park.)

« On pourrait trouver quelque chose, hein ?

– Absolument. Où vous garez-vous à Alhambra ? »

En tournant la tête, il s'aperçoit que je m'écarte.

« Vous avez des nègres dans votre coin du New Jersey ?

– C'est pas ça qui manque. »

Mr. Tanks pose sur moi un regard lourd et moi, bien sûr, si somnolent que je sois, je regrette vivement d'avoir fait cette réponse, mais je n'ai aucun moyen de ravaler mes paroles. Je me contente de m'immobiliser, un pied dans l'allée du *Sea Breeze*, pour contempler avec impuissance le monde et le destin.

« Pass' que j'aimerais pas me retrouver le seul canard de la couvée, vous comprenez ? »

Mr. Tanks semble sincèrement, même si c'est momentané, envisager son emménagement, la vie dans le New Jersey, à des années-lumière de l'isolement d'Alhambra et du Michigan glacial et sombre.

« Je parierais que vous seriez heureux là-bas.

– Faudra p't'êt' que je passe vous voir », conclut Mr. Tanks.

Lui aussi s'éloigne, d'un pas presque sautillant ; ses jambes courtes et trapues s'écartent sous le short vert mais se rejoignent au genou comme si le balancement de la démarche ne lui était pas aisé, il rame avec ses grands bras malgré la mallette qu'il serre sous son aisselle.

« Ce serait très bien. »

Il faut que je lui donne ma carte pour qu'il puisse m'appeler s'il débarque tard, ne trouve nulle part où se garer et personne pour venir à son secours. Mais il a déjà mis sa clé dans la serrure. Sa chambre est à trois portes du théâtre du crime. La lumière s'allume. Et avant que j'aie eu le temps de le héler, de brandir ma carte, de lancer un « Bonsoir » ou d'ajouter quoi que ce soit, il est entré et s'est enfermé.

Dans ma chambre double du *Sea Breeze*, je règle la climatisation sur « Moyen », j'éteins les lumières et je me fourre au lit le plus vite possible, en espérant trouver rapidement le sommeil qui menaçait de me terrasser voilà dix minutes ou une heure. L'idée me vient que je devrais appeler Sally (il est trois heures et demie, et après ? J'ai une proposition importante à lui faire). Mais le téléphone d'ici passe par le standard du Pakistanais, et il y a longtemps que tout le monde dort à poings fermés là-bas.

Puis, pour la première fois – sinon aujourd'hui, en tout cas depuis que j'ai parlé à Ann sur l'autoroute –, je pense avec angoisse à Paul, assiégé à cette minute même par des malheurs fantômes et réels, et une assignation au tribunal en guise de rite officiel de passage dans la vie adulte. Je pourrais désirer pour lui un sort meilleur. Mais je pourrais aussi vouloir qu'il cesse de matraquer les gens à coups de tolet, de s'amuser à voler des capotes et de se bagarrer avec les vigiles, de porter le deuil d'un chien mort depuis une décennie et d'aboyer pour le faire revenir. D'après le Dr Stopler (quelle arrogance), il porte peut-être le deuil de celui que nous espérions qu'il serait. Mais je ne sais pas qui est ou serait ce garçon (à moins, évidemment, qu'il ne s'agisse de son frère défunt, ce qui est faux). Mes efforts ont tendu de façon persistante à renforcer la structure de sa personnalité, quelle qu'elle soit, chaque fois que je le vois, même s'il n'est pas toujours le même, et si du fait de mes intermittences, moi non plus, je n'ai pas assez assuré ma tâche. De sorte que je dois manifestement faire mieux, me convaincre que mon fils a besoin de ce que moi seul je peux lui fournir (même si ce n'est pas vrai), et essayer de toutes mes forces d'imaginer en quoi cela consiste.

Je parviens à l'assoupissement, davantage un affrontement entre le sommeil et l'insomnie qu'un vrai repos, mais cependant, pour cause de voisinage de la mort, je rêve et songe à la fois à Claire et à notre délicieuse idylle hivernale, entamée quatre mois après son arrivée à l'agence et terminée trois mois plus tard, lorsqu'elle a rencontré l'avocat noir, sérieux et plus âgé, qui était parfait pour elle et a rendu caducs les petits plaisirs en ma compagnie.

Claire était un vrai régal, avec ses grands yeux d'un brun liquide, de petites jambes musclées qui s'épaississaient un peu vers le haut mais sans mollesse, des dents d'un blanc éclatant sous ses lèvres peintes en rouge qui agrandissaient son sourire (même quand elle était triste) et une coiffure meringuée qu'elle et ses copines de Spelman avaient copiée sur le défilé de Miss Black America, et qui résistait à des nuits d'amour ardent. Elle avait la voix chantante aux sonorités enrobées de l'Alabama, avec une trace de zézaiement, et portait des jupes moulantes en lainage, des collants qui dessinaient la jambe et des chandails en cashmere de teinte pastel qui mettaient si bien en valeur sa peau d'ébène que, si j'en voyais dépasser un centimètre carré de plus, il me démangeait d'être seul avec elle. (Sur bien des points, elle s'habillait et se comportait exactement comme les jeunes filles blanches que je connaissais à Biloxi quand j'étais à Gulf Pines en 1960, et pour ce doux motif je lui trouvais un genre démodé et familier.)

À cause de son éducation stricte de famille chrétienne de la campagne, Claire exigeait que notre petite liaison reste un secret entre nous deux ; quant à moi, j'étais dépourvu de toute mauvaise conscience et, en particulier, pas gêné du tout d'être un Blanc divorcé de quarante-deux ans raide dingue d'une Noire de vingt-cinq ans mère de deux enfants (certes, j'aurais pu m'interdire de nouer cette relation pour de bonnes raisons professionnelles et de mesquines raisons provinciales, mais naturellement je les avais méprisées). Tout cela était aussi naturel à mes yeux que la croissance d'un brin d'herbe, et je planais sur ces effusions innocentes, en y prenant le même plaisir qu'à une réunion d'anciens camarades d'école où l'on rencontrerait une fille qu'à l'époque personne ne trouvait belle, mais qui vous apparaîtrait à présent la plus charmante dont vous ayez jamais rêvé, et comme vous seriez le seul à vous en apercevoir vous l'auriez toute à vous.

Cependant pour Claire, notre liaison était marquée d'une « ombre » (son expression de l'Alabama qui signifiait : « empreinte de culpabilité »), ce qui contribuait à me la rendre plus excitante, mais, de son point de vue, absolument condamnable et condamnée, de sorte qu'elle ne voulait surtout pas que Vernell, son ex-mari, ni sa mère à Talladega puissent jamais l'apprendre. Nos rencontres intimes se passaient donc en cachette : Claire pénétrait furtivement dans mon garage au volant de sa Civic bleue à la nuit tombée, et se faufilait chez moi par la porte de derrière ; ou, pis encore, nous avions rendez-vous pour dîner ensemble, nous tenir la main et nous peloter subrepticement en des lieux publics sinistres tels que le *Hojo's* à Highstown, le *Red Lobster* à Trenton ou l'*Embers* à Yardley, où Claire se sentait complètement invisible et à l'abri, et buvait assez de *Fuzzy Navels* pour être prise de fous rires incontrôlables, après quoi nous regagnions la voiture et elle s'abandonnait à moi dans l'obscurité jusqu'à ce que nos lèvres soient anesthésiées et notre corps inerte.

Cependant, nous passions aussi de nombreux dimanches d'hiver classiques avec ses enfants, à nous balader sur les deux rives du Delaware, marcher le long du chemin de halage, et contempler les vues du fleuve, agréables sans plus, comme n'importe quel couple moderne en butte aux difficultés de la vie, mais dont la remarquable sérénité face aux entraves de la bonne société exerçait un effet euphorisant sur tous ceux qui nous voyaient assis chez *Appleby* à New Hope ou faisaient la queue derrière nous au comptoir des yaourts. J'observais souvent que nous incarnions à nous deux l'éthique complexe, la diversité culturelle du couple que des millions d'Américains blancs progressistes brûlaient de valider, et cet arrangement me mettait en joie. Mais elle n'aimait pas cette manière d'être qui lui donnait l'impression de « fe faire remarquer », comme elle disait avec son charmant cheveu sur la langue. Et c'est cette raison (non négligeable) qui nous a sans doute privés d'un bonheur commun plus prolongé.

Bien entendu, ce n'était pas le motif racial qui constituait officiellement la faille fatale. Claire soutenait que c'était mon âge irréparable qui nous interdisait les projets d'avenir que je ne pouvais m'empêcher, de temps à autre, de désirer ardemment. Nous nous sommes donc cantonnés dans la petite comédie où je créais le personnage du professeur blanc, d'âge mûr mais chaud lapin, qui avait sacrifié une vie antérieure prospère mais désespérément rassie pour consacrer le reste de ses années productives à une université privée (ouverte à une seule personne), et Claire jouait le rôle de la belle étudiante, intelligente, volubile, un peu naïve mais pleine de vivacité et de cœur, qui se rendait compte que nous partagions des idéaux nobles mais voués à l'échec, et qui, par simple charité humaine, était disposée à se livrer en ma compagnie à des amours secrètes, survoltées mais sans avenir, et à contempler ma face vieillissante en dînant de poisson pané et de crêpes pâteuses dans de mornes succursales de chaînes de restauration rapide, tout en faisant croire à tous ceux qui la connaissaient qu'un tel comportement de sa part était absolument exclu. (Bien entendu, personne ne s'y trompait, ainsi que Shax Murphy m'en a informé – avec un clin d'œil gênant – le lendemain des obsèques de Claire.)

Sa conviction à elle était inébranlable, simplement et candidement établie : nous étions ridiculement inadaptés l'un à l'autre et nos relations n'iraient pas au bout de la saison ; en même temps, cette liaison erronée lui fut utile en lui permettant de surmonter une mauvaise passe où ses finances étaient précaires, son affectivité en pleine confusion, où elle ne connaissait personne à Haddam et avait trop d'amour-propre pour retourner en Alabama. (Le Dr Stopler dirait sans doute qu'elle avait en elle une blessure à cautériser et que je lui ai servi d'instrument chauffé à blanc.) Tandis que pour moi, une fois écarté comme elle l'exigeait le fantasme de permanence, Claire avait mille façons grisantes de donner de l'intérêt, du charme et un exotisme attirant à ma vie de célibataire, elle suscitait mon admiration et préservait mon entrain, pendant que je m'acclimatais à la profession d'agent immobilier et à l'absence de mes enfants.

« Tu vois, quand j'étais à la fac, m'a-t-elle dit un soir de sa voix haut perchée, délicieusement modulée (nous nous prélassions tout nus à la lueur du crépuscule dans la chambre principale de l'ancienne maison de mon ex-femme), on riait toutes comme des folles à l'idée de mettre le grappin sur un vieux richard de Blanc. Du style gros patron de banque ou politicien. C'étaient nos plaisanteries cruelles, tu comprends ? Du genre : "Alors, quand tu seras mariée avec ce vieux nigaud de Blanc...", il allait arriver ceci ou cela. Par exemple, il voudrait nous payer une voiture neuve ou un voyage en Europe, et nous on lui jouerait des tours. Tu sais comment sont les filles.

– Plus ou moins », ai-je dit en songeant, bien sûr, que bien que j'eusse une fille, j'ignorais « comment » elles étaient (sinon que la mienne ressemblerait sans doute un jour à Claire : douce, sûre de tout, fondamentalement méfiante pour de bonnes raisons).

« Qu'avions-nous de si impossible, nous autres les vieux Blancs ?

– Oh, tu sais bien... a répondu Claire en se soulevant sur son petit coude pointu et en me regardant comme si je venais d'apparaître à la surface de la terre et si j'avais besoin d'une rude mise au pas. Vous êtes tous ennuyeux. Les Blancs, ils sont ennuyeux, quoi. Toi, tu es simplement moins pire que les autres. Pour le moment.

– Moi, je trouve que plus on vit depuis longtemps, plus on est intéressant, ai-je dit, histoire de défendre ma race et ma génération. C'est peut-être pour ça que tu te mettras à m'aimer de mieux en mieux, et non de moins en moins, et que tu ne pourras plus te passer de moi.

– Non, non, tu te trompes », a-t-elle répliqué en pensant, j'en suis certain, à sa propre vie, qui n'avait pas été toute rose jusque-là mais, aurais-je plaidé, tendait à s'arranger.

Il est vrai qu'elle ne pensait pas aisément à moi et que, pendant le temps que nous avons passé ensemble, elle ne m'a jamais posé cinq questions en tout sur mes enfants ou ma propre vie avant notre rencontre. (Cela ne me gênait pas, car je ne doutais pas qu'un peu d'exégèse personnelle n'aurait fait que confirmer ce qu'elle présumait.)

« Si nous ne devenions pas plus intéressants, ai-je dit, content de creuser un point discutable, toute la merde que la vie nous envoie dans la gueule risquerait bien de nous en éliminer.

– Ce n'est pas ce que nous croyons, nous les baptistes, a-t-elle rétorqué en allongeant le bras en travers de ma poitrine et enfonçant son menton dur dans mes côtes nues. Comment il s'appelle déjà… Aristote… Aristote a annulé son cours aujourd'hui. Il en avait marre de s'écouter parler et il n'a pas pu le faire.

– Je n'ai rien à t'apprendre, ai-je dit, frémissant de plaisir comme à l'accoutumée.

– Là, tu ne te trompes pas. Je ne vais pas te garder trop longtemps, d'ailleurs. Tu vas commencer à m'ennuyer, te mettre à te répéter. Je vais me tirer. »

C'est à peu près ce qui est arrivé.

Un matin de mars, je me suis pointé de bonne heure à l'agence (une habitude à moi) pour taper une offre d'achat à présenter plus tard dans la journée. Claire avait presque terminé son stage pour obtenir sa licence d'agent immobilier et elle était à sa table, plongée dans ses révisions. Elle n'était jamais à l'aise pour aborder les questions intimes au bureau, mais à peine étais-je installé qu'elle s'est levée, vêtue d'un ensemble jupe et pull de couleur pêche et chaussée d'escarpins rouges à talons hauts, pour venir me rejoindre à ma place sur le devant, prendre un siège et m'annoncer d'un ton de constat qu'elle avait rencontré un homme cette semaine, l'avocat d'affaires McSweeny, qu'elle avait décidé de le « fréquenter » et par conséquent de cesser de me « fréquenter », moi.

Je me souviens d'être resté complètement sidéré : d'abord, de son assurance de peloton d'exécution, ensuite, de me sentir aussi foutument malheureux à cette perspective. J'ai souri, pourtant, j'ai hoché la tête comme si, de mon côté, j'en étais venu à des conclusions similaires (faux), et je lui ai déclaré qu'à mon avis elle avait sans doute fait le bon choix. Puis j'ai gardé un sourire de plus en plus forcé, au point d'en avoir mal aux joues.

Elle avait enfin parlé de moi à sa mère, m'a-t-elle dit, qui lui avait immédiatement conseillé, dans les termes les plus « crus », selon Claire, de mettre le plus de distance possible entre nous deux (pas à cause de mon âge, j'en suis convaincu), même si cela devait la contraindre à passer ses soirées toute seule chez elle, ou à s'en aller de Haddam et à trouver un autre emploi dans une autre ville. Le remède était trop violent, ai-je répondu. Je m'écarterais discrètement, j'espérais qu'elle serait heureuse et je m'estimerais heureux d'avoir vécu avec elle les moments que nous avions eus, même si nous n'avions rien fait de plus à mon avis que ce que les hommes et les femmes avaient fait les uns avec les autres et les uns pour les autres de toute éternité. Cette affirmation de ma part l'a visiblement contrariée. (Elle n'avait pas encore l'expérience des échanges d'arguments.) Si bien qu'en fin de compte, je me suis tu et remis à lui sourire comme un demeuré, en guise d'adieu, sans doute.

Pourquoi n'ai-je pas protesté, je ne le sais pas vraiment, puisqu'elle m'avait flanqué un coup, droit au cœur (à ma surprise), et que j'ai ensuite passé des jours à échafauder dans ma tête des scénarios futuristes où la vie aurait été sacrément difficile mais où la nouveauté même de la situation et son invraisemblance auraient pu apporter les ingrédients décisifs d'un amour véritable et durable ; dans ce cas, elle avait donc sacrifié aux conventions une victoire au sommet, d'un type réservé à une élite intrépide et éclairée. Il est indéniable, pourtant, que mon fantasme de permanence était entièrement fondé sur l'impossibilité de le réaliser avec Claire, ce qui signifie en somme qu'elle n'a jamais été que la partenaire d'une sorte de mélodrame de la Période d'Existence, élaboré par moi (pas de quoi être fier, mais pas non plus radicalement différent de mon propre rôle dans sa courte vie).

Après notre abrupt *sayonara*, elle est retournée à son bureau, elle s'est replongée dans l'étude de ses manuels, et dans ces nouvelles dispositions nous sommes restés durant toute une heure et demie à travailler chacun de notre côté ! Nos collègues arrivaient et repartaient. Nous avons tous deux échangés des dialogues amusés, et même facétieux, avec différentes personnes. À un moment donné, je l'ai interrogée au sujet des conditions d'une saisie bancaire, et elle m'a répondu d'un ton aussi tranquille et enjoué qu'on peut l'attendre dans une agence bien gérée et tournée vers le profit. Ni l'un ni l'autre, nous n'avons prononcé une seule parole qui nous concerne de plus près ; j'ai fini de rédiger mon offre, passé deux ou trois coups de téléphone à des clients, fait la moitié d'une grille de mots croisés, écrit une lettre, enfilé ma veste et me suis baladé pendant quelques minutes à travers l'agence, blaguant au passage avec Shax Murphy, avant de sortir pour aller au *Coffee Spot*, sans revenir ensuite ; pendant tout ce temps (j'imagine), Claire était restée à son bureau, concentrée comme une pieuse moniale. Et tout s'est arrêté là, en gros.

À court terme, l'avocat McSweeny et elle sont devenus aux yeux de la ville un couple uniracial sympathique et plein d'avenir. (À l'agence, qui était naturellement devenue le seul endroit où je la voyais, elle avait adopté envers moi une attitude d'une correction superflue, à mon avis.) Tout le monde était d'accord que ces deux-là avaient eu de la chance de se trouver alors que les représentants séduisants de leur race étaient aussi rares chez nous que des diamants. Des obstacles prévisibles vinrent empêcher un mariage rapide : par cupidité, les enfants adultes d'Ed firent tout un

285

foin autour de l'âge et de la situation matérielle de Claire (Ed a mon âge – comme par hasard – et il est plein aux as). Vernell, l'ex-mari de Claire, déterra la hache de guerre à Canoga Park et il essaya de remettre en question leur jugement de divorce. La grand-mère de Claire mourut à Mobile, sa mère se cassa le col du fémur, son petit frère se fit arrêter – la liste habituelle et pénible des emmerdes. À la longue, tout se serait arrangé, Claire et Ed se seraient épousés aux termes d'un contrat de mariage en bonne et due forme. Claire aurait emménagé dans la grande maison fin de siècle de McSweeny dans Cromwell Lane, elle aurait cultivé des fleurs dans le jardin et eu une voiture plus belle que sa Honda Civic. Ses deux enfants auraient pris goût à aller à l'école avec des petits Blancs et auraient oublié peu à peu qu'il y avait une différence. Elle aurait continué de vendre des appartements et s'en serait tirée de mieux en mieux. Les enfants adultes de McSweeny auraient fini par la voir telle qu'elle était, une personne loyale, franche, un peu trop sûre d'avoir raison, au lieu de la péquenaude chercheuse d'or contre laquelle ils s'étaient crus obligés de lâcher leurs avocats. Passé un certain temps, Ed et elle auraient mené une existence un peu isolée de banlieusards, qui auraient eu régulièrement à dîner quelques invités, mais pas très nombreux, et des amis proches en plus petit nombre encore – une vie passée ensemble d'une manière dont la plupart des gens voudraient connaître le secret à n'importe quel prix mais sans y parvenir parce que trop de belles occasions se présentent à eux auxquelles ils ne savent pas dire non.

Seulement, un après-midi de printemps, il a fallu que Claire soit à Pheasant Meadow et, pour raison purement professionnelle, piégée dans une sale situation, finisse aussi raide morte que le voyageur mormon de la chambre 15, dans le sac à viande.

Et moi, couché ici dans mon lit, encore en vie, sous les bouffées d'air rafraîchi chimiquement qui balaient mes draps, j'essaie de trouver un réconfort pour me défendre de l'état où m'ont mis ces souvenirs et les événements de la nuit : meurtri, sonné, pétrifié, comme l'a démontré amplement ma station debout prolongée auprès de Mr. Tanks dans la nuit meurtrière, sans que nous soyons fichus d'établir un contact, d'émettre une seule parole réellement encourageante pour l'autre, de fournir une aide, de crier : « Taïaut ! », de nous mouiller ; incapables, face au triste passage d'un de nos semblables dans le désert de l'au-delà, de partager un espoir d'avenir. Alors que, si nous y étions parvenus, nous aurions peut-être retrouvé un peu d'élan.

La mort, aux yeux de l'ancien combattant que je suis, semble si proche à présent, si abondante, si radicale, ô combien, et si pesante que la peur me paralyse l'esprit. Et pourtant, d'ici quelques heures, je vais me lancer avec mon fils dans un autre jeu, une tactique pour réaffirmer les droits de la vie contre le néant, avec pour seules armes des paroles et moi-même, et rien d'aussi spectaculaire et convaincant qu'un cadavre dans un sac noir, ou les souvenirs effacés d'un amour perdu.

Mon cœur se remet soudain à cogner, pa-poum, pa-poum, poum-pa-poum, comme si j'allais moi-même sauter le pas. Et, si je pouvais, je me lèverais d'un bond pour allumer la lumière, faire le numéro de quelqu'un et crier dans le combiné : « Ça va pour cette fois. Je m'en suis tiré. Il s'en fallait d'un cheveu, ma parole. Mais elle ne m'a pas eu. J'ai senti son haleine, j'ai vu ses yeux rouges qui luisaient dans le noir. Une main glaciale a touché la mienne. J'ai quand même eu le dessus. J'ai survécu. Attends-moi. Attends-moi. Il ne nous reste pas trop de temps. » Mais il n'y a personne. Personne ici ni à proximité à qui je puisse m'adresser ainsi. Et j'en suis désolé, désolé, désolé, désolé, désolé.

7

Huit heures du matin. Les choses s'accélèrent.

En quittant le *Sea Breeze*, je pense à traverser la route pour escalader le flanc vert du Peterbilt de Mr. Tanks et glisser sous son immense essuie-glace ma carte professionnelle, au dos de laquelle j'ai griffonné quelques mots : « Mr. T. Content d'avoir fait votre connaissance. Passez quand vous voulez. F.B. » J'ai ajouté mon numéro de téléphone personnel. (L'art de la vente exige d'abord d'imaginer la vente.) Bizarrement, en coulant un regard curieux à l'intérieur de la cabine du conducteur, je vois sur le siège du passager un tas de bouquins abrégés des éditions *Reader's Digest* et, couché dessus, un énorme chat roux avec un collier doré qui lève les yeux sur moi comme si j'étais une vision. (Les chats ne sont pas admis officiellement au *Sea Breeze*, et Mr. Tanks est sûrement respectueux des règles.) Je remarque aussi, juste devant la portière, en redescendant par le marche-pied, un nom tracé en rouge, en cursive élaborée, et entre guillemets : « Cyril ». Mr. Tanks est digne de faire l'objet d'une étude.

De retour sur le parking pour déposer ma clé (tant pis pour ma caution), je constate que le break avec son canot attaché derrière ont disparu, et qu'un ruban jaune est tendu en travers de la porte close du numéro 15, lieu du crime. Et je me rends compte à cet instant que j'ai vu toute la scène en rêve : les scellés sur une porte, une voiture emmenée en remorque dans l'obscurité par des Blancs de petite taille, costauds, en sueur dans leur maillots de corps, leurs cris : « Allez, recule, recule encore », suivis de bruits effrayants de chaînes, de treuils et de moteurs puissants, puis d'un autre cri : « O.K., O.K., O.K. »

À huit heures quarante-cinq, je m'arrête, les yeux chassieux, pour prendre un café au *Friendly* à Hawleyville. Après avoir consulté mes cartes, je choisis la Yankee Expressway vers Waterbury puis Meriden et là, j'oblique sur Middleton – où Charles « enseigne » accessoirement à des étudiants de la Wesleyan University à distinguer une colonne ionique d'une colonne dorique –, et enfin la CT 9 droit sur Deep River ; cela au lieu de descendre jusqu'à Norwalk pour rejoindre la 95 le long de la baie de Long Island comme je voulais le faire hier soir, et de rouler vers l'est en compagnie, j'en suis sûr, de quarante milliards d'autres Américains qui meurent d'envie de passer des congés sains et sans danger, et qui pourtant font de leur mieux pour m'en empêcher, moi.

Au *Friendly*, je parcours le *Norwalk Hour* en quête d'une mention de la tragédie d'hier soir, tout en sachant bien qu'elle a eu lieu trop tard pour qu'il en soit question. Mais j'apprends qu'Axis Sally vient de mourir en Ohio, il était âgé de quatre-vingt-sept ans et brillant diplômé de l'Ohio Wesleyan ; que Martina a triomphé de Chris en trois manches ; qu'en Illinois, les hydrologues ont décidé le pompage du lac Michigan pour amener l'eau dans le Mississippi, plus important et ravagé par la sécheresse ; et que selon le vice-président Bush, la prospérité atteint un « niveau record » (quoique, comme pour le prendre en flagrant délit de mensonge, les colonnes économiques nous informent du déclin des prix, des sociétés d'investissement et des placements, des commandes industrielles et des compagnies d'aviation – autant d'enjeux financiers que cet abruti de Dukakis va être obligé de se farcir sous peine de couler à pic).

Après avoir réglé mon addition, je passe mes coups de téléphone stratégiques, coincé entre les portes du « hall » du *Friendly*. En premier, mon répondeur, qui n'a rien à me révéler – un soulagement –, puis Sally, à qui je compte offrir un charter privé pour n'importe quel endroit où je pourrai la retrouver – nulle réponse, pas même un message enregistré, ce qui me contracte les tripes comme si l'on m'avait noué autour du ventre une corde qu'on aurait violemment tirée par en bas.

Ensuite, non sans appréhension, j'appelle Karl Bemish,

d'abord au palais de la *root beer*, où il n'a aucune raison d'être déjà arrivé, puis à sa garçonnière de Lambertville. Il décroche dès la seconde sonnerie.

« Tout baigne chez nous, Frank, crie-t-il quand je l'interroge au sujet des bandits mexicains. Ah, ouais, j'aurais dû te rappeler hier soir. C'est au shérif que j'ai téléphoné. En fait, je m'attendais à du grabuge. Mais non. Fausse alerte. On ne les a pas revus, les petites frappes.

– Je ne voudrais pas que tu sois en danger, Karl. »

Les clients qui entrent et sortent ne cessent de passer à côté de moi, de me bousculer, d'ouvrir la porte qui laisse affluer la chaleur.

« J'ai mon aspergeuse de ruelle, tu sais.

– Tu as ta quoi ? Qu'est-ce que c'est que ça ?

– Un fusil à pompe calibre douze, annonce fièrement Karl, avec un méchant ricanement. Un outil sérieux. »

C'est la première fois que j'entends parler d'une aspergeuse de ruelle, et ça ne me plaît pas. Et même, ça me fiche la trouille.

« À mon sens, Karl, ce n'est pas une bonne idée d'avoir une aspergeuse de ruelle à la buvette. »

Karl n'apprécie pas que je parle de la « buvette », mais dans mon esprit c'est le terme qui convient. Quel autre ? Le bureau ?

« C'est quand même mieux que de se retrouver à plat ventre derrière le frigo à bouffer sa cervelle dans son calot de papier. À moins que je me gourre là-dessus, dit Karl tranquillement.

– Tu m'effraies, Karl.

– Te fais pas de bile. Je la sors jamais passé dix heures.

– Est-ce que la police sait que tu as ça ?

– Bon Dieu, c'est eux qui m'ont dit où me la procurer. Là-haut à Scotch Plain. » (Karl s'est remis à crier.) « J'aurais jamais dû t'en parler. Putain de poule mouillée que tu es.

– C'est vrai que tu me donnes la chair de poule, dis-je sans mentir. J'ai rien à foutre de ton cadavre. Je serais obligé de servir moi-même la *root beer*, et en plus ton assurance refusera de casquer si tu as avec toi un fusil sans permis quand tu te feras descendre. J'aurai sans doute un procès sur les bras.

– Allez, va prendre des vacances avec ton fils. Je tiendrai bon à Fort Apache. J'ai autre chose à faire ce matin. Je suis pas tout seul. »

La communication ne passe plus avec Karl. Mon créneau vient de se fermer.

« Laisse-moi un message s'il y a quoi que ce soit d'anormal, tu veux bien ? dis-je pour la forme.

– Je compte rester injoignable toute la matinée », réplique-t-il avec un rire idiot, avant de raccrocher.

Aussitôt, je refais le numéro de Sally, au cas où elle serait seulement sortie acheter des croissants et le *Daily Argonaut*. Toujours rien.

Mon dernier appel s'addresse à Ted Houlihan – pour faire le point, mais aussi l'asticoter au sujet de notre « exclusivité ». Les coups de téléphone avec les clients sont en réalité un des aspects les plus satisfaisants de mon travail. Rolly Mounger a mis dans le mille en disant que l'activité d'un agent immobilier n'a presque rien à voir avec son état d'âme ; en conséquence, un appel professionnel indispensable est l'équivalent d'une bonne partie de ping-pong.

« Allô, Ted, ici Frank Bascombe. Comment ça va chez vous ?

– Tout va très bien, Frank. »

La voix de Ted me paraît plus frêle qu'hier, mais aussi satisfaite de son sort qu'il l'affirme. Une petite fuite de gaz engendre peut-être une euphorie imbattable.

« Je voulais seulement vous dire que mes clients ont besoin d'un jour de réflexion, Ted. La maison leur a fait beaucoup d'effet. Mais ils en ont vu des tas, il leur reste à franchir le seuil, à présent. Ma conviction, cependant, est que la dernière que je leur ai fait visiter est celle qu'ils devraient acheter, et c'est de la vôtre qu'il s'agit.

– Super, dit Ted. Super.

– Est-ce que d'autres gens sont venus voir ? »

La question cruciale. Suivie d'une réponse qui n'a rien d'inattendu, mais n'en est pas moins contrariante :

« Oh, oui, hier, quelques-uns. Il y en a qui sont venus juste après vous.

– Ted, permettez-moi de vous rappeler que notre agence détient l'exclusivité sur la vente de votre maison. L'attitude des Markham se fonde sur cette garantie. Ils ont l'impression d'avoir un peu de temps pour réfléchir sans subir de pressions externes. Tout cela était bien établi d'avance.

– Ma foi, je ne sais pas trop, Frank. »

Il est concevable, évidemment, que Julie Loukinen ait passé sous silence la clause d'exclusivité de crainte d'effaroucher Ted Houlihan, et qu'elle l'ait quand même affichée sur la pancarte. Vraisemblablement, d'autre part, Ted est repéré depuis belle lurette comme une « potentialité », et « L'immobilier en mouvement », ou d'autres, s'accrochent simplement à une occasion de partager la commission, au risque que nous leur collions un procès au cul et fassions capoter l'affaire, stratégie qui reviendrait à se mettre au pas au moment du galop d'arrivée, et qui est donc exclue. Une troisième hypothèse serait que Ted est aussi fiable que de la fausse monnaie et qu'il mentirait face à Dieu dans son paradis. L'histoire des testicules pourrait alors faire partie de la mise en scène. (On ne devrait plus s'étonner de rien.)

« Écoutez, Ted. Faites un saut dehors, jetez un coup d'œil à cet écriteau vert et gris et voyez par vous-même s'il n'y a pas marqué "Exclusif". Je ne vais pas en faire un fromage pour le moment, parce que je suis dans le Connecticut. Mais dès mardi, nous mettrons cela au point.

– Quel temps fait-il par là ? dit Ted comme si de rien n'était.

– Chaud.

– Vous êtes là-haut au Mount Tom ?

– Non. Je suis à Hawleyville. Mais si vous vouliez bien avoir la courtoisie, Tom, de ne faire visiter la maison à personne d'autre, nous pourrons peut-être éviter un gros procès en justice. C'est le droit de mes clients qu'on leur laisse le temps de faire une proposition. »

Non qu'ils n'aient eu tout le temps pour cela, ni qu'ils ne soient en ce moment même en train d'arpenter les rues délaissées et mornes d'East Brunswick dans l'espoir de trouver quelque chose de mille fois mieux.

« J'en serais ravi, répond Ted, plein d'énergie à présent.

– Parfait, alors. Je vous rappelle très vite.

– Les gens qui sont passés après vous hier m'ont promis qu'ils me feraient une proposition ce matin.

– Si c'est le cas, Ted, dis-je d'un ton menaçant, souvenez-vous que mes clients ont la priorité. C'est spécifié dans notre accord. »

En tout cas, cela devrait l'être. Certes, tout cela n'est que la frime habituelle dans l'immobilier, à laquelle se livrent rituellement les deux parties : l'offre alléchante promise pour le lendemain matin. En général, soit ceux qui font cette « promesse » (les acquéreurs, le plus souvent) cherchent simplement à se sentir importants et l'auront oubliée dès cinq heures de l'après-midi, soit ils se racontent que la seule perspective d'une proposition substantielle fait plaisir à tout le monde. Bien entendu, la seule proposition généreuse qui fasse vraiment plaisir est celle qu'on palpe entre le pouce et l'index. Et tant que cela ne s'est pas produit, il n'y a pas de quoi s'énerver (quoiqu'une bonne petite montée d'angoisse du vendeur n'ait jamais nui à personne).

« Frank, savez-vous ce que j'ai découvert d'étonnant ? dit Ted apparemment ébahi.

– Quoi donc ? »

J'observe par la fenêtre un plein mini-bus d'enfants retardés qui débarquent sur le parking du *Friendly* – adolescents qui tirent la langue, frêles petites filles atteintes de strabisme, survivants joufflus du mongolisme, de sexe indéterminé –, huit ou neuf, qui trébuchent dans leurs tennis sur le macadam chaud, en shorts à ceinture élastique de diverses teintes et en T-shirt bleu marine marqués YALE sur le devant. Leurs monitrices, deux vigoureuses jeunes filles en short marron et sweat-shirt blanc, qui ont l'air de fréquenter l'université d'Oberlin et de jouer au water-polo, bouclent le mini-bus pendant que les gosses restent plantés là à regarder dans toutes les directions.

« J'ai découvert que j'aime vraiment faire visiter ma maison, poursuit Ted. Elle semble plaire énormément à tous les gens qui l'ont vue et ils ont l'air de penser que Susan et moi, on avait réussi notre coup. Ça fait plaisir. Je m'attendais à trouver ça horrible, à souffrir terriblement de les voir envahir ma vie. Vous me comprenez ?

– Ouais, dis-je, éprouvant de moins en moins de sympathie pour Ted depuis que je le soupçonne d'être un filou de l'immobilier. Cela signifie simplement que vous êtes prêt à partir, Ted. Vous êtes prêt pour Albuquerque et le grand soleil. » (Et à faire incruster vos burnes dans de la résine pour les conserver.)

« Mon fils est chirurgien à Tucson, Frank. Je passe sur la table d'opération en septembre.

– Je m'en souviens. » (Je m'étais trompé de ville.)

La petite bande d'adolescents handicapés et ses deux monitrices aux grandes jambes bronzées se dirige à présent vers la porte, certains des enfants totalement pris en charge et tous sauf deux sont coiffés de casques en plastique attachés sous le menton par une jugulaire, tels des joueurs de hockey.

« Ted, je vous téléphonais simplement pour reprendre contact, savoir comment votre journée d'hier s'était passée. Et je tenais à vous rappeler la clause d'exclusivité. On ne plaisante pas avec ça, Ted.

– Bon, d'accord, dit-il d'un ton insouciant. Merci de m'en informer. »

Je l'imagine, avec ses cheveux blancs, ses mains douces, sa petite taille et sa prestance chenue à la Fred Waring, encadré dans sa fenêtre sur le jardin, s'émerveillant du rideau de bambous qui l'a de longue date protégé de la paisible prison. Cela me laisse la sourde impression de m'y être mal pris. Je n'aurais pas dû m'écarter des Markham, mais mon instinct m'a soufflé le contraire.

« Frank, je suis en train de penser que si je surmonte cette histoire de cancer, je pourrais m'essayer dans l'immobilier. Je crois que j'ai un don pour ça. Qu'en dites-vous ?

– Pourquoi pas ? Mais il n'y a pas besoin d'un don. C'est comme pour être écrivain. Quand on n'a rien à faire, on finit par trouver quelque chose pour s'occuper. Bon, il faut que je prenne la route à présent. Que je passe chercher mon fils.

– C'est bien, ça, approuve Ted. Allez-y. Nous en reparlerons.

– Et comment ! » dis-je d'une voix sombre, et nous raccrochons.

Les gosses sont maintenant en grappe derrière les portes

de verre, avec leurs monitrices qui rient au milieu. Un petit mongolien secoue méchamment la poignée et se fait une grimace farouche dans la vitre, où il voit manifestement son reflet. Les autres continuent de tourner les yeux dans tous les sens.

Quand la première monitrice tire à elle la porte à laquelle le petit trisomique reste cramponné, il lui jette un regard furieux et émet un rugissement libre de toute inhibition, tandis que l'air brûlant me souffle au visage par l'ouverture. Puis tout le groupe déboule à l'intérieur et me bouscule pour gagner la seconde porte.

« Houlà ! s'écrie à mon intention la fille athlétique, avec un sourire magnifique. Excusez-nous, nous sommes un peu maladroits. »

Elle passe dans son cortège de petits débiles en maillot de Yale. Son propre sweat-shirt affiche sur la poitrine un bouclier rouge vif et le nom « Wendy » surmonté de l'inscription « Challenges, Inc. ». Je lui souris à mon tour d'un air encourageant tandis que le flot la pousse en avant.

Soudain, le petit trisomique pivote violemment sur la gauche, toujours suspendu à la porte, et rugit à nouveau, peut-être bien à mon adresse, à travers ses dents serrées, noirâtres et réduites à des chicots, en levant son petit bras mou, le poing serré. Planté près du téléphone, je lui souris tentant moi-même d'accrocher aux barreaux de l'échelle des possibilités mes espoirs pour la journée.

« Cela signifie que vous lui plaisez », déclare la seconde monitrice – « Megan » – qui ferme la marche de la petite troupe.

Elle se moque de moi, sans aucun doute. Le sens de ce rugissement, c'est : « Tiens-toi à l'écart de ces deux bijoux sans quoi je te bouffe la gueule. » Les êtres humains se ressemblent tous sur bien des points.

« Il a l'air de me connaître, dis-je à Megan aux bras dorés.

– Bien sûr qu'il vous connaît. » (Le soleil a semé les taches de rousseur sur son visage, ses yeux sont aussi simplement noisette que ceux de Cathy Flaherty étaient étincelants.) « Nous avons l'impression qu'ils sont tous pareils, mais eux, ils sont capables de nous repérer, vous et moi, à un kilomètre. Ils ont un sixième sens. »

Elle sourit sans une once de timidité, un sourire capable d'inspirer des minutes sinon des heures de gamberge. La porte intérieure du *Friendly* s'ouvre en geignant puis se referme lentement derrière eux. Je sors dans le grand soleil de la matinée pour entreprendre ma dernière étape jusqu'à Deep River.

Un peu avant dix heures, en me sentant affreusement en retard, je fonce au travers des montagnes russes qui mènent à Middletown, Waterbury et Meriden, déjà noyé dans la brume nacrée du matin. La CT 147 est aussi verdoyante, sinueuse et agréable qu'une petite route bordée de haies en Irlande, moins les haies. Des réservoirs miniatures, d'accueillants parcs régionaux, des pentes à ski parfaites pour les équipes sportives du secondaire et de solides maisons à colombages qui bordent la route, équipées derrière de leurs antennes paraboliques, surgissent à chaque virage. Je remarque que beaucoup de propriétés sont à vendre, et plus d'une arbore un ruban de plastique jaune noué au tronc d'un arbre. En cet instant, je suis incapable de me souvenir quels Américains sont retenus prisonniers, ni où ni par qui, quoiqu'on n'ait pas de mal à imaginer qu'il y en ait quelque part. Sinon, les rubans sont de l'ordre du vœu, la nostalgie d'une autre petite guerre bien propre du type de la Grenade, qui a si parfaitement fonctionné pour tout le monde. Les sentiments patriotiques sont beaucoup plus stimulants lorsqu'ils se concentrent sur un objectif déterminé, et il n'est rien de tel que d'expédier son pied au cul de quelqu'un ou de le priver de sa liberté pour se sentir soi-même libre comme l'air.

Cependant, mes pensées retournent malgré moi à mes pathétiques Markham, qui doivent être en ce moment même occupés à visiter un sinistre cul-de-sac, en la compagnie d'une experte à la voix nasale, aux cuisses épaisses, qui les soûle à mort de son baratin. Dans une zone impudique et non professionnelle de mon cerveau se forme l'espoir que d'ici la fin de la journée, confrontés à la perspective de m'appeler et de se rabattre, la queue basse, sur le 212, Charity Street au prix fort, ils se jetteront sur la dernière offre, une baraque vide à chambres mansardées léguée à la banque par les précédents propriétaires lorsqu'ils ont déménagé à Moose Jaw en 84, une affreuse coquille sur dalle de béton, sans aucune isolation, exposée aux émanations de radon, avec une fosse septique non étanche, et nécessitant la réfection d'urgence des gouttières avant la chute des feuilles.

Pourquoi faut-il qu'en une saison d'été par ailleurs agréable et prospère, les Markham viennent ainsi m'assombrir l'humeur, je ne sais pas trop, à moins que ce ne soit parce qu'après bien des arguties, des obstructions et un découragement imbécile à tous les niveaux, je suis parvenu à présent à nouer la faveur autour de l'œuf de Pâques, fourré de la crème la plus désirable, et percé d'un trou pour leur coller l'œil dessus, et que je crains pourtant qu'ils ne soient pas fichus de distinguer ce qu'il y a dedans, après quoi leur vie ne manquera pas d'empirer – car, j'en suis convaincu, lorsqu'on vous offre quelque chose de bien, on ne devrait pas commettre la sottise de le laisser échapper.

Voilà bien des années, je m'en souviens, un mois avant qu'Ann et moi nous emménagions à Haddam, le nez plein d'arômes suburbains, nouveaux et prometteurs, nous nous sommes mis en tête d'acheter une Volvo, solide et pratique. Avec la vieille Chrysler Newport de ma mère, nous sommes allés chez le concessionnaire de Hastings-on-Hudson, nous avons passé une heure et demie dans le hall d'exposition – le couple de jeunes acheteurs potentiels qui se frottent le menton et se grattent l'oreille –, à palper la surface astiquée d'une cinq-portes d'un terne vert olive, à nous glisser sur ses sièges raisonnables, à humer sa senteur froide, à vérifier le volume de la boîte à gants, le dispositif inhabituel de la roue de secours et du cric, nous avons même fait semblant de la conduire – moi au volant et Ann à côté de moi, tous deux les yeux fixés, au travers de la vitrine du concessionnaire, sur la route imaginaire d'un avenir de propriétaires de Volvo.

Et, pour finir, nous y avons simplement renoncé. Qui sait pourquoi ? Nous étions jeunes, nous improvisions la vie avec entrain minute par minute, nous rejetions ceci, disions oui à cela, par pur caprice. Et la Volvo – un véhicule que je pourrais avoir gardé jusqu'à maintenant et qui me servirait encore à transporter du terreau, des provisions, du bois de chauffage ou à aller à la pêche au Red Man Club –, la Volvo ne nous convenait pas, voilà tout. Nous sommes ensuite retournés en ville vers ce qui nous convenait, notre avenir réel : la vie conjugale, les enfants, le journalisme sportif, le golf, l'allégresse, l'accablement, la mort, la morosité qui tournoyait et ne trouvait pas de centre où se fixer, et plus tard le divorce, la séparation et la longue phase intermédiaire jusqu'au moment présent.

Mais lorsque je suis d'une certaine humeur frustrée, entortillée dans le passé et qu'il m'arrive de croiser sur mon chemin une Volvo noire ou gris métallisé, dernier modèle, silencieuse, à la fluidité vigoureuse, avec sa sécurité record, son moteur qui se coupe tout seul en cas d'impact, son remarquable espace pour les bagages et son châssis d'un seul tenant, j'ai souvent un coup au cœur en me disant : « Et si… ? » Et si notre vie avait pris cette direction-là, une direction où aurait pu nous mener une automobile qui en serait à présent l'emblème ? Une maison différente, une ville différente, un nombre différent d'enfants, et ainsi de suite. Est-ce que tout irait mieux ? Ce sont des choses qui arrivent, pour des causes aussi minimes. Et cela peut devenir paralysant de penser qu'une décision insignifiante, une première idée suivie d'un oui au lieu d'un non peut favoriser le cours de la vie et même la sauver. (Ma plus grande faille et ma plus grande force résident dans mon aptitude permanente à imaginer une version différente de n'importe quoi – un couple, une conversation, un gouvernement ; un trait de caractère propre à faire un excellent avocat, romancier ou agent immobilier, mais d'autre part, cela semble façonner un être humain assez peu fiable et fréquentable.)

Pour le moment, il est préférable de ne pas trop ruminer dans ce sens. Pourtant, j'en suis sûr, c'est aussi pour cette raison que je songe aux Markham lors d'un week-end où ma propre vie semble arriver à un croisement, ou tout au moins un virage. Il est bien possible que Joe et Phyllis sachent aussi bien que moi comment tout cela fonctionne et qu'ils soient malades de trouille. Mais, s'il est dommage de commettre une erreur, comme moi pour la Volvo, c'est pire de le regretter d'avance et d'appeler ça de la prudence, ce qui est leur cas, je le devine, tandis qu'ils errent à travers East Brunswick. Ce n'est pas ainsi qu'on échappe au désastre. Il vaut mieux, bien mieux, se fier à la devise du vieux Davy Crockett, adaptée à l'usage adulte : « Assure-toi de ne pas te tromper complètement, et va de l'avant. »

À dix heures et demie, j'ai dépassé Middletown, sage ville universitaire, et je roule sur la Route 9, où s'offre à moi la vue semi-panoramique du Connecticut (avec les vacanciers qui se livrent assidûment sur le fleuve au canoë, au windsurf, à la voile, au scooter ou au ski nautique tracté par parachute ou au plongeon à ski en plein dans la baille), puis tout droit jusqu'à Deep River, pas très loin en aval.

Mon principal espoir, d'ordre secondaire, est de ne pas voir Charley, pour les motifs que j'ai peut-être déjà mis en lumière. Avec un peu de chance, il sera à l'abri, occupé à soigner sa mâchoire enflée, à vernir son canot, à contempler un fil à plomb ou à crayonner sur son carnet de croquis – ce à quoi peut s'occuper un riche architecte dilettante quand il n'est pas engagé dans une compétition marathon de gin rummy ou ne noue pas son nœud papillon les yeux fermés…

Ann a compris que, sans précisément haïr Charley, je crois simplement que lorsqu'elle lui dit qu'elle l'aime, le mot « aimer » est suivi d'un astérisque qui indique la préexistence dans ce domaine d'une réalisation supérieure, comme si j'étais sûr qu'un beau jour, elle enverra tout promener pour commencer avec moi et moi seul la dernière longue pavane de la vie (même si ni l'un ni l'autre nous ne semblons le vouloir).

Lors de chacune de mes visites précédentes, pratiquement, j'ai eu l'impression en fin de compte de m'être introduit clandestinement dans la propriété en escaladant une clôture et d'être reparti (pour la destination que je réservais à mes enfants – l'exposition de mollusques à Woods Hole, un match des Mets, une traversée venteuse en ferry jusqu'à Block Island afin de nous offrir à la sauvette de précieux moments ensemble) aussi furtivement que si j'outrepassais la légalité. D'après Ann, ce sont des impressions que je me fabrique. Et alors ? N'empêche qu'elles sont réelles.

Charley, lui, qui pense que tout peut s'améliorer, est le genre d'homme qui croit au « caractère », qui rêve lorsqu'il est tout seul de « critères » et d'honnêteté, d'« autodiscipline » et de « mise au pas du jeune garçon pour en faire un homme », mais (je le parierais) qui reste planté face à la glace embuée des vestiaires de l'Old Lyme Country Club à contempler sa queue, regretter de ne pas en avoir une plus grosse, se demander si un miroir rectangulaire ne fausse pas les proportions, pour conclure enfin qu'elle semble toujours plus petite au regard hypercritique de son propriétaire et, qu'en termes absolus, la sienne est plus grosse qu'il n'y paraît, parce qu'il est très grand. Il est de haute taille, c'est vrai.

Un soir, nous nous trouvions tous les deux au bas du tertre où se dresse sa maison, jouant du bout de nos chaussures avec le fin gravier de l'allée qui mène au hangar à bateau, derrière lequel un rideau de gommiers aquatiques isole un étang de l'estuaire du Connecticut infesté de corolles roses.

« Vous savez, Frank, Shakespeare devait être un sacré petit malin », m'a dit Charley en serrant dans sa grande main osseuse le gobelet épais, en verre soufflé mexicain, qui contenait sa meurtrière vodka-citron vert. (Il ne m'en avait pas offert, puisque je ne restais pas.) « Cette année, j'ai jeté un œil à tout ce qu'il a écrit. Et j'estime que les auteurs historiques n'ont guère fait monter la barre depuis les années seize cent et quelque. Il a perçu la faiblesse humaine mieux que n'importe qui, et cela avec compassion. » (Il m'a regardé en battant des paupières et faisant tourner sa langue derrière ses lèvres.) « N'est-ce pas cela même qui fait la grandeur d'un écrivain ? La compassion envers l'humaine faiblesse ?

– Je n'en sais rien. C'est une idée qui ne m'a jamais effleuré », ai-je dit d'un ton morne mais non sans hargne.

Je savais déjà que Charley trouvait « bizarre » qu'un auteur de nouvelles respectables « finisse » par vendre de l'immobilier. Le fait que j'habite l'ancienne maison d'Ann n'était pas non plus à son goût, quoique je ne lui aie jamais demandé pourquoi (c'était à l'encontre de ses préjugés, j'en suis sûr).

« D'accord, mais qu'en pensez-vous ? »

Charley a reniflé à travers son grand nez épiscopalien, en fronçant ses sourcils blancs comme s'il humait dans la brume du soir un arôme complexe perceptible de lui seul (et peut-être de ses amis). Il était comme d'habitude pieds nus dans ses chaussures de bateau, en short kaki et T-shirt, mais portait aussi un épais tricot bleu à fermeture Éclair que j'avais remarqué trente ans plus tôt dans un catalogue en me demandant qui diable voudrait acheter ça. Naturellement, il se maintient dans une forme parfaite et conserve sa place dans je ne sais quel classement de vétérans du squash.

« Franchement, je ne crois pas que la littérature ait le moindre rapport avec la hauteur de la barre », ai-je répondu d'un ton dégoûté. (J'avais raison.) « Il s'agit d'être bon dans l'absolu, et non meilleur. »

Je regrette à présent de n'avoir pas ponctué cette déclaration d'un éclat de rire hystérique.

« Très bien. Voilà qui est optimiste », a-t-il dit en tirant sur le long lobe de son oreille, les yeux baissés et hochant la tête comme s'il étudiait mes paroles ; ses cheveux blancs épais accrochaient ce qu'il restait de lumière dans le crépuscule. « Oui, c'est vraiment un point de vue très optimiste, a-t-il répété d'un ton solennel.

– Je suis un optimiste, ai-je répliqué en éprouvant aussitôt tout le désespoir d'un exilé.

– Alors, c'est logique. Votre optimisme vous incite-t-il à penser que nous finirons par être amis, vous et moi ? »

Il a levé la tête à moitié pour me dévisager à travers ses lunettes à monture de métal. Je savais que le mot « ami » représentait pour lui le degré le plus élevé de la condition humaine auquel pouvait aspirer un homme de valeur, comme le Nirvana pour les hindous. Jamais de ma vie je n'ai eu aussi peu envie d'avoir des amis.

« Non, ai-je dit sans détour.

– Et pourquoi, selon vous ?

– Parce que nous n'avons en commun que mon ex-

302

femme. Et que vous finiriez par vous croire autorisé à parler d'elle avec moi, ce qui me débecterait. »

Charley se tenait toujours le lobe de l'oreille, sa vodka dans l'autre main.

« Peut-être bien, a-t-il dit en inclinant la tête d'un air songeur. Quand on aime une personne, on bute toujours sur quelque chose en elle qui vous échappe, non ? Il faut donc alors demander son avis à quelqu'un. Vous seriez sans doute tout indiqué. Ann n'est pas si simple, ainsi que vous le savez, j'en suis certain. »

Voilà, il commençait déjà.

« Je ne sais pas. Non.

– Vous devriez peut-être entreprendre de nouer ailleurs de nouveaux liens, à mon instar. Cela pourrait réussir cette fois. »

Il a tourné les yeux vers moi et hoché la tête à nouveau.

« Et si vous entrepreniez d'enculer les mouches qui passent », ai-je lancé comme un crétin, et je l'ai foudroyé du regard, passablement tenté de lui mettre mon poing dans la gueule en dépit de son âge et de son excellente condition physique (en espérant que mes enfants ne me verraient pas).

Puis j'ai senti monter de l'étang, comme une colonne d'air réfrigéré, un froid qui m'a hérissé les poils du bras. Nous étions fin mai. De petites lumières de maisons s'étaient allumées de l'autre côté du fleuve argenté. J'ai entendu sonner la cloche d'un bateau. À cet instant, je n'étais pas vraiment assez en colère pour taper sur Charley, mais je me suis senti triste, solitaire, perdu et inutile auprès d'un homme qui ne m'intéressait même pas suffisamment pour le détester comme aurait dû le faire un homme de caractère.

« Vous savez, Frank, a dit Charley en remontant sa fermeture Éclair jusqu'à sa grosse pomme d'Adam et en tirant sur ses manches comme s'il avait aussi senti le froid. Il y a chez vous quelque chose qui ne m'inspire pas confiance. Peut-être les architectes et les agents immobiliers n'ont-ils pas grand-chose en commun, en effet, quoiqu'on puisse penser le contraire. »

Il me guettait du coin de l'œil au cas où je m'apprêterais à pousser des cris gutturaux et à lui sauter à la gorge.

« C'est parfait. Moi non plus, je ne me ferais pas confiance, à votre place. »

Charley a doucement balancé sur la pelouse le contenu de son verre.

« Frank, on peut jouer en dièse ou en bémol sans pour cela détonner, vous savez. »

Il avait l'air déçu, presque perplexe. Il s'est éloigné le long de l'allée de gravier en direction de son hangar à bateau.

« On ne peut pas toujours gagner », l'ai-je entendu se dire à lui-même théâtralement, du fond de la pénombre.

Je lui ai laissé le temps de parcourir tout le chemin, d'ouvrir la porte coulissante, d'entrer et de refermer derrière lui (je suis persuadé qu'il n'avait rien à faire là-dedans). Puis j'ai contourné sa maison, je suis remonté en voiture et j'ai attendu mes enfants, qui seraient bientôt là avec moi, et contents.

Deep River, que je traverse en hâte à mon volant, est un concentré de l'ambivalence somnolente et estivale du sud de la Nouvelle-Angleterre. Une bourgade aux volets verts, aux trottoirs soigneusement balayés où vivent entre eux les « gens-normaux » dans le respect impavide d'une Église congrégationaliste ou catholique romaine tempérées, tandis que plus bas près du fleuve se trouve l'enclave habituelle de rupins qui se suffisent à eux-mêmes dans leur pseudo-retraite, ayant érigé d'immenses demeures sur le territoire des fougères et des tilleuls de la rive, et qui tournent résolument le dos au mode de vie de l'autre moitié. Professeurs de droit subventionnés de New Haven, avocats véreux de Hartford et de Springfield, riches retraités de New York, tous vont en ville sereinement pour faire leurs achats à Greta Green's Grocer, The Flower Basket, Edible Kingdom Meats et Liquid Time Liquors (ils fréquentent plus rarement le Body Artistry Tattoo, l'Adult Newz-and-Video ou le prêteur sur gage), puis s'en retournent tout aussi sereinement, leur Rover bourrée de bons aliments pour chien, de *pancetta*, de *mesquite*, de blettes, de tulipes et de gin – parés pour les cocktails du soir, les gigots d'agneau à la broche, une

304

heure d'aimable pia-pia, et au lit dans la brise fraîche née de la brume du fleuve. Ce n'est pas un endroit où on a tellement envie de voir vivre ses enfants (ni son ex-femme).

Ils n'ont pas l'air ici d'avoir des projets extravagants pour lundi. Des drapeaux flasques décorent quelques lampadaires. À l'entrée de la caserne des pompiers, la station « Liberté » de lavage de voiture installée par les lycéens est prête à fonctionner, des râteaux sont en vente promotionnelle devant le True Value. En fait, plusieurs commerces ont accroché à côté de la bannière étoilée le pavillon blanc et rouge à feuille d'érable proclamant un vieux cousinage canadien – un groupe de malheureux immigrés blancs épargnés miséricordieusement, et mystérieusement, par les troupes de Montcalm en 1757 – qui a ancré au fond de tous les cœurs un réflexe de l'ordre de : « Nous acceptons les devises canadiennes. » Même le salon de coiffure Chez Donna suggère simplement sur sa vitrine : « C'est le moment de rafraîchir votre coupe, non ? » Et voilà tout, comme si Deep River annonçait : « Étant donné l'ancienneté de notre implantation (1635), l'esprit d'une indépendance authentique et complexe souffle chez nous tous les jours que Dieu fait. En silence. N'attendez donc pas de flonflons. »

Je m'engage en direction du fleuve dans Selden Neck Lane, petite route boisée qui bifurque en devenant Brainard Settlement House Way, encore plus boisé, étouffé par les lauriers, qui serpente, se rétrécit et rejoint, à travers l'épais taillis de houx d'Amérique et de hickory, Swallow Lane, la route au bord de laquelle réside discrètement, sur un mince piquet de cèdre, la boîte aux lettres d'Ann, de Charley et de mes deux enfants, annonçant en lettres vert foncé « LE TERTRE ». À côté, une allée de gravier s'enfonce sous des arbres anonymes, de sorte que le passant se heurte à une atmosphère de résidence retranchée, sans doute fort peu accueillante : il y a des gens qui vivent là, mais vous ne leur avez pas été présenté.

Le temps de sortir du bourg et de traverser ces retraites sylvestres de propriétaires fortunés, mon cerveau s'est mis à exercer une pression douloureuse derrière les tempes. J'ai le cou contracté, et une sensation de gonflement des tissus dans le haut du thorax, comme s'il me fallait roter, avoir un haut-le-cœur ou peut-être simplement m'ouvrir de haut en bas pour trouver un soulagement. Certes, j'ai peu et mal dormi. J'ai trop bu hier soir chez Sally, j'ai conduit trop longuement, consacré trop de temps précieux à me tracasser pour les Markham, Ted Houlihan et Karl Bemish, et pas assez à me préoccuper de mon fils.

Mais la vérité vraie, bien entendu, est que je m'apprête à rendre visite à mon ex-femme établie dans une vie nouvelle qu'elle juge préférable ; que je vais voir mes enfants orphelins de moi gambader sur les vastes pelouses de leur existence présente plus classieuse ; peut-être même serai-je obligé, en dépit de tout, d'avoir une conversation humiliante et pénible avec Charley O'Dell, que je préférerais ligoter sur la grève pour le livrer aux crabes. Dans ces conditions, qui ne serait sujet à une « fluxion » du cerveau et à un œdème thoracique généralisé ? Je m'étonne que ce ne soit pas fichtrement pire.

Sous le bord inférieur de la boîte aux lettres, on a fixé une petite pancarte que je remarque pour la première fois, une plaque en plastique pourpre gravée de lettres vertes comme sur la boîte : « ICI RÉSERVE D'OISEAUX – RESPECTEZ-LA – PROTÉGEONS NOTRE AVENIR ». Karl serait content d'apprendre que les verdiers sont encore à l'abri ici, dans le Connecticut.

Mais juste en dessous de la boîte, au milieu des mauvaises herbes, gît un oiseau, quiscale ou gros étourneau, aux yeux englués par la mort, aux ailes raidies où grouillent les fourmis. En l'examinant à travers ma vitre, je m'interroge. Les oiseaux meurent, nul ne l'ignore. Les oiseaux ont des thromboses, des tumeurs du cerveau, de l'anémie, ils sont exposés aux vicissitudes de l'existence et crèvent comme nous tous – même dans une réserve, où personne ne les guette au tournant et où chacun se passionne pour tous leurs faits et gestes.

Mais ici ? Précisément sous cette pancarte ? Bizarre. Et soudain, du fond de ma fluxion cérébrale, il me vient la certitude instantanée que mon fils est le coupable (appelons ça l'intuition paternelle). En outre, la torture des animaux est l'un des mauvais symptômes chez un enfant : cela signifie qu'il a entrepris sa guérilla d'usure contre son foyer de remplacement, contre Charley, contre les fraîches pelouses, les brumes matinales, les sabots, les courts en terre battue et les panneaux capteurs d'énergie solaire, contre tout ce qui est arrivé sans qu'il y soit pour rien. (Je ne peux pas l'en blâmer complètement.)

Ce n'est pas que j'approuve qu'on tue un oiseau qui ne vous a rien fait et qu'on le dépose près de la boîte aux lettres pour servir de mauvais présage. Je ne l'approuve pas. Ça me fiche une peur bleue. Mais, sans trop espérer ici une implication personnelle dans la vie de la maisonnée, je crois quand même qu'un gramme d'intervention de ma part pourrait éviter une tonne de soins médicaux. Je range donc ma voiture, ouvre ma portière et descends dans l'air brûlant, la tête de plus en plus lourde, je me baisse avec raideur pour ramasser par le bout de l'aile le petit cadavre aux plumes ternies et couvert de fourmis, et après avoir balayé d'un rapide coup d'œil derrière moi la partie visible de Swallow Lane, je le jette comme une bouse sèche dans le taillis, où il tombe sans bruit, afin (j'espère) d'épargner à mon fils un petit ennui dans une vie qui risque déjà d'être hérissée à perte de vue de gros ennuis.

Par un vieux réflexe acquis, je porte mes doigts à mes narines pour vérification, au cas où il me faudrait aller quelque part – retourner au *Chevron* sur la Route 9 – pour me laver les mains et faire disparaître l'odeur de mort. Mais, au même instant, une petite auto bleu foncé (une Yugo, je crois), avec de grosses lettres argentées et l'emblème de la police surmonté de l'inscription AGAZZIZ SECURITY, s'arrête en travers de manière à me bloquer, debout à côté de mon véhicule. (D'où est-elle sortie ?)

Un homme mince et blond en uniforme bleu descend précipitamment, comme si je menaçais de m'enfuir en courant sous les arbres, mais reste ensuite derrière sa portière ouverte en me regardant avec un drôle de sourire dénué d'humour – un sourire où n'importe quel Américain lirait la défiance, l'arrogance, l'autorité et la conviction que tout inconnu est un perturbateur. Il me soupçonne peut-être de piquer le courrier – les offres de dix CD de reggae à un prix record ou de steaks spéciaux de l'Idaho, pour paniers percés exclusivement.

J'abaisse mes doigts – malheureusement, ils sentent en effet le cadavre –, la boîte crânienne à présent résorbée jusque dans les ligaments du cou.

« Bonjour, dis-je, plus enjoué que nature.

– Bonjour ! répond le jeune homme qui incline la tête en un obscur signe d'assentiment. Qu'est-ce que vous faites dans le coin ? »

J'irradie la probité.

« J'allais chez les O'Dell, juste là. J'ai pas mal roulé, alors j'ai eu envie de me dérouiller les jambes.

– Parfait », dit-il en m'adressant en retour un message d'indifférence glaciale.

Il a un physique tranchant et, malgré sa minceur, il maîtrise sûrement toutes les ressources des arts martiaux les plus meurtriers. Je ne vois pas d'arme à feu, mais il est équipé d'un micro miniature qui lui permet de converser à distance avec quelqu'un en tournant la bouche vers sa propre épaule.

« Alors, comme ça, vous êtes un ami des O'Dell ? demande-t-il, jovial.

– Ouais, et comment.

– Excusez, mais qu'est-ce qui vous a attiré sous les arbres ?

– Un oiseau. C'était un oiseau. Mort.

– O.K., dit l'agent en scrutant le sous-bois comme s'il pouvait y distinguer un oiseau mort, qu'il ne voit pas. Et d'où c'est qu'il était venu ?

– Il s'était coincé derrière mon rétroviseur. Je ne m'en suis aperçu qu'en ouvrant la portière. C'était un quiscale.

– Je vois. C'était quoi ? » (Il pense peut-être que mon histoire va changer sous le feu de l'interrogatoire.)

« Un quiscale, dis-je comme si le mot lui-même pouvait l'inciter à me répondre plaisamment, mais c'est une erreur.

– Vous savez que c'est une réserve d'oiseaux, ici. La chasse est interdite.

– Je ne l'ai pas tué en chassant. Je voulais simplement m'en défaire plutôt que d'arriver avec son cadavre sur mon rétroviseur. Cela me semblait préférable. Il est mieux par là. » (Je tourne les yeux vers l'endroit en question.)

« D'où c'est que vous venez, en voiture ? »

Son regard torve effleure ma plaque bleue et crème du New Jersey, puis se relève aussitôt sur moi : si j'affirme que j'arrive tout droit d'Oracle (Arizona), ou d'International Falls, il saura qu'il faut demander du renfort.

« Je suis de Haddam, dans le New Jersey. »

J'adopte un ton du genre « content de vous aider par tous les moyens en mon pouvoir, je ne manquerai pas, dès mon retour à mon bureau, d'écrire une lettre de recommandation à vos supérieurs pour leur faire savoir tout le bien que je pense de votre comportement ».

« Et quel est votre nom, monsieur ?

– Bascombe. » (Et je n'ai rien fait d'autre, ajouté-je en silence, que d'expédier un oiseau mort dans le taillis pour éviter des problèmes à tout le monde… quoique j'aie menti à ce sujet, évidemment.) « Frank Bascombe. »

Je baigne dans l'air climatisé issu de ma portière ouverte.

« Très bien, Mr. Bascombe. Si je peux juste voir votre permis de conduire, je ne vous retiendrai pas plus longtemps. »

Le jeune flic a l'air content, comme s'il venait de prononcer la phrase modèle et si cela faisait son délice.

« Volontiers, dis-je, et en un éclair je sors mon porte-feuille et extrais mon permis de sa petite poche sous ma licence d'agent immobilier et mes cartes de membre du Red Man Club et autres associations.

– Veuillez l'apporter ici et le poser sur le capot de ma voiture, dit-il en ajustant le micro sur son épaule. Puis vous allez vous reculer le temps que je l'examine, après quoi je le reposerai et vous pourrez le reprendre. C'est d'accord ?

– Oui. Cela paraît seulement un peu compliqué. Je pourrais vous le remettre de la main à la main. »

Je m'avance vers sa Yugo, qui a une petite antenne déployée au-dessus de son vilain toit. Mais aussitôt il s'écrie :

« N'approchez pas de moi, Mr. Bascombe. Si vous refusez de montrer votre permis (il louche à nouveau sur son micro), je peux convoquer ici un agent de la police routière du Connecticut à qui vous expliquerez votre cas. »

Le vernis aimable du jeune blond a disparu d'un seul coup pour révéler un connard sinistre, obsédé par le protocole policier, appliqué à transformer l'innocence évidente en culpabilité manifeste. Je suis sûr qu'en réalité, il est en train de se demander comment s'écrit Bascombe, puisque c'est sûrement un nom juif, sachant que le New Jersey est truffé de juifs, de métèques, de moricauds, d'enturbannés et de cocos, tout un troupeau qu'il faudrait rassembler pour leur rappeler deux ou trois vérités. Je vois ses mains disparaître en dessous du niveau de la vitre et quelque part dans son dos, où il doit porter son flingue. (Je n'ai rien fait pour provoquer ce geste. Je me borne à lui tendre mon permis.)

« Je n'ai vraiment aucun cas à expliquer, dis-je tout en réitérant mon sourire et en allant poser mon permis au-dessus du phare de sa Yugo. Je respecte sans problème la légalité. »

Je m'écarte de quelques pas.

Le jeune homme attend que je sois à six ou sept mètres pour contourner sa portière et saisir mon permis. Au-dessus de sa poche-poitrine, je distingue l'imbécile plaque en or où s'inscrit son prénom. Erik. Outre sa chemise et son pantalon bleu, il porte les grosses chaussures à semelles de crêpe d'auxiliaire de police, et au cou une sorte de ridicule lavallière rouge. J'observe aussi qu'il est plus âgé que les vingt-deux ans qu'on lui donnerait à première vue. Il doit avoir trente-cinq balais, des dossiers de candidature dans tous les centres de la police locale où on l'a éliminé pour cause d'« irrégularités » dans ses tests de Rorschach, même si de loin il a l'air du bon fils adoré de ses parents qui se saigneraient aux quatre veines pour l'envoyer faire ses études à Dartmouth.

Erik repasse derrière sa portière pour soumettre mon permis à un examen intensif, sans omettre de me dévisager pour me comparer à ma photo. Je vois à présent qu'il a une moustache presque incolore, très Jeunesses hitlériennes au-dessus de sa lèvre pâle, et un tatouage sur le dos de la main – une tête de mort, peut-être, ou un serpent roulé autour d'un crâne (sûrement une création de Body Art). Il porte aussi au lobe de l'oreille droite un petit clou en or que je distingue à peine. L'assortiment est amusant, pour Deep River.

Il retourne mon permis, sans doute pour vérifier si je suis donneur d'organe (ce qui n'est pas le cas), puis va le déposer sur le capot de la Yugo avant de regagner la protection de sa portière. Impossible encore de juger s'il va lâcher prise.

« Vous pouvez y aller », dit-il avec un reste de sa jovialité antérieure. (En quoi s'estime-t-il renseigné, puisque ce ne serait pas inscrit sur mon permis si j'étais un tueur en série ?) « Comprenez-vous, nous voyons beaucoup de voitures d'inconnus s'aventurer par ici, Mr. Bascombe. Les riverains n'aiment pas du tout être harcelés. C'est grâce à cela que nous avons un emploi, sans doute. »

Il m'adresse un rictus aimable. Nous voici amis, à présent.

« Moi-même je déteste ça », dis-je en allant récupérer mon permis que je range dans mon portefeuille.

Je me demande si Erik a flairé la pestilence du cadavre d'oiseau.

« Vous seriez surpris du nombre de dingues qui sortent de la I 95 pour venir fouiner par ici.

– Je vous crois. À cent pour cent. »

Je ne sais pourquoi, je manque alors défaillir, comme si j'avais passé des jours en prison et venais à cet instant d'émerger en pleine lumière vive.

« Particulièrement pendant les congés, poursuit Erik le sociologue. Surtout celui-ci. Les maboules se ramènent de partout. De New York, du New Jersey, de Pennsylvanie. » (Il secoue la tête. Selon lui, ces États sont des repaires de psychotiques.) « Y a longtemps que vous êtes ami avec Mr. O'Dell ? demande-t-il en souriant sous la protection de sa portière. Lui, il me plaît bien.

– Non, dis-je en regagnant ma voiture d'où l'air froid continue de se déverser, ce qui accroît ma sensation de faiblesse.

– Rien qu'une relation d'affaires, si je comprends bien. Vous êtes architecte ?

– Non. Mon ex-femme est mariée avec Mr. O'Dell, et je passe chercher mon fils pour l'emmener faire un grand tour. Pensez-vous que ce soit une bonne idée ? »

J'imagine sans peine qu'on ait envie de cogner sur Erik.

« Holà, ça c'est du sérieux ! »

Il me nargue derrière sa portière bleue. Il sait à présent à qui il a affaire : je suis le personnage du vaincu pathétique qui entreprend une mission lamentable et sans espoir – rien d'aussi intéressant qu'un dingue. Mais même ceux de mon espèce risquent d'être fauteurs de trouble, d'avoir un coffre bourré de grenades au phosphore et de plastic et de vouloir s'en prendre au voisinage.

« Pas si sérieux que ça, dis-je en m'arrêtant pour le regarder. C'est un plaisir pour moi.

– Votre fils, c'est Paul ? demande Erik en portant l'index à sa boucle d'oreille, petit geste de domination.

– Oui. Vous connaissez Paul ?

– Ça, ouais ! Tous, on le connaît.

– Qui, tous ? Qu'est-ce que cela signifie ? »

Je sens mes sourcils s'alourdir.

« Nous avons tous eu des contacts avec Paul. »

Erik commence à se rasseoir dans sa stupide Yugo.

« Je suis sûr qu'il n'a pu vous causer aucun ennui », dis-je tout en pensant le contraire, et aussi qu'il recommencera. Erik est le genre de singe que Paul doit trouver hilarant.

À présent installé au volant, il continue de parler ; je ne distingue pas ses mots. Il se livre sûrement à une fine remarque qu'il préfère que je n'entende pas. À moins qu'il n'expédie un message radio par le biais de son épaule. Il enclenche la marche arrière, recule hors de l'allée et accomplit son demi-tour.

J'envisage de lui cracher mon venin, de courir après lui et de hurler à sa vitre. Mais je ne peux pas me permettre de me faire arrêter à l'entrée de la propriété de mon ex-femme. Je me contente donc de lui adresser un signe de main, qu'il me rend. Il me semble qu'il lance : « Bonne journée » avec toute son hypocrisie de flic, avant de rebrousser chemin lentement dans Swallow Lane et de disparaître à ma vue.

Ma fille Clarissa est la première créature vivante qu'aperçoit mon regard fatigué en pénétrant dans le domaine O'Dell. Loin de la grande maison, sur la vaste pelouse en pente en contrebas, au-dessus de l'étang, elle tape d'un air concentré sur la balle jaune d'un jokari, toute seule, aussi inconsciente qu'un moineau de ma présence ici au volant de ma voiture, d'où je l'observe.

Je me range derrière la maison (le devant ouvre sur la pelouse, l'air, l'eau, le soleil levant et, pourquoi pas, le chemin du savoir universel) et j'émerge, lourd de lassitude, dans la matinée chaude et gazouillante, résigné à dénicher Paul par mes propres moyens.

La maison de Charley est évidemment une somptueuse bâtisse, bardeaux bleu pastel et détails peints en blanc, toit à pignons complexes, hautes fenêtres à vitres d'un seul tenant et grande galerie qui court sur trois côtés, donnant sur la pelouse par un escalier aux marches blanches à l'endroit même où Charley et moi, nous avons parlé de Shakespeare pour parvenir à la conclusion que nous ne nous faisions aucune confiance l'un à l'autre.

Je m'introduis en oblique à travers la rangée d'hortensias couverts de fleurs pourpres (quel contraste avec mes pauvres vestiges desséchés de Clio Street), ne chancelle qu'à peine, mais poursuis mon chemin sur l'herbe inondée de soleil ; je tiens difficilement sur mes jambes, mes paupières papillotent, je coule des regards de tous côtés pour voir qui risque de me repérer le premier (ce genre d'arrivée manque toujours de dignité). Honte à moi, j'ai oublié d'acheter un cadeau ce matin, offrande de paix et d'amour pour me faire pardonner par Clarissa de ne pas l'emmener avec son frère. Que ne donnerais-je pour un serre-tête bariolé Vince Lombardi ou un recueil de citations des commentaires de la mi-temps. Cela créerait un sujet de plaisanterie entre nous. Je suis perdu ici.

Clarissa cesse de taper sur sa balle dès qu'elle me voit et, tout en s'abritant les yeux et détournant le visage, elle agite la main, bien qu'elle ne puisse m'identifier de si loin – peut-être espère-t-elle que c'est moi plutôt qu'un flic en civil venu poser des questions à propos de son frère.

Je lève aussi la main, tout en m'apercevant que, Dieu sait pourquoi, je me suis mis à boiter, comme si une guerre avait sévi depuis la dernière fois que j'ai vu mes enfants et si je revenais changé en ancien combattant invalide. Mais Clarissa ne le remarquera pas. Elle a beau me voir rarement

– une fois par mois ces temps-ci – je suis pour elle une évidence acquise, et rien ne lui paraîtrait inhabituel ; un bandeau sur l'œil, un bras artificiel, une denture toute neuve : pas de quoi provoquer une interrogation de sa part.

« Sa-lut, sa-lut, sa-lut », chantonne-t-elle dès qu'elle est sûre que c'est vers moi qu'elle agitait la main.

Elle porte de puissantes lentilles de contact et voit mal de loin, mais cela lui est égal. Elle accourt pieds nus vers moi en bondissant dans l'herbe sèche, prête à enlacer mon cou endolori dans une fougueuse embrassade, qui chaque fois me fait l'effet d'une prise de karaté et m'arrache un gémissement.

« Je suis venu dès que j'ai su les nouvelles », dis-je. (Dans le système de notre vie commune par expédients, par raccroc, j'arrive toujours juste à temps pour affronter quelque état de crise où nous jouons, Clarissa et moi, le rôle des adultes responsables, Paul et leur mère celui des gosses difficiles qui ont besoin qu'on vienne à leur secours.)

Je boite encore, bien que mon cœur aille au mieux sous le simple effet du plaisir et que mon cerveau ait miraculeusement retrouvé son volume normal.

« Paul est à l'intérieur avec maman, en train de se préparer et sans doute de se disputer. »

Clarissa, en short rouge vif sur son maillot bleu, s'élance pour m'administrer son étreinte de karatéka, et je la fais voltiger avant de la laisser retomber dans l'herbe, les jambes coupées. Elle dégage une merveilleuse odeur d'humidité et d'un souvenir d'eau de toilette juvénile appliquée des heures plus tôt. Nous avons derrière nous le hangar à bateau, lieu du crime, l'étang à nouveau envahi de végétation et, au-delà, le rideau dense et immobile des gommiers et le fleuve invisible, au-dessus duquel une escadrille de pélicans exécute une figure lente et gracieuse.

« Où est le maître de maison ? »

Je me laisse lourdement tomber à côté de Clarissa, le dos contre le mât du jokari. Les jambes de ma fille sont maigres, bronzées sous un duvet doré, ses pieds nus ont la peau laiteuse et sans un défaut. Elle s'installe à plat ventre, le menton calé sur la main, les yeux limpides à travers les lentilles et fixés sur moi ; elle a mes traits en plus joli : un petit nez, l'iris bleu, la pommette plus marquée que celle de sa mère, dont le large front hollandais et les cheveux drus se retrouvent presque à l'identique chez Paul.

« Il trâ-vaille en ce moment dans son â-a-atelier. »

Elle me regarde d'un air complice, sans trop d'ironie. Tout cela, c'est sa vie – peu de tragédies, peu de grands triomphes, plutôt pas mal dans l'ensemble. Nous faisons bien la paire dans la famille.

On aperçoit partiellement l'atelier de Charley derrière les frondaisons vert foncé d'une rangée de feuillus qui borde la pelouse et rejoint le bord de l'étang. Je distingue une lueur sur son toit de zinc, les pilotis en bois de cyprès qui soutiennent la passerelle (un projet que Charley et son meilleur copain avaient pondu pour s'amuser en 1944, leur première année d'études d'architecture, mais qu'il avait « toujours rêvé de réaliser »). Soulagé de savoir où il se trouve, je demande :

« Alors, comment est l'ambiance ?

– Oh, ça va », répond Clarissa sans se compromettre.

L'exercice physique lui a laissé une écume de transpiration sur les tempes. J'ai déjà le dos en sueur sous ma chemise.

« Et ton frère ?

– Un peu étrange. Mais O.K. »

Toujours à plat ventre, elle fait pivoter sa tête sur son cou svelte, un mouvement de son cours de danse ou de gymnastique, mais aussi un signal très clair : elle est la *buen amiga* de Paul ; tous deux sont plus proches que nous deux ; avec de meilleurs parents, tout cela aurait pu être différent, mais ce n'est pas le cas ; ne manquez pas d'en prendre note.

« Ta mère non plus ne va pas trop mal ? »

Clarissa cesse ses rotations du cou et elle plisse le nez comme si j'avais abordé un sujet désagréable, puis elle roule sur le dos et fixe le ciel.

« Bien pire, dit-elle, avec un air soucieux peu convaincant.

– Pire que quoi ?

– Que toi ! » (Elle roule des yeux qui feignent la surprise.) « Charley et elle ont eu une bagarre cette semaine. Et aussi la semaine dernière. Et la semaine d'avant. Hmm, hmmm... » conclut-elle, laissant entendre qu'elle tait la plus grande partie de ce qu'elle sait.

Naturellement, je ne peux pas l'interroger à ce sujet – règle impérative dès qu'on vit sous le régime du divorce –, mais je voudrais bien en apprendre davantage.

Je cueille un brin d'herbe que je coince entre mes pouces comme une feuille de roseau et je souffle de manière à produire un son de saxo crachotant et éraillé, mais assez réussi quand même, un talent que j'exerçais voilà des siècles. Clarissa se redresse.

« Tu peux jouer *Gypsy Road* ou *Born in the U.S.A.* ?

– Tout mon répertoire sur brin d'herbe est là », dis-je en posant les mains sur ses deux genoux, qui sont froids, osseux et doux à la fois – je me demande si elle repère l'odeur du quiscale. « Ton vieux papa t'aime tendrement. Je regrette d'être obligé de kidnapper Paul tout seul et non vous deux. J'aimerais mieux faire la virée en trio.

– Il en a bien plus besoin que moi, maintenant, dit Clarissa en tendant son brin d'herbe à elle en travers de mes deux mains qui moulent ses rotules parfaites. Je suis très en avance sur lui pour les sentiments. J'aurai bientôt mes règles. »

Elle me regarde d'un air profond, gonfle les commissures de sa bouche et se met lentement à loucher.

« Content de le savoir, dis-je tandis que mon cœur a un raté, tac-a-toc, que les yeux me brûlent soudain et s'humectent – non de larmes de chagrin, mais de la sueur qui afflue à mon front. Alors tu es si vieille que ça ? » (Tac-a-toc !) « Quel âge ça te fait, trente-sept ou trente-huit ?

– Trente-douze, répond-elle en me piquant doucement les jointures avec le brin d'herbe.

– Très bien, c'est assez vieux comme ça. Tu n'as pas besoin de vieillir davantage. Tu es parfaite.

– Charley connaît Bush, reprend-elle en faisant la grimace. Tu le savais ? »

Elle lève gravement ses yeux bleus vers les miens. Il s'agit là pour elle d'une affaire sérieuse. Tout ce que Charley avait pu parvenir à se faire pardonner lui est réimputé par le biais de cette information. Ma fille, tout comme son papa, est une démocrate de fibre New Deal et, à ses yeux,

316

la plupart des Républicains et le vice-président Bush en particulier sont des têtes-de-nœud presque littéralement innommables.

« Je devais le savoir sans le savoir. »

Je passe mes deux doigts dans l'herbe pour nettoyer l'odeur de cadavre.

« Il est pour le parti de l'argent, de la tradition et de l'influence », déclare-t-elle, un peu gonflée tout de même dans la mesure où la tradition et l'influence de Charley servent à l'entretenir, à lui payer ses jokaris, ses tutus et ses cours de violon. Elle est pour un parti qui ne veuille pas de la tradition, ni de l'influence, ni de rien, comme son papa, là aussi.

« C'est son droit », dis-je en ajoutant un terne : « je parle sérieusement ».

Je ne peux pas m'empêcher d'imaginer à quoi ressemble la joue de Charley là où Paul lui a flanqué le coup de tolet. Clarissa regarde son brin d'herbe en se demandant, j'en suis sûr, pourquoi elle accorderait des droits à son beau-père. J'adopte une certaine solennité.

« Ma chérie, y a-t-il quelque chose que tu puisses me confier à propos de Paul ? Je ne veux pas que tu me racontes un gros secret tout sombre, peut-être simplement un petit tout clair. Comme tu sais, ce serait sous le sceau du secret. »

Je prononce ces derniers mots de manière à avoir l'air de blaguer un peu, tout en faisant appel à son sentiment de solidarité pour me tuyauter. Elle contemple en silence le tapis d'herbe épaisse, puis, tournant la tête, les yeux plissés, scrute la maison là-haut avec les buissons en fleurs, la galerie et l'escalier d'un blanc éclatant. Au faîte du toit, au milieu de tous les angles et pignons complexes, flotte sur un mât un drapeau américain (de petites dimensions), agité par une brise qu'on ne sent pas au sol.

« Tu es triste ? » demande-t-elle.

Je découvre dans ses cheveux dorés un minuscule nœud de ruban rouge, que je n'avais pas remarqué auparavant mais qui me comble, puisqu'il vient, à l'appui de sa question, de me faire entrevoir des facettes cachées de sa personnalité.

« Non, je ne suis pas triste, sinon de ne pouvoir t'emmener avec Paul à Cooperstown. Et j'ai oublié de t'apporter quelque chose. Ça, c'est assez lamentable.

– Tu as un téléphone dans ta voiture ? lance-t-elle d'un air accusateur.

– Non.

– Tu as un bip-bip ?

– Non, je l'avoue, dis-je avec un sourire de connivence.

– Alors, comment tu fais pour suivre la cadence de tes appels ? demande-t-elle en plissant à nouveau les yeux, ce qui lui donne cent ans de plus.

– Sans doute que je n'en reçois pas tellement. J'ai parfois un message de toi sur mon répondeur, mais pas tellement souvent.

– Je sais.

– Tu ne m'as pas répondu au sujet de Paul, chérie. Je voudrais seulement réussir à être un bon papa si je peux.

– Tous ses problèmes sont en rapport avec le stress », explique-t-elle en termes officiels.

Elle arrache un autre brin d'herbe à la fois vert et sec qu'elle glisse dans le revers de mon pantalon de toile sur ma jambe croisée en tailleur à côté d'elle.

« De quel stress souffre-t-il au juste ?

– Je ne sais pas.

– Ton diagnostic s'arrête là ?

– Oui.

– Et toi ? Tu as des problèmes en rapport avec le stress ?

– Non, répond-elle en secouant la tête et faisant la moue. Les miens viendront plus tard, si j'en ai.

– D'où tiens-tu ça ?

– La télé. »

Elle me regarde bien en face, comme pour faire valoir que la télé a aussi ses bons côtés. Quelque part, très haut dans le firmament, j'entends le cri d'un faucon, ou peut-être d'une orfraie, mais je ne vois rien en levant les yeux.

« Comment puis-je remédier aux problèmes de Paul en rapport avec le stress ? »

Dieu m'en soit témoin, je voudrais bien que Clarissa me fournisse une réponse. Je pourrais l'exploiter d'ici le coucher du soleil. J'entends alors un autre bruit quelque part, non plus un cri mais un choc, une porte qui claque ou une

318

fenêtre qu'on ferme, peut-être un tiroir. Je lève les yeux et vois Ann debout derrière la rambarde de la galerie, qui nous observe de loin sur la pelouse. Je sens qu'elle vient d'arriver mais qu'elle aimerait que je mette fin à ma conversation avec Clarissa et que je vaque à mes occupations prévues. Je lui adresse un signe amical d'ex-mari-qui-ne-cherche-pas-noise, un geste quelque peu contraint.

« Voilà ta maman, je crois.

– Eh, ouais, dit Clarissa en se tournant vers la galerie.

– On ferait mieux d'y aller. »

Je vois que sa bonne vieille loyauté lui interdit de m'informer sur son frère. Elle craint sans doute de divulguer, sous prétexte d'amour, des secrets compromettants. Les enfants connaissent à présent les procédés des grandes personnes, grâce à nous.

« Paul serait peut-être plus heureux si tu pouvais vivre à Deep River. Ou alors à Old Saybrook », dit-elle comme si ces paroles exigeaient un gros effort de discipline, en appuyant chacune d'elle d'un léger mouvement de tête.

Les parents peuvent rompre, cesser de s'aimer, passer par la déchirure du divorce, épouser quelqu'un d'autre, déménager très loin, mais du point de vue des enfants, presque tout cela est tolérable pourvu que l'un s'accroche à la traîne de l'autre comme un esclave. Certes, durant la crise douloureuse qui a suivi le départ d'Ann en 84, il y a eu une phase durant laquelle je hantais comme un espion ces collines et ces rives ; je sillonnais en voiture les parkings d'écoles, les coins de rue et les passages, épiais les galeries de jeux et les patinoires, les *Finast* et les *Burger King*, rien que pour rester en contact visuel avec les lieux où mes enfants risquaient de passer les matinées ou les après-midi qu'ils auraient pu passer avec moi. Je suis allé jusqu'à demander le prix d'un appartement à Essex, un stérile petit poste d'écoute à partir duquel j'espérais maintenir un contact, l'amour en vie.

Mais cela n'aurait fait qu'ajouter à mon désarroi, un désarroi de meute de chiens égarés, de me réveiller tout seul au milieu d'un immeuble. À Essex ! D'attendre l'heure fixée pour mon rendez-vous avec les enfants, en comptant les ramener où ? Dans ma piaule ? Et après, de me retaper la 95 pour une semaine de travail confus, jusqu'au vendredi où recommencerait l'aliénation ? Il y a des parents qui se lancent sans broncher dans ce genre de circuits de fous, qui sont prêts à foutre en l'air leur vie et celle de tout leur entourage rien que pour prouver – longtemps après que tous les oiseaux ont quitté le nid – qu'ils auront toujours été de bons et loyaux pourvoyeurs.

Seulement je ne suis pas un de ceux-là, et je me suis résigné à voir mes enfants moins souvent, à ce que nous fassions la navette tous les trois, afin de préserver à Haddam un mode de vie dans lequel ils pourront s'insérer le moment venu, quand ce ne serait que de façon temporaire, et moi, entre-temps, conserver ma santé mentale, au lieu de vouloir m'incruster de force là où je n'ai pas ma place et de me faire détester par tout le monde. Ce n'est pas la meilleure solution, car ils me manquent affreusement. Mais mieux vaut être un père imparfait qu'un parfait détraqué.

N'importe comment, dans l'hypothèse de l'appartement, cela ne les empêcherait pas de grandir et de s'envoler du jour au lendemain ; Ann et Charley divorceraient. Et moi je me retrouverais avec un logement dévalué dont je ne pourrais plus me débarrasser. Je finirais par vendre la maison de Cleveland Street pour réduire mon train de vie, peut-être par m'installer ici pour tenir compagnie à mon hypothèque et par passer la fin de mes jours dans la solitude à Essex, à regarder la télé vêtu d'un vieux pantalon de velours côtelé, d'un cardigan et de Hush Puppies, en donnant un coup de main le soir dans une petite librairie, où il m'arriverait de voir le vieux Charley entrer pour passer une commande sans même me reconnaître.

Ce sont des choses qui arrivent. C'est souvent à nous autres agents immobiliers qu'on fait appel pour limiter les dégâts. Mais, par chance, ma frénésie s'est calmée et je suis resté là où j'étais et où j'avais plus ou moins mes marques. À Haddam, dans le New Jersey.

« Chérie, dis-je tendrement à ma fille, si j'habitais ici, cela ne plairait pas du tout à ta mère, et Paul et toi vous n'auriez plus vos chambres à vous pour venir y séjourner et retrouver vos vieux copains. Il arrive qu'on aggrave la situation en voulant l'améliorer.

– Je sais », dit-elle, laconique.

Je suis sûr qu'Ann n'a pas parlé avec Clarissa du projet que Paul vienne vivre chez moi, et je n'ai aucune idée de ce qu'elle en pensera. Elle s'en félicitera peut-être, loyauté mise à part. À sa place, je me demande si je ne réagirais pas ainsi.

Elle enfonce les doigts dans ses cheveux blonds et la concentration lui crispe les lèvres. Elle tire le petit ruban rouge tout au long de la mèche fine jusqu'à ce qu'elle le libère sans défaire le nœud, et me le tend d'un geste direct.

« Tiens, voici mon cadeau à moi pour aujourd'hui. Tu pourras être mon cavalier.

— Merci, dis-je en serrant le ruban dans le creux de ma main. Je tâcherai de me procurer un cheval. »

Une fois de plus, hélas, je n'ai rien à échanger en signe d'amour.

La voilà debout sur ses pieds nus, qui époussette le fond de son short rouge et secoue sa chevelure, en baissant les yeux sur moi comme une petite lionne à la crinière emmêlée. Je suis moins rapide à me relever, en prenant appui sur le mât du jokari. Je regarde en direction de la maison, où il n'y a plus personne sur la galerie. Le sourire aux lèvres je ne sais pourquoi, la main sur l'épaule nue et osseuse de ma fille, je serre dans l'autre son petit nœud rouge, ma Légion d'honneur à moi, tandis que nous nous mettons à grimper ensemble la pente de la vaste pelouse.

« Est-ce que ton père t'emmenait en balade à travers le Mississippi ? » demande Ann sans réelle curiosité.

Nous sommes assis l'un en face de l'autre sur la longue galerie. Visible à présent par-dessus la cime dentelée des arbres, le Connecticut palpite de voiles rousses aux mâts inclinés dans le vent qui les pousse à contre-courant en direction de Hartford. Bateaux d'une même classe, montant tous quand la marée monte.

« Oui, et comment ! Il nous arrivait d'aller jusqu'en Floride. Une fois, nous sommes allés à Norfolk et sur le chemin du retour nous avons visité le *Great Dismal Swamp**.

* Littéralement, le Grand Marais Morne : région marécageuse de Virginie. (*N.d.l.T.*)

– Vous l'avez trouvé morne ?

– Absolument. »

Je lui adresse un sourire de camaraderie, puisque c'est là que nous en sommes.

« Et ça marchait toujours bien entre vous ? demande-t-elle en contemplant la pelouse en contrebas.

– Nous nous entendions à merveille. Ma mère n'était pas là pour compliquer les choses, alors nous étions irréprochables. À trois, ça se compliquait.

– Les femmes adorent perturber la vie des hommes. »

Nous sommes solidement installés dans deux énormes fauteuils verts en osier garnis d'énormes coussins fleuris d'un motif luxuriant de nénuphars. Ann a apporté un pichet à l'ancienne en verre ambré rempli de thé glacé, préparé par Clarissa qui a dessiné dans la buée une face épanouie. Le thé, les verres et un petit seau à glace en étain sont disposés sur une table basse. Nous sommes là tous les deux pour attendre Paul, qui s'est levé tard et maintenant se remue sans se presser. (Je ne relève aucune trace chaleureuse de notre séparation sentimentale hier soir au Vince.)

Ann passe les doigts à travers ses cheveux drus, à la coupe courte et sportive ; elle a fait éclaircir quelques mèches qui accrochent joliment la lumière par intermittence. Elle porte un short de golf blanc et un haut sans manches d'une nuance taupée, légèrement flottant, qui met ses seins en valeur dans une sorte de demi-mystère, et elle est pieds nus dans ses chaussures à gland qui font paraître ses jambes bronzées encore plus longues et vigoureuses, éveillant en moi un sourd frémissement sexuel et plus de joie de vivre que je ne m'attendais à en éprouver aujourd'hui. Cette dernière année, j'ai remarqué un subtil arrondissement de son superbe derrière, un léger épaississement et relâchement des chairs au-dessus du genou et dans le haut du bras. À mes yeux, une certaine dureté juvénile, toujours présente (et qui ne m'a jamais vraiment plu), a commencé à céder la place à une maturité plus douce, féminine mais néanmoins solide et attirante qui fait mon admiration. (Je le lui dirais peut-être si j'avais le temps d'établir clairement que cela me plaît ; mais je vois qu'elle

322

porte aujourd'hui l'alliance d'or de Charley, d'une simplicité prétentieuse, et mon impulsion m'apparaît ridicule.)

Elle ne m'a pas proposé de venir attendre à l'intérieur,
mais j'étais déjà résolu à me tenir à l'écart de la salle de
séjour vitrée, imprégnée de malaise, que j'aperçois au travers des hautes fenêtres miroirs près de moi. Charley y a
naturellement installé un gros télescope, pourvu de tout
l'assortiment souhaitable de boutons et de garnitures de
cuivre, gravé de repères logarithmiques et des phases de la
lune, et où il peut sûrement faire surgir la Tour de Londres
pour peu qu'il en ait envie. Je distingue aussi, tel un gros
animal, la silhouette blanche et fantomatique d'un piano à
queue et, à côté, une estrade sur laquelle, sans doute, par
les soirées d'hiver, Ann et Clarissa interprètent en duo Men-
delssohn pour le plus grand plaisir de Charley. Agaçante
image.

À la vérité, la seule fois où j'ai attendu à l'intérieur (je
passais chercher les enfants pour les emmener voir l'échelle
à saumon de South Hadley), je suis resté là tout seul pendant
près d'une heure, à feuilleter les livres posés sur la table
basse (*Les Classiques du golf*, *L'Art érotique des cimetières*,
La Voile), jusqu'à ce que je tombe au bas de la pile sur le
prospectus rose vif d'une clinique féminine de New London, proposant un atelier pour « améliorer vos performan-
ces sexuelles », qui a eu le don de déclencher la panique
en moi. Je juge donc plus prudent de rester sur la galerie,
au risque de me sentir comme un collégien poli venu chercher sa petite amie et obligé, en l'attendant, de faire gravement la conversation avec sa mère.

Ann m'a déjà expliqué en quoi la journée d'hier a été
bien pire que je ne l'imaginais, pire que ce qu'elle m'a dit
hier soir lorsqu'elle m'a accusé de confondre « sembler »
et « être » (ce qui était peut-être juste autrefois, mais ne
l'est plus). Non seulement, paraît-il, Paul a blessé le malheureux Charley avec un tolet de son propre foutu canot,
mais en outre il a informé sa mère, dans cette salle de séjour
où je refuse d'entrer, et en présence de Charley l'amoché
en personne, qu'il fallait qu'elle se débarrasse de ce
« connard de Chuck ». Puis il est sorti, est monté dans le
break Mercedes de sa mère et s'est lancé à fond de caisse

323

dans l'allée, il a loupé le premier virage dans Swallow Lane et fauché un sorbier deux fois séculaire sur la propriété du voisin (avocat, bien entendu). Dans le choc, il a heurté de la tête le volant, déclenché l'air-bag et s'est entaillé l'oreille, de sorte qu'il a fallu l'emmener au dispensaire d'Old Saybrook pour un point de suture. Erik, l'agent d'Agazziz, arrivé quelques instants après l'accident (tout comme il m'est tombé dessus), l'a raccompagné à la maison. La police n'a pas été avertie. Plus tard, Paul a disparu à nouveau, et il est rentré longtemps après la tombée de la nuit (Ann l'a entendu aboyer une fois dans sa chambre).

Naturellement, elle a appelé le Dr Stopler, qui l'a tranquillement informée que la science médicale en savait fichtrement peu sur la manière dont fonctionne ce bon vieux psychisme par rapport à ce bon vieux cerveau – sont-ils une seule et même pendule, deux morceaux d'une pendule, ou simplement deux pendules différentes qui trouvent moyen de se combiner (comme l'embrayage d'une automobile) ? En tout cas, a-t-il dit, les désunions familiales constituaient sans aucun doute un facteur nocif favorisant la maladie mentale chez l'enfant, et, d'après ce qu'il savait déjà, il existait en effet dans la vie de Paul certaines données qui pouvaient l'y prédisposer : la mort d'un frère, le divorce de ses parents, l'absence de son père, deux déménagements importants avant la puberté (et n'oublions pas le fait d'avoir Charley O'Dell pour beau-père).

Pourtant, a-t-il admis, lorsqu'il avait eu en mai, avant le séjour au Camp Wanapi, son « entretien d'évaluation » avec lui, Paul n'avait manifesté aucune carence d'estime de soi, ni d'idées de suicide, ni de dysfonctionnement neurologique ; il ne témoignait pas particulièrement d'une attitude de « refus » (à ce moment-là), son Q.I. n'avait pas chuté et il n'avait pas une conduite désordonnée – ce qui signifie qu'il n'allumait pas d'incendies ni ne tuait les oiseaux. En fait, a dit le psychiatre, il avait montré « une aptitude réelle à compatir et à se mettre à la place de quelqu'un d'autre ». Mais évidemment, la situation pouvait basculer du jour au lendemain, et il se pouvait qu'en cet instant, Paul souffre d'un ou de plusieurs des symptômes précités, et qu'il ait abandonné toute compassion.

« Franchement, il me met en boule en ce moment », dit Ann, debout contre la rambarde de la galerie, là où je l'ai d'abord aperçue tout à l'heure.

Elle contemple, par-delà les eaux luisantes du fleuve, les quelques petites façades blanches qui réfractent le soleil au sein des masses de verdure. À nouveau, je jauge d'un regard approbateur sa maturité toute neuve de femme-solide-sans-sacrifier-la-spécificité-sexuelle. Je remarque que ses lèvres paraissent plus pulpeuses, comme si elle les avait fait « gonfler ». (Ce genre d'interventions de chirurgie esthétique peut se répandre à travers tout un voisinage fortuné comme le dernier robot culinaire.) Elle frotte son mollet droit musclé avec le dessus de sa chaussure gauche et soupire.

« Tu ne sais peut-être pas au juste la chance que tu as eue », dit-elle après un silence prolongé.

Je préfère me taire. Un examen sérieux de ma chance risquerait trop de ramener au jour la question de mes errements entre « être » et « sembler » et de déboucher sur l'éventualité que je sois un lâche, un menteur, ou pire. Je me gratte le nez et sens encore sur mes doigts l'odeur du quiscale.

Elle tourne les yeux vers moi, assez peu confortablement assis sur mes nénuphars.

« Tu accepterais de voir le Dr Stopler ? »

Je bats des paupières.

« Au titre de patient ?

– Au titre de père, dit-elle. Et aussi de patient.

– C'est que je n'ai pas de base à New Haven. Et je n'ai jamais beaucoup aimé les psys. Ils essaient de vous amener à vous comporter comme tout le monde.

– Tu n'as pas à t'inquiéter pour ça, réplique-t-elle en me jetant un regard impatient de sœur aînée. Je pensais simplement que si toi et moi, ou peut-être Paul, toi et moi allions le voir ensemble, cela pourrait permettre de tirer au clair certaines choses. Voilà tout.

– Nous pourrions aussi convier Charley, si tu veux. Il a sûrement des choses à tirer au clair. Il est un parent associé, non ?

– Il ira. Si je le lui demande. »

Je tourne la tête vers la fenêtre miroir derrière laquelle

flotte le piano blanc spectral et tout un mobilier ultra-moderne en bois blond, disposé méticuleusement entre les longs murs aux couleurs de sorbets, de manière à exalter l'impression d'espace intérieur tout en offrant un remarquable confort. En reflet, je vois le ciel d'azur, une partie de la pelouse, un soupçon de toit du hangar à bateau et la cime d'un lointain rideau d'arbres. Toute la vacuité d'une vue qui synthétise la morne opulence américaine où Ann a choisi, je ne sais pourquoi, de s'insérer par le biais du mariage. J'ai envie de me lever et de descendre sur la pelouse, pour attendre mon fils dans l'herbe. Je ne tiens pas à voir le Dr Stopler et à me faire interdire de faiblesse. Après tout, mes faiblesses m'ont permis d'arriver là où j'en suis.

Mais derrière la vitre apparaît inopinément la silhouette floue de ma fille qui traverse de gauche à droite, pour aller où, je l'ignore. Au passage, elle tourne la tête vers nous – les parents qui se chamaillent – et, croyant que je ne la vois pas, elle nous fait un « doigt d'honneur » en un mouvement de spirale conjuratoire, tel un *« salaam »* fleuri, puis s'éclipse par une porte vers un autre secteur de la maison.

« Je pense au Dr Stopler, dis-je. Je ne sais toujours pas très bien de quel mode de thérapie il se réclame. »

Ann contracte les coins de sa bouche en signe de réprobation – à mon égard.

« Tu pourrais penser à tes enfants comme à une forme de découverte de toi-même. Tu comprendrais peut-être alors où est ton propre intérêt dans l'affaire et tu interviendrais avec un peu plus de conviction. »

Ann considère que je suis un père peu convaincu ; je pense, moi, que je fais de mon mieux.

« Peut-être », dis-je, quoique la perspective d'expéditions hebdomadaires à New Haven, pour de coûteuses et redoutables séances de cinquante-cinq minutes de mea-culpa jetés à la face impavide et lasse de je ne sais quel psy autrichien, suffirait à faire déguerpir n'importe qui.

De fait, Ann n'a qu'une idée très vague de la vie que je mène à présent. Elle n'apprécie guère l'activité d'agent immobilier, ne comprend pas le plaisir que j'y prends, et elle pense en réalité que cela revient à ne rien faire. Elle ignore tout de ma vie privée hormis ce que peuvent révéler les enfants par inadvertance, elle ignore mes déplacements, les livres que je lis. Avec le temps, je suis devenu de plus en plus flou, ce qui l'incline, étant donné sa vieille mentalité terre à terre du Michigan, à désapprouver pratiquement tout ce que je pourrais faire, sinon peut-être entrer à la Croix-Rouge et vouer le reste de mes jours à nourrir les affamés sur des côtes lointaines (une option de rechange défendable, d'ailleurs, mais même cela ne me sauverait pas forcément à ses yeux). Dans tous les domaines qui comptent, je ne vaux pas mieux dans son esprit qu'à l'époque où notre divorce a été prononcé – tandis que de son côté, bien entendu, elle a immensément progressé.

Cela ne me gêne pas vraiment, car faute d'une image claire, on lui manque, et donc, indirectement, je lui manque (c'est ce que je crois, du moins). Selon ce schéma, l'absence crée un vide utile et le remplit en même temps.

Mais il n'y a pas que des aspects positifs : quand on est divorcé, on est sans cesse à se demander (moi, en tout cas, et parfois à un degré obsessionnel) ce que votre ex-femme pense de vous, comment elle juge vos décisions (dans la mesure où elle se doute que vous en prenez), si elle est envieuse, approbatrice, condescendante, pleine de reproches sardoniques ou simplement indifférente. Votre vie, du même coup, peut devenir cauchemardesque et se dégrader au point d'être entièrement fonction de l'idée que vous vous faites de son opinion – comme on guette le vendeur dans la glace du magasin de vêtements pour voir s'il vous admire avec le costume à carreaux tapageur que vous n'êtes pas tout à fait décidé à acheter, mais que vous prendrez si la réaction du vendeur paraît bonne. J'aimerais donc qu'Ann ait de moi l'opinion d'un homme qui s'est courageusement remis d'un échec conjugal, et qui, à partir de là, est parvenu à de saines options et à d'élégantes solutions aux dilemmes épineux de l'existence. À défaut, je préfère qu'elle reste dans l'ignorance.

Mais la vraie difficulté du divorce demeure, étant donné cette multiplication des angles de vue, de ne pas se juger soi-même avec trop d'ironie et de ne pas se décourager. On a d'une part une image tellement détaillée de soi dans sa vie « d'avant », et d'autre part une image tout aussi précise de ce qu'on est « après », qu'il devient très difficile de ne pas se percevoir comme un phénomène pitoyable, et quasiment impossible, parfois, de savoir qui l'on est au juste. Il le faut, pourtant. En fait, un écrivain survit à ces circonstances mieux que pratiquement n'importe qui d'autre, car il comprend que presque tout – T-O-U-T – ne réside pas dans les opinions mais dans les mots, que vous pouvez changer si jamais ils vous déplaisent. (À vrai dire, cela rejoint un peu ce qu'Ann m'a dit hier soir au téléphone au Vince Lombardi.)

Ann s'est assise sur la rambarde de la galerie, un genou en l'air, bronzé et conquérant, l'autre qui se balance. À demi tournée vers moi, elle observe en même temps la régate aux voiles rousses, dont la plupart des coques se dérobent à la vue derrière les arbres.

« Excuse-moi, lance-t-elle d'une voix maussade. Rappelle-moi où vous allez, tous les deux ? Tu me l'as dit hier soir, mais j'ai oublié.

– Nous mettons le cap sur Springfield, ce matin, dis-je gaiement, content de changer de sujet. Nous allons faire un "déjeuner sportif" au Basketball Hall of Fame. Puis, d'ici ce soir, nous serons en principe à Cooperstown. » (Inutile de faire allusion à l'arrivée éventuelle de Sally Caldwell dans l'équipe.) « Demain, nous visitons le Baseball Hall of Fame, et j'amène Paul à New York à six heures tapantes. »

Je lui adresse un sourire publicitaire style « Faites-nous confiance ».

« Le base-ball, ça ne le passionne pas vraiment, si ? dit-elle d'un ton presque plaintif.

– Il en sait plus long sur le sujet que tu ne l'imagines. En outre, cette virée est fondamentale dans le rapport père-fils. »

Je gomme mon sourire afin qu'elle sache que je ne bluffe qu'à moitié.

« Alors, as-tu réfléchi au discours paternel à lui tenir pour l'aider à résoudre ses problèmes ? » demande-t-elle en me dévisageant et en se pinçant le lobe de l'oreille exactement du même geste que Charley.

Mais je n'ai pas l'intention de révéler ce que je vais dire

à Paul, car il est trop facile de rompre l'écheveau fragile d'un dessein crucial en s'affrontant au scepticisme d'une tierce personne. Ann n'est pas dans de bonnes dispositions pour valider une résolution cruciale et fragile, surtout la mienne.

« Mon point de vue est un peu celui d'un médiateur, dis-je, optimiste. Je crois qu'il éprouve des difficultés à se construire une bonne image de lui-même » (c'est un euphémisme), « et je veux lui en offrir une meilleure pour qu'il ne fasse pas une fixation sur l'image à laquelle il s'accroche pour le moment, qui n'a pas l'air très réussie. Un mauvais état d'esprit peut devenir un faux ami si l'on n'y veille pas. C'est en quelque sorte un problème de gestion à risque. Il faut qu'il prenne le risque de rechercher une amélioration en renonçant à une attitude peut-être confortable, mais qui n'est pas viable. Ce n'est pas facile. »

Je voudrais sourire à nouveau, mais ma bouche est devenue sèche comme du papier en prononçant ces paroles et en m'efforçant de paraître aussi sincère que je le suis. J'avale une gorgée du thé glacé, sucré au goût d'une enfant et plein de citron, de menthe, de cannelle et Dieu sait quoi d'autre qui lui donnent une saveur désastreuse. La face épanouie dessinée par le doigt de Clarissa a coulé sous l'effet de la chaleur et c'est devenu un masque lugubre d'épouvantail.

« Crois-tu que tu sois bien indiqué pour lui enseigner la gestion à risque ? »

Ann tourne soudain les yeux du côté du fleuve comme si elle avait entendu un bruit inaccoutumé là-bas dans l'atmosphère estivale. Une brise marine qui s'est mise à souffler amène en effet toutes sortes de sons et d'odeurs sans doute imprévus.

« Je maîtrise ça assez bien.

– Oui, ça... dit-elle en continuant de regarder ailleurs. Sans doute. »

Je perçois à mon tour un bruit proche et difficile à identifier. Je me lève et rejoins la rambarde pour jeter un coup d'œil à la pelouse, dans l'espoir de voir Paul approcher. Au lieu de quoi j'aperçois à présent sur ma gauche, à la lisière des feuillus, l'atelier de Charley dans son ensemble.

Conformément au descriptif, c'est une vraie chapelle de marins de la Nouvelle-Angleterre, absurdement juchée à trois mètres au-dessus de la surface du lac sur des pilotis en bois de cyprès, et reliée à la terre ferme par une passerelle. Les intempéries ont décapé la peinture et laissé à nu les planches des murs. Les fenêtres sont de hautes ogives garnies de verre blanc. Sous le soleil presque au zénith, l'air chaud vibre sur le toit de zinc.

C'est alors que Charley (en miniature, heureusement) fait son apparition sur la petite plate-forme à l'arrière, émergeant du brassage de cerveau auquel il a soumis ce matin sa tête cabossée, afin de concocter pour quelque neurochirurgien richissime les plans d'un palatial chalet pour le ski à Big Sky, ou d'une planque amphibie à Cabo Cartouche, ses grandes oreilles encore pleines du tonnerre de Berlioz. Couronné d'argent et bronzé, torse nu au-dessus de son habituel short kaki, il transporte dehors ce qui a l'air d'une assiettée de quelque chose, qu'il pose sur une table basse à côté de l'unique fauteuil en bois. J'aimerais bien pouvoir braquer sur lui son gros télescope pour examiner les dégâts causés par le coup de tolet. Cela m'intéresserait. (Il n'est jamais aisé de comprendre le choix de votre ex-épouse quand elle se remarie à moins que ce ne soit avec vous.)

J'aimerais quand même parler de Paul, à présent : de la possibilité qu'il vienne vivre à Haddam, afin que je puisse exercer mes fonctions paternelles en dehors des week-ends et des congés. Je n'ai pas complètement fait le bilan de tous les changements que sa présence amènera dans ma vie, des bruits nouveaux, des odeurs nouvelles dans mon espace vital, des problèmes nouveaux de temps, d'intimité et de décence ; de mon rôle : celui d'un homme, revenu à la tradition, qui veille à plein temps sur son fils, les devoirs d'un père, que je n'ai pas remplis mais qui me manquent cruellement. (Je ne détesterais pas non plus entendre parler des disputes qu'ont eues Ann et Charley, quoique que cela ne me regarde pas et pourrait bien se révéler une invention de Clarissa et Paul pour embrouiller tout le monde.)

Mais je suis en peine de savoir que dire, et franchement inhibé face à Ann. (C'est peut-être là un des buts du divorce, restaurer les inhibitions dont on s'était débarrassé quand tout allait bien.) Il est tentant de dévier simplement sur des thèmes moins sujets à controverse, ainsi que je l'ai fait hier soir : mes contrariétés auprès des Markham et des McLeod, l'augmentation des taux d'intérêts, l'élection présidentielle, Mr. Tanks – mon personnage le plus inoubliable – avec son camion, son chat à collier d'or et sa pile d'abrégés du *Reader's Digest*, un mode de vie auprès duquel ma propre Période d'Existence ressemble à dix années de félicité.

« Ce n'est pas vraiment facile d'être un ex, hein ? dit soudain Ann à propos de rien, mais aussi de tout, évidemment. Nous n'avons guère de place dans le grand projet. Nous ne faisons pas avancer les choses. Nous flottons sans attache, même si nous en avons contracté d'autres. »

Du dos de la main, elle se frotte le nez et elle renifle. On croirait qu'elle vient de nous voir hors de notre enveloppe corporelle, tels des fantômes au-dessus du fleuve, et souhaiterait que nous nous évaporions.

« Il nous reste toujours une possibilité. »

Elle semble s'appliquer à ne pas s'adresser à moi par mon nom à moins d'être en colère, si bien que j'ai souvent l'impression de l'entendre par hasard et de la surprendre en lui répondant.

« Et laquelle ? demande-t-elle en me regardant avec sévérité, sourcils froncés, la jambe agitée de contractions à peine détectables.

– Nous remarier, rien que pour établir l'évidence. » (Mais pas forcément l'inévitable.) « L'an dernier, j'ai vendu des maisons à trois couples » (deux, en réalité) « qui avaient tous été mariés une première fois, puis avaient divorcé et épousé quelqu'un d'autre avant de divorcer à nouveau pour se remarier avec leur ancien véritable amour. Quand on est capable de le dire on est capable de le faire, je pense.

– Nous pourrons inscrire ça sur ta tombe, réplique Ann d'un ton d'irritation flagrante. C'est l'histoire de ta vie. Tu ignores ce que tu vas dire, tu ne sais donc pas non plus ce qu'il faut faire. Mais si c'était une erreur d'être mariée avec toi voilà sept ans, pourquoi cela vaudrait-il mieux à présent ? Toi, tu ne vaux pas mieux. » (Cela reste à prouver.) « Peut-être même as-tu empiré.

– N'importe comment, tu es remariée et heureuse », dis-je, content de moi, tout en me demandant qui sera là pour décider de l'inscription sur ma tombe – mieux vaudrait m'en charger personnellement.

Ann suit des yeux Charley qui rentre à grands pas, nu-pieds, torse nu dans son atelier, sans doute pour voir si son miso est prêt et pour prendre la sauce au soja et les échalotes dans son mini-réfrigérateur suédois. J'observe qu'il marche la tête en avant, le dos voûté d'une manière qui le fait paraître singulièrement vieux – il n'a que soixante et un ans –, mais qui m'inspire un élan de sympathie subite, inattendue et totalement intempestive. Un bon coup de tolet sur la tête a un effet plus marquant sur un homme de son âge.

« Tu te plais à penser que je devrais regretter d'avoir épousé Charley. Mais je ne le regrette pas. Pas le moins du monde, reprend Ann dont la chaussure fauve répercute une nouvelle petite secousse nerveuse. C'est quelqu'un de très supérieur à toi » (encore plus difficile à prouver), « ce que tu n'as aucune raison de croire puisque tu ne le connais pas. Il pense même du bien de toi. Il s'efforce d'être un copain pour les enfants. Ce que nous avons accompli avec eux, à son avis, est au-dessus de la moyenne. » (Passons sous silence sa fille la romancière.) « Il est gentil avec moi. Il dit la vérité. Il est fidèle. »

Fidèle, mon cul ! À moins que je me trompe ; quelques hommes sont fidèles. À part ça, j'aimerais entendre un exemple de vérité souveraine proférée par Charley, sans doute quelque théorème confortablement républicain : un sou est un sou ; achetez bon marché, vendez cher ; ce vieux Shakespeare était un sacré petit malin. Ma sympathie imméritée s'envole.

« Je ne me serais pas douté qu'il avait une si bonne opinion de moi », dis-je (convaincu du contraire, en fait). « Peut-être devrions-nous être bons amis. Un jour, il m'en a fait la suggestion, que j'ai été obligé de repousser. »

Ann secoue la tête, me rejetant de la façon dont un grand acteur rejette un chahuteur qui se manifeste dans la salle – totalement, et sans lui prêter attention.

« Tu sais, Frank, il y a cinq ans, lorsque nous vivions tous à Haddam selon cet arrangement bancal qui te comblait, que tu baisais cette petite poule du Texas et que tu étais heureux comme un roi, je suis allée jusqu'à passer une annonce dans le *Pennysaver*, où je me présentais comme une femme en quête d'un compagnon. J'ai risqué l'ennui et le viol rien que pour maintenir une situation qui te plaisait. »

Ce n'est pas la première fois que j'entends parler du *Pennysaver*, etc. Et Vicki Arcenault n'avait rien d'une poule.

« Nous aurions pu nous remarier à n'importe quel moment. Et je n'étais pas heureux comme un roi. C'est toi qui as demandé le divorce, si tu veux bien t'en souvenir. Nous aurions pu réemménager sous le même toit. Des tas de choses auraient pu se passer autrement. »

Je vais peut-être m'entendre dire que le réajustement le plus difficile de ma vie d'adulte aurait pu être évité (si seulement j'avais été plus clairvoyant). Rien ne peut être pire à encaisser, et il ne faudrait pas me pousser beaucoup pour que je cogne sur Ann.

« Je ne voulais pas t'épouser. » (Elle continue de secouer la tête, moins fort.) « J'aurais dû partir, c'est tout. As-tu seulement la moindre idée de la raison de notre rupture ? »

Elle me jette un bref coup d'œil en coin, d'autant plus déstabilisant qu'il me rappelle Sally. Je préférerais ne pas creuser le passé maintenant, mais plutôt l'avenir ou au moins le présent, où je me sens de plain-pied. Mais tout cela est ma faute, pour avoir imprudemment soulevé la question brûlante du mariage, ou en tout cas avoir prononcé le mot.

« Autant que je sache, dis-je en un effort pour lui répondre en toute honnêteté, après la mort de notre fils, toi et moi nous avons essayé de nous y faire, mais en vain. Alors je suis parti de chez nous pour quelque temps, j'ai eu des petites amies et tu as demandé le divorce parce que tu ne voulais plus vivre avec moi. » (Je la regarde en retenant mon souffle, comme si mon résumé de cette phase de notre vie revenait peu ou prou à affirmer qu'un Goya aurait aisément pu être peint par une brave grand-mère à Des Moines.) « Peut-être que je me trompe… »

Ann penche la tête comme si elle s'efforçait d'y remettre d'aplomb mon point de vue.

« Si j'ai voulu divorcer, articule-t-elle lentement et méticuleusement, c'est parce que tu me déplaisais. Et tu me déplaisais parce que tu ne m'inspirais pas confiance. Penses-tu m'avoir dit la vérité une seule fois, toute la vérité ? »

Elle tapote sa cuisse nue du bout des doigts, sans me faire face. C'est son refrain, la recherche de la vérité, et comment l'écrasent les forces de la contingence, généralement incarnées par votre serviteur.

« La vérité à quel sujet ?

– N'importe lequel, réplique-t-elle en se raidissant.

– Je t'ai dit que je t'aimais. C'était la vérité. Je t'ai dit que je ne voulais pas divorcer. C'était aussi la vérité. Qu'y avait-il d'autre ?

– Des faits importants que tu refusais de reconnaître. Inutile de revenir là-dessus à présent. »

Elle se remet à hocher la tête comme pour ratifier cette affirmation. Mais j'ai perçu dans sa voix une tristesse et même un frémissement de remords inattendus, qui me gonflent le cœur et me nouent les voies respiratoires au point que, durant un long moment, je suis incapable de parler. Là, je me suis fait avoir : elle est émue et abattue, et je n'ai rien à répondre.

« Pendant un certain temps, poursuit-elle, très bas et avec beaucoup de précaution, s'étant un peu ressaisie, pendant longtemps, en fait, j'ai su que nous n'allions pas au bout de la vérité l'un envers l'autre. Ce n'était pas trop grave, tant que nous nous efforcions de la trouver ensemble. Mais, d'un seul coup, j'ai perdu tout espoir, et j'ai compris que pour toi, la vérité n'existait pas vraiment. Même si j'étais toujours franche avec toi. »

Ann pensait constamment que les autres gens étaient plus heureux qu'elle, que les autres maris aimaient davantage leur femme, que leurs couples parvenaient à une plus profonde intimité, et ainsi de suite. Cela n'a sans doute rien d'inhabituel de nos jours, quoique ce soit faux en ce qui nous concernait. Mais tel est son jugement rétrospectif, et définitif, quant à notre histoire passée : pourquoi l'amour s'est arrêté ; pourquoi la vie s'est brisée en tant de morceaux

334

et a pris cet aspect ; qui est le fautif au bout du compte ? Moi. Pourquoi aujourd'hui, je n'en sais rien. En réalité, je ne sais toujours pas clairement de quoi elle parle. Et pourtant, je suis saisi d'une telle envie subite de poser la main sur son genou dans l'espoir de la consoler que je le fais – je pose la main sur son genou dans l'espoir de la consoler. Dieu sait comment cela m'est possible.

« Ne pourrais-tu me donner une précision ? dis-je doucement. Les femmes ? Ou quelque chose que je pensais ? Ou que tu croyais que je pensais ? Une impression que je te faisais ?

– Ce n'était rien de précis, se force-t-elle à répondre, avant de s'interrompre. Écoute, contentons-nous maintenant de parler d'achat et de vente de maisons. D'accord ? Tu fais ça très bien. » (Elle me jauge désagréablement du regard, sans prendre la peine d'écarter de son genou lisse ma main chaude et moite.) « Je voulais un homme au cœur sincère, voilà tout. Ce n'était pas toi.

– Bon Dieu, j'ai le cœur sincère, dis-je, indigné. Et je me suis amélioré. Tu peux t'attendre à mieux. N'importe comment, tu ne verrais pas la différence.

– Je me suis rendu compte, reprend-elle sans accorder d'intérêt à ma protestation, que tu n'étais jamais tout à fait présent. Et c'était longtemps déjà avant la mort de Ralph, mais aussi après. »

Une colère subite s'empare de moi.

« Mais je t'aimais ! Je voulais rester ton mari. À la recherche de quelle autre vérité courais-tu ? Je n'avais rien d'autre à te dire. La vérité, c'était ça. Chez n'importe qui, il y a des tas de choses qu'on ignore et qu'il vaut mieux ignorer, pour l'amour du ciel ! Je ne sais même pas en quoi elles consistent. Chez toi, il y en a des tas, des choses qui n'ont même aucune importance. En outre, où diable est-ce que j'étais si je n'étais pas présent ?

– Je n'en sais rien. Là où tu es encore. À Haddam. Je voulais simplement que tout soit clair et tangible.

– J'ai bel et bien un cœur sincère, me mets-je à crier, à nouveau tenté de la frapper, mais sur le genou seulement. Tu fais partie de ces gens qui croient que Dieu n'est que dans les détails, mais si ce ne sont pas les détails qu'il faut précisément, la vie est foutue en l'air. Tu inventes des choses qui n'existent pas, et après tu ne supportes pas qu'on les nie. Du coup, tu ne vois pas ce qui existe vraiment. C'est peut-être de toi que ça vient, tu sais. Il y a peut-être des vérités qui ne s'expriment pas dans les mots, ou peut-être ne voulais-tu surtout pas de la putain de vérité, ou peut-être que tu manques foutument de confiance. Ou de confiance en toi, ou je ne sais pas quoi. »

J'enlève la main de son genou, je n'ai plus envie de la consoler.

« Je ne vois pas l'intérêt de nous attarder sur le sujet.

– Mais c'est toi qui as commencé ! Tu as commencé hier soir, à propos d'être ou de sembler, comme si tu étais la meilleure spécialiste mondiale de l'être. Tu voulais autre chose, c'est tout. Autre chose au-delà de ce qui existe. »

Elle a raison, bien sûr, nous ferions mieux de ne pas poursuivre sur ce terrain-là, car c'est une discussion que n'importe qui peut avoir en tête à tête, a eu, est sûrement en train d'avoir d'un bout à l'autre du pays pour bien entamer le week-end. En fait, cela n'a rien à voir avec nous deux. En un sens, nous n'existons même pas, pris ensemble.

Je balaie du regard la longue galerie, la grande maison bleue face à son immense pelouse, les fenêtres scintillantes derrière lesquelles mes deux enfants sont emprisonnés, peut-être perdus pour moi. Charley n'est pas ressorti sur sa petite plate-forme. Je me suis sans doute trompé en croyant qu'il consommait son déjeuner bio sous le soleil bio tandis que nous étions là en haut à ferrailler tous les deux, hors de portée d'oreille. Je ne sais rien de lui et je devrais être plus indulgent.

Ann secoue la tête une fois de plus, sans un mot. Elle abandonne son perchoir sur la rambarde, lève le menton, passe un doigt le long de sa tempe jusqu'à ses cheveux, et jette un rapide coup d'œil à la fenêtre miroir comme si elle voyait venir quelqu'un, ce qui est le cas : notre fils, Paul. Enfin.

« Je regrette, dis-je. Je regrette de t'avoir rendue folle lorsque nous étions mariés. Si j'avais su que cela arriverait, je ne t'aurais pas épousée. Tu as sans doute raison, je me fie à ce qu'il me semble obtenir. Mon problème est là.

336

– Je croyais que tu pensais à ce que je pensais, dit-elle doucement. C'est peut-être là qu'est mon problème à moi.

– J'ai essayé. J'aurais dû. Je t'ai beaucoup aimée tout le temps.

– Il y a des choses qu'on ne peut pas réparer après coup, n'est-ce pas ?

– Non, pas après coup. Après coup on ne peut pas. »

Et voilà où nous en sommes, essentiellement et définitivement.

« Pourquoi vous faites une gueule longue comme ça ? » nous lance Paul.

Il a débouché avec un sourire content de lui sur la galerie, en ne me rappelant que trop le garçon du meurtre à Ridgefield hier soir, aussi malchanceux qu'un condamné à mort. À ma surprise, il s'est encore empâté en même temps qu'il me semble avoir grandi ; ses sourcils épais, adultes, ressemblent de plus en plus à ceux de sa mère, mais il a un vilain teint terreux, qu'il n'avait pas voilà seulement un mois, et encore moins lorsqu'il était le petit garçon candide qui élevait des pigeons chez lui à Haddam. (Comment ces choses-là changent-elles si vite ?) Il a une nouvelle coupe de cheveux absurde, rasés sur les côtés et en touffe sur le dessus, qui met en évidence le petit pansement ensanglanté sur son oreille. Il a aussi adopté une démarche lourde – les pieds en dedans, les talons qui raclent, les épaules affaissées – par laquelle il semble exprimer physiquement le concept abstrait de sa réprobation condescendante à l'égard de tout ce qu'il voit (un effet du stress, sans doute). Il reste planté devant nous, ses parents, sans rien faire.

« J'ai pensé à un chouette homonyme pendant que je m'habillais, nous lance-t-il d'un air malin. "Corset" et "corsé". Sauf que ça veut dire pareil. »

Souriant, il s'efforce de se présenter sous un aspect qui nous contrariera, comme quelqu'un qui a perdu une portion de son Q.I. ou qui s'y prépare.

« Nous parlions justement de toi. »

Je comptais faire allusion au Dr Sion, pour communiquer avec lui par langage codé, mais j'y renonce. En fait, sa vue

337

me désole. Comme si nous n'avions rien dit ni l'un ni l'autre, sa mère s'avance pour lui prendre le menton entre son pouce et son index vigoureux de golfeuse et lui faire pivoter la tête afin d'examiner son oreille fendue. (Il est presque aussi grand qu'elle.) Paul tient à la main un sac noir de sport marqué « Paramount Pictures – Visez le sommet » en lettres blanches (le beau-père de Stéphanie est producteur, paraît-il), il porte de grosses Reeboks avec des éclairs argentés sur les côtés, un short noir long et informe, et un grand T-shirt bleu nuit où est imprimé sur le devant « Le bonheur est dans le célibat » sous l'image d'une Corvette rouge vif. C'est un garçon qui n'a rien d'indéchiffrable, même si c'est aussi quelqu'un qu'on n'aurait pas envie de croiser au coin d'une rue. Ou chez soi.

Ann lui demande d'un ton confidentiel s'il a tout ce qu'il lui faut (oui), s'il a de l'argent (oui), s'il se souvient du rendez-vous à Penn Station (oui), s'il se sent bien (pas de réponse). Il me jette un coup d'œil perçant et retrousse un côté de la bouche comme si nous étions d'une certaine manière ligués contre elle. (C'est faux.)

« Bon, d'accord, tu n'es pas très beau à voir, mais va attendre dans la voiture, s'il te plaît. J'ai deux mots à dire à ton père. »

Il plisse la bouche d'un air dédaigneux, sans gaieté, un air de tout savoir sur ce que sa mère peut avoir à dire à son père. Le voilà devenu suffisant. Mais comment ? Quand ?

« Qu'est-il arrivé à ton oreille, à propos ? dis-je bien que je ne l'ignore pas.

– Je l'ai punie, dit-il. Elle a entendu un paquet de choses qui ne m'ont pas plu. »

Il a fait cette réponse d'une voix mécanique et monotone. Je l'expédie d'une petite bourrade dans la direction d'où il est venu, la maison à retraverser pour gagner la voiture de l'autre côté. Il y va.

« J'aimerais bien que tu essaies de faire attention à lui, dit Ann. Je tiens à le récupérer en bon état pour sa comparution devant le juge, mardi. »

Elle a essayé de me faire prendre le même chemin que

Paul, mais je refuse de mettre le pied dans sa belle demeure sinistre, avec sa dynamique venimeuse, ses lignes élégantes et son registre de couleurs exsangues. Je la précède donc (en boitant toujours, inexplicablement) sur les marches qui descendent vers la pelouse, pour contourner la maison, plus à l'abri dans l'herbe, et rejoindre à travers les massifs d'arbustes l'allée carrossable, comme le ferait un jardinier.

« Je crois qu'il est prédisposé aux blessures, reprend-elle doucement en marchant derrière moi. J'ai rêvé qu'il avait un accident. »

Je m'avance entre les hortensias à l'odeur charnue, aux larges feuilles vertes, aux fleurs d'un pourpre intense.

« Mes rêves à moi ressemblent toujours au bulletin d'informations. C'est aux autres qu'il arrive des choses. »

L'émoi sexuel que j'ai ressenti tout à l'heure en voyant Ann a disparu depuis longtemps.

« Tant mieux pour toi, réplique-t-elle, mains dans les poches. Il se trouve que ce rêve-là était le mien. »

Je ne veux pas penser à d'affreuses blessures.

« Il a grossi, dis-je. Est-ce qu'il prend des régulateurs d'humeur, des neuroleptiques ou des trucs comme ça ? »

Paul et Clarissa sont déjà en conférence à côté de ma voiture. Plus petite que lui, elle lui tient le poignet gauche dans ses deux mains et essaie de le poser sur le dessus de sa tête à elle, en une sorte de geste fraternel auquel il ne veut pas coopérer. Je l'entends qui s'exclame : « Allez ! Fais pas le con ! »

« Il ne prend rien du tout, me répond Ann. Il grandit, voilà tout. »

De l'autre côté du terre-plein en gravier se trouve un garage à cinq ouvertures, assorti à la maison dans les moindres détails, y compris la girouette miniature en cuivre, en forme de raquette de squash. Deux portes sont béantes, et l'on aperçoit dans l'ombre deux Mercedes avec leurs plaques de l'« État de la Constitution ». Je me demande où est le break de Paul.

« D'après le Dr Stopler, poursuit Ann, il présente des caractéristiques d'enfant unique, ce qui est tout de même dommage, en un sens.

– J'étais un enfant unique. Cela me convenait bien.

– Seulement lui, il ne l'est pas. Le Dr Stopler a dit aussi »
(Elle m'ignore, et qu'est-ce qui l'en empêcherait ?) « qu'il
valait mieux éviter de lui parler de l'actualité. C'est un
facteur d'angoisse.

– Oui, sans doute… » (Je m'apprête à faire une remarque
caustique sur l'enfance afin d'établir mes titres de propriété
pour aujourd'hui – citer Wittgenstein, vivre dans le présent
c'est vivre indéfiniment, bla bla bla. Mais je tire un trait.
Cela ne servirait à rien. Un navigateur ne coupe pas au gros
temps un jour ou l'autre – les enfants le savent mieux que
personne.) « As-tu idée de ce qui aggrave son état, tout d'un
coup ? »

Elle secoue la tête, enserre son poignet droit dans sa main
gauche et les fait tourner, puis elle m'adresse un pâle petit
sourire.

« Toi et moi, j'imagine. Quoi d'autre ?

– Je crois que j'attendais une réponse plus complexe.

– Libre à toi, dit-elle en massant de la même façon son
poignet gauche. Je suis sûr que tu la trouveras tout seul.

– Je ferai peut-être inscrire sur ma tombe : "Il attendait
une réponse plus complexe."

– Arrêtons de parler de ça, tu veux bien ? Nous serons
au Yale Club ce soir, si tu as besoin de m'appeler. »

Ann me dévisage en fronçant le nez et courbe une épaule
en avant. Elle ne voulait pas se montrer aussi hargneuse.
Au milieu des hortensias, et pour la première fois aujour-
d'hui, elle est d'une pure beauté – tellement jolie que mon
souffle se libère, que mon esprit s'ouvre grand et que je la
contemple ainsi que je la contemplais jadis en permanence,
tous les jours de notre vie commune à Haddam. Le moment
serait tout indiqué pour un baiser qui changerait l'avenir,
ou pour qu'elle m'annonce qu'elle est en train de mourir
d'une leucémie, à moins que ce soit moi. Mais il ne se
passe rien de tel. Elle arbore à présent son sourire vaillant
de femme déçue de longue date et capable d'affronter à peu
près n'importe quoi s'il le faut – des mensonges, et encore
des mensonges.

« Amusez-vous bien tous les deux. Et je t'en prie, fais
attention à lui.

– C'est mon fils, dis-je bêtement.

– Oh, ça, je sais. Il te ressemble. »

Sur quoi elle tourne les talons et repart vers la pelouse. Je présume qu'elle va poursuivre son chemin et disparaître du côté de l'étang pour aller déjeuner avec son mari.

8

Clarissa Bascombe a glissé quelque chose de tout petit et de secret dans la main de Paul au moment où nous partions. Et sur la route de Hartford, puis de Springfield, et du Basketball Hall of Fame, il l'a serré sans le regarder tandis que je bavardais avec entrain de ce qui me semblait pouvoir briser la glace entre nous, faire passer le courant, mettre un peu de chaleur... bref, nous aider à entamer du bon pied ce qui me donne l'impression pour le moment d'être notre dernier et plus important voyage ensemble en qualité de père et fils (mais qui ne le sera pas, sans doute).

Dès que nous quittons la CT 9 encombrée pour prendre la I 91, encore plus encombrée, et que nous avons passé le palais crasseux de la pelote basque et un nouveau casino tenu par les Indiens, je lance mon premier « sujet intéressant » : combien il est difficile, ici, à une quinzaine de kilomètres au sud de Hartford, en ce 2 juillet 1988, où tout à l'air d'un seul tenant, d'imaginer que, le 2 juillet 1776, toutes les colonies de la côte se méfiaient les unes des autres comme de la peste, se comportaient comme autant de nations séparées, farouchement guerrières, qui redoutaient plus que tout la perte de valeur de la propriété et la religion pratiquée par les voisins (comme aujourd'hui), et qui savaient pourtant qu'il leur fallait trouver moyen d'accroître leur prospérité et leur sécurité. (Au cas où cela paraîtrait complètement barjo, c'est sérieux, c'est au programme sous l'intitulé : « Les liens entre le passé et le présent : de la fragmentation à l'unité et à l'indépendance. » À mon sens, c'est un thème de réflexion totalement approprié à la difficulté qu'éprouve Paul à intégrer son passé disloqué dans son présent tumultueux, de façon à ce que les deux s'associent raisonnablement pour lui procurer liberté et indépendance, plutôt que de rester dissociés au point de le rendre cinglé. Les cours d'Histoire sont des leçons subtiles qui nous incitent à avoir la mémoire et l'oubli sélectifs, et valent donc beaucoup mieux que la psychiatrie, qui vous force à tout vous rappeler.)

« John Adams* a dit un jour qu'il était aussi difficile d'obtenir l'accord de toutes les colonies pour être indépendantes ensemble, que de faire sonner treize pendules à la même seconde.

– Qui c'est, John Adams ? demande Paul d'un ton d'ennui, ses jambes nues, où les poils apparaissent sur la pâleur de la peau, croisées d'une manière volontairement relâchée, avec une Reebok, au laçage jaune fluo, levée dangereusement près du levier de changement de vitesse.

– John Adams était notre premier vice-président. Il fut aussi la première personne à déclarer que c'était un boulot idiot. Publiquement, en tout cas. C'était en 1797. As-tu emporté ton exemplaire de la *Déclaration d'indépendance* ?

– Mmmm. »

Difficile à interpréter. Il contemple le Connecticut réapparu, où un hors-bord fuselé tracte une minuscule skieuse, en brassant la surface luisante du fleuve. Vêtue d'un gilet de sauvetage jaune vif, arc-boutée loin à l'oblique sur sa poignée, la fille lève dans son sillage une écume translucide.

« Pourquoi tu conduis si f-ment lentement ? » demande-t-il pour faire de l'esprit, puis il prend une voix de vieille dame : « Tout le monde me double, mais je ne mets pas plus longtemps que les autres pour arriver à destination. »

Évidemment, je suis bien résolu à conduire à la vitesse que je veux et pas plus rapidement, mais je tourne les yeux vers Paul, pour la première fois depuis que nous avons quitté Deep River. L'oreille qui n'a pas heurté le volant du break est pleine d'une crasse grisâtre. De plus, il ne sent pas très bon, il dégage en fait les relents de quelqu'un qui aurait dormi tout habillé et ne se serait pas lavé. Il n'a pas

---

* John Adams : l'un des rédacteurs de la *Déclaration d'Indépendance* (1776), il fut de 1797 à 1801 le deuxième président des États-Unis. Thomas Jefferson lui succéda. *(N.d.l.T.)*

l'air non plus de s'être brossé les dents depuis un certain temps. Peut-être s'agit-il d'un retour à la nature.

« Les défricheurs, à l'origine, tu sais, dis-je plein d'élan, mais en m'apercevant aussitôt que je m'embrouille entre les auteurs de la Constitution et les signataires de la Déclaration (une confusion persistante de ma part, qui a toutes les chances d'échapper à Paul), ils voulaient se sentir libres de commettre de nouvelles erreurs plutôt que de s'enfermer indéfiniment dans les anciennes en tant que colonies séparées, ce qui les empêchait de progresser. C'est pourquoi ils ont décidé de s'associer en étant indépendants, et se sont montrés disposés à sacrifier une part de l'autorité qu'ils avaient toujours exercée dans l'espoir de parvenir à quelque chose de mieux – dans leur cas, un meilleur commerce avec le monde extérieur. »

Paul me regarde d'un air dédaigneux, comme si j'étais une vieille radio réglée sur une station qui radote au point d'en être presque comique.

« Les défricheurs ? Tu parles des cultivateurs ?

– Certains d'entre eux étaient cultivateurs, en effet. » (Inutile de revenir là-dessus. Je n'ai pas encore trouvé le contact.) « Mais les gens qui ne veulent pas renoncer à commettre indéfiniment les mêmes erreurs sont ce qu'on appelle des conservateurs. Et les conservateurs étaient tous hostiles à l'indépendance, y compris le fils de Benjamin Franklin, qui a fini par être déporté dans le Connecticut, tout comme toi.

– Alors, les cultivateurs sont des conservateurs ? demande-t-il en feignant la perplexité, mais pour se moquer de moi.

– Oui, souvent, quoique ce soit contraire à leur intérêt. Qu'est-ce que ta sœur t'a donné ? » dis-je en observant son poing gauche toujours fermé.

Nous nous enfonçons rapidement dans le goulot de circulation de Hartford. Sur la droite, on voit le chantier de construction routière élaborée, entre l'Interstate et le fleuve – une bretelle escarpée, une nouvelle voie parallèle, des flèches qui clignotent, des engins jaunes énormes chargés de terre du Connecticut qui roulent à côté de nous en grondant, des Blancs en chemise blanche casqués de plastique penchés sur des liasses de plans dans les bourrasques de vent chaud.

Paul examine son poing comme s'il n'avait aucune idée de ce qu'il contient, puis il l'ouvre lentement sur un petit nœud jaune, jumeau de celui que m'a donné Clarissa.

« Elle t'en a donné un, marmonne-t-il. Un rouge. Elle m'a dit que tu voulais être son cavalier, mais qu'elle t'a répondu qu'il te manquait le cheval. »

Je suis choqué de découvrir la duplicité de ma fille. Paul prend son nœud jaune par les deux bouts du ruban et tire dessus de manière à réduire à rien les deux boucles. Puis il se le fourre dans la bouche et l'avale.

« Miam-miam, dit-il avec un sourire perfide. Fameux dénouement. » (Il a fabriqué cet incident de toutes pièces, et falsifié aussi l'histoire de sa sœur, rien que pour placer sa chute.)

« Je préfère garder le mien pour plus tard.

– Pour plus tard, elle m'en a donné un autre. »

Il me jette son regard sournois. Avec l'avance qu'il a sur moi, je sais que je vais avoir du mal.

« Bon, alors, quel est le problème entre Charley et toi ? dis-je tandis que je nous pilote de façon à éviter le centre de Hartford, la petite capitale au dôme doré presque perdu au milieu des tours de gros assureurs. Vous ne pourriez pas vous montrer un peu civilisés, tous les deux ?

– Moi, si. Lui, c'est un connard. »

Paul observe par sa vitre l'escouade de Shriners qui s'amène à côté de nous en chevauchant leurs Harleys. Des costauds bouffis aux grosses joues, accoutrés de tenues de gardiens de harem en soie jaune et verte, avec des gants, des bottes et de grosses lunettes de moto. Sur leurs gigantesques Electra Glides, ils sont aussi imposants que de vrais gardiens de harem, et, naturellement, ils roulent en formation espacée par souci de sécurité ; malgré les vitres fermées, le bruit de leurs moteurs est assourdissant et oppressant.

« Crois-tu que de lui ouvrir le crâne à coups de tolet, c'est un bon remède à sa connerie ? »

Ce sera ma seule concession forcée aux intérêts de Charley.

Le premier Shriner a repéré Paul et il lève en souriant un pouce ganté, à son intention. Lui et sa bande, autant de braves gros choux à la crème, ils sont sûrement en route pour aller exécuter des huit et des ronds inscrits dans des ronds sous les yeux ravis des foules sur un parking de centre commercial, avant de repartir en hâte prendre la tête du défilé dans la grand-rue de je ne sais quelle ville.

« C'est juste un remède parmi d'autres, répond Paul en rendant le signe du pouce au gardien chef de harem, le front collé à la vitre avec un sourire sarcastique. Ils me plaisent bien, ces mecs. Charley devrait en faire partie. Comment on les appelle ?

– Les Shriners, dis-je en levant le pouce de mon côté.

– Qu'est-ce qu'ils font ?

– Ça ne s'explique pas facilement. »

Je m'efforce de rouler droit.

« J'aime bien leur costume. »

Il émet un petit aboiement, étouffé et imprévu, un jappement de fox-terrier. Apparemment, il ne tient pas à ce que je l'entende, mais il ne peut s'empêcher de recommencer. L'un des Shriners semble piger la consigne et il fait mine d'aboyer à son tour, puis lève le pouce lui aussi.

« Tu te remets à aboyer, mon fils ? »

En lui jetant un coup d'œil, je fais une légère embardée sur la droite. Un accrochage ici signifierait une défaite complète.

« Ça a l'air.

– Et pourquoi ? Penses-tu aboyer pour Mr. Toby ou quoi ?

– Parce que j'en ai besoin. »

Il m'a expliqué plusieurs fois que les gens, selon lui, disent à présent « j'ai besoin » au lieu de « je veux », ce qu'il trouve hilarant. Les Shriners refluent sur la voie lente, sans doute inquiets après mon embardée.

« Ça me fait du bien. Je suis pas obligé de le faire. »

Et franchement, je ne vois pas quelle objection je pourrais formuler si cela lui fait du bien d'adresser de temps à autre au monde un ou deux aboiements au lieu du classique « Comment ça va ? » ou du pouce levé. Pas de quoi s'énerver. Cette manie pourrait présenter des inconvénients lors d'un examen d'entrée à l'université, ou poser un problème s'il ne faisait plus qu'aboyer et cessait de parler jusqu'à la fin de ses jours. Mais je ne pense pas que ce soit si grave. Cela va sûrement passer, comme tout le reste. Je devrais sans doute essayer. Peut-être cela me ferait-il du bien, à moi aussi.

« Alors, on va au Basketball Hall of Fame, ou pas ? » lance-t-il comme si nous étions en discussion à ce propos.

Où a-t-il la tête en cet instant ? Il est peut-être en train de penser qu'il pense à Mr. Toby et qu'il pense qu'il aimerait mieux pas.

« Et comment ! Nous y serons bientôt. Tu es impatient d'y arriver ?

– Ouais. Parce que j'ai besoin de pisser un coup dès qu'on y sera. »

Sur ce, il se tait pendant des dizaines de kilomètres.

À peine trente minutes plus tard, nous laissons la 91 pour entrer dans Springfield et faire un tour à travers la vieille ville des manufactures en suivant les pancartes de signalisation à éclipses BB. HALL OF FAME, jusqu'au moment où nous nous retrouvons loin du centre, au nord, arrêtés face à une dense cité-dortoir en brique sur un boulevard jonché de détritus, près de la rampe d'accès à l'Interstate que nous venons de quitter. Égarés.

Aux abords d'un Burger King échoué ici traîne une foule de jeunes Noirs et, de l'autre côté du parking, s'affiche sur un grand panneau le sourire forcé du gouverneur Dukakis, entouré d'enfants de toutes races, croyances et couleurs, euphoriques, bien nourris, pétants de santé malgré leur pauvreté. Cela fait visiblement des jours qu'on n'a pas collecté les immondices, et des véhicules abandonnés ou pillés gisent un peu partout. Un *hall of Fame*, n'importe quel *hall of Fame* à moins de trente kilomètres alentour ne semble guère valoir le risque de se faire tirer dessus. En fait, je suis tenté de renoncer et de gagner l'autoroute du Massachusetts, obliquer vers l'ouest et filer sur Cooperstown (deux cent soixante-quinze kilomètres), ce qui nous amènerait au *Deerslayer Inn*, où j'ai réservé une chambre à deux lits, juste à l'heure de l'apéritif.

Cependant, cela reviendrait à s'avouer vaincu parce qu'on s'est trompé de chemin (fâcheux exemple pour un voyage à but éducatif). En outre, au point où nous en sommes, ne pas y aller serait de l'ordre du caprice, et, malgré la sévérité des jugements portés sur moi-même à trois heures du matin, je ne me crois pas capricieux, même un père couci-couça n'a pas le droit d'être capricieux.

Toujours peu convaincu de ma détermination, Paul n'a pas ouvert la bouche, il s'est borné à regarder à travers le pare-brise le gouverneur Dukakis comme s'il n'y avait rien au monde de plus normal.

Je fais donc un rapide demi-tour en direction de la ville, m'arrête devant un supermarché, demande mon chemin par la fenêtre à un client noir qui en sort et qui nous conseille courtoisement de reprendre l'Interstate vers le sud. En cinq minutes, nous la quittons à nouveau, mais cette fois par une sortie clairement indiquée BBHOF, au bout de laquelle nous contournons le soutènement de la voie express pour déboucher en plein sur le parking du Hall of Fame, où sont garées de nombreuses voitures ; garnie de bancs en bois, de jeunes arbres et de rêveurs passionnés de basket, une petite pelouse proprette borde le Connecticut dont les eaux scintillent juste derrière.

Quand je coupe le contact, nous restons simplement assis, Paul et moi, à contempler sur l'autre rive du fleuve les carcasses des vieilles manufactures comme si nous nous attendions à voir s'illuminer soudain une grande pancarte pour nous crier : « Non ! Ici ! C'est ici que ça se passe à présent ! Vous n'êtes pas au bon endroit ! Vous nous avez ratés ! Vous vous êtes encore trompés ! »

Évidemment, je devrais saisir cet instant de battement de l'arrivée pour aborder dans l'ordre du jour le chapitre Emerson, le fataliste optimiste, saisir *Autonomie* sur la banquette arrière, où Phyllis l'a feuilleté en dernier. Je pourrais en particulier citer l'astucieux : « L'insatisfaction est un manque d'autonomie ; c'est une infirmité de la volonté. » Ou alors une phrase où il soit question d'accepter la place que vous a allouée la providence, la société de vos contemporains, l'enchaînement des circonstances. L'un et l'autre principe me semblent extrêmement précieux, si toutefois ils ne sont pas contradictoires.

Paul se retourne pour examiner, les sourcils froncés, l'édifice en métal et en verre du Hall of Fame, qui ressemble moins à un vénérable sanctuaire de légende qu'à une clinique dentaire high-tech, avec sa façade en fausses dalles de ciment couleur gelée de mûres, du genre à mettre à l'aise les patients qui viennent se faire soigner pour la première fois : « Personne ici ne vous maltraitera, ne vous fera payer trop cher ni ne vous annoncera de mauvaises nouvelles. » Mais, au-dessus des portes, des banderoles multicolores annoncent : « LE BASKET-BALL : LE SPORT DE L'AMÉRIQUE ».

Tandis qu'il regarde derrière lui, je remarque que Paul a une grosse verrue, avec une vilaine inflammation, sur le côté de sa main droite, à la base du petit doigt. Consterné, j'observe aussi, sur la face interne du poignet, ce qui semble être un tatouage bleu, comme pourrait en porter un prisonnier et que Paul s'est peut-être fait lui-même, un mot que je ne parviens pas à déchiffrer. En tout cas, ça ne me plaît pas et je décide immédiatement que, si sa mère est incapable de veiller sur lui, il faudra que je m'en charge.

« Alors, qu'est-ce qu'y a là-dedans ? demande-t-il.

– Des tas de trucs bien, dis-je, remettant Emerson à plus tard et m'efforçant d'ignorer le tatouage le temps de faire mousser l'enthousiasme pour le basket, car je suis pressé de descendre de voiture, peut-être d'acheter un sandwich à l'intérieur et de lancer une dernière tentative téléphonique du côté de South Mantoloking. Il y a des films, des collections d'uniformes et de photos, et la possibilité de faire des paniers. Je t'ai envoyé les prospectus. »

Ma description n'a rien de très spectaculaire. Il vaudrait peut-être encore mieux s'en aller. Paul me regarde de son air suffisant, comme si cela l'amusait de s'imaginer en train de faire des paniers. Et je lui flanquerais volontiers ma main dans la figure à cause de son tatouage. Mais cela irait à l'encontre de ma résolution d'instituer entre nous une relation féconde, dès la première heure que nous passons ensemble.

« Tu peux te planter devant une silhouette grandeur

nature de *Wilt the Stilt** pour comparer ta taille avec la sienne. »

À l'arrêt, notre climatisation commence à se dissiper.

« Qui est Milt the Stilt ? »

Je sais qu'il le sait. Paul était un fan des Sixers à l'époque de son départ. Je l'emmenais assister à des matches. Il a vu des photos. Il subsiste même actuellement un panier fixé au mur de mon garage de Cleveland Street. Mais Paul est maintenant branché sur des jeux plus complexes.

« Un célèbre proctologue. Bon, allons prendre un hamburger. J'ai promis à ta mère que je te paierais un déjeuner sportif. Ils auront peut-être un dunk-burger. »

Ses yeux tournés vers moi se plissent. Il promène nerveusement la langue aux commissures de sa bouche. Ça lui plaît. Je m'aperçois pour la première fois que ses cils (là aussi, il ressemble à sa mère) sont devenus ridiculement longs. Je ne parviens pas à suivre son évolution.

« Tu as assez faim pour bouffer le cul d'un putois crevé ? lance-t-il avec un clin d'œil effronté.

– Oui, j'ai drôlement faim. »

J'ouvre ma portière et laisse s'engouffrer dans la voiture une bouffée chaude et toxique, composée de vapeurs de diesel, d'air fouetté sur la voie express et de l'odeur poissonneuse du fleuve. En outre, je suis déjà fatigué de lui.

« Eh ben alors, tu as drôlement faim. Tu crois que j'ai des symptômes qui ont besoin d'être soignés ? reprend-il, ne sachant comment s'en sortir.

– Non, je ne crois pas que tu aies des symptômes, mon fils, dis-je, penché vers la voiture. Je crois que tu as une personnalité, et c'est peut-être pire, dans ton cas. »

Je devrais l'interroger au sujet de l'oiseau mort, mais je ne peux m'y résoudre.

« Roupie de sansornette », dit Paul.

Par-dessus le toit brûlant de ma voiture, je contemple par-delà le Connecticut, par-delà la verdure du Massachusetts occidental, la direction que nous ne tarderons pas à prendre. Je ne sais pourquoi, je me sens aussi solitaire qu'une épave.

---

* Wilt l'Échasssier. *(N.d.l.T.)*

« Comment on dit "j'ai faim" en italien ? reprend-il.

– Ciao. »

C'est depuis toujours notre mode blagueur, le plus sûr, d'échange verbal de père à fils. Mais aujourd'hui, en raison de complications techniques indépendantes de notre volonté, cela n'a pas l'air de fonctionner très bien. Et la brise emporte nos paroles, sans personne pour se soucier de savoir si nous parlons ou non le langage codé de l'amour. La paternité peut être très frustrante.

« Ciao, répète Paul, qui ne m'a pas entendu. Ciao. Ils ont vite fait d'oublier. »

Il se décide à descendre, prêt pour notre visite.

Une fois à l'intérieur, Paul et moi commençons à errer comme des âmes en peine qui ont casqué cinq dollars pour entrer au purgatoire. (J'ai enfin cessé de boiter.)

D'une amplitude moderne dans son emplacement stratégique, l'escalier équipé de cordons de velours violet pour canaliser la foule nous amène avec les autres visiteurs, tel un troupeau, au niveau 3, qui a pour thème le résumé de l'histoire du basket. Ici, l'air hyper-purifié est glacial (pour vous dissuader de lambiner), on chuchote comme dans un salon funéraire et l'ensemble est plongé dans la pénombre pour mettre en valeur les longs couloirs où sont exposés sous le feu des spots des objets momifiés, enfermés dans des vitrines que seule pourrait briser une fusée nucléaire à ogives mutiples. À côté d'une biographie miniature de Naismith, l'inventeur du jeu (un Canadien !), se trouve un facsimilé de l'original du projet fondateur, griffonné sur une enveloppe par ce bon vieux docteur : « Concevoir un sport d'équipe à exercer dans un gymnase. » (On ne peut nier sa réussite.) Plus loin, on voit sur des photos en noir et blanc Forrest « Phogg » Allen, le cher vieux stratège des Jayhawks dans les années 20, puis une reproduction du panier à fruits « initial », et partout des hommages au YMCA. Sur tous les murs sont affichés des tirages grenus de précieuses photos d'époque du fameux sport auquel se livrent des Blancs maigrichons dans d'obscurs préaux aux fenêtres grillagées, et deux cents maillots anciens d'uniformes pendent sous de sombres poutrelles, tels les revenants d'une maison hantée.

Quelques familles apathiques pénètrent dans l'obscurité d'un petit théâtre animé, que Paul évite en allant aux chiottes ; de l'embrasure de la porte, le ventre vide, je regarde se dérouler sous nos yeux l'histoire du basket, agrémentée d'une bande son du jeu en action.

En huit minutes montre en main, nous parvenons au niveau 2, où c'est le même topo, mais en plus actuel et familier, en tout cas pour moi. Paul manifeste un intérêt passager pour la chaussure pointure 52 de Bob Lanier, la maquette en plastique rouge et jaune d'un genou humain encore intact, en coupe transversale, et un film projeté dans une autre petite salle semblable à un planétarium, qui insiste de façon spectaculaire sur la stature fabuleuse des joueurs de basket et « tout ce qu'ils savent faire avec le ballon », par rapport à la taille minuscule et au manque de talent que le reste d'entre nous est obligé de traîner la vie durant. En ce sens, c'est un véritable sanctuaire, voué à faire sentir aux gens ordinaires qu'ils font partie d'une piétaille insignifiante, ce qui n'a pas l'air de gêner mon fils. (En fait, j'ai trouvé le Vince plus accueillant.)

« On y jouait, au camp », remarque Paul tandis que nous marquons une halte à la porte de l'amphithéâtre, en jetant tous deux un coup d'œil à l'intérieur sur d'immenses Noirs athlétiques, en tenue, en train d'enfourner une succession de ballons dans une succession de filets sur un écran quadruple et hypnotisant, à l'émerveillement du public qui applaudit par saccades.

« Alors, tu étais un élément majeur ? Tu étais intimidateur, joueur d'impact ou prêté exceptionnellement ? »

Je me réjouis de n'importe quelle bribe de dialogue qui vienne de lui, mais sans pouvoir m'empêcher de loucher sur son short, son T-shirt et son crâne tondu qui me déplaisent chacun également. Il me fait l'effet d'être déguisé.

« Pas vraiment, dit-il en toute franchise. Je suis incapable de sauter en l'air. Et de courir. Et de mettre un panier. En plus, je suis gaucher. Et je m'en fous. Alors c'est pas vraiment mon truc.

– Lanier aussi était gaucher. Et Russell. »

Il risque d'ignorer qui ils sont, quoiqu'il ait vu leurs chaussures. Dans la salle du bourrorama, le public pousse un « Ohhh » étouffé de vénération. D'autres hommes accompagnés de leurs fils restent debout près de nous pour regarder, sans avoir envie de s'asseoir.

« On jouait pas vraiment pour gagner, d'ailleurs, reprend Paul.

– Vous jouiez pour quoi ? Pour vous amuser ?

– La thé-rap-iiie ! s'exclame-t-il en manière de plaisanterie, mais sans ironie apparente. Y avait des gosses qui savaient jamais quel mois on était, et d'autres qui parlaient trop fort ou qui avaient des crises, c'était moche. Quand on jouait au basket, même un basket minable, ils allaient tous mieux pour un bout de temps. Après chaque partie, on avait une séance de "Partagez vos pensées", et les pensées de tout le monde allaient nettement mieux. Enfin, pendant un petit moment. Pas les miennes. Charley, il jouait au basket à Yale. »

Les mains dans les poches de son short, Paul contemple le plafond, de style moderne industriel, et plein d'ombre entre les poutrelles, les chevrons et les tuyaux du système anti-incendie, uniformément peints en noir. Je pense que le basket est le passe-temps national de l'Amérique post-industrielle.

« Il jouait bien ? » (Autant poser la question.)

« J'en sais rien », dit-il en enfonçant un doigt dans son oreille crasseuse et en plissant le coin de la bouche comme le crétin du village.

Un deuxième « Ohhh ! » déferle de la salle. Une voix de femme crie : « Ouais ! Doux Jésus, regardez ça ! » J'ignore ce qu'elle a pu voir.

« Tu sais la seule chose que tu peux faire qui t'appartient à toi tout seul et à quoi la société ne peut pas toucher ? demande-t-il. On a appris ça au camp.

– Non, je ne vois pas… »

Les gens près de nous à la porte commencent à s'égailler.

« Éternuer. Si tu éternues comme un con, ou très fort, comme dans les films quand ça fait chier les gens, ils sont obligés de te laisser faire. Personne peut te dire : "Éternue autrement, trou du cul." »

– Qui t'a raconté ça ?

– Je me rappelle pas.

– Tu vois quelque chose d'exceptionnel là-dedans ?

– Oui. »

Il laisse graduellement son regard descendre du plafond mais sans le tourner vers moi. Son doigt cesse d'explorer son oreille. Le voici gêné de s'être exprimé sans ironie et d'une manière enfantine.

« Ignores-tu que tout est ainsi quand on vieillit ? Les gens te laissent faire tout ce que tu veux. Si ça ne leur plaît pas, c'est simple, ils ne rappliquent plus.

– Génial, dit Paul, qui va jusqu'à sourire, comme s'il avait envie de visiter un tel monde, où les gens vous fichent la paix.

– Peut-être que oui, peut-être que non.

– Quel est l'accessoire automobile le plus incompris ? enchaîne-t-il, pour esquiver une conversation sérieuse, dont il a perçu le danger dans ma voix.

– Je ne sais pas… Un filtre à air ? » dis-je tandis que s'achève dans l'auditorium le film en panierama. (Je n'ai pas vu la silhouette promise de Milt the Stilt grandeur nature.)

« Tu brûles, répond Paul d'un air grave. C'est le pneu à neige. Tu n'y penses pas tant que tu n'en as pas besoin, seulement à ce moment-là, en général, c'est trop tard.

– Est-il incompris pour autant ? Pourquoi pas simplement sous-estimé ?

– C'est pareil, dit-il en tournant les talons.

– Je vois. Tu as peut-être raison. »

Et nous nous dirigeons tous deux vers l'escalier.

Au niveau 1, il y a une boutique de cadeaux très fréquentée, une petite salle consacrée aux médias sportifs (intérêt zéro en ce qui me concerne), une authentique reconstitution de vestiaire, un coin de distributeurs variés, plus divers gadgets qu'on peut manipuler et qui retiennent brièvement l'attention de Paul. Je décide de passer mon coup de fil à Sally avant de reprendre la route. Mais, comme nous n'avons pas vu de vraie cafétéria, Paul part vers les distributeurs, de sa nouvelle démarche pesante, pieds en dedans et bras qui se balancent, muni de l'argent que je viens de lui donner (car le sien semble destiné à d'autres usages – une éventuelle urgence de kidnapping ?) et de ma consigne de rapporter « quelque chose de bon ».

Les téléphones se trouvent dans une sorte d'alcôve pas désagréable, à la lumière douce, à l'écart près des toilettes, entièrement tapissée d'une épaisse moquette qui étouffe les bruits, et équipée de la technologie de pointe en matière de télécommunications – paiement par carte de crédit, écrans verts informatisés et boutons pour amplifier le son au cas où vous n'en croiriez pas vos oreilles. Un endroit idéal pour un appel bidon ou pour demander une rançon.

Quand je compose le numéro de Sally, elle décroche, ô joie, dès la première sonnerie.

« Où diable es-tu donc ? demande-t-elle d'un ton vif et content, mais qui demande à être déchiffré. Je t'ai laissé un long et poignant message hier soir. J'avais peut-être un peu trop bu.

– Et moi j'ai essayé de te rappeler toute la matinée, pour savoir si tu monterais dans un Cessna spécialement affrété pour me rejoindre et venir avec nous à Cooperstown. Paul trouve que ce serait génial. On s'amuserait bien.

– Eh bien, dis donc ! Seigneur… Je ne sais pas, répond Sally, qui feint la confusion ravie. Où es-tu en ce moment ?

– Au Basketball Hall of Fame. Nous le visitons, je veux dire, nous ne sommes pas exposés dans une vitrine. Enfin, pas encore. »

Un élan d'optimisme me dilate la poitrine. Tout n'est pas fichu.

« Mais ce n'est pas dans l'Ohio ?

– Non, c'est à Springfield, dans le Massachusetts, où fut cloué le premier panier à fruits sur la première porte de hangar, et tout le reste est de l'Histoire. Dans l'Ohio, c'est le football. Trop loin, nous n'avons pas le temps.

– Redis-moi où vous allez après ? »

Elle se délecte de ce dialogue, joue à se faire prier, le souffle coupé. Le projet peut encore prendre forme.

« À Cooperstown, dans l'État de New York. À deux cent soixante-quinze kilomètres d'ici », dis-je, plein d'enthousiasme. (À quelques niches de moi, une femme se penche en arrière pour me foudroyer du regard comme si ma voix s'infiltrait, amplifiée, dans son propre combiné. Peut-être se sent-elle menacée par la promiscuité avec une personne légitimement de bonne humeur.) « Alors, qu'est-ce que tu en dis, hein ? Amène-toi tout de suite par avion à Albany, et nous passons te chercher. »

Il est vrai que je parle trop fort. Mieux vaut mettre une sourdine avant que rapplique une équipe de vigiles du Hall of Fame. C'est donc d'un ton plus modulé, mais aussi plus sérieux que j'ajoute :

« Je suis sérieux.

– C'est vraiment gentil à toi de me le proposer.

– Oui, je suis quelqu'un de très gentil. C'est exact. Mais je n'ai pas l'intention de lâcher prise, dis-je à nouveau un peu trop fort. Ce matin, à mon réveil, je me suis rendu compte que j'étais complètement dingue hier soir et que j'étais dingue de toi. Alors je ne veux pas attendre lundi ou Dieu sait quand. »

Il ne faudrait pas me pousser beaucoup pour que j'embarque Paul illico dans la voiture et fonce tout droit sur South Mantoloking en compagnie de tous les autres jobards des plages. Mais ce serait mal de ma part. Avoir envie de faire participer Sally à notre expédition sacrée « entre hommes », ce n'est déjà pas très bien, même si Paul, comme tout le monde, s'amuserait davantage dans une situation en principe illicite. Ainsi que je le lui ai expliqué, le monde vous laisse faire ce que vous voulez pourvu que vous soyez prêt à en affronter les conséquences. Nous sommes tous libres de nos choix.

« Puis-je te poser une question ? reprend Sally, un peu trop gravement.

– Je ne sais pas. C'est peut-être trop grave. La gravité n'est pas mon fort. Et il ne peut pas s'agir d'un prétexte pour que tu ne viennes pas.

– Veux-tu me dire ce que tu me trouves de si irrésistible à présent et que tu n'avais pas remarqué hier soir ? » demande Sally avec bonne humeur, d'un air de se moquer d'elle-même.

Mais la réponse lui importe. Qui pourrait le lui reprocher ?

« Eh bien… dis-je, l'esprit en effervescence, tandis qu'un homme sorti des toilettes m'expédie une bouffée mixte de savon et d'urine. Tu es adulte, et tu es exactement telle que tu parais, autant que je puisse en juger. Ce n'est pas vrai de tout le monde. » (Moi y compris.) « Tu es loyale, et tu parles franc avec une impartialité » (je ne suis pas sûr que ces mots conviennent) « qui est incompatible avec la passion, ce qui me plaît vraiment. J'ai simplement comme l'intuition qu'il y a des choses à explorer plus avant entre toi et moi, sinon nous le regretterons. Enfin, moi, en tout cas. En outre, tu es sûrement la plus jolie femme que je connaisse.

— Je ne suis sûrement pas la plus jolie femme que tu connaisses, réplique Sally. Je suis simplement jolie. Et j'ai quarante-deux ans. En plus, je suis trop grande. »

Elle soupire comme si le fait d'être grande la fatiguait.

« Écoute, saute dans un avion pour venir me rejoindre, et nous aurons un grand débat pour savoir si tu es plus ou moins jolie en contemplant le clair de lune au-dessus du lac Otsego et en dégustant un cocktail offert par la maison. » (Pendant que Paul vagabondera Dieu sait où.) « Tu m'attires comme une marée, et quand la marée monte, tous les bateaux sont soulevés.

— Ton bateau a l'air de se soulever davantage quand je suis au loin », rétorque Sally d'un ton nettement moins amène. (Il est possible qu'elle juge mes réponses toujours aussi peu convaincantes. La femme qui téléphonait dans la niche éloignée referme un immense sac à main en vernis noir et sort d'un pas rapide.) « Te souviens-tu d'avoir déclaré hier soir que tu voudrais devenir le "doyen" des agents immobiliers du New Jersey ? T'en souviens-tu seulement ? Nous avons parlé de soja, de sécheresse et de centres commerciaux. Nous avons beaucoup bu. Mais tu avais l'air dans un état bizarre. Tu as aussi déclaré que tu étais hors de portée de l'affection. Peut-être es-tu encore dans un état bizarre. » (Il faudrait sans doute pousser deux ou trois aboiements pour prouver que je suis timbré.) « As-tu vu ta femme ? »

Pour le coup, elle prend des risques, et je devrais la mettre en garde. Mais je me contente de garder les yeux fixés sur le petit écran de mon téléphone, où s'affiche en lettres vertes « Souhaitez-vous composer un autre numéro ? »

« Oui.

– Et comment ça s'est passé ? C'était agréable ?

– Pas particulièrement.

– Crois-tu l'aimer davantage en son absence ?

– Elle n'est pas "absente". Nous sommes divorcés. Elle est remariée avec un capitaine de navire. C'est comme Wally par rapport à toi. Officiellement, elle est morte, sauf que nous nous parlons encore. »

Je suis soudain aussi abattu en songeant à Ann que j'étais heureux de penser à Sally, et tenté d'ajouter : « Mais la vraie surprise, c'est qu'elle quitte le bon vieux capitaine Charley, que nous allons nous remarier et déménager au Nouveau-Mexique pour créer une station F.M. à l'usage des aveugles. C'est la vraie raison de mon appel : je ne voulais pas t'inviter à me rejoindre, mais simplement t'annoncer la bonne nouvelle. Est-ce que tu ne te réjouis pas pour moi ? »

« En fait, dis-je, rompant le silence gênant qui s'est emparé de la ligne, je t'appelais simplement pour te confier que je me suis senti bien avec toi hier soir.

– Si seulement tu étais resté ! C'est ce que j'ai enregistré sur ton répondeur, si tu ne l'as pas encore écouté. »

Elle se tait. Notre petit contretemps et ma marée montante se sont combinés pour souffler une froide bourrasque. L'entrain est plus fragile que l'abattement, c'est connu.

Un grand type au torse volumineux, en survêtement bleu pâle, fait son entrée dans l'alcôve des téléphones, en tenant par la main une petite fille. Ils s'arrêtent devant la niche opposée, où l'homme passe un appel, un bout de papier à la main, observé par la petite, vêtue d'une jupe rose à volants et d'une chemise blanche de cowboy. Elle me jette un regard à travers la pénombre – un regard qui manque de sommeil, comme le mien.

« Tu es toujours là ? demande Sally, peut-être en manière d'excuse.

– Je regardais un type téléphoner. Je crois qu'il me rappelle Wally, mais ça ne rime à rien puisque je ne pense pas avoir jamais vu Wally. »

Nouvelle pause.

« Tu offres vraiment très peu de prise, tu sais, Frank. Tu glisses trop facilement d'une chose à l'autre. J'ai du mal à te suivre.

– C'est aussi l'avis de ma femme. Vous devriez peut-être en parler toutes les deux. Je pense que je vogue simplement plus à l'aise au milieu du courant. C'est ma version du sublime.

– En plus, tu es très méfiant, poursuit Sally. Et tu évites de t'engager. Tu en as conscience, n'est-ce pas ? Je suis sûr que c'est ce que tu voulais dire hier soir en affirmant que tu étais hors de portée de l'affection. Tu es glissant, méfiant, tu évites de t'engager. L'ensemble n'est pas facile à vivre pour moi. » (Ni satisfaisant, sans doute.)

« Je n'ai pas le jugement très sûr, alors je m'efforce simplement de ne pas causer trop de dégâts. » (Joe Markham a employé une formule du même genre, hier. Je suis peut-être en train de me transformer en double de Joe.) « Mais quand j'éprouve quelque chose très fort, j'ai envie de m'engager à fond. C'est le cas en ce moment. » (Ou ce l'était.)

« Du moins, c'est ce qu'il semble, dit Sally. Vous vous amusez bien, Paul et toi ? »

Retour en arrière du côté de l'entrain, à propos de glisser.

« Oui. Comme des petits fous. Toi aussi, si tu étais là. »

Sur ma main qui tient le combiné, je hume un relent atténué mais putride du cadavre d'oiseau. Apparemment, il imprègne ma peau pour toujours. Je n'ai pas l'intention de relever cette dernière remarque quant au fait que je « semble » m'engager.

« Je regrette que tu doutes de la sûreté de ton jugement, reprend Sally, faussement désinvolte. Cela n'augure pas très bien des sentiments que tu déclares éprouver à mon égard, n'est-ce pas ?

– À qui appartenaient ces boutons de manchette sur la table de chevet ? »

Question intempestive, certes, et irréfléchie. Mais je suis indigné, sans guère avoir lieu de l'être.

« À Wally, répond Sally, désinvolte mais pas faussement. Est-ce que tu as cru qu'ils étaient à quelqu'un d'autre ? Je venais de les exhumer pour les envoyer à sa mère.

– Je croyais que Wally était dans la Navy. Il a failli laisser sa peau dans l'explosion d'un navire. Je me trompe ?

– Non, c'est vrai. Mais c'est dans les Marines qu'il était. Peu importe, d'ailleurs. Tu lui as attribué la Navy. Ce n'est pas grave. »

« O.K. Ouais, j'appelais au sujet de votre maison à louer dans Friar Tuck Drive », dit le grand type dans la niche opposée. Sa petite fille garde les yeux levés sur son papa/oncle/kidnappeur comme s'il lui avait dit qu'il avait besoin d'un soutien moral et demandé de se concentrer dans ce sens. « Le montant du loyer, c'est combien ? » Il a un accent du Sud, peut-être du Texas. Quoiqu'il ne soit pas chaussé de vieilles bottes de cuir poussiéreuses mais d'une paire de Keds blanches, échancrées, sans lacets, du type infirmier ou prisonnier de centre de détention minimale. Il y a des Texans hors ranch. Il doit avoir été mis au chômage sur les champs pétrolifères, un Joad* new-age qui emmène sa précieuse petite progéniture dans le Nord industriel pour entreprendre une nouvelle vie. Il me vient à l'esprit que les McLeod se trouvent peut-être, eux aussi, coincés financièrement et qu'ils ont besoin d'une solution de rechange mais sont trop fiers pour l'avouer. Cela changerait mes dispositions quant au loyer, mais pas complètement.

« Frank, as-tu entendu ce que je disais, ou bien t'es-tu évaporé dans l'espace ?

– J'observais encore ce type, qui cherche une maison à louer. Je regrette de ne pas avoir quelque chose à lui proposer à Springfield. Évidemment, je ne vis pas ici.

– D'accord », dit Sally, résignée à ce que notre conversation s'évapore à son tour. (J'ai enregistré à qui appartenaient les boutons de manchette, même si cela ne me regarde pas. Je ne comprends pas comment j'ai pu confondre la Navy et les Marines.) « Le paysage est joli, par là-bas ? demande-t-elle d'un ton enjoué.

– Oui, magnifique. Mais sérieusement, dis-je en me

---

* Héros des *Raisins de la colère*, de Steinbeck. *(N.d.l.T.)*

361

représentant soudain le visage de Sally, adorable, qui mérite qu'on ait envie de l'embrasser. Tu ne veux pas venir ? C'est moi qui paie. Pas question que tu débourses un sou. Tout ce que tu voudras. Carte blanche.

– Si tu me rappelais à un autre moment, tu veux bien ? Je serai à la maison ce soir. Tu n'as pas l'air dans ton assiette. Tu dois être fatigué.

– Tu es sûre ? J'aimerais vraiment te voir. »

Je devrais préciser que je ne suis pas hors de portée de l'affection, car c'est la vérité.

« Oui, sûre. Et je vais te dire au revoir à présent.

– D'accord.

– Au revoir. »

Et nous raccrochons.

La petite fille, de l'autre côté, me jette un coup d'œil inquiet. J'ai peut-être à nouveau parlé trop fort. Son père le grand Texan se tourne à demi pour me dévisager. Il a un large visage à la mâchoire puissante, des cheveux bruns indisciplinés et d'énormes paluches d'ajusteur de canalisations. « Non, dit-il résolument dans son téléphone. Non, ça marche pas, c'est pas ça que je cherche. N'en parlons plus. » Il raccroche à son tour et chiffonne son bout de papier qu'il jette par terre.

Il sort de sa poche de poitrine un paquet de Kools, en tire une entre ses lèvres, sans lâcher la main de la petite Suzie, et l'allume avec un gros Zippo d'allure menaçante. Il souffle une bouffée lourde de frustration en plein sur la pancarte internationale NO SMOKING fixée au plafond moquetté, et je m'attends aussitôt à être inondé de produits chimiques, à entendre l'alarme se déclencher, à voir les vigiles rappliquer à fond de train. Mais rien ne se passe. Il me regarde d'un air hostile au fond de ma niche, égaré devant mon écran.

« Vous avez un problème ? lance-t-il en fouillant à nouveau dans sa poche à la recherche de quelque chose qu'il a dû égarer.

– Non, dis-je aimablement. Il se trouve que j'ai une fille à peu près du même âge que la vôtre » (totale invention, bravement suivie d'une autre), « et qu'elle m'y faisait penser à l'instant. »

Le type abaisse les yeux sur la petite, qui doit avoir huit ans et le regarde en souriant, charmée qu'on lui prête attention mais hésitante quant à la manière dont elle doit réagir.

« Vous voulez que je vous vende celle-ci ? » réplique-t-il.

La petite fille renverse la tête en arrière et se laisse complètement aller, suspendue au bout de la grosse patte, sans cesser de sourire tout en secouant sa tête gracieuse.

« Naon, naon, naon, naon ! crie-t-elle.

– Ça coûte trop cher pour moi », reprend-il avec son accent texan.

Il soulève en l'air sa fille, inerte, et la balance doucement.

« Tu peux pas me vendre, dit-elle d'une grosse voix impérieuse. Je suis pas à vendre.

– Et comment, que t'es à vendre ! qu'est-ce que tu crois ? » (Je souris de sa plaisanterie, façon gauche d'exprimer l'amour face à un inconnu en un moment difficile. J'ai tout lieu d'y être sensible.) « Vous n'auriez pas une maison à louer, par hasard ?

– Désolé. Je ne suis pas d'ici. Je suis de passage à Springfield pour visiter le musée. Mon fils se balade quelque part par là.

– Vous savez le temps que ça prend pour venir ici d'Oklahoma ? demande-t-il, la cigarette au coin de sa grande bouche.

– Un bon bout de temps, j'imagine.

– Deux jours et deux nuits d'affilée. Et ça fait trois putains de jours qu'on loge au camping. J'ai un boulot sur le chantier routier qui commence dans une semaine, et j'arrive pas à trouver quelque chose. Je vais finir par être obligé de réexpédier cette orpheline.

– Non, pas moi, proteste la petite de sa voix autoritaire en pliant les genoux, toujours suspendue. Je suis pas une orpheline.

– Toi ! dit à sa fille le grand mec, sourcils froncés, mais sans trace de colère. C'est toi mon foutu problème. Si je t'avais pas avec moi, y a bien quelqu'un qui s'occuperait de ma personne, depuis le temps. » (Il m'adresse un grand rictus en roulant des yeux.) « Tiens-toi sur tes pieds, Kristy.

– T'es un plouc, lance sa fille qui éclate de rire.

– Possible, mais je pourrais être pire que ça, répond-il

plus gravement. Vous trouvez que votre fille ressemble à ce numéro ? »

Il commence déjà à s'éloigner, en tenant la menotte de sa fille dans sa grosse patte.

« Elles sont toutes les deux très mignonnes quand elles en ont envie, je crois, dis-je en suivant des yeux la petite qui trottine, les genoux en dedans, et en revoyant Clarissa nous faire un doigt d'honneur à Ann et moi, ou peut-être à moi tout seul. Les congés vont sans doute tout changer. » (Qu'est-ce que j'en sais ?) « Je parie que vous allez trouver un logement aujourd'hui.

– C'est ça ou les mesures drastiques, réplique-t-il en se dirigeant vers le hall.

– Qu'est-ce que ça veut dire ? demande l'enfant, accrochée à lui. C'est quoi, les mesures drastiques ?

– Être ton paternel, pour commencer, dit-il au moment de disparaître à ma vue. Mais ça pourrait aussi signifier plein d'autres choses. »

Quand je pars à sa recherche, Paul ne m'attend pas avec une brassée de victuailles crachées par des distributeurs, mais il s'est posté en observation près de l'installation dénommée « The Shoot-Out », qui occupe tout un mur du niveau 1 et où de nombreux visiteurs sont déjà bruyamment passés à l'action.

« The Shoot-Out » n'est rien d'autre qu'un grand tapis roulant qui transporte les gens, comme dans un aéroport, mais installé tout au long d'une zone illuminée qu'occupe une rangée de panneaux de basket avec leurs filets, à diverses hauteurs et distances du tapis – trois mètres, puis cinq, puis soixante centimètres, puis dix mètres. À côté de la rampe mouvante, entre la zone des panneaux et là où se tiennent les gens, des ballons de basket affluent continuellement dans une rigole à travers un tube d'aspiration sous le sol, comme dans un bowling. Le candidat porté par le tapis roulant (il n'en manque pas), à la vitesse d'environ huit cents mètres à l'heure, n'a qu'à ramasser ballon après ballon pour tenter des shoots successifs – tir en suspension, bras-roulé, lancer franc, par-dessus l'épaule, deux points, trois points, tout son répertoire – jusqu'à ce qu'il atteigne l'autre bout et reprenne pied sur la terre ferme. (Un dispositif aussi tordu mais ingénieux ne peut qu'avoir été inventé par un diplômé de Californie du Sud à la fois en Maîtrise des foules et en Gestion de terrain de jeu automatisé, et il faudrait être fou pour ne pas investir là-dedans. En réalité, si les conservateurs du Hall of Fame n'insistaient pas aussi fermement pour vous faire d'abord défiler devant de vieilles photos noirâtres de Phog Allen et la reproduction des godasses de Bob Lanier, les visiteurs ne bougeraient pas du niveau 1 puisque c'est là que ça se passe, et le reste de l'édifice pourrait redevenir une clinique dentaire.)

On a dressé une mini-tribune face au tapis roulant, où sont assis des spectateurs assez nombreux, pour applaudir et mettre en boîte leurs gosses, frères, neveux ou beaux-fils qui se paient le parcours et s'efforcent de réussir tous les paniers.

Paul, sur la touche près de l'entrée, où s'allonge une file de gamins qui attendent leur tour, paraît sur le qui-vive, comme s'il était responsable de tout le bazar. Mais il ne quitte pas des yeux un jeune Blanc aux cuisses épaisses, en uniforme des New York Knicks, qui se balade entre les panneaux, décoince du bout du pied les ballons pour les faire rouler vers le tube d'aspiration, repousse de la main ceux qui sont restés dans le filet, expédie des passes vicieuses aux visiteurs sur le tapis roulant, et effectue de temps à autre un petit bras-roulé sans grâce, qui rentre à chaque coup, quel que soit le panneau visé. C'est sûrement le fils du directeur.

« Est-ce que tu as tenté déjà ton fameux lancer franc ? » dis-je dans le brouhaha en m'approchant de Paul par-derrière.

Dès que je pose la main sur son épaule, je flaire son odeur de sueur aigrie. Je vois aussi une entaille avec une croûte sur son cuir chevelu, petite erreur de l'auteur de son atroce coupe de cheveux. (Où commet-on ces choses-là ?)

« Tu serais content, non ? réplique-t-il avec froideur, sans cesser d'observer le garçon aux grosses cuisses. Ce crétin se figure qu'il va faire des progrès sous prétexte qu'il bosse

365

ici. Sauf que le sol est en pente et que les paniers sont pas réglementaires. Alors il l'a dans le baba. »

Cette analyse paraît le satisfaire. Autant que je puisse voir, il n'a rien acheté à manger.

« Tu devrais tenter le coup », dis-je en essayant de couvrir le vacarme du jeu et le grondement de la gigantesque machinerie.

Je me sens très précisément dans la peau d'un père au milieu d'autres pères, en train d'encourager mon fils à faire ce qu'il ne veut pas faire parce qu'il craint d'être mauvais.

« Hé, tu dribbles toujours avant de shooter ? » crie un spectateur sur les gradins en direction du tapis roulant.

Un petit homme chauve qui s'apprête à tenter un précaire bras-roulé répond sans même se retourner : « Et ta sœur ? », puis il lance un ballon qui loupe tout et fait rigoler d'autres gens dans la tribune.

« T'as qu'à y aller, toi, dit Paul en soufflant bruyamment par le nez d'un air dédaigneux. J'ai repéré dans le public des chasseurs de têtes pour les Nets. »

L'équipe des Nets est la cible favorite de ses railleries, parce qu'elle est nulle et du New Jersey.

« D'accord, mais après tu seras obligé d'y passer. »

En lui expédiant en camarade sur l'épaule une bourrade qui manque de naturel, j'ai à nouveau la vision peu appétissante de son oreille fendue.

« Je suis obligé de rien du tout, rétorque-t-il sans me regarder, les yeux perdus dans la lumière des projecteurs zébrée de ballons orange.

– Bon, alors regarde-moi bien », dis-je piteusement.

Je le contourne pour prendre place dans la queue et je ne tarde pas à atteindre le portillon derrière un petit Noir. Je jette un regard en arrière à Paul, qui me suit des yeux, un coude appuyé sur la barrière de contreplaqué isolant la zone des panneaux, avec un air effronté, escomptant sans doute que je me ridiculise au-delà de toutes mes tentatives précédentes.

« Observe l'effet de rotation que j'imprime à mon ballon », lui lancé-je en espérant l'embarrasser, mais il ne semble pas m'entendre.

Et me voilà sur le tapis ronflant, qui défile de droite à

gauche tandis que la rigole pleine de ballons et la petite forêt de paniers illluminés, de panneaux et de montants commence à dériver rapidement en sens inverse. Aussitôt saisi de la peur de tomber, je n'esquisse pas un geste vers un ballon. Le gamin noir qui me précède porte un énorme blouson violet et jaune marqué « Mr. New Hampshire Basketball » en lettres d'or étincelantes sur le dos, et il paraît capable de maîtriser au moins trois ballons à la fois, visant un par un tous les paniers, de toute hauteur et distance, en exhalant à chaque tir un bref « Ouaf ! », tel un boxeur qui décoche son poing. Et, naturellement, tout passe : rebond, shoot direct, d'une main, bras-roulé comme le garçon de service – tout sauf le smash enfoncé du dessus du panier.

Je prends mon premier ballon en mains à mi-chemin du parcours, encore pas très assuré de mon équilibre, et mon cœur se met à battre la chamade à cause des autres tireurs qui me suivent. Je scrute la succession de montants de métal rouges et de paniers orange, cale mes pieds du mieux possible, lève la balle derrière mon oreille et effectue un lancer courbe en hauteur qui loupe le cercle que je visais, en frappe un autre plus bas, rebondit et manque passer dans le filet inférieur, que je n'avais même pas vu.

Vite, je saisis un autre ballon tandis que Mr. New Hampshire Basketball accumule les paniers, ponctués de son théâtral petit « Ouaf ! », et sans rien toucher que les filets. Je réitère mon geste face à un but de hauteur moyenne à distance moyenne, lâche mon tir d'une main, avec une bonne rotation que j'ai apprise sur l'écran de la télé, et frôle le succès, mais l'un des ballons de Mr. Basketball passe le premier en sifflant et renvoie le mien dans les choux (en plus, je perds l'équilibre et suis contraint d'empoigner la rampe en plastique pour éviter de tomber sur le côté et d'entraîner une chute générale). Mr. B. me jette un coup d'œil suspicieux par-dessus son gigantesque col roulé violet, comme si j'en avais voulu à sa propre tête. Je lui adresse un sourire et bredouille :

« Veinard ! »

« C'est avant de tirer qu'i' faut dribbler, minus ! » crie à nouveau le même crétin au milieu du tintamarre d'autres cris, de grondement métallique et des odeurs de machinerie.

367

Je me retourne pour jeter un coup d'œil en coin à la foule, pratiquement invisible à cause de la lumière des projecteurs sur les panneaux. En fait, je me fiche pas mal de savoir qui m'a insulté, mais je suis sûr que ce n'est pas quelqu'un qui a son fils en train de ricaner parmi le public.

Avant d'arriver au bout, j'accomplis un dernier tir hasardeux, à nouveau d'une main et déséquilibré, qui passe à l'écart de tout pour atterrir derrière les panneaux et la barrière en bois, là où les ballons ne sont pas censés arriver.

« Beau lob ! commente le petit malin aux grosses cuisses en faisant de l'escalade pour aller récupérer ma balle. On fait un pari à un million de dollars ?

– Il faudra peut-être que je m'applique, alors », dis-je, le cœur palpitant tandis que je descends du tapis roulant sur la terre ferme, et que retombe la tension.

Mr. New Hampshire Basketball s'éloigne déjà en direction de la salle des médias sportifs en compagnie de son père, un Noir de haute taille en blouson de soie verte des Celtics et pantalon vert assorti, son long bras passé autour des épaules maigres du gamin, sûrement occupé à élaborer une super-stratégie pour faire vivre la balle, fixer dans la raquette et saisir le rebond – rien que des mots pour moi, l'ancien chroniqueur sportif, dénués de toute application pratique sur terre.

À l'autre bout du tapis roulant, Paul garde les yeux rivés sur moi. Il se peut qu'il ait aboyé pour me soutenir pendant que je tentais mes paniers mais, à présent, il ne veut pas que ça se sache. Quant à moi, à vrai dire, j'ai totalement pris mon pied. Dans le brouhaha, je lui crie :

« Surpasse-toi ! »

Le garçon de service, à présent sur la touche, bavarde avec sa petite amie blonde et trapue, ses deux grosses mains posées sur les épaules musclées de la fille et les yeux plongés dans les siens, l'air de se prendre pour Clark Gable. Pour quelque raison mystérieuse, qui doit s'expliquer par la théorie statistique de la file d'attente, il n'y a personne en ce moment sur le tapis roulant. Je crie à Paul d'un ton de fausse rancœur :

« Vas-y ! Tu ne peux pas faire pire que moi ! » (Il ne reste qu'une poignée de spectateurs dans l'ombre des gradins. Les gens sont partis voir autre chose. L'instant est idéal pour Paul.) « Allez, Bras-à-rallonge ! » dis-je encore, vague souvenir d'un film sportif.

Je vois bouger les lèvres de Paul, sans percevoir les mots, ce qui vaut sans doute mieux. Un aimable : « Va te faire foutre » ou un lubrique : « Bouffe ta merde » – ses insultes favorites d'un cru antique (le mien). Il regarde derrière lui le hall maintenant presque vide, puis s'avance lentement vers le portillon de sa démarche gauche, pieds en dedans, il marque une halte pour me jeter à nouveau un coup d'œil apparemment dégoûté, contemple durant une seconde les panneaux illluminés et accomplit enfin le pas décisif, absolument seul.

Le tapis roulant semble le faire avancer bien plus lentement que moi, assez lentement en tout cas pour exécuter six ou sept jolis tirs et même trouver le temps de dribbler avant de lancer. Le garçon de service, mains bizarrement plaquées sur les hanches, jette un regard nonchalant de mépris à Paul avec ses chaussures sorties de la poubelle et sa sinistre coupe de cheveux. Il ricane en disant à sa petite amie de mater, ce qu'elle fait, mais à la manière d'une aînée, plus gentille et indulgente à l'égard du barjo qui est comme ça et qui n'y peut rien, mais qui a un grand cœur et des notes époustouflantes en math (hélas, non).

Lorsqu'il arrive au bout – après avoir fait face aux panneaux tout du long, sans me regarder une seule fois, les yeux rivés sur les buts comme un magnétiseur, sans tenter un seul panier ni même toucher un ballon, se bornant à défiler passivement – il descend simplement du tapis roulant, s'approche et se plante à côté de là où je viens de jouer mon rôle de père en le suivant des yeux.

« Champion ! croasse un attardé sur les gradins.

– La prochaine fois, essaie voir ce que ça donnerait de lancer un ballon, dis-je sans réagir à ce lazzi, puisque je suis content de l'effort consenti par Paul.

– Est-ce qu'on reviendra bientôt ? demande-t-il en tournant vers moi ses petits yeux gris soucieux.

– Non. Tu pourras revenir avec ton fils à toi. »

Une nouvelle fournée d'adultes envahit la tribune, tandis que les fils, les filles plus quelques papas se rangent derrière le portillon, en étudiant le fonctionnement du dispositif et calculant la dose de plaisir qu'ils vont prendre.

« J'ai bien aimé ça », reprend Paul en regardant les panneaux éclairés par les projecteurs. (J'ai la surprise d'entendre la voix du garçon qu'il était, il n'y a pas plus d'un mois, semble-t-il, et qui a disparu.) « Tout le temps, je pense que je pense que je pense, tu sais ? Sauf que j'ai arrêté, le temps que j'ai passé sur ce machin. C'était chouette.

– Tu devrais peut-être recommencer, avant qu'il y ait trop de monde. »

Hélas, il est exclu qu'il demeure sur le tapis roulant du Shoot-Out jusqu'à la fin de ses jours.

« Non, ça va, dit-il en regardant les nouveaux qui démarrent à l'entrée, les ballons qui se mettent à fuser dans la lumière crue, les premiers loupés inévitables. D'habitude, j'aime pas trop ces trucs-là. C'était une exception. D'habitude, j'aime pas les trucs qui sont censés me plaire. »

Il jette un regard emphatique sur les autres gosses. Ce ne peut pas être une vérité facile à reconnaître devant son père, que de ne pas aimer les choses qui sont censées vous plaire. C'est le fruit d'une réflexion adulte, quoique la plupart des grandes personnes en soient incapables.

« Ton vieux père non plus, ce n'est pas son fort. Si ça peut te consoler. Il voudrait bien. Ce serait bien si tu me disais ce qui t'a plu là-dedans au point que tu cesses de penser que tu penses.

– T'es pas si vieux que ça, remarque Paul, l'air maussade.

– Quarante-quatre ans.

– Mmm... » (Une idée peut-être trop gênante à formuler ?) « Tu peux encore faire des progrès.

– Je ne sais pas. Ta mère ne le croit pas. »

Ceci ne fait pas partie des thèmes d'actualité.

« Tu sais quelle est la meilleure ligne aérienne ?

– Non, j'écoute.

– La Northwest. Parce qu'elle dessert les villes jumelles de Minneapolis et Saint-Paul. »

Perdant soudain son sérieux, il a du mal à réprimer un gros rire. Il doit y avoir là quelque chose de drôle.

« Je t'emmènerai peut-être un jour camper là-bas, dis-je

en observant les ballons qui giclent en l'air, telles des bulles de savon.

– Il y a un *hall of Fame* au Minnesota ?

– Pas que je sache.

– O.K., tant mieux. On y va quand tu veux, alors. »

Sur le chemin de la sortie, nous faisons une rapide incursion à la boutique de cadeaux. Sur mon conseil, Paul prend de petites boucles d'oreilles en forme de ballons de basket dorés pour sa sœur et un ballon presse-papiers en plastique pour sa mère – il doute que cela leur plaise, mais je lui affirme le contraire. Nous envisageons une patte de lapin, associée à un ballon, à titre de rameau d'olivier pour Charley, mais Paul regimbe après avoir gardé les yeux fixés dessus durant une minute.

« Il a tout ce qu'il veut », dit-il, plein de ressentiment (sans ajouter « y compris ta femme et tes enfants »).

Si bien qu'après nous être offerts deux T-shirts, nous regagnons le parking sans cadeau pour Charley, ce qui nous convient parfaitement à tous les deux.

On débouche sur l'asphalte dans la chaleur de midi du Massachusetts. De nouvelles voitures ont afflué. Le fleuve sent plus fort et s'est couvert de brume. Nous avons passé trois bons quarts d'heure dans ce Hall of Fame, et j'en suis content puisque nous en avons eu pour notre argent, nous avons échangé des paroles d'espoir, abordé des sujets précis d'intérêt immédiat (Paul qui pense qu'il pense), et qu'apparemment nous en sortons unis. Un début meilleur que je ne m'y attendais.

Le grand mec de l'Oklahoma est vautré avec sa toute petite fille sous l'un des jeunes plants de tilleul près de la digue du fleuve. Ils dégustent leur pique-nique emballé dans du papier d'aluminium et disposé dans l'herbe, et se désaltèrent dans des gobelets en carton de boissons tirées d'une glacière portative. Il a ôté ses Keds et ses chaussettes et retroussé son pantalon comme un paysan. Fraîche comme une rose, la petite Kristy lui parle d'un air confidentiel et animé en tortillant un orteil de son père de ses mains, tandis qu'il contemple le ciel. J'ai la tentation d'aller prendre congé de lui, de leur parler à nouveau parce que je leur ai déjà parlé une fois, de tenir lieu de comité d'accueil pour le « Couloir du Nord-Est », d'inventer un tuyau d'initié auquel « je viens de penser » et que je peux leur communiquer puisque j'ai la chance de les retrouver – quelque chose qui concerne l'immobilier. Comme toujours, je suis ému par les infortunes des autres Américains errants.

Mais il en sait aussi long que moi (telle est la particularité des usages immobiliers), et j'y renonce, restant simplement planté à côté de ma portière à les regarder avec respect – assis là le dos tourné, face au fleuve étranger, à l'ampleur panoramique, qui leur tient lieu de compagnie et de réconfort, tous leurs espoirs concentrés sur l'emménagement à venir. Il y a des gens qui se débrouillent très bien tout seuls et qui se posent spontanément là où ils seront le plus heureux.

« Ça t'intéresse de savoir à quel point j'ai faim ? » me lance, par-dessus le toit brûlant de l'auto, Paul qui attend que je lui ouvre. Il cligne des yeux dans le soleil, l'allure aussi engageante qu'un petit délinquant.

« Voyons voir. En principe, tu devais nous prendre de quoi manger, aux distributeurs de merde. »

J'emploie le mot « merde » rien que pour le distraire. La voie express gronde derrière nous – voitures, mini-bus, poids-lourds, cars –, l'Amérique en mouvement du samedi après-midi.

« J'ai dû merder, réplique-t-il pour relever le défi. Mais je pourrais bouffer le cul d'un Whopper crevé. »

Un ricanement insolent déforme encore plus ses traits de garnement bouffi.

« Sur un cerveau vide, il vaudrait mieux de la soupe, dis-je en déverrouillant de son côté.

– O.K., dok-tor ! Dok-tor, dok-tor, dok-tor », scande-t-il en ouvrant sa portière et plongeant sur le siège.

Dans la voiture, je l'entends aboyer. « Ouah, ouah, ouah, ouah ! » Je ne sais pas ce que cela exprime : le bonheur (à l'instar d'un vrai chien) ? Le bonheur vaincu par l'inquiétude ? La crainte et l'espoir, me revient-il de je ne sais où, sont similaires, au fond.

À l'ombre du tilleul, Kristy perçoit un son porté par la

brise de la mi-journée – un chien qui aboie quelque part, mon fils dans la voiture. Elle tourne la tête pour regarder vers nous, perplexe. Je lui adresse un signe de main, un geste fugitif que son lourdaud de papa ne voit pas. Puis je baisse la tête pour m'asseoir au volant dans la voiture surchauffée, auprès de mon fils, et nous voilà partis pour Cooperstown.

À une heure, nous faisons une halte et j'envoie Paul chercher des hamburgers géants et des Pepsi Light pendant que je me lave les mains aux toilettes pour essayer de me débarrasser de l'odeur d'oiseau mort. Et nous filons à nouveau sur l'autoroute, laissons derrière nous l'Appalachian Trail pour traverser les collines du Berkshire, où Paul a séjourné naguère au camp Flapi, quoiqu'il n'y fasse pas allusion, plongé qu'il est dans la mélasse de ses tourments – à penser qu'il pense, à aboyer en silence, sans compter peut-être des picotements dans le pénis.

Après avoir inhalé pendant une demi-heure l'odeur âcre de Paul, je lui suggère d'enlever son T-shirt « Le bonheur est dans le célibat » et d'enfiler le neuf, pour changer de décor, et en guise de tenue emblématique de notre expédition. À ma surprise, il accepte et se dépouille sur son siège du vêtement nauséabond, exhibant sans fausse honte son torse pâle, glabre et singulièrement tremblotant. (Il pourrait bien devenir un gros patapouf, à la différence de ses parents, mais peu importe pourvu qu'il vive au-delà de l'âge de quinze ans.)

Le nouveau T-shirt est vaste et blanc, avec seulement un gros ballon de basket orange et hyperréaliste sur le devant, surmontant l'inscription « The Rock » en majuscules rouges d'imprimerie. Il sent le neuf, l'apprêt et la propreté chimique, et j'espère qu'il masquera les effluves faisandés de Paul jusqu'à ce que nous arrivions au Deerslayer Inn, que je le force à prendre un bain et puisse jeter en douce sa guenille.

Pendant un bout de temps à la suite de nos hamburgers, Paul replonge dans un silence morose, puis ses paupières s'alourdissent et il s'assoupit tandis que la verte campagne du Massachusetts défile de chaque côté de nous. J'allume la radio pour le bulletin de météo et de la circulation, peut-être aussi pour en savoir plus long sur l'assassinat d'hier soir, qui, malgré le temps et les kilomètres parcourus, ne s'est produit qu'à quelque cent trente kilomètres au sud d'ici, encore dans le secteur central de la Nouvelle-Angleterre, à portée de balayage du petit radar du chagrin, de la dépossession, de l'outrage. Mais je n'entends que les nouvelles banales des accidents mortels de périodes de congé : six dans le Connecticut, six dans le Massachusetts, deux dans le Vermont, dix dans l'État de New York ; plus six noyades, trois naufrages, deux chutes d'endroits élevés, une asphyxie, et un « décès causé par un feu d'artifice ». Pas question de coup de couteau. Manifestement, le meurtre d'hier soir n'est pas mis sur le compte des congés.

Je tourne alors le bouton afin de chercher autre chose, content que Paul ne soit pas en état de s'en mêler, et pour détendre mes propres méninges : une assistance médicale à domicile sise à Pittsfield propose « une aide indolore à l'érection » ; un radiothon à fric chrétien de Schaghticoke interprète les vues du Créateur concernant les procédures de mise en faillite (Il pense qu'elles sont partiellement admissibles). Une autre station donne la parole à des condamnés à perpétuité d'Attica qui vendent « à la population de la prison » des cookies de girls scouts. « On pense qu'y a pas à nous empêcher systématiquement d'agir pour le bien d'autrui » (rires des autres taulards), « mais on va pas non plus frapper les uns à la porte des autres en petite tenue verte. » « Pas aujourd'hui, en tout cas », ajoute une voix de fausset.

J'éteins quand nous pénétrons dans la zone d'ondes électrostatiques, à la frontière de l'État de New York. Et, avec mon fils à côté de moi, son crâne tondu et entaillé appuyé contre la vitre fraîche, l'esprit plongé dans des ténèbres grouillantes et infestées de souvenirs qui font bouger ses doigts et tressaillir sa joue comme un chiot rêvant d'évasion, je me mets à songer avec une admiration imprévue à la grande maison bleue sur son tertre du maître bâtisseur O'Dell ; quelle demeure de rêve, magnifique quoique impersonnelle, un endroit où n'importe quelle famille moderne, de n'importe quelle configuration ou complication conjugale, devrait trouver le « ressort » de la vie, sous peine de se sentir débile. Un ressort dont je n'ai jamais pu tout à fait saisir le mécanisme, même durant les jours les plus heureux, lorsque nous formions ensemble une famille unie dans notre propre maison imposante de Haddam. Je n'ai jamais su créer un tissu assez serré, fabriquer assez de responsabilités domestiques que nous aurions à assumer. J'étais trop souvent absent pour mon travail de chroniqueur sportif ; la propriété ne différait guère à mes yeux d'une location (sauf qu'on ne pouvait pas s'en aller). Dans mon esprit, tout est sous-tendu par le sentiment de la contingence et la potentialité d'un changement imminent de l'état des choses, bien que nous soyons restés sous ce toit durant plus d'une décennie, et moi plus longtemps encore. Il m'a toujours paru suffisant de savoir simplement que quelqu'un vous aime et vous aimera toujours (ainsi que j'ai essayé une fois de plus aujourd'hui d'en persuader Ann, en vain), et j'ai toujours cru que la « mise en scène » de l'amour n'était que cela, et non partie prenante de la pièce.

Naturellement, Charley partage résolument l'avis opposé, selon lequel une bonne structure implique une bonne structure (c'est pourquoi il manie si volontiers la vérité d'apparence : il a une mentalité de vrai républicain). Il trouvait très normal, ainsi que me l'a appris une enquête discrète, que son père siège à la Bourse des denrées, possède une discrète garçonnière dans Park Avenue, entretienne toute une seconde famille corse à Forest Hills, soit à peine une éminence grise que le jeune Charlie ne voyait presque jamais et appelait « Père » lorsque leurs chemins se croisaient (jamais papa, ni Herb, Walt ou Phil). Tout allait bien tant que la « résidence » vénérable en pierre de taille, de style géorgien, à toit d'ardoise, cheminées multiples, piliers massifs, fenêtres à vitraux et haies touffues était solidement là dans Old Greenwich, imprégnée d'odeurs de brouillard, de troènes et de vernis à bateau, de Miror, de chaussures de tennis humides et de caleçons de bain qu'on pouvait emprunter dans le vestiaire de la piscine. Aux yeux de Charley, c'est cela qui constitue la vie et, sûrement, la vérité : un strict ancrage physique. Un toit sur la tête pour prouver qu'on a une tête. Sinon, pourquoi être architecte ?

Et à présent, je ne sais pourquoi, en roulant vers l'ouest avec mon fils sous mon aile – non que le base-ball nous botte particulièrement à l'un ou à l'autre, mais simplement parce que nous n'avons aucun autre endroit où aller qui convienne mieux à nos desseins semi-sacrés –, je sens que Charley n'a peut-être pas tort dans sa seigneuriale vision du monde de petit garçon riche. Tout irait peut-être mieux si les choses avaient un ancrage plus solide. (Le vice-président Bush, le Texan du Connecticut, serait certainement d'accord.)

Seulement, à cause d'un trait de mon caractère un peu marginal, je suis sûr que cela me poserait un problème de trouver un ancrage solide. Ainsi, je ne me montre pas aussi optimiste qu'il le faudrait (les relations avec Sally Caldwell en sont un bon exemple), ou alors, je suis beaucoup trop optimiste (Sally, à nouveau). Je ne me relève pas des coups du sort aussi vite qu'on le devrait (ou que j'en étais capable), ou alors, l'inverse : je suis trop apte à oublier et je ne me souviens pas assez nettement des tâches que je suis censé poursuivre (catégorie Markham). Et, malgré tous mes discours pour les exhorter à acquérir une vision plus claire de ce qu'ils sont, je n'ai jamais fait preuve d'une telle exigence dans ma perception de moi-même, ni de la place que j'occupais dans le paysage auprès des autres personnes avec qui je pouvais le partager – de sorte que je manifeste souvent bien trop de tolérance à l'égard de ceux qui ne le méritent pas, ou, si je suis personnellement en jeu, trop peu de bienveillance quand il en faudrait davantage. Ces flottements contribuent, j'en suis sûr, à faire de moi un progressiste classique (et peut-être foireux), et pourraient même aider mon fils survivant à basculer dans la dinguerie où il ne ferait plus qu'aboyer et hurler à la lune.

En ce qui le concerne, il est vrai, je voudrais de tout mon cœur que mon discours lui parvienne d'une « place » plus établie – ainsi que celui de Charley pourrait le faire s'il était son père – plutôt que de cette constellation au sein de laquelle je décris de glissantes orbites. Si seulement je pouvais me voir occuper un point fixe au lieu de suivre un processus (la quiddité de la Période d'Existence), beaucoup de choses pourraient s'arranger pour nous deux, mon chien de fils et moi. Et là, c'est Ann qui a peut-être raison lorsqu'elle dit que les enfants sont une forme de découverte de soi-même et que ce qui cloche chez Paul n'est rien d'autre que ce qui cloche chez nous. Mais qu'y faire ?

Après avoir franchi sans faiblir l'Hudson et Albany, je guette à présent la I 88, tandis que les lignes bleutées des Catskills surgissent soudain au sud, brumeuses et mollement massives, avec des écharpes de cirrus qui s'étirent le long des crêtes. Après avoir émergé de sa sieste, Paul a farfouillé dans son sac Paramount pour en sortir un Walkman et un exemplaire du *New Yorker*. Toujours maussade, il s'est enquis des cassettes dont je disposais, et je lui ai proposé ma « collection » contenue dans la boîte à gants : Crosby, Stills and Nash de 1970, mais elle est cassée ; une lecture de Rilke par Laurence Olivier, cassée aussi ; les classiques de Sinatra, en deux parties, que j'ai achetés un soir de solitude dans le Montana ; deux laïus sur la motivation des ventes qu'on a distribués en mars à tous les agents et que je n'ai pas encore écoutés ; enfin, la lecture du *Docteur Jivago* par moi-même (à l'usage des aveugles), dont le directeur de la station m'a fait cadeau pour Noël parce qu'il trouvait que j'avais fait du bon boulot et que je méritais de retirer un certain plaisir de mes efforts. Cette cassette-là non plus, je ne l'ai jamais écoutée, car je n'ai pas tellement le goût des cassettes. Je persiste à préférer les livres.

Paul essaie *Le Docteur Jivago*, il le laisse se dévider pendant environ deux minutes sur son Walkman, puis il tourne vers moi des yeux arrondis de stupéfaction.

« Ça, c'est drôlement révélateur, dit-il enfin sans ôter son casque. "Roufina Onissimovna était une femme aux idées avancées, ennemie des préjugés, qui sympathisait, selon son expression, avec tout ce qu'il y avait autour d'elle de positif et de viable." »

Il affiche un sourire de dérision, mais je me tais, car cela m'embarrasse, je ne sais pourquoi. Puis il met le Sinatra, et j'entends la petite voix d'abeille bourdonnante de Frank au fond de ses écouteurs. Paul ouvre son *New Yorker* et se met à lire dans un silence figé.

Mais à peine sommes-nous au sud d'Albany, laissant derrière nous ses disgracieux gratte-ciel administratifs, que la vue devient merveilleuse de toutes parts, spectaculaire, et aussi imprégnée de littérature et d'Histoire que les meilleurs coins d'Angleterre ou de France. Près d'un rond-point, un panneau annonce que nous venons de pénétrer dans la « Région centrale de la jambière de cuir* » et, juste après, comme en écho, le grand chenal glaciaire s'ouvre sur des kilomètres vers le sud-ouest tandis que grimpe la route, et les contreforts des Catskills jettent leur ombre ténébreuse sur les collines plus basses, saupoudrées de petites carrières, de minuscules hameaux et de fermes du premier âge, équipées d'éoliennes qui ronflent dans un vent indécelable. Devant nous, tout nous crie : « Y a par là un sacré continent, mon vieux, alors tu as intérêt à faire gaffe. » (C'est le paysage parfait pour un roman pas trop exceptionnel, et je regrette de ne pas avoir emporté mon gros Fenimore Cooper pour lire à haute voix après le dîner, quand nous serons installés sur la galerie. Ce serait mieux que de me faire charrier à propos du *Docteur Jivago*.)

En théorie, selon mes desseins, il ne faudrait rien rater à partir d'ici, la géographie venant corroborer de façon naturelle l'opinion d'Emerson qui veut que le pouvoir réside dans les moments transitoires, « franchir un gouffre, s'élancer vers un objectif ». Paul aurait beaucoup à gagner à balancer son *New Yorker* pour essayer d'examiner sa propre situation en ces termes fructueux : la transition, le largage du passé. « Seule compte la vie, si l'on n'a pas vécu. » J'aurais dû le prendre en cassette plutôt qu'en livre.

Mais Paul est enfermé entre le cocon susurré de *Deux amoureux dans la brise d'été* et la chronique des potins de la ville qu'il lit en bougeant les lèvres, et il n'a rien à foutre de savoir quel film passionnant peut se dérouler à sa fenêtre. En fin de compte, le voyage est bel et bien un paradis illusoire.

---

* Jambière de cuir : pièce du costume traditionnel du trappeur. *(N.d.l.T.)*

En-dessous de Cobleskill, je m'offre une brève halte touristique pour me détendre les vertèbres (c'est à présent mon coccyx qui est endolori). Abandonnant Paul sur son siège, je mets pied à terre sur la venteuse petite aire de repos et je m'approche du parapet en grès, au-delà duquel se déploie la vallée du pléistocène, lumineuse et verte, escarpée et couronnée de brun, avec la grandeur animale d'un empire intérieur qui avait de quoi faire frémir n'importe quel brave pionnier avant qu'il ne s'aventure à la conquérir. Je vais jusqu'à grimper sur le muret pour respirer à fond l'air pur à plusieurs reprises, exécuter quelques laborieux sautillements et flexions, me plier en deux pour toucher mes orteils et faire des rotations du cou dans les douces fragrances portées par l'atmosphère humide. Face à moi, des faucons planent, des martinets piquent droit, un petit avion bourdonne, un lointain planeur, semblable à une libellule, tournoie et se balance sur les molécules ascendantes. J'entends au loin claquer la porte d'une maison invisible, retentir un klaxon, aboyer un chien. Et sur le versant opposé, là où le soleil éclaire d'un carré jaune la pente orientée à l'ouest, un tracteur minuscule, mais dont on distingue la couleur rouge, s'immobilise dans un champ d'émeraude ; la petite silhouette d'un homme coiffé d'un chapeau en descend et marque un temps d'arrêt avant de grimper à pied vers le haut de la pente qu'il a descendue en tracteur. Après avoir parcouru lentement une bonne distance en montant, il longe pendant un moment la crête incurvée, puis, résolument et sans effet inutile, la franchit et disparaît du même pas vers le monde qui existe derrière. C'est un moment précieux à savourer, même seul, même si je préférerais que mon fils se libère et vienne le partager. On peut mener un cheval à l'abreuvoir, mais pas lui faire chanter un opéra.

Je reste planté là à regarder devant moi, rien en particulier, ayant terminé mes exercices, étiré mon dos, pendant que Paul est enfoui dans la voiture, plongé dans son magazine. Le carré jaune commence à s'éteindre sur le versant opposé, puis se déplace mystérieusement sur la gauche, densifie le vert de la prairie au lieu de l'éclairer, et je me décide – satisfait et rénové – à mettre les bouts.

Quelqu'un a laissé à moitié sorti de la poubelle un sac

379

en plastique de berlingots de polystyrène – ces flocons vert pâle qui remplissent le carton dans lequel on vous expédie une couronne de Noël ou votre moulinet réparé. La brise chaude qui vient de se lever disperse çà et là les flocons légers. Avant de remonter en voiture, je m'arrête au passage pour enfoncer davantage le sac et ramasser ce que je peux avec mes mains.

Paul lève les yeux de son *New Yorker* et me regarde nettoyer l'asphalte autour de l'auto. Je me borne à lui rendre son regard à travers la vitre, les paumes remplies de cette substance qui adhère à la peau. Il tripote sous le casque son oreille fendue, cligne des yeux puis mime lentement un pistolet qu'il braque sur sa tempe, émet silencieusement un petit « Boum ! » avec ses lèvres, bascule la tête en arrière en une atroce simulation de mort, et se remet à lire. C'est inquiétant. N'importe qui le penserait. Surtout un père. Mais c'est aussi très cocasse. Il n'est pas si mauvais bougre.

Les destinations à court terme sont à coup sûr les meilleures.

Nous parvenons aux abords d'Oneonta un peu après cinq heures, tournons au nord sur la Route 28 le long du Susquehanna rosi de frais, et en vérité nous sommes presque arrivés. (Outre ses vertus instructives, la géographie est aussi le meilleur argument de vente du Nord-Est et son secret le mieux gardé, puisque en trois heures de temps on peut se tenir sur le rivage clapotant de la baie de Long Island et contempler, tel Jay Gatz*, le pinceau de lumière d'un phare qui vous appelle vers votre destin, ou vous en éloigne ; mais en trois heures aussi, on peut s'apprêter à déguster un cocktail foutument près de l'endroit où ce vieux Deerslayer fit couler le premier sang – deux lieux aussi différents l'un de l'autre que Seattle l'est de Waco.)

La Route 28 suit un joli parcours sur la rive du fleuve, ombragée de hickory et d'érables, au travers de villages de carte postale, de bois, de fermes, de petites maisons à niveaux décalés et de ranchs. Je repère au passage une

---

* Héros de *Gatsby le Magnifique*, de F. Scott Fitzgerald. *(N.d.l.T.)*

pépinière où l'on vient couper soi-même son sapin de Noël, un carré de framboisiers et un verger de pommiers où l'on cueille ses fruits, un B. & B. blotti sous des érables à sucre plantés à flanc de colline, un centre de dressage de chiens d'attaque, laide surface dénudée, longée par un pré à faible rendement où paissent des vaches de Guernesey au bord d'un dépôt de gravier.

Par ici, on ne doit buter sur aucune commission d'urbanisation, réglementation tatillonne du bâtiment, de l'hygiène, des trottoirs ou de l'occupation des crêtes ; rien qu'un coin pas encore abîmé pour y installer votre bungalow d'été ou votre caravane exactement là et comme il vous plaira, à deux pas d'un bon restaurant italien, où l'on sert la marinara maison et la Genesee pression, et où l'on célèbre encore pour les noctambules un office dominical à dix heures du matin à l'église St. Joe de Milford. En d'autres termes, c'est une parfaite combinaison de l'atmosphère intime du Vermont avec la rudesse sans prétention de l'intérieur, le tout à une demi-journée de New York par la route. (D'après de sombres rumeurs qui courent de temps à autre, c'est aussi une retraite de choix pour les gangsters qui ont besoin de se mettre au vert, mais nul lieu n'est parfait.)

En attendant, mon état d'esprit s'est grandement amélioré et j'aimerais essayer à présent d'entraîner Paul dans le petit échange décontracté que j'ai prévu sur la signification de la fête de l'Indépendance, et lui faire entendre que ce jour férié n'est pas simplement une vieille farce mangée aux mites, avec des gens déguisés en oncle Sam et des gardiens de harem chevauchant des Harleys qui font des huit sur les parkings de centres commerciaux, mais qu'il s'agit en fait d'une célébration des potentialités humaines, qui doit inciter chacun de nous à méditer sur nos dépendances (aboyer en l'honneur d'un défunt basset, penser que nous pensons, sentir des picotements dans le pénis, etc.), puis à voir de quelle façon nous sommes indépendants ou pourrions l'être ; et enfin, comment nous pouvons décider – dans l'intérêt général – de ne pas trop nous en préoccuper.

C'est peut-être le seul moyen dont dispose un père intérimaire pour entrer en contact de bonne foi avec les problèmes vitaux de son fils ; autrement dit, par la voie sidérale, en déployant au-dessus de lui comme un dais d'étoiles des postulats utiles et en espérant qu'il les reliera à ses propres vues et interprétations, tel un astronome. Toute approche plus directement paternelle – mettre les pieds dans le plat et procéder à un sévère examen des faits, vol de capotes, bousillage de voiture, bagarre avec les agents de sécurité, défonçage du crâne de son beau-père (même s'il le mérite), torture d'oiseaux innocents, évoquer enfin sa comparution devant le juge et les conséquences fâcheuses que cela pourrait avoir quant à sa venue à Haddam auprès de moi, et plus tard quant à ses chances d'être admis à Williams avec une bourse – toute approche de ce genre se planterait. Durant le temps vertigineusement court qu'il nous reste à passer ensemble, Paul ne ferait que se retrancher derrière de rauques aboiements, des sourires furtifs et des silences encore plus maussades, ce qui aboutirait à me mettre en fureur et, vraisemblablement, à le reconduire tout droit à Deep River, avec un sentiment d'échec abominable, et justifié. Après tout, j'ignore quel est son problème, je ne suis même pas sûr qu'il y en ait un, ni que le « problème » ne serve pas de métaphore à autre chose, qui serait peut-être déjà une métaphore. Mais ce qui ne va pas, dans la mesure où quelque chose ne va pas, n'est sans doute pas très différent de ce qui ne va pas en chacun de nous à un moment ou un autre : nous ne sommes pas heureux, nous ne savons pas pourquoi, et nous nous rendons fous à force d'essayer d'aller mieux.

Paul a rangé son Walkman dans son sac et posé son *New Yorker* sur le tableau de bord, où il se reflète désagréablement dans le pare-brise, mais il a aussi ramassé le mince Emerson à couverture verte sur la banquette arrière, où il reposait sur mon blouson rouge d'agent immobilier, et il s'est mis à l'examiner. Je ne pouvais rêver mieux, même s'il est évident qu'il n'a pas ouvert l'exemplaire que je lui ai envoyé.

« Tu crois que tu préférerais avoir un enfant mongolien ou qui souffre seulement d'une maladie mentale ordinaire ? demande-t-il en feuilletant par la fin avec nonchalance *Autonomie*, comme si c'était le *Time*.

– Je suis très content de vous avoir eus tels que vous êtes,

382

Clarissa et toi. Je préférerais donc n'avoir ni l'un ni l'autre, je crois. »

Un gros plan mental du sauvage petit mongolien au *Friendly*, ce matin, m'ouvre les yeux sur l'hypothèse cruelle que Paul s'identifie à lui ou pense que c'est ce qui l'attend.

« Choisis, ordonne Paul, sans cesser de feuilleter le livre. Et donne-moi tes raisons. »

Aux abords de la jolie petite ville fédéraliste de Milford, nous passons devant le Corvette Hall of Fame, sur la droite, un sanctuaire que Paul voudrait à tout prix visiter s'il le repérait, puisque, à cause des goûts aristocratiques de Charley, il a décidé que la Corvette était sa voiture préférée. (Elle lui plaît, prétend-il, pour son aptitude à fondre.) Mais il ne le voit pas parce qu'il a le nez plongé dans Emerson ! (Quant à moi, je vise l'écurie, un verre bien tassé de quelque chose de fort et une soirée dans un grand fauteuil à bascule en osier sorti des mains d'artisans autochtones qui travaillent les matériaux du cru.)

« Bon, alors la maladie mentale ordinaire. On réussit parfois à la guérir. Tandis que le mongolisme, c'est assez irrémédiable. »

Les yeux de Paul, gris ardoise et semblables à ceux de sa mère, me jettent une lueur rusée pour me signaler qu'il a pris note de quelque chose, je ne sais pas quoi au juste.

« Parfois, dit-il sombrement.

– Veux-tu toujours être mime ? »

Nous nous retrouvons sur la rive du petit Susquehanna – à nouveau des champs de maïs de carte postale, des silos bleus et blancs, des réparateurs de motoneiges.

« Je n'ai jamais voulu être mime. C'était une blague au camp. Je veux être dessinateur satirique. Je sais pas dessiner. »

Il se gratte le crâne avec le côté de sa main où il y a la verrue, renifle, puis émet du fond de la gorge un petit couinement éraillé, un « hiiirgh ! » apparemment involontaire, il grimace puis lève les deux mains devant sa figure, paumes tournées vers l'extérieur, comme pour l'exercice de l'homme dans la cage en verre et, la tête tournée vers moi sans cesser de grimacer, il forme en silence avec ses lèvres

383

les mots « À l'aide, à l'aide ! » Sitôt qu'il a fini, il se remet à feuilleter Emerson à revers.

« De quoi il s'agit là-dedans ? demande-t-il, les yeux fixés sur la page ouverte. C'est un roman ?

– C'est un livre formidable, dis-je, sans trop savoir comment le promouvoir. Il y a là...

– Y a plein de choses soulignées partout, dit Paul. Tu devais l'avoir à l'université. » (Allusion rare au fait que j'ai vécu avant lui. Pour un garçon aux prises avec le passé, il s'intéresse bien peu à la vie qui l'a précédé. Par exemple, l'histoire de ma famille ou de celle de sa mère n'ont visiblement pas l'attrait de la nouveauté. Je ne peux pas lui en vouloir.)

« Libre à toi de le lire.

– Li-bratoi, li-bratoi, répète-t-il en me singeant. "Et voilà où nous en sommes, Frank" », enchaîne-t-il avec la voix de Cronkite, en scrutant *Autonomie* sur ses genoux d'un air intrigué.

Puis, de façon presque surprenante, ce sont les alentours de Cooperstown qui nous accueillent par le Sud, un dépôt clôturé de vente de hors-bords d'occasion, un autre rempli de gros camions, une église méthodiste immaculée avec une pancarte « École biblique de vacances », sur la même rangée qu'une série de motels chers et proprets style années 40 pour les familles, aux parkings déjà pleins de berlines et de breaks bourrés de bagages. Près du panneau qui annonce l'entrée virtuelle du bourg, une grande affiche toute fraîche donne au passant la consigne « Votez oui ! ». En attendant, je ne vois aucune indication pour le *Deerslayer* ni le Hall of Fame, ce qui semble indiquer, à mon avis, que Cooperstown privilégie l'activité civique plutôt que de se fier à la notoriété ou à la séduction.

« "Le grand homme", lit Paul d'un ton pseudo-fervent à la Charlton Heston, "est celui qui, au milieu de la foule, préserve avec une parfaite mansuétude l'indépendance de la solitude." Bla-bla-bla, bla-bla-bla. Gloup, gloup. "L'inconvénient de se conformer à des usages qui ont perdu leur sens à vos yeux est de disperser vos forces. C'est un gaspillage de temps et cela ne fait que brouiller les traits de votre caractère." Couin, couin, couin. Je suis le grand homme, la grande pomme, je suis la croquette…

– "Être grand, c'est en général être incompris", dis-je, attentif à la circulation tout en guettant les panneaux indicateurs. C'est une bonne formule que tu pourrais te rappeler. Il y en a d'autres.

– Je me rappelle déjà de trop de trucs. Je me noie. Gloup, gloup. »

Il lève les bras et fait des gestes de nageur qui coule, pousse un bref « hiiirgh » de vieille grille qui aurait besoin d'un graissage, puis il grimace une fois de plus.

« Dans ce cas, il suffit de le lire. Je ne te soumettrai pas à un interrogatoire.

– Un interrogatoire. Les interrogatoires, ça me rend dingue, s'exclame Paul, qui arrache soudain entre ses doigts sales la page qu'il lisait.

– Arrête ça ! » (En m'emparant du volume, je chiffonne la couverture verte de sorte que sa surface vernie en garde les traces.) « Il faut être un crétin d'enfoiré pour faire une chose pareille ! »

Je fourre le livre entre mes jambes, mais Paul a gardé la page arrachée qu'il replie soigneusement en quatre. Nous en sommes à l'affrontement.

« J'ai qu'à la conserver au lieu de m'en rappeler. » (Il garde son sang-froid, tandis que j'ai complètement perdu le mien. Il fourre dans sa poche le papier plié et tourne la tête vers sa vitre. Je le foudroie du regard.) « Je viens de prélever une page de ton bouquin, reprend-il de sa voix à la Heston. Au fait, est-ce que tu considères ta vie comme un échec total ?

– Sur quel terrain ? dis-je âprement. Et ôte-moi du tableau de bord ce foutu *New Yorker*. »

Je saisis le magazine pour le balancer sur la banquette arrière. La circulation se densifie tandis que nous enfilons de petites rues de village, étroites et sinueuses. Deux livreurs de journaux, assis côte à côte, sont occupés à plier les piles de l'édition du soir. L'air du dehors – que je ne sens pas, évidemment – paraît frais et engageant, malgré ma conviction qu'il fait encore chaud.

« N'importe lequel. »

Il produit son petit couinement tout au fond de la gorge, comme si je n'étais pas censé l'entendre. Un sentiment d'outrage et de regret me creuse la poitrine (à cause d'une page de livre ?) mais je me force à répondre.

« Mon mariage avec ta mère et ton éducation. Ce ne sont pas mes plus grandes réussites au point où j'en suis. Mais tout le reste marche on ne peut mieux. »

Je suis accablé d'avoir une telle envie d'échapper à ce tête à tête en voiture avec mon fils, alors que nous atteignons à peine les rues légendaires de notre destination. J'ai la mâchoire nouée, à nouveau mal au dos et, à l'intérieur, j'ai une sensation d'asphyxie, comme si j'étais gazé par l'angoisse. Si seulement un dieu lointain et distrait avait pu faire en sorte que Sally Caldwell soit ici avec nous, ou, mieux encore, que Sally soit ici et Paul à Deep River, à torturer les oiseaux, matraquer les gens et répandre la terreur dans la population locale. (La Période d'Existence est garantie vous protéger contre de tels sentiments fâcheux. Mais en ce moment ça ne fonctionne pas.)

« Tu te rappelles quel âge aurait Mr. Toby s'il s'était pas fait écraser ? »

Je m'apprêtais à lui demander si c'est pour s'amuser qu'il tue les oiseaux.

« Treize ans. Pourquoi ?

— Je peux pas m'arrêter d'y penser », dit-il pour la trentième fois au moins, tandis que nous arrivons au carrefour du centre, où des gosses habillés exactement comme Paul glandent au coin du trottoir, en jouant comme des idiots avec une balle molle en plein milieu des passants. Maisons de brique et volets blancs, sous les ombrages de grands chênes écarlates et de hickorys, le bourg paraît aussi charmant et soigné qu'un cimetière bien entretenu.

« Pourquoi penses-tu que tu y penses ? dis-je, excédé.

— J'en sais rien. Ça a l'air d'avoir foutu par terrre tout ce qui était établi à l'époque.

— Non. D'ailleurs, rien n'est établi. Tu devrais essayer d'écrire tout ça. »

Dieu sait pourquoi, je repense avec contrariété à l'histoire de ma mère, de la religieuse à Horn Island et du désir d'avoir d'autres enfants.

« Écrire mon journal, tu veux dire ? demande-t-il d'un air méfiant.

– Oui. C'est ça.

– On le faisait, au camp. Et après, on s'en servait pour se torcher le cul et on jetait les feuilles dans le feu. C'était le meilleur usage qu'on pouvait leur trouver. »

J'aperçois soudain dans la rue transversale le Baseball Hall of Fame, un édifice de style néo-grec en brique rouge pâle, à l'allure de bureau de poste. Je quitte abruptement et périlleusement Chestnut Road en tournant à droite dans la rue principale, Main Street, remettant à plus tard le verre auquel j'aspirais, pour aller jeter un coup d'œil de plus près.

Pleine de vacanciers fous de baseball, Main Street a des airs aimables, animés, de petite ville universitaire au-dessus de la moyenne, la semaine de la rentrée. Sur les deux trottoirs, des boutiques vendent tout ce qui peut dériver du base-ball : uniformes, photos cartonnées, affiches, autocollants, sans oublier sûrement des enjoliveurs et des préservatifs ; elles partagent la rue avec des commerces ordinaires de petite ville – un drugstore, un tailleur, deux fleuristes, une taverne, une boulangerie allemande et plusieurs agences immobilières, dont les fenêtres à meneaux sont remplies de photos de maisons à toit pentu et de « propriété avec vue » sur tel ou tel lac.

À la différence de Deep River l'impavide et de Ridgefield la coincée, Cooperstown arbore un maximum de décorations de rue pour le 4 Juillet, accrochées aux lampadaires, aux câbles électriques, aux feux de signalisation et même aux parcmètres, comme pour proclamer qu'il y a la manière de faire les choses et que celle-ci est la bonne. De tous côtés, des affiches promettent pour lundi une « *Big Celebrity Parade* » avec des « vedettes de la country music », et tous les badauds qui arpentent les trottoirs paraissent contents d'être là. En fait, à première vue, on a l'impression d'un endroit idéal où vivre, faire ses dévotions, prospérer, élever une famille, vieillir, tomber malade et mourir. Et pourtant… Les foules elles-mêmes, l'excès à chaque coin de rue de corbeilles de géraniums vermillon et de poubelles à la française trop visibles, l'apparition révélatrice d'un bus rouge à impériale « City of Westminster » et enfin l'absence totale, où que ce soit, d'une allusion au Hall of Fame, l'ensemble fait planer un doute, le soupçon que cette ville n'est qu'une reproduction (d'un lieu authentique), un décor d'époque pour le Hall of Fame ou quelque chose d'encore moins spécifique, où rien de réel ne se passe (délinquance, désespoir, détritus, délectation), quelle que soit l'illusion civique entretenue par la municipalité. (En ce sens, bien entendu, c'est à peu près ce que j'imaginais, et cela constituerait quand même un cadre parfait pour tenter d'arracher son fils à ses problèmes et de lui donner de bons conseils, si ce fils n'était pas un enfoiré.)

Nous passons lentement devant l'entrée à voûte de brique assez insignifiante du Hall of Fame, qui de près ressemble encore plus à un bureau de poste, avec son drapeau au bout d'un mât et un érable isolé sur le devant. Une poignée de citoyens bruyants semblent défiler en rond sur le trottoir, s'efforçant de leur mieux, dirait-on, de barrer le chemin aux touristes payants, venus à pied de proches auberges, hôtels ou terrains de caravaning, pour une rapide visite de fin d'après-midi. Ces manifestants portent tous des pancartes ou des affiches placardées et j'entends, une fois baissée la vitre du côté de Paul, qu'ils scandent quelque chose qui ressemble à « Shooter, shooter, shooter ». (On se demande ce qui peut justifier une manifestation en un tel endroit.)

« Qu'est-ce que c'est que ces abrutis ? demande Paul, qui pousse ensuite un bref "hiiirgh" suivi d'une expression de dégoût.

– Je n'en sais pas plus long que toi.

– Fouteurs, fouteurs, fouteurs, dit-il d'une grosse voix de géant. Chieurs, chieurs, chieurs.

– C'est tout de même le Baseball Hall of Fame qui est là. » (Je suis déçu, honnêtement, sans avoir lieu de l'être.) « Maintenant que tu l'as vu, nous pouvons rentrer à la maison si tu veux.

– Chieurs, chieurs, chieurs, répète Paul. Hiiirgh, hiiirgh.

– Tu préfères en finir tout de suite ? Je peux te déposer à New York en début de soirée. Tu n'auras qu'à passer la nuit au Yale Club.

– J'aimerais mieux rester ici un peu plus longtemps, dit Paul, le nez à la fenêtre.

– D'accord. »

Sa réponse signifie, je pense, qu'il préfère ne pas aller à New York. Mais la colère me quitte à cet instant, et mon devoir de père m'apparaît à nouveau comme une tâche permanente et pour la vie.

« Qu'est-ce qui s'est passé ici au juste, en principe ? J'ai oublié, reprend-il en contemplant l'agitation du trottoir.

– En principe, c'est ici que le baseball fut inventé en 1839, par Abner Doubleday, même si personne n'y croit vraiment. » (Mes renseignements sortent tout droit des dépliants.) « Il s'agit simplement d'un mythe qui sert à focaliser l'intérêt du public pour lui permettre d'apprécier pleinement le jeu. C'est comme la signature de la *Déclaration d'indépendance* le 4 juillet, qui n'est pas la vraie date de son adoption. » (Cette précision, bien entendu, est tirée de l'ouvrage du vénérable Becker, l'historien, et c'est sans doute une perte de temps pour le moment. Mais je ne veux pas lâcher prise.) « C'est une sorte de code pour t'éviter de t'embrouiller dans des détails sans importance et de passer à côté d'un aspect plus essentiel. Mais je ne me rappelle plus ce qu'il y a d'essentiel dans le base-ball, j'avoue. »

Une deuxième vague de fatigue profonde m'envahit. Je suis tenté de me garer et de m'endormir sur mon siège ; on verra bien qui est là à mon réveil.

« Alors tout ça, c'est de la foutaise, dit Paul.

– Pas exactement. On croit à beaucoup de choses qui ne sont pas vraies, et inversement il y a des tas de vérités dont on peut n'avoir rien à foutre. Il faut te forger tes propres opinions. La vie regorge de petites leçons de ce genre.

– Eh ben alors, merci. Merci merci merci merci. »

Il me regarde d'un air amusé, mais il est plein de dédain. J'ai du mal à ne pas sombrer. Mais je ne vais pas me laisser clouer le bec sur cet important sujet au programme, la nécessité de séparer le bon grain de l'ivraie, ou peut-être de ne pas laisser l'arbre cacher la forêt.

« On devrait éviter de se laisser piéger par des situations qui ne vous rendent pas heureux. Je ne suis pas toujours très doué pour ça. Il m'arrive souvent de foirer. Mais je fais de mon mieux.

– Moi aussi, je fais de mon mieux », dit-il, et j'en suis aussi surpris que déchiré, touché par quelque chose. (Une platitude. La force d'une simple platitude. Qu'ai-je d'autre à lui offrir ?) « Je sais pas vraiment ce que je suis censé faire.

– Du moment que tu fais de ton mieux, tu ne peux pas faire plus.

– Hiiirgh, fait-il doucement. Chierie.

– Chierie. D'accord, dis-je » et nous redémarrons.

Main Street nous amène dans un quartier boisé de riches demeures de style fédéraliste ou néo-grec – toutes en parfait état et ombragées par des hêtres et des chênes écarlates bicentenaires – qui vaudraient un million huit à Haddam et ne sortiraient jamais sur le marché (les ventes sont conclues entre connaissances pour nous tenir à l'écart, nous, les agents immobiliers). Ici, pourtant, deux ou trois ont des écriteaux plantés sur la pelouse, dont l'un affiche la mention « Prix réduit ». Un autre petit livreur de journaux est là en train de faire sa tournée, en balançant sa sacoche pleine de l'édition du soir. En pantalon rouge et chemise jaune, debout dans un jardin derrière sa palissade, un grand verre de boisson glacée à la main, un homme lève l'autre bras pour que le garçon lui jette un journal qu'il attrape au vol. Le livreur se tourne vers nous en passant, il esquisse un geste furtif pour saluer Paul qu'il prend pour quelqu'un qu'il connaît, puis l'interrompt aussitôt et détourne la tête. Mais Paul lui rend son salut ! Comme s'il pensait, en bon rêveur, que si nous vivions encore tous ensemble à Haddam et si la vie reprenait le cours qu'elle n'aurait jamais dû quitter, ce garçon pourrait être lui.

« Ça te plaît, comme je suis habillé ? demande-t-il en remontant sa vitre à l'aide du bouton électrique.

– Pas vraiment », dis-je en virant dans une autre rue ombragée, où un panneau bleu indique « Hôpital » ; des femmes en tenue d'infirmières et des hommes en blouse de médecins, stéthoscope au cou, marchent sur le trottoir pour rentrer à la maison. « Et comme je le suis, moi, ça te plaît ? »

Paul m'examine gravement des pieds à la tête – chaussures de bateau, chaussettes jaunes, pantalon de toile, chemisette à carreaux de chez Mountain Eyrie Outfitters à Leech Lake dans le Minnesota, des vêtements que je porte depuis qu'il me connaît, les mêmes que j'avais le jour de 1963 où je suis descendu du New York Central en gare d'Ann Arbor et dans lesquels je me sens chez moi. Ma tenue de base.

« Non, répond-il.

– Mais tu comprends, dis-je en sentant sous ma cuisse le volume froissé d'*Autonomie*, pour mon boulot j'ai intérêt à m'habiller de manière à ce que les clients me prennent en pitié, ou mieux encore se sentent supérieurs à moi. Je crois que j'y réussis assez bien. »

Paul m'étudie à nouveau d'un air dégoûté qui pourrait virer au sarcasme, sauf qu'il se demande si je le mène en bateau. Il se tait. Mais naturellement c'est la pure vérité que je viens de lui exposer.

Nous traversons à présent un autre quartier agréable mais moins luxueux de maisons aux volets rouges et verts dans des rues plus étroites ; par cet itinéraire, je compte rejoindre la 28 et tomber sur le *Deerslayer*. Pas mal d'écriteaux « À vendre », ici aussi. Cooperstown est mis aux enchères, semble-t-il.

« Qu'y a-t-il d'écrit sur ton tatouage tout neuf ? »

Paul tend aussitôt son poignet droit vers moi, et je déchiffre à l'envers le mot « insecte », gravé apparemment au stylo à bille bleu-noir sur sa peau tendre.

« Tu en as eu l'idée tout seul, ou bien est-ce qu'on t'a aidé ? »

Paul renifle.

« Au siècle prochain, on sera tous esclavagisés par les insectes qui auront survécu aux pesticides de maintenant. Ça, c'est le signe que j'admets faire partie d'une bande de créatures dénaturées dont le règne s'achève. J'espère que les nouveaux dirigeants me traiteront en ami. »

Il renifle à nouveau, puis se farfouille dans le nez avec ses doigts sales.

« C'est une chanson rock qui dit ça ? »

Je me retrouve dans un flot de voitures qui me ramène vers le centre. Nous avons tourné en rond.

« Non, c'est connu », rétorque Paul en frottant la verrue sur son genou.

Presque tout de suite, je repère un panneau que j'avais manqué quand nous nous bagarrions, Paul et moi : un grand pionnier filiforme, en vêtements de daim et mocassins, planté de profil, un fusil à pierre à la main, au bord d'un lac sur fond de sapins triangulaires. « DEERSLAYER INN, tout droit ». Divine promesse.

« Tu as une si mauvaise opinion du progrès humain ? »

Je traverse Main Street en plein dans la circulation du samedi soir et des tramways qui baladent les touristes. Le lac Otsego surgit de façon imprévue face à nous, avec ses caps luxuriants, d'allure norvégienne, à des kilomètres de là sur la rive opposée, s'enfonçant au nord dans la brume des Adirondacks.

« Y a trop de choses qui m'embêtent tout le temps. Ça vieillit.

– Tu sais, dis-je sans relever sa réponse, les types qui ont fondé tout ce coin, ils pensaient que s'ils ne se débarrassaient pas des vieilles entraves, ils resteraient vulnérables face à la sauvagerie naturelle du monde...

– Ce coin, tu parles de Cooperstown ?

– Non. J'avais autre chose en tête.

– Et Cooperstown, de qui ça vient, ce nom ? demande-t-il en contemplant le lac scintillant comme un espace dans lequel il envisagerait de s'envoler.

– De James Fenimore Cooper. C'est un célèbre romancier américain qui a écrit des livres sur des Indiens qui jouent au base-ball. »

Paul me jette un coup d'œil interrogatif et à moitié sympathique. Il sait que je suis las de lui et que je recommence peut-être à me moquer. Mais, dans les taches de lumière qui glissent sur nous, je distingue aussi à travers ses traits – ainsi que cela m'est déjà arrivé – le visage adulte qu'il aura sans doute : large, grave, ironique, peut-être crédule, peut-être doux, mais sans doute pas très heureux. Non pas le mien, mais celui que j'aurais pu avoir si j'avais moins bien su encaisser les coups du sort.

« Et toi, considères-tu ta vie comme un échec ? » dis-je en ralentissant face au *Deerslayer*, m'apprêtant à tourner dans l'allée carrossable entre deux rangées de grands épicéas derrière lesquels se niche l'auberge tant désirée, ses galeries victoriennes enfouies dans l'ombre de la fin du jour, les grands fauteuils dont j'ai rêvé tout éveillé occupés par quelques hôtes satisfaits, mais il reste de la place pour de nouveaux arrivants.

« Sur quel terrain ? demande Paul. J'ai pas encore eu le temps d'échouer. J'en suis encore à apprendre comment on fait. »

J'attends une pause dans la circulation. Le lac Otsego est maintenant tout proche, surface lisse en l'absence de vent dans la brume vespérale.

« Par rapport à ton âge, je voulais dire. En tant qu'âne-olescent. Enfin, au point où tu penses en être. »

Mon clignotant clignote, mes paumes étreignent le volant.

« Et comment, Frank, répond-il d'un ton arrogant, sans même savoir peut-être à quoi il acquiesce.

– Eh bien, tu te trompes. Alors, il va falloir que tu te fasses une autre idée de toi-même, parce que tu n'es pas sur la voie de l'échec. Je t'aime. Et ne m'appelle pas Frank, bon sang. Je ne veux pas que mon fils m'appelle Frank. Ça me donne l'impression d'être ton putain de beau-père. Si tu me racontais une bonne blague. Ça me ferait du bien. C'est un de tes talents. »

Et soudain, en attendant pour tourner, une sérénité stellaire s'empare de nous, comme si nous étions arrivés devant un obstacle abrupt, si nous avions en vain tenté de le sauter, et si nous l'avions franchi tout d'un coup, à l'improviste et sans savoir comment. D'instinct, je sens que Paul pourrait se mettre à pleurer, ou du moins qu'il est au bord des larmes – une réaction dont je n'ai pas été témoin depuis longtemps et à laquelle il a officiellement renoncé, mais qu'il pourrait s'offrir rien que pour cette fois, en souvenir du bon vieux temps.

Mais en fait, ce sont mes yeux à moi qui brûlent et s'embuent, quoique je sois bien en peine de me l'expliquer (sinon par mon grand âge).

« Tu peux te retenir de respirer pendant cinquante-cinq

393

secondes d'affilée ? demande Paul tandis que je traverse la route.

– Je ne sais pas. Peut-être.

– Vas-y, dit-il en me regardant, pince-sans-rire. Arrête la voiture. »

Il présente une figure impénétrable qui couve quelque chose d'hilarant.

Donc, au milieu de l'allée ombragée du *Deerslayer*, je me soumets et freine sec.

« Voilà, je me retiens. J'espère pour toi que ça va être drôle. J'ai très envie de prendre un verre. »

Il serre les lèvres et ferme les yeux, je l'imite et nous attendons ensemble dans l'air climatisé, le murmure du moteur et le cliquètement du thermostat, tandis que je compte : mille-un, mille-deux, mille-trois...

Au moment où j'ai abaissé les paupières, la montre du tableau de bord indiquait 5 : 14, et quand je les soulève je lis 5 : 15. Paul a les yeux ouverts, mais il semble compter en silence comme un zélote adressant une prière intime à son Dieu.

« O.K. Cinquante-cinq. Quelle est la chute de l'histoire ? Je suis pressé, dis-je en lâchant la pédale du frein. "Je ne savais pas qu'une merde pouvait retenir son souffle pendant si longtemps" ? C'est de ce niveau-là ?

– Cinquante-cinq secondes, c'est le temps que dure la première décharge sur la chaise électrique. Je l'ai lu dans un magazine. Tu as trouvé ça court ou long ? »

Il cille en me regardant avec curiosité.

« J'ai trouvé ça vachement long, dis-je, un peu accablé. Et ta blague n'était pas tellement drôle.

– Moi aussi, je trouve ça long, commente-t-il en tripotant le bord fendu de son oreille et en inspectant son doigt pour voir s'il y a du sang. Mais en principe, ça te règle ton compte.

– Alors c'est nettement plus supportable, sûrement. »

Certes, les parents pensent à la mort jour et nuit – surtout quand ils ne voient leurs enfants qu'un week-end par mois. Comment s'étonner que leurs enfants fassent de même ?

« On a tout perdu quand on perd son sens de l'humour », dit Paul d'une voix pseudo-sentencieuse.

J'embraye, les pneus dérapent sur les aiguilles de sapins, et je gagne enfin la retraite fraîche et, j'espère, délicieuse qu'offre le *Deerslayer*. Une cloche résonne. Je vois dans la cour un campanile ancien auprès duquel s'active une jeune femme en tunique et toque blanches de chef, qui salue de la main notre arrivée, dans le meilleur style journal de voyage évoquant des jours heureux d'été à Cooperstown. Je me gare, saisi d'une impression que nous sommes en retard et que chacun s'inquiétait de notre absence, mais nous voici arrivés et tout peut commencer.

9

Le *Deerslayer* est aussi parfait que je l'espérais : une large bâtisse sans plan défini, dissymétrique, fin de siècle, à mansardes jaunes festonnées, galeries à balustrades de bois, escaliers grinçants qui mènent à de longs corridors obscurs au parfum de désinfectant, petits lits jumeaux aux montants de fonte, ventilateur de table et salle de bains au bout du couloir.

Au rez-de-chaussée, un long salon somnolent est garni de sofas couverts de housses qui sentent le vieux, une épinette écaillée, une bibliothèque d'« échange ». Dans la salle à manger truffée d'ombre, le dîner est servi de dix-sept heures trente à dix-neuf heures (« Pas de retardataires, s'il vous plaît ! »). Malheureusement, il n'y a ni bar, ni cocktails offerts par la maison, ni zakouski, ni télé. (J'avais un peu brodé, mais qui me le reprocherait ?) N'empêche, l'endroit me semble se prêter idéalement à ce qu'un homme y partage sa chambre avec un adolescent sans éveiller de soupçons.

Privé du verre attendu, donc, je m'allonge sur le matelas trop mou tandis que Paul part « en exploration ». Je décontracte mes mâchoires, me tortille un peu le dos, me dégourdis les orteils dans le souffle du ventilateur, et j'attends que l'assoupissement me tombe dessus tel un bushman au crépuscule. À cette fin, je me remets à tresser ensemble de nouveaux filaments de non-sens, qui s'infiltrent dans mon cerveau telle une anesthésie. « Il est temps de fourbir notre Sally Caldwell... Désolé d'avoir conduit ton érection, espèce de con... Phogg Allen la gueule longue comme ça... bouffe ta tête... Tu devais faire un beau Dr Jivago, toi l'inconnu du Susquehanna... » Et je sombre dans un tunnel de ténèbres sans même avoir le temps de m'en féliciter.

Soudain, plus tôt que je ne le voudrais, j'émerge avec une sensation de doux vertige dans la nuit, tout seul ; mon fils n'est pas là.

Je gis immobile pendant un moment. Une brise fraîche montée du lac à travers les épicéas et les ormes pénètre dans la chambre en se mêlant au faible ronronnement du ventilateur. À proximité, un piège à insectes grille l'un après l'autre les moustiques géants de la forêt nordique, et au-dessus de moi, au plafond, le petit œil du détecteur de fumée rougeoie dans l'obscurité.

D'en bas me parviennent des bruits de fourchettes et de vaisselle, des chaises qui raclent le sol, des rires étouffés suivis de pas dans l'escalier, une porte se ferme et, peu après, retentit une chasse d'eau, le flot ricoche et envahit les canalisations. Puis la porte se rouvre et le bruit de pas pesants meurt en s'éloignant.

À travers une paroi, j'entends quelqu'un tirer un coup comme si je m'entendais moi-même – un souffle sonore, soutenu, donné à fond. Quelqu'un joue *Inchworm* sur l'épinette. Sur le gravier du parking, j'entends s'ouvrir une portière – le petit bip-bip du signal intérieur « porte ouverte » – puis un homme et une femme qui parlent à voix basse, affectueusement.

« C'est pour rien, ici, tu sais, chuchote-t-il, comme s'il ne fallait pas ébruiter cette information.

– Oui, et alors ? dit la femme en pouffant de rire. Qu'est-ce qu'on ficherait ?

– Qu'est-ce qu'on fiche n'importe où ? On va à la pêche, on joue on golf, on dîne, on baise avec sa femme. Comme chez soi.

– Je choisis l'option numéro quatre. Chez nous, ça a le goût de trop peu. »

Elle glousse à nouveau. Puis bang, le coffre se ferme ; gling, l'alarme est mise ; cric cric, leurs pas foulent le gravier en direction du lac. Ils parlent de maisons. J'en suis sûr. Demain, ils lècheront les vitrines d'annonces, ils consulteront un agent, quelques registres d'offres, ils visiteront une propriété, peut-être deux, histoire de se faire une idée, discuteront d'un rabais possible, puis s'en iront rêveusement le long de Main Street et n'y penseront plus jamais.

Quoique cela ne se passe pas toujours ainsi. Il y a des gens qui signent sur-le-champ un gros chèque, expédient leur mobilier, se fabriquent toute une nouvelle vie en l'espace de quinze jours – et c'est là qu'ils changent d'avis, remettent la maison en vente à la même agence, casquent un maximum de frais plus une pénalité pour règlement anticipé. Et voilà comment le marché subsiste, au fil des erreurs et des revirements. En ce sens, l'immobilier ne sert pas à trouver la maison de ses rêves mais à s'en débarrasser.

J'ai une pensée rêveuse pour Paul et je me demande où il peut être, à la nuit tombée, dans une ville inconnue mais sans péril. Peut-être a-t-il noué des liens éternels avec la bande du carrefour Main-Chestnut et sont-ils allés dans quelque endroit miteux manger à ses frais des frites, des hamburgers et des gaufres. Il est possible, après tout, que la fréquentation de ses pairs lui manque à Deep River, où tout le monde a au moins l'âge d'être adulte. À Haddam, cela ira mieux.

« Mince alors ! s'exclame la voix nasale d'une femme sur les marches grinçantes qui mènent au deuxième étage. Je lui ai dit, à Mark ("Merk"), pourquoi elle vient pas simplement s'installer en ville, où on pourra s'occuper d'elle, et comme ça papa aurait pas tant de chemin à faire pour sa dialyse ? Sans elle, il est complètement paumé.

– Et Mark, alors, qu'est-ce qu'il a répondu ? » interroge sans réel intérêt la voix également nasale d'une autre femme.

Des pas sonores s'éloignent de ma porte vers le fond du couloir.

« Oh, tu connais Mark. Cet abruti ! » (La clé dans la serrure, la porte qui s'ouvre.) « Il n'a pas dit grand-chose. »

Clac.

Ayant somnolé tout habillé (luxe irrésistible), je change de chemise, enfile mes chaussures, m'étire la colonne vertébrale en avant et en arrière, je gagne d'un pas nébuleux la salle de bains pour soulager un besoin pressant et me rafraîchir la figure, puis je descends jauger la situation, chercher Paul et glaner des tuyaux pour le dîner ; il est trop tard pour celui de l'auberge : spaghettis, salade, pain grillé à l'ail, flan au tapioca, le tout chaudement recommandé sur la carte des menus de la semaine posée sur ma commode (« Miam-miam », a écrit au crayon un client précédent).

Dans le long salon à moquette marron, toutes les vieilles lampes à abat-jour en parchemin sont joyeusement allumées et plusieurs pensionnaires sont plongés dans des parties de gin rummy, des mots croisés, la lecture d'un journal ou d'un livre pris dans la bibliothèque, mais ils n'ouvrent guère la bouche. Une bougie au parfum envahissant de cannelle brûle dans un coin, et, au-dessus de la cheminée éteinte, on distingue le portrait ténébreux, grandeur nature, d'un homme entièrement vêtu de cuir à la tête ovale avec une expression plutôt sotte. Le Tueur de daims en personne. Un grand type d'un certain âge, aux longues oreilles et aux grosses mains, l'air d'un Suédois, confie à un Japonais sa haine de la « chirurgie traumatisante » et tout ce qu'il serait prêt à endurer pour l'éviter. Assise au piano à l'autre bout de la pièce, une femme chevaline d'âge mûr, en robe rouge à pois blancs, parle trop fort, avec un accent du Sud, à une autre femme qui porte un collier cervical en mousse. Les yeux de la femme en rouge explorent toute la longueur du salon, avides de savoir qui pourrait écouter et se laisser captiver par la question qu'elle traite : peut-on jamais faire confiance à un bel homme marié avec une femme qui n'est pas tellement jolie ? « Moi, la première chose que je ferais serait de mettre un gros cadenas à mon armoire à porcelaine », déclare-t-elle à qui veut l'entendre. Elle me repère dans l'embrasure de la porte, content d'observer ce tableau tranquille de la vie à l'auberge (parfaitement conforme au fantasme d'un éventuel acquéreur : toutes les chambres occupées, tous les reçus de paiement par carte de crédit soigneusement rangés dans le coffre-fort, aucun remboursement, tout le monde au lit à dix heures). Son œil me harponne. Elle me fixe, tel un vampire à grandes dents, et agite la main vers moi comme si nous nous étions connus à Bogalusa ou Minter City – peut-être a-t-elle simplement identifié un compatriote sudiste (quelque chose dans le maintien voûté des épaules).

« Hé, vous ! C'est ça ! Approchez donc, je vous ai vu ! »

400

crie-t-elle en direction de la porte, dans un scintillement de bagues, un tintement de bracelets, des éclairs de dentier.

Je lui rends aimablement son signe de main, mais, craignant de me retrouver à côté du piano à me faire farcir la tête, je m'efface discrètement de l'embrasure et longe le couloir sous l'escalier pour aller téléphoner.

C'est vrai que j'ai envie de parler à Sally et que je devrais écouter mon répondeur. Il se peut que les Markham soient revenus de leur escapade et que Karl ait appelé pour me rassurer. Cela fait des heures que, Dieu merci, ces questions me sont sorties de l'esprit, mais je n'ai guère perçu le soulagement que j'aurais dû y gagner.

Quelqu'un (sûrement la vieille Sudiste) s'est mis à jouer *Lullaby of Birdland* sur un tempo lent et lugubre, si bien que toute l'atmosphère du rez-de-chaussée semble soudain calculée pour envoyer tout le monde se coucher.

J'attends mes messages, en contemplant un schéma illustré des cinq mesures qui empêcheront quelqu'un de s'étouffer, et en tripotant la pile de billets roses d'un restaurant-théâtre de Susquehanna, en Pennsylvanie. On y joue ce soir *Annie Get Your Gun*, et les programmes entassés sur la table du téléphone sont pleins d'éloges des critiques : « Toute l'interprétation est de premier ordre » (le *Press & Sun Bulletin* de Binghamton) ; « *Cats* peut aller se rhabiller » (le *Times* de Scranton) ; « Cette petite sait se servir de ses jambes » (le *Republican* de Cooperstown). Je ne peux m'empêcher d'imaginer le jugement de Sally : « Ma bande d'adeptes moribonds des générales ne s'en serait jamais lassée. Nous avons ri, nous avons pleuré, tout juste si nous n'en sommes pas morts » (*La Lettre du Rappel*).

Biiiip. « Allô, Frank, ici Phyllis. » (Une pause pour s'éclaircir la gorge, comme si elle venait de se réveiller.) « East Brunswick, c'était le cauchemar absolu. Absolu. Pourquoi ne nous aviez-vous pas prévenus, pour l'amour du ciel ? Joe a eu le bourdon dès la première baraque. Je crois qu'il risque de sombrer dans une grande déprime. Alors, on s'est remis à repenser à la maison du vieux Hanrahan, peut-être bien que je suis prête à changer d'avis à son sujet. Rien n'est éternel. Si on ne s'y plaît pas, on pourra toujours la revendre. En tout cas, Joe, elle lui avait tapé dans l'œil. J'arrêterai de me biler à propos de la prison. J'appelle d'une cabine. » (Sa voix se met à changer, qu'est-ce que cela indique ?) « Joe est en train de dormir. En fait, je suis venue prendre un verre au bar du *Raritan Ramada*. Quelle journée ! » (Nouvelle pause prolongée, qui correspond peut-être à une mise au point au sein du ménage Markham.) « J'aurais bien aimé parler avec vous. Mais j'espère que vous aurez ce message ce soir et que vous nous rappellerez demain matin, pour qu'on puisse faire notre offre au vieux Hanrahan. Désolée que Joe ait déconné. Il n'est pas commode, je m'en rends compte. » (Troisième pause, pendant laquelle je l'entends dire « Oui, tout de suite » à quelqu'un.) « Rappelez-nous au *Ramada*. 201 – 452 6022. Je pense me coucher tard. On ne pouvait plus supporter le motel. J'espère que vous et votre fils allez partager plein de choses. » Clic.

Hormis l'attendrissement alcoolique (dont je ne tiens pas compte), rien de surprenant dans tout ça. East Brunswick est connu pour son uniformité sinistre et bas de gamme. En aucun cas ce ne peut rivaliser avec Penns Neck, mais je suis quand même surpris que les Markham aient viré de bord si vite. Dommage qu'ils n'aient pas pris leur soirée pour faire un saut à Susquehanna et se régaler d'*Annie* et de poulet *piccante*. Ils auraient ri, pleuré, et Phyllis aurait pu commencer déjà à cesser de se biler à propos de la prison au fond de son jardin. D'autre part, je ne serais pas surpris que « la maison du vieux Hanrahan » soit rayée des offres à l'heure qu'il est. Les bonnes affaires n'attendent pas que des demeurés aient fini de couper les cheveux en quatre, même en l'état du marché.

Je passe aussitôt un coup de fil à Penns Neck, pour annoncer à Ted une offre à la première heure demain matin. (Je chargerai Julie Loukinen de s'en occuper.) Mais le téléphone sonne dans le vide. Je compose à nouveau le numéro, en m'appliquant à me représenter mentalement chaque chiffre, puis j'attends une bonne trentaine de sonneries, en contemplant à l'autre bout du hall, par-delà l'horloge de grand-mère et le portrait du général Doubleday, la porte ouverte sur la nuit où scintillent à travers les arbres, sur la rive du lac, les lumières d'une autre auberge plus luxueuse que je n'avais pas repérée cet après-midi. Les rangées de fenêtres y sont toutes éclairées, des phares de voitures vont et viennent comme devant un casino huppé d'un lointain pays de bord de mer. Sur la galerie du *Deerslayer*, je vois se balancer les hauts dossiers des fauteuils à bascule où mes compagnons de passage digèrent les spaghettis du dîner, murmurent et gloussent à propos de leur journée – la remarque irrésistiblement hilarante qu'a sortie le fils de l'un d'eux face au buste de Heinie Manusch, d'autres commentaires sur les avantages et les inconvénients d'ouvrir une boutique de photocopie dans une localité de cette taille, et aussi sur le gouverneur Dukakis, que quelqu'un, sans doute un pro-Démocrates en mon genre, appelle « le Ploukimo de Boston ».

Mais pas de réponse à Penns Neck. Ted a dû aller faire un tour à une soirée portes ouvertes de l'autre côté de sa palissade en l'honneur de la fête de l'Indépendance.

Je tente le numéro de Sally, puisqu'elle m'a dit de l'appeler et que je compte renouer nos relations amoureuses dès que j'aurai débarqué Paul à New York, moment qui semble très éloigné dans l'espace-temps, mais ne l'est pas vraiment. (Avec les enfants, tout arrive en un éclair ; il n'y a jamais de présent, rien qu'un instant révolu après lequel on reste à se demander ce qui s'est passé et à tenter d'imaginer si cela peut se reproduire afin qu'on soit capable de s'en rendre compte.)

« Allô-ô, articule Sally d'une voix légère, comme si je l'avais surprise dans le jardin, occupée à étendre la lessive sur la corde à linge au grand soleil.

– Salut, dis-je, soulagé et ravi d'obtenir une réponse quelque part. C'est encore moi.

– Encore moi ? Ah bon ! Et comment ça va, Moi ? Toujours un peu égaré ? La nuit est merveilleuse sur la plage. Si seulement tu pouvais t'égarer par ici. Je suis sur la galerie, j'entends de la musique, j'ai mangé de la trévise et des champignons ce soir, et bu un bon Duck's Wing fumé blanc. J'espère que tout se passe aussi bien pour vous là où vous êtes, tous les deux. Où êtes-vous ?

– À Cooperstown. Oui, tout se passe bien. C'est parfait. Il ne manque que toi. » (Je me représente sa longue jambe lisse, sa chaussure dorée, j'imagine, qui se balance par-dessus la balustrade dans l'obscurité, un grand verre étincelant dans sa main détendue – soirée de choix pour les picoleuses.) « Tu es avec quelqu'un ? »

L'appréhension me contracte la voix ; même moi, je l'entends.

« Non. Personne. Pas de soupirants qui escaladent mes murs ce soir.

– Tant mieux.

– Sans doute, réplique-t-elle en se raclant la gorge exactement comme Phyllis. C'est extrêmement gentil à toi de m'appeler. Pardon de t'avoir interrogé au sujet de ta femme tout à l'heure. C'était de l'indiscrétion et du manque de tact. Je ne recommencerai plus.

– Je voudrais toujours que tu viennes me rejoindre. »

Cela n'est pas vrai à la lettre, mais pas loin non plus d'être vrai. N'importe comment, je suis sûr qu'elle ne viendra pas.

« Eh bien… dit Sally d'une voix qui devient momentanément plus ténue, comme si elle souriait à la nuit, puis qui retrouve sa vigueur. Je pense très sérieusement à toi, Frank. Quoique je t'aie trouvé très grossier ou au moins bizarre, au téléphone, aujourd'hui. Tu n'y pouvais peut-être rien.

– Peut-être. Mais c'est bien. Moi aussi, j'ai pensé sérieusement à toi.

– C'est vrai ?

– Et comment. J'ai pensé qu'hier soir nous avions atteint un croisement, toi et moi, et que nous étions partis dans la mauvaise direction. » (J'ai l'impression d'entendre à l'arrière-plan, à South Mantoloking, les vagues soupirer en léchant la plage, un son délicieux qui me manque ici, dans la touffeur du couloir du *Deerslayer*, mais il s'agit peut-être simplement des piles à plat dans le téléphone sans fil de Sally.) « Je crois que nous devrions adopter une autre approche sur plusieurs points. »

Sally avale une gorgée de son fumé blanc tout contre le combiné.

« J'ai réfléchi à ce que tu me disais à propos d'aimer

quelqu'un. Je t'ai trouvé très franc. Mais ça m'a paru aussi très froid. Tu ne penses pas être un homme froid, hein ?

– Personne ne m'en a jamais accusé. On m'a reproché plein d'autres défauts. » (Certains tout récemment.)

La personne qui massacrait *Lullaby of Birdland* au salon s'interrompt pour passer abruptement à *The Happy Wanderer* joué allegretto, avec des notes graves désaccordées et métalliques. Quelqu'un frappe dans ses mains durant quelques mesures, puis renonce. Dehors, sur la galerie, un homme déclare en riant : « Le vagabond heureux, c'est tout moi. »

« Alors j'ai eu cette drôle de sensation tout l'après-midi, reprend Sally. À cause de ce que tu as dit et de ce que moi je t'ai dit, que tu ne t'engageais pas et que tu étais glissant. C'est vrai que tu es comme ça. Mais si j'ai pour toi des sentiments très forts, est-ce que je ne ferais pas mieux de m'y abandonner ? Si c'est possible ? Je crois que j'y voyais plus clair quand j'étais plus jeune. En tout cas, j'étais toujours convaincue de pouvoir changer le cours des choses si je le voulais. Tu n'as pas parlé d'une marée qui te portait vers moi ou je ne sais quoi ? Il était question de marée.

– Je t'ai dit que tu m'attirais comme une marée. C'est la vérité. »

Peut-être avons-nous ici une chance de dépasser le glissant et le non-engagé. Quelqu'un – une femme – se met à chanter très fort « Ta-ra-ra boum balla, ta-ra-ra-boum balloches » d'une voix chevrotante, et elle éclate de rire. Ce doit être la dame à la langue bien pendue qui m'a harponné du regard.

« Qu'est-ce que ça signifie, t'attirer comme une marée ?

– C'est difficile à expliciter. C'est quelque chose de fort et de persistant, en tout cas. Ça, j'en suis sûr. C'est plus difficile de définir ce qui plaît que ce qui ne plaît pas.

– Bon, dit Sally presque tristement. Hier soir, j'ai cru qu'une marée me portait vers toi. Mais rien de tel n'est arrivé. Alors, je ne sais plus trop. Voilà à quoi je pensais.

– Ce n'est pas un mal si elle te porte vers moi, quand même ?

– Non, je ne crois pas. Mais ça m'a rendue nerveuse, et je n'ai pas l'habitude d'être nerveuse. Ce n'est pas dans ma nature. J'ai pris la voiture pour aller jusqu'à Lakewood voir *Gens de Dublin*. Puis j'ai mangé ma trévise et mes champignons toute seule chez *Johnny Matassa*, où nous avions fait connaissance, toi et moi.

– Tu t'es sentie mieux ? dis-je en tripotant deux billets pour *Annie Get Your Gun* et en me demandant si un personnage de *Gens de Dublin* l'a fait penser à moi.

– Pas complètement. Non. Je ne vois toujours pas si ma trajectoire inéluctable va vers toi ou s'en éloigne. C'est un dilemme.

– Je t'aime. »

Les mots sortis de ma bouche m'ont pris par surprise. Une marée d'une autre nature vient de m'entraîner dans un tourbillon d'eaux très profondes, et peut-être ténébreuses. Cette déclaration n'est pas mensongère, ou du moins je ne la ressens pas ainsi, mais je n'avais pas besoin de la faire à cet instant précis (il faudrait être un crétin pour se rétracter).

« Excuse-moi, dit Sally, assez judicieusement. Que se passe-t-il ?

– Tu as bien entendu. »

Au salon, le ou la pianiste martèle *The Happy Wanderer* de plus en plus fort. Le Japonais, qui n'ignore plus rien de la chirurgie traumatisante, sort du salon en souriant, mais le sourire s'efface de son visage dès qu'il débouche dans le hall. En me voyant, il secoue la tête comme s'il était responsable de la musique sans plus pouvoir l'arrêter. Il prend le grand escalier. Nous nous féliciterons, Paul et moi, d'être logés au deuxième étage.

« Qu'est-ce que ça signifie, Frank ?

– Je me suis aperçu que j'avais besoin de te le dire. Alors je te l'ai dit. Je ne sais pas au juste tout ce que ça peut signifier » (c'est une litote), « mais je sais que ce n'est pas rien.

– Mais ne m'avais-tu pas expliqué que tu avais besoin de fabriquer une personne pour l'aimer ? Et aussi que tu passais par une phase de ta vie dont tu ne te souviendrais sans doute même pas ?

– Peut-être cette phase est-elle terminée, ou en train de changer. » (J'ai l'impression de me dégonfler en parlant ainsi.) « Mais n'importe comment, toi, je ne te fabriquerais pas. Ce serait impossible. C'est ce que je t'ai dit tout à l'heure. »

En même temps, je m'interroge : et si ma déclaration avait pris la forme négative ? Quelles conséquences ? Se pourrait-il que la vie évolue de cette façon-là à mon âge ? Que sur un trébuchement elle passe du grand jour aux ténèbres ? Découvre-t-on qu'on aime quelqu'un en essayant de conjuguer le verbe à la forme positive ? Sans qu'intervienne le *soi* ni ce qui *est* ? Dans ce cas, cela ne vaut rien.

Il y a un blanc sur la ligne, pendant que Sally réfléchit, naturellement. J'aurais bien envie de lui demander si elle pense m'aimer, car elle donnerait au mot un sens différent du mien, et ce serait une bonne chose. Nous pourrions tirer la différence au clair. Mais je ne lui pose pas la question.

The Happy Wanderer s'achève au salon sur un accord retentissant, suivi d'un silence total et soulagé. J'entends les pas du Japonais sur le plancher grinçant du couloir au-dessus de ma tête, puis une porte qui se ferme. Dans la cuisine, de l'autre côté du mur, on cogne et on récure des ustensiles. Dehors, dans l'ombre de la galerie, les grands fauteuils à bascule continuent de se balancer ; leurs occupants doivent contempler d'un regard morose l'auberge plus chic d'en face, trop luxueuse pour leurs moyens et qui ne vaut sans doute pas le prix qu'elle coûte.

« C'est assez étrange, reprend Sally, en se raclant la gorge à nouveau comme pour changer de sujet, ce qui est loin de me déranger. Tout à l'heure, après que tu m'as téléphoné de je ne sais où, et avant d'aller au cinéma, j'ai fait une petite promenade sur la plage – tu m'avais interrogée au sujet des boutons de manchette de Wally, et cette idée me trottait dans la tête. En rentrant, j'ai appelé sa mère à Lake Forest et j'ai exigé de savoir où il était. Je ne sais pas pourquoi, il m'était venu à l'esprit qu'elle l'avait su tout au long sans vouloir me le dire. C'était ça le gros secret, en dépit de tout. Et moi, je n'ai même jamais été du genre à soupçonner qu'il y avait un secret quelque part. » (Pas comme une certaine Ann.)

« Qu'est-ce qu'elle t'a répondu ? » (Voilà qui ferait un

nouveau tableau intéressant dans la tapisserie. *Wally : la suite.*)

« Qu'elle ignorait où il était. En fait, elle s'est mise à pleurer dans le téléphone, la pauvre vieille. C'était horrible. Je me sentais mal. Je lui ai fait mes excuses, mais je suis sûre qu'elle ne me pardonne pas. À sa place, je ne me pardonnerais pas. Je te l'ai dit, qu'il m'arrivait d'être cruelle.

– Ça t'a soulagée ?

– Non. Il ne faut plus que j'y pense, voilà tout. Toi, tu peux encore voir ton ex-femme, même si tu n'en as pas envie. Je ne sais pas ce qui est préférable.

– C'est sans doute pour ça qu'on grave des cœurs sur l'écorce des arbres », dis-je en me sentant idiot, mais affligé aussi, comme si j'avais loupé ma chance une fois de plus.

Ann me semble d'autant plus irréelle et lointaine qu'elle est solide et pas tellement loin de moi.

« Je ne me trouve vraiment pas fine », poursuit Sally sans relever mon histoire d'arbres. (Elle boit une gorgée de vin en heurtant le bord du verre contre le téléphone.) « Je suis peut-être affectée par les premiers symptômes de quelque chose. L'apitoiement sur mon propre échec à apporter ma contribution au bien-être de l'humanité.

– C'est tout à fait faux. Tu t'occupes des agonisants et tu les réconfortes. Tu apportes une foutue contribution. Bien plus que moi.

– D'habitude, les femmes ne traversent pas de crise à mi-parcours de la vie, ou si ? Peut-être celles qui vivent seules...

– Est-ce que tu m'aimes ? dis-je, abandonnant toute prudence.

– Cela te ferait-il seulement plaisir ?

– Tu parles ! Ce serait formidable.

– Tu ne me trouves pas trop mièvre ? Je me parais très mièvre.

– Non ! Je ne te trouve pas mièvre. Je te trouve merveilleuse. »

Allez savoir pourquoi le combiné est rivé à mon oreille.

« Je crois que je suis mièvre.

– C'est peut-être ce que tu ressens envers moi. » (J'espère bien que non.)

Mon regard tombe à nouveau sur la petite pile de billets roses pour le restaurant-théâtre. Je m'aperçois qu'ils portent la date du 2 juillet 1987 – cela fait un an jour pour jour. « Si c'est gratuit, qu'est-ce que ça peut valoir ? » (F. Bascombe).

« Il y a une question que je voudrais te poser. » (Seulement une ?)

« Je te dirai tout. Sans rien cacher. Toute la vérité.

– Pourquoi es-tu attiré par les femmes de ton âge ? »

Cela se rapporte à une conversation que nous avions eue lors de notre excursion ratée dans le Vermont pour entrevoir les feuillages, manger du rôti trop cuit, faire du surplace dans les bouchons routiers au milieu des files de cars, et enfin battre en retraite et rentrer chez nous dans un silence déconfit. À l'aller, plein d'entrain, je m'étais mis à raconter, de mon propre chef et sans aucune sollicitation, que les femmes trop jeunes (à qui je pensais, je ne m'en souviens plus, mais quelqu'un qui n'avait guère dépassé vingt ans ni inventé la poudre) tenaient toujours à me dérider et à compatir avec moi, mais que cela finissait par m'assommer, car je ne voulais pas de leur compassion et j'étais bien assez gai tout seul. Tandis que nous filions vers l'amont du Taconic, j'ai poursuivi mon discours en déclarant qu'à mon avis on pouvait définir l'âge adulte par le fait qu'on renonçait à vouloir changer les idées de la personne aimée et qu'on se contentait de la prendre telle qu'elle était, pourvu qu'elle vous plaise. À l'époque, Sally n'avait rien répondu, comme si elle croyait que j'inventais à son profit quelque chose qui la laissait indifférente. (En réalité, je voulais peut-être déjà m'entraîner à ne pas « fabriquer » les gens pour les aimer.)

« Eh bien, dis-je, conscient que je risque de tout ficher par terre avec une formule malheureuse, une femme trop jeune veut que tout réussisse et que l'amour repose là-dessus. Mais il y a des choses qui ne peuvent pas réussir, et ça n'empêche pas d'aimer quelqu'un. »

Le silence retombe. J'ai à nouveau l'impression d'entendre les vagues répandre sur les galets ensablés une écume languide.

« Je ne crois pas que ce soit exactement ce que tu avais dit l'automne dernier.

– À peu de choses près, en tout cas, et c'est ce que je pensais et pense encore. D'ailleurs, qu'est-ce que tu en as à faire ? Tu as mon âge, ou presque. Et je n'aime personne d'autre. » (Sauf mon ex-femme, ce qui n'entre pas en ligne de compte.)

« Je m'inquiète sans doute à l'idée que tu me fabriques autrement que je ne suis. Tu penses peut-être qu'il n'y a sur terre qu'une unique personne pour chacun, et donc tu persistes à la fabriquer. Ça ne me gêne pas d'être améliorée, seulement il faut t'en tenir à mes réalités spécifiques.

– Il faut surtout que je renonce à fabriquer les gens, dis-je en regrettant d'avoir jamais exprimé une telle notion. Et je ne pense pas un instant qu'il n'y a qu'une unique personne pour chacun. Ou du moins, j'espère bien que non, parce que jusqu'à présent j'ai un peu foiré.

– Nous avons un nouveau petit feu d'artifice ici sur la mer, observe Sally d'un ton rêveur. C'est très joli. Je suis peut-être d'humeur susceptible ce soir. J'étais contente d'entendre ta voix.

– Moi, je suis encore content. »

À cet instant, la femme osseuse à tête chevaline qui tapait comme une sourde sur le piano apparaît dans le hall et tourne les yeux droit sur moi au fond du couloir, où je me tiens appuyé au mur au-dessus de la table du téléphone. Elle est au coude à coude avec la grosse dame à la minerve, à qui elle a sûrement fait chanter « ta-ra-ra boum, balloches ». Elle me décoche un nouveau regard aux sourcils meurtriers, comme si elle me surprenait là où elle savait que je serais et en flagrant délit de tromperie aux dépens d'une angélique et naïve épouse.

« Écoute… Je t'appelle d'un téléphone public. Mais ça m'a fait du bien de te parler. Je veux te voir demain puisque c'est impossible dans dix minutes.

– Où ? demande Sally sans empressement, encore susceptible.

– N'importe où. Où tu veux. Je sauterai dans un Cessna pour m'y précipiter. »

Les deux femmes restent plantées dans le hall, à me dévisager et à m'écouter sans vergogne.

« Tu conduis toujours Paul à la gare à New York ?

– À six heures du soir. »

Je me demande où il peut se trouver en ce moment.

« Alors, je pourrais prendre un train pour aller te rejoindre. Ça me ferait plaisir. J'aimerais bien passer le 4 Juillet avec toi.

– C'est ma fête laïque préférée, tu sais », dis-je, ravi de l'entendre consentir, même si elle reste sur ses gardes, même si elle peut paraître plus consentante qu'elle ne l'est. (Il faudra dresser la liste de tous les désaveux et déclarations auxquels je me suis livré depuis dix minutes.) « Mais tu n'as pas répondu à ma question.

– Oh… » (Elle renifle.) « Ce n'est pas vraiment facile de se fixer auprès de toi. Et je ne crois pas que je ferais une bonne amante ou épouse à long terme pour quelqu'un de cette espèce. J'ai déjà eu un mari auprès de qui il était difficile de se fixer.

– Ce n'est pas grave. »

Mais quand même, je ne suis pas aussi fuyant que Wally ! L'homme qui a disparu depuis près de vingt ans !

« Ce n'est pas grave ? Que je ne sois pas une très bonne amante ou épouse ? » (Elle prend le temps de réfléchir à cette idée nouvelle.) « Tu t'en fiches, ou bien est-ce que tu évites simplement de me forcer la main dans un sens ou dans l'autre ?

– Je ne m'en fiche pas. Mais en fait, ça me ferait simplement plaisir d'entendre quelque chose d'agréable.

– Tout n'est pas dans le ton qu'on donne à ses paroles, réplique Sally de façon assez sentencieuse. Et par ailleurs, je ne saurais pas quoi dire. Je crois que le sens que nous donnons aux mots n'est pas le même. » (C'était prévu.)

« Pas grave non plus. Du moment que tu n'es pas sûre de ne pas m'aimer. J'ai lu un jour un poème qui disait que l'amour parfait, c'était ignorer que l'on n'aimait pas. Peut-être est-ce de cela qu'il s'agit.

– Oh, bon sang ! s'exclame-t-elle d'une voix affligée. C'est trop compliqué, Frank, et guère différent de là où

411

nous en étions hier soir. Je ne trouve pas ça très encourageant.

– Si, c'est différent parce que je vais te voir demain. Retrouvons-nous à sept heures chez *Rocky and Carlo*, au coin de la 33ᵉ Rue et de la 7ᵉ Avenue. Nous prendrons un nouveau départ.

– Eh bien… Es-tu en train de me proposer de passer un marché ensemble pour nous aimer ? C'est ça ?

– Non. Mais c'est tout de même une bonne affaire. Cartes sur table, pour changer. »

Elle rit. Et j'essaie de rire, mais n'y parvenant pas je suis obligé de faire semblant.

« D'accord, d'accord, répond-elle sans grand optimisme apparent. Je te vois demain.

– Tu peux y compter », dis-je avec plus de conviction.

Nous raccrochons. Mais dès qu'elle n'est plus au bout du fil je lâche la vapeur et crie dans le combiné :

« Alors tu n'es qu'une foutue salope, hein ? Parfait, je te ferai abattre d'ici l'automne, juré devant Dieu ! » (Je tourne un regard menaçant vers les deux dames, encadrées dans la porte, les yeux rivés sur moi.) « Rendez-vous en enfer ! » dis-je au téléphone inerte, que je repose violemment, tandis qu'elles gagnent précipitamment l'escalier pour aller se réfugier dans leur lit.

Je jette un coup d'œil rapide sur la galerie pour voir si Paul s'y trouverait. Il n'y est pas, seul demeure l'un des joueurs de rummy, assoupi, mais qui réussit encore à se balancer. Je fais un tour de reconnaissance dans la salle à manger où s'attardent les odeurs du dîner ; la lumière est restée allumée, la grande table de pension de famille à plateau tournant est débarrassée et luisante des traces du chiffon gras qui a servi à l'essuyer. Par la porte battante de la cuisine, bloquée en position ouverte, j'aperçois la jeune femme qui sonnait la cloche du dîner, coiffée d'une toque de chef, et qui nous a salués de la main, Paul et moi, à notre arrivée. Assise à une longue table en métal dans la lumière glauque, elle fume une cigarette et feuillette un magazine, une canette de bière Genny à la main, sa toque posée face à elle. Elle savoure visiblement son moment de détente bien mérité. Mais rien ne saurait me rendre plus heureux qu'une assiettée de spaghettis réchauffés avec deux tranches si-refroidies-soient-elles de pain grillé à l'ail et peut-être une canette à mon goût à moi. J'avalerais ça sur place, debout, ou je l'emporterais en douce dans ma chambre en passant par l'escalier de service, si bien qu'aucun autre pensionnaire ne découvrirait le pot aux roses. (« Après, tout le monde voudra manger à n'importe quelle heure, et on se retrouvera en train de servir le dîner en permanence jusqu'à Pâques. C'est dur de savoir où s'arrêter pour ces choses-là », ce qui n'est pas faux, évidemment.)

« Bonsoir », dis-je par la porte de la cuisine, d'une voix plus humble que je n'en avais l'intention.

Encore vêtue de sa tunique blanche de chef cuisinier, à l'allure hermétique, et d'un large pantalon réglementaire, un mouchoir rouge noué autour du cou, la jeune femme tourne la tête vers moi avec une expression peu amène. Devant elle sur la table, à côté d'un paquet de Winston, elle a un cendrier en métal vers lequel elle ramène son regard pour faire tomber la cendre de sa cigarette.

« Que puis-je faire pour vous ? » demande-t-elle sans lever les yeux.

Je fais deux pas imperceptibles pour me rapprocher de l'embrasure. En fait, j'ai horreur d'être celui qui réclame un traitement d'exception, qui veut qu'on lui serve à dîner après tout le monde, qu'on lui rende son linge à la blanchisserie sans qu'il présente le ticket, qui a égaré le talon pour retirer ses photos, qui exige qu'on lui permute ses pneus cet après-midi même parce qu'il doit prendre dès demain matin la route de Buffalo et que celui de gauche à l'avant paraît s'user de façon un peu déséquilibrée. Je préfère me tenir à ma place dans la file d'attente. Mais ce soir, à vingt-deux heures passées, souffrant moi-même d'une usure assez déséquilibrée à la suite d'une journée longue et éprouvante avec mon fils, j'ai envie de contourner le règlement comme n'importe qui.

« Je pensais que vous pourriez me tuyauter sur un endroit où aller manger un morceau », dis-je avec un regard du genre « nous nous comprenons à demi-mot ».

Mes yeux las fouinent dans les coins de la cuisine visibles d'où je suis : réfrigérateur colossal, fourneau noir à huit brûleurs, volumineuse machine à nettoyer les casseroles, toute béante, quatre vastes éviers, aussi secs que le désert, tous les ustensiles – faitouts, poêles, sauteuses, fouets, spatules – suspendus tel un armement à un râtelier sur le mur du fond. Je ne vois pas trace d'une marmite de spaghettis encore tiède d'où dépasserait le manche métallique d'une longue cuillère. C'est l'impasse ici, côté bouffe.

« Je crois que la cuisine du *Tunnicliff* ferme à neuf heures. » (La chef consulte sa montre et secoue la tête, toujours sans me regarder.) « Vous l'avez loupée d'une bonne heure. Dommage pour vous. »

Elle est plus coriace que je n'escomptais. Cheveux blonds frisés, le teint blême par manque de grand air, avec des marbrures qui me sont cachées pour l'instant, des poignets et un cou trapus, et des seins baladeurs mal maintenus à l'intérieur de sa tenue masculine. Elle doit avoir dans les vingt-neuf ans, un gosse à la maison qu'elle tarde à aller retrouver, et j'imagine qu'elle chevauche une grosse Harley pour venir au boulot. (Elle est sans doute la maîtresse du patron.) Mais quels que soient ses arrangements, ils ne la rendent pas plus aisée à circonvenir.

« Vous n'auriez pas une meilleure idée ? » (Mon estomac produit un gargouillis audible et très opportun.)

Elle tire une bouffée de sa Winston et détourne légèrement la tête pour souffler la fumée de l'autre côté. Je parviens à déchiffrer le titre de son magazine, *Pour une supersexualité conjugale* (on se le procure probablement par correspondance). Je remarque aussi qu'elle ne porte pas d'alliance, quoique ce ne soit pas mes oignons.

« Si un saut en voiture à Oneonta vous tente, il y a un chinois qui reste ouvert jusqu'à minuit. Le potage aux œufs est presque mangeable, ajoute-t-elle en étouffant un bâillement.

– Merci du cadeau », dis-je avec un sourire niais.

Je flaire de vieux relents de veilleuse à gaz combinée à des nourritures faisandées, qui me rappellent la maison de Ted Houlihan. Bien entendu, j'ai horreur du potage aux œufs, je ne connais personne qui aime ça, et je tiens bon.

« Quarante kilomètres à vol d'oiseau. »

Feuilletant toujours son magazine, elle s'arrête sur une page avec des photos que je ne distingue pas d'où je suis.

« Rien d'autre d'ouvert en ville, alors ? »

Je sens bien que je ne soutiens pas la comparaison.

« Des bars. C'est rien qu'un patelin de péquenauds. Ça se donne des airs d'autre chose. Mais ce serait du nouveau. »

Elle tourne encore une page d'un doigt nonchalant, puis se penche pour mieux voir quelque chose – une « stratégie d'excitation » plus habile, une technique imaginative de pénétration, ou un accessoire suédois pour solliciter des zones et des points ignorés jusqu'ici, procédés ingénieux pour que la vie soit plus chouette que jamais. (Je prends vaguement conscience que mes propres zones n'ont pas été sollicitées depuis belle lurette, sinon de la manière éternelle ; je me demande avec inquiétude si Paul ne serait pas, quelque part dans la paisible Cooperstown, en train de se faire ardemment manipuler les zones pendant que je suis ici à mendier un petit souper.)

« Dites, vous ne pensez pas par hasard que je pourrais avoir un petit reste de spaghettis ? J'ai une faim de loup, et ça ne me gênerait pas de les manger froids. Ou n'importe quoi d'autre que vous auriez sous la main. Du flan au tapioca, peut-être, ou un sandwich. »

Je franchis le pas de la porte pour que ma présence s'intègre mieux à la cuisine.

Elle secoue sa chevelure frisée et cogne sa bière sur la table, sans se détacher de son manuel de sexualité.

« Jeremy met un gros cadenas sur le frigo pour que personne puisse venir se farcir un en-cas, ce qui arrivait souvent, surtout avec les Japonais. Ils sont tout le temps affamés, apparemment. Mais j'ai pas accès à la combinaison, parce que je vous laisserais vous servir. »

Je regarde le réfrigérateur luisant, sur lequel on a en effet soudé un loquet, fermé par un gros cadenas d'aspect inviolable – un dipositif qu'il ne serait pas commode d'arracher.

Mais je suis assez près, maintenant, pour voir les illustrations qui ont capté toute l'attention de la chef : une pleine page, divisée en quatre, de dessins montrant un homme et

415

une femme, nus tous les deux, discrètement colorés de pudiques teintes pastel, sur fond verdâtre, sans aucun caractère lascif, de vagues indications de chambre à coucher (emblèmes de l'union conjugale). Il s'agit de rester sur le terrain licite. Sur la figure 1, ils sont tous deux à genoux ; figure 2, « il » est debout, « elle » se tient à moitié couchée sur le bord du lit, pleinement « offerte » ; figure 3, les deux sont debout, et la figure 4 me demeure invisible, malheureusement.

« Vous trouvez de nouvelles recettes, là-dedans ? » dis-je en la lorgnant.

Elle tourne la tête pour me regarder effrontément avec une moue qui signifie « Mêlez-vous de vos affaires ou c'est moi qui m'en mêlerai ». Cela m'inspire une sympathie immédiate à son égard, même si elle refuse d'ouvrir le frigo pour me préparer un en-cas ; je parierais qu'elle a bel et bien la combinaison en mémoire. Je crois qu'il faut tirer un trait sur mon dîner.

« Je croyais que c'était un sandwich que vous vouliez, observe-t-elle en revenant à son magazine, s'amusant des batifolages canins des deux conjoints pastellisés qui nous ressemblent. Qu'est-ce qu'elle dit, à votre avis ? » (Du bout de son doigt court, dont l'ongle garde une trace de farine séchée, elle désigne la figure 1, où la femme regarde pardessus son épaule le mâle déjà en place, comme si elle venait d'avoir une meilleure idée.) « "Toc, toc, qui est là ?", "Tu n'as pas entendu la porte du garage ?" ou "Ça ne t'ennuie pas que je réapprovisionne mon compte courant ?" »

D'un air malicieux, elle se passe la langue dans la joue et feint une expression de dégoût, comme si tout cela était absolument choquant.

« Ils parlent peut-être de manger un sandwich, dis-je tout en sentant mon propre accessoire un peu négligé chercher graduellement à se faire une place au-dessous de la ceinture.

– Peut-être bien, réplique-t-elle, à nouveau adossée à sa chaise pour tirer une bouffée de cigarette. Peut-être qu'elle lui dit : "Est-ce que tu as pensé à acheter de la batavia, ou bien as-tu encore pris la même laitue ?"

– Comment vous appelez-vous ? » (Ma conversation avec Sally a été plus sérieuse et rassurante que distrayante.)

« Char, C-h-a-r, répond-elle avant de boire une gorgée de bière et de déglutir. C'est le diminutif de Charlane, pas de Charlotte ni de Charmayne. Ce sont mes sœurs qui s'appellent comme ça, les pauvres.

– Votre père doit se nommer Charles…

– Vous le connaissez ? Un grand mec tonitruant avec une cervelle d'oiseau.

– Non, je ne pense pas. »

J'attends qu'elle passe à la page suivante, curieux de savoir ce qu'on a d'autre à nous offrir.

« Marrant. »

Calée entre ses dents, sa Winston lui fait plisser les yeux dans la fumée. Elle retrousse les grosses manches de sa tunique au-dessus de ses coudes frêles. À regarder de près, elle est plus délicate qu'à première vue. C'est sa tenue qui la fait paraître trapue. Le style chef ne lui va pas.

« Comment en êtes-vous venue à faire ce métier ? dis-je, plus heureux, même pour un court moment, d'être ici en compagnie d'une femme dans la cuisine éclairée que de dévorer un sandwich dans l'obscurité ou de ramer pour rétablir le contact avec mon fils.

– Eh bien, j'ai d'abord fréquenté Harvard pour obtenir mon diplôme… voyons voir… en ouverture de boîte de conserve. Ensuite, j'ai fait ma thèse sur les œufs et les tartines de beurre. À l'institut de technologie du Massachusetts, évidemment.

– Je parie que c'est plus dur que l'anglais.

– Et comment. »

La page qu'elle vient de rabattre révèle d'autres figures aux nuances pastel, qui détaillent la fellation, à l'aide de quelques gros plans réalistes mais du meilleur goût, montrant tout ce que vous pouvez désirer qu'une image vous enseigne. Je remarque que la protagoniste du sexe féminin a maintenant les cheveux attachés en une pratique queue de cheval.

« Oh, la, la, commente Char.

– Vous êtes abonnée ? » dis-je perfidement.

Un nouveau borborygme sort des profondeurs de mon estomac.

« Je me contente de lire ce que les pensionnaires laissent

417

traîner après le dîner. Voilà tout. » (Char s'attarde sur les figures de fellation.) « J'ai trouvé ça sous une chaise. Ça m'intéressera de voir qui va le réclamer demain. À mon avis, personne. »

Je vois d'ici la dame chevaline se faufilant après l'extinction des feux pour venir farfouiller dans la salle à manger.

« Écoutez, dis-je, en prenant soudain conscience (à nouveau) que je peux m'offrir toutes les fantaisies (sauf une assiettée de spaghettis). Vous seriez partante pour aller faire un tour dans un de ces bars et me permettre de vous payer une autre bière pendant que je prendrai un gin et peut-être un sandwich ? Je m'appelle Frank Bascombe, à propos. »

Je lui adresse un sourire, en me demandant s'il conviendrait de nous serrer la main.

« À propos ? » répète Char en me singeant. (Elle referme d'un coup sur la table le magazine, qui affiche au dos de la couverture une publicité pleine page pour un godemiché rose, épais, d'une certaine audace anatomique mais photographié de manière assez floue, dont un lecteur antérieur d'humeur folâtre a orné le gland d'un dessin de face hilare.) « Tiens, salut ! s'exclame Char, les yeux fixés sur le sourire de l'appendice rose. Qu'est-ce qu'on est content, hein ? »

L'annonce désigne le godemiché sous le nom de « M. Plaisir Usuel », mais j'ai quelques doutes sur le rapport qu'il peut avoir avec les réalités usuelles de la vie conjugale. Je vois mal M. Plaisir s'immiscer en des circonstances normales. En fait, il n'a pas un effet très positif sur mon propre enthousiasme et me rend bizarrement abattu.

« Je vous permettrai peut-être de m'accompagner jusqu'au *Tunnicliff*, dit Char, qui expédie loin d'elle le magazine sur la surface polie de la table, rejetant M. Plaisir Usuel comme une vieille savate, puis se recule sur sa chaise métallique et m'accorde enfin son attention. C'est à mi-chemin de chez moi. Et là je prendrai congé de vous.

– Épatant. Cela mettra un terme heureux à ma soirée. »

Mais elle reste assise, ferme les yeux, paupières serrées, et les rouvre comme si elle émergeait d'une transe, puis elle remue la tête d'un côté et de l'autre pour relâcher les tensions à la fin de sa longue et dure journée de cuisinière.

« Qu'est-ce que vous faites comme boulot, Frank ? »

Elle n'est pas tout à fait prête à se lever, peut-être a-t-elle décidé qu'elle voulait en savoir plus long sur mon compte.

« Je suis dans l'immobilier résidentiel.

– Où ça ? »

Elle tripote son paquet cartonné de Winston d'un air de penser à autre chose.

« À Haddam, dans le New Jersey. Environ quatre heures de route d'ici.

– Connais pas.

– C'est un secret très bien gardé.

– Vous appartenez au Millionth Dollar Club ? Là, je serais bluffée, dit-elle en haussant les sourcils.

– Et moi donc ! » (À Haddam, bien entendu, on a intérêt à adhérer au Millionth Dollar Club dans les quinze jours, sans quoi, adieu les affaires.)

« Moi, j'aime mieux être en location, poursuit Char en contemplant distraitement *Pour une super-sexualité conjugale* là où elle l'a envoyé promener, avec la face hilare de M. Plaisir Usuel sur le dessus. En réalité, je voudrais accéder à la copropriété, mais une bagnole coûte le prix que valait une maison il n'y a pas tellement longtemps. Et j'ai encore des versements pour ma voiture. » (Elle n'a pas une Harley.)

« Aujourd'hui, dis-je d'un ton enjoué, la location revient à peu près moitié moins cher que l'achat, et en plus vous pouvez mettre de l'argent de côté. » (Inutile de l'informer qu'à son âge – qu'elle ait vingt-huit ou trente-trois ans – la vie qui l'attend ne changera guère, à moins qu'elle ne braque une banque ou épouse un banquier.)

« Oui, enfin, reprend Char, mue soudain par je ne sais quelle intuition, un souvenir, une détermination à ne pas se plaindre devant un inconnu, il ne me reste sans doute qu'à me trouver un riche mari. » (Elle martèle la table avec les jointures de ses deux poings, ramasse son paquet de sèches et se lève (elle n'est pas très grande). « Laissez-moi le temps de me débarrasser de ma casaque. »

Elle se dirige sans hâte vers une porte au fond de la cuisine, par laquelle j'aperçois, lorsqu'elle l'ouvre et allume la lumière, un petit cabinet de toilette éclairé par un tube fluorescent.

« Je vous rejoins sur le parking, lance-t-elle.

– Je vous y attends », dis-je, tandis que la porte se ferme à clé.

Je retourne vers le hall pour attendre dans le courant d'air frais qui filtre à travers la porte à moustiquaire. Le vieux Suédois aux feuilles de chou est là dans le couloir, courbé sur le téléphone que j'utilisais tout à l'heure, son grand doigt fourré dans une oreille pour mieux entendre de l'autre. Je l'entends s'exclamer : « Non mais, est-ce que tu te prends pour un saint, espèce de petit salaud d'enculé ? Pour commencer, explique-moi ça un peu. J'aimerais être fixé dès ce soir. »

Je regarde à travers la toile métallique la galerie, où tous les fauteuils sont vides à présent – tout le monde est au lit, se préparant pour l'assaut général du dimanche matin sur le Hall of Fame.

Dans la pénombre de l'herbe fraîchement tondue, j'entends les harmonies à la fois proches et lointaines d'un ensemble amateur qui m'a tout l'air de chanter « Michelle, ma belle, sont des mots qui vont très bien ensemble, très bien ensemble ». Et entre les troncs d'épicéas et d'ormes, je vois se matérialiser un couple en tenue estivale aux couleurs claires, qui marche du même pas, enlacé ; je suis sûr que ces deux-là reviennent du merveilleux dîner aux plats multiples qu'ils viennent de savourer sous les lambris de chêne d'une auberge au bord du lac, fermée comme une huître à l'heure qu'il est. En les écoutant rire, je me dis que c'est le moment idéal de la soirée pour se sentir bien, là où on a cherché à en venir toute la journée, des heures bienheureuses qui en amènent une autre encore et non la moindre ; on s'étonnerait presque que tout se soit passé de façon si formidable, dans la mesure où le 4 Juillet est un jour pivot de l'année, où l'on risque de se mettre à songer à l'automne, à la rapidité du changement, aux jours qui raccourcissent et aux appréhensions dont on ne se débarrassera qu'au printemps. Eux deux, ils ont la partie en main.

Ils arrivent à découvert, éclairés par la lumière reflétée des fenêtres du *Deerslayer* ; il a des chaussures blanches, un pantalon de toile, un blouson jaune jeté sur l'épaule façon grand reporter ; elle porte une jupe vert pâle en tissu mince et un corsage rose à col rond. À son accent de l'Ohio, je reconnais le couple entendu sur le parking lorsque je somnolais et qu'ils s'intéressaient aux prix du foncier. Ils ont à présent d'autres envies à satisfaire entre quatre murs.

« J'ai beaucoup trop mangé, dit-il. J'aurais pas dû commander ces pâtes façon cajun. Je vais jamais réussir à m'endormir.

– Cherche pas de prétexte, réplique-t-elle. Tu pourras dormir quand tu rentreras. J'ai des projets pour toi.

– C'est toi l'experte. » (Je trouve qu'il manque d'empressement.)

« Ma foi, oui, dit-elle avec un petit rire. Ha ! »

Je ne tiens pas à me trouver sur leur chemin quand ils franchiront le seuil – les radiations sexuelles soudain trop denses autour de moi dans l'air nocturne –, je ne veux pas être planté derrière la porte avec un sourire plein de sous-entendus, du genre « Surtout dormez bien tous les deux ». Dès que leurs pas atteignent les marches, je m'éclipse donc dans le salon pour attendre mon rancard.

Deux lampes à abat-jour rouge sont restées allumées dans la longue salle encombrée de meubles, baignée de chaleur et d'odeur de cannelle. Le couple passe sans me voir, les voix s'étouffent et prennent une tonalité plus intime tandis que tous deux arrivent au premier étage et s'engagent dans le couloir. Le temps que leur clé se glisse dans la serrure, ils se sont tus.

Je rôde dans le vieux salon aux boiseries garnies de rayonnages en chêne, compléments des multiples guéridons, canapés couverts de housses, prie-Dieu branlants, lampes de cuivre de style nautique, tout un butin glané dans les foires à la brocante et les marchés aux puces de la région. On a éteint la bougie parfumée, et l'ombre enveloppe le mur décoré, où Natty Bumppo voisine avec une gravure jaunie des années 20, représentant *Le lac Otsego et les environs*, plusieurs portraits de « fondateurs » aux joues barrées de favoris – sûrement des commerçants endimanchés pour ressembler à des candidats à la présidence – et une broderie accrochée au-dessus de la porte principale, offrant un bon conseil au vagabond de la conscience : « Les confidences sont faciles à faire, difficiles à effacer. »

Je muse entre les diverses tables, feuillette les imprimés – des piles de brochures immobilières à l'attention des touristes qui envisageraient de mettre leur congé à profit pour planter des racines dans une localité étrangère (le couple de l'Ohio, par exemple). Le prix demandé pour la demeure d'époque fédéraliste devant laquelle nous sommes passés cet après-midi, Paul et moi, est incroyablement bas par rapport à Haddam, à cinq cent trente mille (il doit y avoir quelque chose qui cloche). De vieilles revues, *People*, *American Heritage*, *National Geographic*, sont empilées sur la longue table de bibliothèque près de la fenêtre du fond. J'examine l'étagère garnie de reliures contenant *New York History*, l'*Otsego Times*, une encyclopédie des objets de collection, le magazine des oiseaux en cage, *Mechanix Illustrated*, le *Hiroshima* de Hersey en trois différentes éditions, deux mètres linéaires d'ouvrages assortis de Fenimore Cooper, une anthologie de citations poétiques, deux volumes de *Rails of the World*, un autre *Classiques du golf* (curieux), une pile de *Courants* de Hartford de date récente, comme si un Hartfordien s'était installé ici et voulait garder le contact. Et voici que, parmi ces littératures éclectiques, je tombe à ma stupéfaction et de façon inexplicable sur un exemplaire de mon propre recueil de nouvelles déjà anciennes, *Blue Automn*, revêtu de sa jaquette d'origine, qui présente sur le devant le portrait fané du jeune-homme-sensible version 1968, cheveux en brosse, chemise blanche à col ouvert, jeans, et un demi-sourire hésitant, planté tout seul sur le parking de terre battue d'une station-service en rase campagne, avec une camionnette verte anonyme (peut-être la sienne) qu'on aperçoit par-dessus son épaule. Tout un programme.

Je marque le coup comme chaque fois que je le vois, puisque l'artiste, pris de court, a choisi de représenter mon propre visage, d'après « la photo de l'auteur », en plein sur la couverture de mon livre, si bien que je suis confronté à ma propre effigie en jeune homme embarrassé, solitaire, qui pour l'éternité regarde devant lui aux avant-postes de ma première (et unique) tentative littéraire.

Pourtant, j'emporte le livre vers l'une des lampes à abat-jour rouge, vibrant d'une émotion inattendue. J'en ai tout un carton, expédié à Haddam quand les invendus ont été soldés ; depuis son arrivée, il est resté intact au grenier dans la maison de Hoving Road, sans m'inspirer plus d'intérêt qu'une malle de vêtements qui ne vous vont plus.

Mais celui-ci, ce spécimen, réveille mon intérêt, puisque après tout il est encore « là », en circulation, encore tangible envers et contre tout, encore au service des objectifs que je lui avais donnés : s'attaquer à l'inexprimé, enfoncer l'étrave dans la banquise au sein de nous, procurer le bonheur d'une conviction au milieu du gâchis général d'approximations. (Rien à redire à des objectifs ambitieux, ni à l'époque, ni maintenant.)

À en juger par la fine couche de poussière domestique qui revêt la couverture, il est clair qu'aucun des hôtes de la soirée ne l'a pris sur le rayon pour s'en faire une idée avant d'aller se coucher. Le vieux brochage craque comme des feuilles mortes lorsque je l'ouvre. Je vois que les premières pages sont jaunies et tachées d'eau, tandis que, vers le milieu, elles sont immaculées. Je jette un coup d'œil à la susdite photo de l'auteur, en noir et blanc, œuvre de Dale McIver, ma petite amie d'alors : toujours le jeune homme, mais dont la bouche mince exprime ici une confiance en soi parfaitement non fondée, qui tient risiblement une bière à la main et fume une cigarette (!), sur fond de bar désert et ensoleillé (peut-être mexicain), les yeux rivés sur l'appareil photo comme pour dire : « Ouais, c'est ici dans ces marges aventureuses qu'il faut vivre si vous voulez accomplir votre tâche telle que Dieu l'a conçue. Et vous ne feriez probablement pas le poids, si vous voulez savoir la vérité. » Quant à moi, bien sûr, je n'ai pas fait le poids non plus ; j'ai choisi une tâche beaucoup plus aisée dans une marge nettement moins aventureuse.

En même temps, je ne déteste pas me voir ainsi – à la poupe et à la proue, pour ainsi dire, de mon propre livre, aux deux bouts de l'enjeu ; je ne ressens pas de malaise au creux de mon ventre vide où l'essentiel de la-vie-qui-auraitpu-être trouve enfin le repos. Vers 1970, j'ai gardé en moi pendant quelque temps le papier de verre de ce regret, puis je m'en suis simplement débarrassé comme je voudrais que Paul se débarrasse des cauchemars et des terreurs de sa vie d'enfant démolie par la malchance et les adultes déraisonnables. Oublier, oublier, oublier.

D'ailleurs, ce n'est pas la première fois que je tombe inopinément sur mon livre : ventes paroissiales, étalages sur le trottoir à New York, braderies d'improbables villes du Middle West, et sur le dessus d'une poubelle derrière la bibliothèque municipale de Haddam, un soir où il tombait des cordes et où j'errais dans le noir à la recherche d'un refuge pour noctambules. Une fois, aussi, hélas, chez un ami qui venait de se faire sauter la cervelle, mais je n'ai jamais pensé que mes nouvelles y étaient pour quelque chose. Une fois publiée, une œuvre ne dérive jamais si loin de son auteur.

Mais, sans me poser un instant la question de sa valeur dans l'absolu, je me prépare à mettre le volume dans les mains de Char dès qu'elle arrivera et à prononcer les mots qui me brûlent les lèvres : « Savez-vous qui a écrit ce livre, que je viens de trouver ici même dans la bibliothèque au-dessous du portrait de Natty Bumppo et tout près des Fenimore Cooper ? » (Mes deux effigies me serviront de preuve.) Non que j'escompte que cela puisse guère exercer sur elle un effet favorable. Mais pour moi, le trouver encore « en usage » s'inscrit en gras dans la liste des frissons de plaisir d'auteur tant désirés : voir un inconnu dévorer avidement votre livre dans un car qui traverse la Turquie ; ou le remarquer sur l'étagère derrière le présentateur de *Rendez-vous avec la presse*, à côté de *La Richesse des nations* et des *Géants de la terre* ; ou le découvrir dans la liste des chefs-d'œuvre américains méconnus établie par d'anciennes éminences de l'administration Kennedy. (Je n'ai encore connu aucun de ces coups de veine.)

Je souffle sur la poussière et passe le doigt sur la tranche pour faire réapparaître la teinte rouge d'origine, puis je l'ouvre à la table des matières que je parcours, douze petits titres, chacun de la gravité d'une oraison funèbre : « Paroles à mourir », « Le mufle du chameau », « Épitaphe », « L'aile de la nuit », « L'attente au large », jusqu'à la nouvelle qui a donné son titre au recueil, censée receler la matière d'un roman qui pourrait m'ouvrir les chemins de la gloire.

En fait, le livre ne donne pas l'impression d'avoir jamais été feuilleté (seulement exposé à la pluie). Je remonte de la page de dédicace – « À mes parents » (qui d'autre ?) – à celle du titre, m'apprêtant à savourer les lignes nettes de « Frank Bascombe », « Blue Autumn » et « 1969 », composées dans les vigoureux caractères Ehrhardt, cléments pour la vue, et à sentir le synchronisme d'autrefois se prolonger jusqu'à l'instant présent. Mais ce que mon œil découvre, griffonné en bleu, en travers de la page, d'une écriture inconnue de moi, c'est : « Pour Esther, en mémoire de cet automne vraiment *bleu* passé avec toi. Je t'aime. Dwayne. Printemps 1970 », le tout barré de part en part avec du rouge à lèvres baveux et suivi de l'inscription : « Dwayne. Ça rime avec peine. Ça rime avec merde. Ça rime avec la plus grosse erreur de ma vie. Avec mon mépris pour toi et tes saloperies. Esther. Hiver 1972. » Sous la signature d'Esther est plaquée une grosse empreinte de lèvres rouges, reliée par une flèche aux mots « Mon cul », eux aussi écrits au rouge à lèvres. C'est très différent de ce que j'attendais, et passablement inférieur.

Au lieu que le naufrage des amours ardentes de ces pauvres Dwayne et Esther m'inspire une sorte d'étonnement sarcastique, doux-amer, du genre « C'est quand même bizarre, la vie », je sens un vide nauséeux me creuser le ventre, là précisément où j'affirmais voilà deux minutes que cela n'arriverait pas.

Ann, et la fin d'Ann et moi et de tout ce qui s'y associait me montent soudain aux narines comme un poison épais, avec une violence sans précédent même au plus noir de mes sept années de désespoirs, ou dans le sinistre contre-coup de mes phases d'optimisme retrouvé. Mon réflexe n'est pas de pousser le beuglement d'un cyclope ruisselant de sang, mais de refermer le volume d'un coup sec et de l'envoyer à bout de bras valdinguer à travers la pièce ; il heurte le mur beige, d'où il détache une croûte de plâtre en forme de Floride, et s'écrase sur le parquet dans un nuage de débris et de poussière. (Un livre peut connaître bien d'autres sorts que d'être lu et conservé précieusement.)

Face à l'abîme (c'est bien ça, non ?) qui sépare notre vie commune d'autrefois et l'heure présente, il m'apparaît soudain avec une évidence béante que tout est bel et bien fini ; comme si *elle* n'avait jamais été cette elle-là, ni *moi* ce moi-là, comme si nous ne nous étions jamais lancés tous les deux sur un chemin qui conduirait à cet étrange choc bibliothécaire. Et loin d'être invraisemblable, le fait que ce chemin m'amène ici ou à tout autre endroit aussi solitaire et vacant est absolument conforme aux probabilités, tout comme pour Dwayne et Esther la farouche au cœur brisé, nos doubles en amour. Volatilisé dans un petit grésillement. (Si ce n'étaient les larmes qui me piquent les yeux, j'encaisserais pourtant mon deuil avec dignité. Car après tout, c'est moi qui recommande de larguer les choses précieuses dont on se souvient mais qui ne peuvent plus servir à rien de bon.)

Je m'essuie les joues d'un revers du poignet et me tamponne les yeux à l'aide de ma chemise. Sentant quelqu'un venir du fond de la maison, je file ramasser mon livre, je remets la couverture en place, lisse les pages froissées et vais le remettre dans le cercueil de son interstice, où il pourra dormir pendant vingt ans de plus – à l'instant même où Char rejoint la porte d'entrée, jette un coup d'œil dehors, puis me découvre planté ici dans le salon tel un émigré larmoyant. Elle entre en répandant des effluves de tabac et d'une eau de toilette à la pomme, dont elle a dû s'asperger au cas où par hasard je serais homme à lui payer cet appartement.

Et Char n'est plus celle de tout à l'heure. Moulée dans un jean rétréci, elle porte des santiags rouges, une ceinture brodée de coquillages et un bustier noir qui révèle des épaules rondes, musclées et les seins dont je me suis déjà fait une idée (mais ils sont à présent nettement plus visibles). Elle a « fait quelque chose » à ses yeux, et aussi à ses cheveux, dont la frisure s'est accentuée. Ses joues ont pris une teinte rosée et ses lèvres un reflet brillant, si bien qu'on a presque du mal à reconnaître le chef cuisinier. Mais à mon goût, elle est beaucoup moins charmante que dans

426

sa tenue blanche et hermétique où presque tout était laissé à l'imagination.

Il est vrai que, de mon côté, je ne suis pas non plus dans les mêmes dispositions qu'il y a dix minutes, ni très habitué à des femmes aux nichons si sportivement offerts. L'envie m'a passé de franchir sur ses talons la porte du *Tunnicliff* – je vois d'ici le genre de la boîte – et de jouer le rôle de l'un de ces « mecs que Char drague à l'auberge », tandis que les autochtones se paieront leur jeton quotidien sur ses nénés, m'éliminant du jeu comme l'ectoplasme que je suis.

« Alors, M. Plaisir Usuel, prêt à appareiller ? Ou bien en êtes-vous encore à la lecture du mode d'emploi ? » (Les nouveaux cils de Char battent sur ses petits yeux noisette qui me dévisagent effrontément.) « Qu'est-ce qui vous arrive ? Vous étiez caché là en train de pleurer ? C'est ça que je viens interrompre ?

– J'ai ouvert un livre et j'ai pris de la poussière plein les yeux, dis-je ridiculement.

– J'aurais cru que personne les lisait jamais. Je pensais qu'ils étaient juste là pour donner un air intime au salon. » (Elle balaie d'un regard indifférent les rayonnages.) « Jeremy les achète au poids à une usine de recyclage d'Albany, précise-t-elle en reniflant les relents de cannelle. Beurk. Ça sent l'asile de vieillards à Noël, là-dedans. Vivement que je boive un Black Velvet. »

Elle me décoche un sourire de défi. Un sourire plein d'avenir.

« Parfait ! » dis-je en pensant que je préférerais aller faire un tour tout seul sur la rive détrempée du lac en écoutant les frêles échos d'autres touristes sans visage et sans nom occupés à se distraire dans de longues salles aux murs rouges illuminées par des lustres en cristal. Est-ce trop demander ?

Mais je ne peux pas me dérober à quelque chose d'aussi simple qu'aller à pied boire un verre, d'autant que c'est moi qui l'ai suggéré. Si j'annule ma proposition, je passerai pour un siphonné pleurnichard qui ne peut pas avancer d'un pas sans battre en retraite aussitôt, saisi de crainte et de honte.

427

« Je vais peut-être finir par craquer et vous faire cuire des œufs au plat à la Charlane. Puisque vous avez si faim. »

Elle retourne vers la porte, son cul vigoureux serré dans le blue jean comme les fesses d'un cow-boy de rodéo, la cuisse râblée et dure.

« Il va falloir que j'essaie de retrouver mon fils, je crois, dis-je en un marmonnement pratiquement inaudible, tout en la suivant sur la galerie, d'où l'on voit scintiller les petites lumières de la ville à travers les arbres.

– Vous dites ? » demande Char en me regardant par-dessus l'épaule.

La nuit se referme sur nous.

« Mon fils Paul est ici avec moi. Je l'emmène demain matin visiter le Hall of Fame.

– Vous avez laissé maman à la maison, ce coup-ci ? »

Elle se passe à nouveau la langue dans la joue. Un signal d'alarme lui est parvenu.

« Oui, en un sens. Je ne suis plus marié avec elle.

– Ah bon, alors vous êtes marié avec qui ?

– Personne.

– Et il est parti où, votre fils ? »

Elle regarde du côté de la pelouse plongée dans l'ombre, comme s'il était là. Tentant de prendre un air dégagé, elle glisse un doigt sous la bretelle de son bustier. Je hume une nouvelle bouffée de parfum de pomme. À supprimer.

« J'ignore où il est, dis-je en m'efforçant de paraître à la fois détendu et préoccupé. Il a filé après notre arrivée ici. Je faisais une petite sieste.

– C'était quand, ça ?

– Environ cinq heures et demie, six heures moins le quart. Je suis sûr qu'il ne tardera pas à revenir. » (Voici que je n'ai plus envie de rien, ni d'une balade, ni du *Tunnicliff*, ni d'un verre, ni d'œufs à la Charlane. Mais ma débandade est un aspect du mystère humain que je comprends, et qui m'inspire même une certaine sympathie.) « Je ferais peut-être mieux de rester dans le coin. Pour qu'il me trouve. »

Je souris lâchement à Char dans l'obscurité. Là-bas sur la route vrombit la silhouette sombre d'une voiture, déca-potée ou vitres baissées, sa musique de rock tonitruante ébranle le silence des arbres. Je ne distingue qu'une bribe du texte torride : « Allez, mouille, plus profond, prends-la toute. » Paul pourrait être à bord, en voie de disparition, et jamais je ne le reverrais sinon sur les affichettes placardées sur les cartons de lait ou la caisse de l'épicerie : « Paul Bascombe, 2/8/73, vu en dernier près du Baseball Hall of Fame le 7/2/88. » Cette pensée n'est pas de nature à me décontracter.

« Bon, ben vous choisissez ce qui vous branche le plus, hein, dit Charlane en pensant déjà à autre chose, j'espère. Moi, il faut que j'y aille. »

Elle commence déjà à descendre les marches, parvenue à la conclusion que la complication n'en valait pas la chandelle, mais en même temps, sans doute, embarrassée à mon égard. Pour dire quelque chose, je lui demande :

« Vous n'avez pas d'enfants ?

– Eh si, répond-elle en se retournant à moitié.

– Où sont-ils en ce moment ? Ou elle, ou lui ?

– Il s'exerce à la survie en pleine nature. »

J'entends à cet instant un faible cri, poussé par une voix aiguë de femme, un bref hululement, qui vient de là-haut. Char lève les yeux, avec un léger sourire.

« Y en a une qui a son feu d'artifice en avance.

– À quoi votre fils apprend-il à survivre ? » dis-je en tâchant de ne pas trop penser au couple de l'Ohio.

Nous sommes en train de régresser, Char et moi, dans les degrés de la familiarité, et d'ici une minute nous serons redevenus étrangers l'un à l'autre. Elle soupire.

« Il est avec son père, qui vit dans le Montana sous la tente ou au fond d'une grotte, quelque chose comme ça. Je sais pas trop. Ils se survivent l'un à l'autre, j'imagine.

– Je suis sûr que vous êtes une maman épatante.

– Une religion d'Extrême-Orient, poursuit-elle, sarcastique. Être la mère de mon fils, c'est ce qui m'en rapproche le plus. » (Elle lève son petit nez dans la nuit chaude aux arômes de conifères, pour humer l'air.) « Je viens de sentir une odeur de lilas, mais c'est trop tard pour le lilas. Ça devait être le parfum de quelqu'un. »

Elle me scrute soudain comme si j'étais en train de dériver loin d'elle à toute allure (ce qui n'est pas faux). C'est un regard amical, plein de sollicitude, et qui me donne envie de descendre à mon tour les marches pour la serrer contre moi, mais cela ne ferait qu'entraîner un malentendu.

« Vous allez retrouver votre fils, j'en suis certaine, reprend-elle. Ou c'est lui qui va vous retrouver. N'importe.

– C'est sûr, dis-je sans flancher. Merci.

– Bon, conclut Char. En général, ajoute-t-elle comme si autre chose la tarabustait, ils ne restent pas partis longtemps. Pas assez longtemps, en réalité. »

Puis elle s'éloigne sous les arbres, disparue bien avant que je parvienne à émettre un bonsoir audible.

« *Très amusant*, dit une voix familière à mes oreilles du fond de la vibrante nuit d'été. *Très, très amusant*. Ton principal organe sexuel se trouve entre tes oreilles. Hiiigh, hiiigh, hiiigh. Alors t'as qu'à t'en servir. »

Au bout de la galerie, dans le dernier fauteuil à bascule de la rangée, Paul est enfoui, à peine visible derrière ses genoux repliés ; la seule clarté émane de son T-shirt du Basketball Hall of Fame. Il a écouté mes adieux laborieux, en se demandant à coup sûr si je finirai par me débrouiller pour nous trouver de quoi manger.

« Comment va la santé ? dis-je en m'approchant pour poser la main sur son dos mou et lui donner une petite bourrade paternelle.

– Très bien, merci, et la tienne ?

– C'est le diagnostic du Dr Sion que je viens d'entendre ? »

Dieu sait que je suis soulagé qu'il ne soit pas parti pour Chicago ou San Francisco dans la voiture tonitruante, ou en train de se faire dépuceler sans protection, ou, pis, couché sur un brancard aux urgences de Cooperstown avec son sang qui s'écoulerait sur le carrelage, en attendant qu'un vieux toubib racorni ait fini d'émerger du brouillard du *Tunnicliff*. (Si je le prends avec moi à la maison, il faudra que je sois plus vigilant.)

« C'était ma nouvelle maman ?

– Presque. Tu as mangé quelque chose ?

– J'ai avalé un faux-cktail, un fotage à la tortue et une tarte au fommes. S'il te plaît, me m'affome pas. »

430

Un reste d'enfance. Si je distinguais son visage, j'y lirais une expression de satisfaction secrète. En tout cas, il semble très calme. Je suis peut-être en train de progresser dans mes rapports avec lui, sans m'en rendre compte (le plus cher espoir de tous les parents).

« Veux-tu appeler ta mère pour lui dire que tu es arrivé ici sain et sauf ?

– N-on, non. »

Il fait sauter entre ses mains dans la pénombre une balle molle, presque sans bouger, mais j'y vois un signe qu'il n'est pas si calme que ça. J'ai une aversion pour ces balles molles. À mon avis, c'est un jouet adapté exclusivement au genre de délinquants imbéciles qui m'ont assommé d'un coup sur la tête au printemps quand je rentrais du boulot. Mais cela semble indiquer que Paul est entré en contact avec les gosses aperçus au carrefour de Main Street.

« Où as-tu trouvé cet objet ?

– Je l'ai acheté, répond-il en persistant à ne pas tourner la tête. Au supermarché du coin. » (J'ai toujours envie de lui demander si c'est lui qui a tué le malheureux oiseau de la boîte aux lettres, mais le sujet me paraît trop délicat pour la circonstance. D'autant que cela semble abusif de le croire coupable.) « J'ai encore une question à te poser », dit-il d'une voix plus ferme.

Peut-être a-t-il passé les quatre heures écoulées dans la maigre lumière d'un bistrot à potasser Emerson, à tripoter sa balle et à ruminer des problèmes tels que : la nature ne laisse-t-elle vraiment rien subsister dans son royaume qui ne soit pas capable de se défendre ? Ou bien, tout homme véritable est-il une cause, un pays et une époque ? De bons thèmes de réflexion pour n'importe qui.

« Vas-y », dis-je d'un ton tout aussi assuré, sans vouloir trahir mon empressement ni ma bouffée d'optimisme.

Mon nez capte une odeur qui n'est pas de lilas mais de gaz d'échappement, venue de l'autre côté de la pelouse. J'entends une chouette, invisible sur une proche branche d'épicéa. Hou-hou, hou-hou, hou-hou.

« O.K., tu te rappelles quand j'étais tout petit, dit Paul avec le plus grand sérieux, et que je m'inventais des amis ?

Je leur parlais, ils me répondaient, et ça m'absorbait pas mal ? »

Il garde les yeux fixés farouchement devant lui.

« Je m'en souviens. Tu recommences ? » (Pas question d'Emerson.)

À présent, il tourne la tête vers moi, comme s'il voulait voir mon visage.

« Non. Mais est-ce que tu avais un malaise quand je faisais ça ? Est-ce que ça te rendait furieux, ou malade, avec une envie de dégueuler ?

– Non, je ne crois pas. Pourquoi ? »

Je parviens à distinguer ses yeux. Il pense que je mens, j'en suis sûr.

« Tu mens, mais c'est pas grave.

– Ça me faisait un drôle d'effet. Mais rien de ce que tu viens de dire. » (Je n'ai pas envie de me laisser traiter de menteur et la vérité me défend mal.)

« Pourquoi ça te faisait un drôle d'effet ? demande-t-il sans avoir l'air fâché.

– Je n'en sais rien. Je n'y ai jamais réfléchi.

– Alors, réfléchis. J'ai besoin de savoir. C'est comme un de mes anneaux. »

Il se retourne de l'autre côté et fixe son regard en direction des fenêtres de l'auberge de luxe, en face, où l'on voit luire à présent moins de lumières chaleureuses. Il veut capter ma voix avec une netteté parfaite dans le pavillon de l'oreille. La lune qui décline a tendu en travers de la surface du lac une allée soyeuse et miroitante, et un festival d'étoiles se déploie au-dessus de sa luminescence. Paul émet à nouveau, je le perçois à peine, son petit couinement, un son qui l'aide à s'affirmer, un petit « hiiigh » pour se reprendre.

« En effet, ça me causait un petit malaise, dis-je, hésitant. Il me semblait que tu commençais à être préoccupé par quelque chose qui pouvait te faire souffrir à la longue. » (L'innocence, quoi d'autre ? Mais le mot ne semble pas tout à fait convenir ici.) « Je ne voulais pas que tu te fasses avoir. Ce n'était peut-être pas très généreux de ma part. Je regrette. Il se peut aussi que je me trompe. C'était peut-être simplement de la jalousie. Excuse-moi. »

Je l'entends respirer, j'entends son souffle toucher ses

genoux nus ramenés sous son menton. J'éprouve un léger soulagement, naturellement mêlé de honte d'avoir pu lui donner l'impression que ses tracas comptaient moins que les miens. Qui aurait pu imaginer que nous parlerions de cette histoire ?

« C'est pas grave, répète-t-il, comme s'il en savait très, très long à mon sujet.

– Pourquoi y as-tu repensé ? dis-je, la main toujours posée sur son fauteuil à bascule dans lequel il garde encore le dos tourné.

– Je m'en suis rappelé, c'est tout. J'aimais bien faire ça, et je pensais que tu trouvais que c'était mal. Vraiment, tu ne crois pas que j'ai quelque chose qui cloche ? demande-t-il, à son insu parfaitement aux commandes en cet instant, momentanément adulte.

– Non. Pas particulièrement.

– Sur une échelle de un à cinq, cinq étant sans espoir ?

– Oh... Degré un, sans doute. Ou un et demi. C'est mieux que moi. Moins bien que ta sœur.

– Tu trouves que je suis pas sérieux ?

– Que fais-tu de pas sérieux ? »

Je me demande où il a pu aller pour me poser de telles questions au retour.

« Des drôles de bruits, des fois. Et d'autres choses.

– Ce n'est pas très important.

– Tu te rappelles quel âge aurait aujourd'hui Mr. Toby ? »

Je prends mon courage à deux mains.

« Treize ans. Tu m'as déjà posé cette question-là tout à l'heure.

– Oui, mais il pourrait encore être en vie. » (Il se balance d'avant en arrière. Peut-être que ça s'arrangera lorsque l'âge potentiel de Mr. Toby atteindra son terme optimal. J'essaie de stabiliser le fauteuil.) « Je me remets à penser que je pense, dit-il comme s'il parlait tout seul. Les choses collent pas ensemble très longtemps.

– Ça te tracasse, ta comparution au tribunal ? »

Je crispe les doigts sur le dossier du fauteuil et parviens presque à l'immobiliser.

« Pas particulièrement, dit-il, m'imitant. Est-ce que tu étais censé me donner des bons conseils à ce propos ?

« – Essaie simplement de ne pas être le critique de ton âge, voilà tout. Ne joue pas au plus malin. Laisse tes qualités s'exprimer spontanément. Tu t'en tireras très bien. »

Je pose la main sur son épaule revêtue de coton propre, à nouveau saisi de honte, cette fois-ci d'avoir attendu jusqu'à maintenant pour le toucher avec amour.

« Tu vas m'accompagner ?

– Non. C'est ta mère qui ira.

– Je crois que maman a un petit ami.

– Ça ne m'intéresse pas.

– Ça devrait, réplique-t-il d'un ton absolument neutre.

– Tu n'en sais rien. À ton avis, pourquoi crois-tu te souvenir de tout et penses-tu que tu penses ?

– Je sais pas. » (Il suit des yeux les phares d'une voiture qui passe sur la route devant notre auberge.) « Ces trucs-là font rien que de me revenir tout le temps.

– Cela te paraît important ?

– Par rapport à quoi ?

– Je ne sais pas trop... Par rapport à autre chose que tu pourrais faire. »

Le club de débats, passer ton brevet de secouriste junior, n'importe quoi qui s'inscrirait dans le présent.

« Je ne veux pas que ça me reste jusqu'à la fin de mes jours. Ce serait complètement foireux. » (Il fait claquer puis grincer ses dents.) « Par exemple, aujourd'hui, pendant un petit moment, au machin du basket, ça m'a passé. Et puis c'est revenu. »

Nous retombons dans le silence. La première conversation adulte qu'un homme puisse avoir avec son fils est celle où il admet qu'il ignore ce qui est bon pour lui, et qu'il n'a qu'une idée dépassée de ce qui est mauvais. Je ne sais que dire.

Sous les arbres apparaît un chien de taille moyenne, marron et blanc, un épagneul, qui s'approche en bondissant avec un Frisbee jaune dans la gueule ; on entend le tintement de son collier et ses halètements exagérés. Quelque part derrière lui, la voix joviale d'un homme sorti faire un tour dans la nuit fraîche. « Keester ! Ici, Keester, dit la voix. Allons, Keester ! Ramène ! Keester... ici, Keester ! » Keester, tout à ses occupations personnelles, s'arrête pour nous regarder dans l'ombre de la galerie, il nous flaire, sans desserrer les crocs fermés sur son Frisbee, tandis que son maître continue de l'appeler en marchant.

« Allons, Keester ! répète Paul. Hiiigh, hiiigh.

– C'est Keester, le chien prodige », dis-je. (Keester semble satisfait de cette appellation.)

« Ça m'a fichu les jetons quand je me suis aperçu que j'étais devenu un chien...

– Nommé Keester. » (Keester nous dévisage, d'un air de se demander comment ces inconnus peuvent savoir son nom.) « Ce qu'il me semble, vois-tu, mon fils, c'est que tu fais trop d'efforts pour tout maîtriser, et que c'est une entrave pour toi. Tu essaies sans doute de garder le contact avec ce que tu as aimé, mais il faut aller de l'avant. Même si ça fait peur et si tu te plantes.

– Mmmm... » (Il renverse la tête en arrière, vers moi, et lève les yeux.) « Comment veux-tu que je ne sois pas le critique de mon âge ? Tu trouves ça tellement formidable ?

– Ça n'a pas besoin d'être formidable. Mais, par exemple, si tu entrais dans un restaurant où le sol est en marbre et les murs en chêne, tu ne te demanderais pas si c'est du toc. Tu t'assiérais, tu commanderais un tournedos et tu te sentirais bien. Et si ce n'est pas bon, ou si tu trouves que c'est une erreur de venir là, tu ne reviens plus, c'est tout. Cela ne te paraît pas raisonnable ?

– Non, répond-il en secouant la tête, sûr de lui. Je n'arrêterais plus d'y penser. Des fois, c'est pas si mal de penser. Keester, lance-t-il d'un ton autoritaire au pauvre vieux chien qui n'y comprend rien. Pense, pense, mon petit ! Rappelle-toi ton nom.

– Tu verras que c'est raisonnable. Tu n'as pas besoin de te battre pour tout mettre en place. Parfois, tu peux te reposer. »

Je vois s'éteindre deux rectangles jaunes de plus dans la grosse auberge d'en face. Hou-hou, poursuit la chouette. Hou-hou. Hou-hou. Elle a repéré Keester, stupidement planté là avec son Frisbee jaune, à attendre que nous nous amusions à le lui lancer au loin, comme d'habitude.

« Si tu es funambule dans un cirque, quel est le meilleur numéro que tu puisses faire ?

– Je ne sais pas… Avancer sur la corde raide les yeux bandés. Ou à poil.

– Tomber, rétorque Paul.

– Ce n'est pas un numéro. C'est un ratage.

– Ouais, mais il ne peut pas supporter sa ligne droite une minute de plus, c'est trop emmerdant. Et personne ne pourra jamais savoir s'il est tombé ou s'il a sauté. C'est génial.

– Qui t'a raconté ça ? »

Définitivement déçu par nous, Keester fait demi-tour et s'éloigne au petit trot sous les arbres, silhouette de plus en plus pâle, puis évaporée.

« Clarissa. Elle est pire que moi. C'est juste qu'elle ne le montre pas. Elle fait rien voir, parce qu'elle est sournoise.

– D'après qui ? »

Je suis absolument convaincu que ce n'est pas vrai, convaincu qu'elle est exactement telle qu'elle paraît, elle fait des doigts d'honneur dans le dos de ses parents comme n'importe quelle fille normale.

« D'après le Dr L. Ubrick, dit Paul, qui se lève soudain d'un bond tandis que je reste cramponné à son fauteuil. Ma séance est finie pour aujourd'hui, dok-tor. »

Il se dirige vers la porte en cognant bruyamment les pieds sur le plancher de la galerie. Il émane à nouveau de lui une odeur surette. C'est peut-être celle des problèmes en rapport avec le stress.

« Il nous faudrait un feu d'artifice, lance-t-il.

– J'ai des fusées et des feux de Bengale dans la voiture. Ce n'était pas une séance, au fait. Nous n'avons pas de séances entre nous. C'était une conversation sérieuse entre toi et ton papa.

– Ça choque toujours les gens quand je crie… » (La porte à moustiquaire tourne sur ses gonds et Paul disparaît à l'intérieur.) « … ciao !

– Je t'aime », dis-je à mon fils qui s'éclipse, mais qui devrait entendre à nouveau ces mots quand ce ne serait que pour pouvoir s'en souvenir dans longtemps : « Quelqu'un m'a dit ça, et depuis ce jour rien ne m'a paru tout à fait aussi moche que ça aurait pu. »

10

« Vous savez la vérité, Jerry ? Je viens de me rendre compte que je me fiche de ce qui m'arrive, vous voyez ? On se fait sans arrêt du mauvais sang pour trouver moyen de s'en sortir, vous voyez ? On regrette tout ce qu'on dit ou tout ce qu'on fait, tout a l'air d'être du sabotage, et après on essaie d'arrêter de se saboter. Mais c'est ça, l'erreur. Finalement, on ferait mieux de comprendre qu'y a plein de choses qui nous échappent, pas vrai ?

– Tout à fait ! Merci, Bob, à Sarnia ! Appel suivant. Vous écoutez *Blue Talk*. Oshawa, vous êtes à l'antenne !

– Salut, Jerry, ici Stan… »

Sous ma fenêtre, un grand mec, blond, bronzé, torse nu et musclé, à peu près mon âge, passe une peau de chamois sur une Mustang rouge de collection, qui semble avoir la plaque rouge et blanche du Wisconsin. Bizarrement, il porte une culotte tyrolienne en cuir vert, et c'est sa radio à fond de décibels qui m'a tiré du sommeil. La lumière matinale et l'ombre des haies se partagent le gravier et les pelouses des maisons voisines du *Deerslayer*. C'est dimanche. L'homme en culotte tyrolienne est ici pour le Défilé d'automobiles d'époque, qui a lieu demain, et il ne veut pas se laisser dépasser par la poussière et la saleté. Perchée sur l'aile de ma voiture à moi, sa jolie épouse, dodue comme un kouglof, offre ses gambettes dorées au soleil et sourit. Ils ont étalé leurs tapis rouge vif sur mon pare-chocs, pour les faire sécher.

Un autre Américain – disons, Joe Markham – pourrait les apostropher : « Ôtez de là vos putains de tapis, espèces de trous-du-cul ! » Mais cela gâcherait la matinée et réveil-

lerait le monde de trop bonne heure (y compris mon fils).
Bob, à Sarnia, a déjà bien entamé ce processus.

À huit heures, j'ai fini de me raser et de prendre ma
douche dans la cabine poisseuse en aggloméré, à fenêtre
minuscule, laissée chaude et malodorante par l'utilisatrice
précédente (j'ai vu sortir la femme au collier cervical).

Paul est entortillé dans son drap quand je lui inflige notre
plus vieux signal du réveil : « Plus de temps à perdre… des
kilomètres à faire… j'ai une faim de loup… allez hop, sous
la douche ! » Nous avons réglé la note d'avance et il ne
nous reste qu'à prendre le petit déjeuner avant de décamper.

Puis je descends l'escalier, en entendant déjà les cloches
des églises ainsi que les bruits étouffés du solide petit déjeuner consommé par un groupe de parfaits inconnus qui n'ont
en commun que le Baseball Hall of Fame.

Je suis impatient d'appeler Ted Houlihan (j'ai oublié
d'essayer une seconde fois hier soir), pour le préparer à un
miracle : les Markham ont craqué ; ma stratégie a porté ses
fruits ; il peut dire adieu à ses couilles. Pourtant, le schéma
de l'homme en train d'étouffer, que je retrouve au-dessus
du téléphone en écoutant la sonnerie, me met sous le nez
la réalité de l'immobilier : nous cherchons tous à nouer les
mains autour du cou de quelqu'un pour l'étrangler et lui
faire recracher un petit bout de cartilage indigeste, à demi
mâché, dans lequel nous voyons notre gâteau, le paquet, la
carotte qui fait avancer l'âne. Certes, mieux vaut emprunter
une voie plus noble, avoir pour principe de servir autrui et
voir si cela ne donnerait pas de meilleurs résultats…

« Allô ?
– Hé, Ted, une bonne nouvelle ! »

Je n'ai pu m'empêcher de crier dans le combiné. À côté,
le club du petit déjeuner fait silence en m'entendant, comme
si j'avais une crise d'hystérie.

« Moi aussi, j'ai une bonne nouvelle, répond Ted.
– Priorité à la vôtre, dis-je, aussitôt sur mes gardes.
– J'ai vendu la maison. Une nouvelle boîte à New Egypt.
Agence Bohemia ou je ne sais quoi. Ils m'ont trouvé sur
le bulletin de l'immobilier. La bonne femme a amené une
famille de Coréens hier soir vers huit heures. À dix heures,
j'avais l'offre d'achat. » (Pendant que nous bavassions, Paul

et moi, pour essayer de démêler si son cas est sans espoir ou pas.) « Je vous ai appelé vers neuf heures, je vous ai laissé un message. Mais je ne pouvais vraiment pas dire non. Ils ont consigné l'argent en banque dès hier soir.

– Combien ? » dis-je d'un ton sinistre.

Je me sens parcouru d'un petit froid et j'ai l'estomac noué.

« Pardon ?

– Combien ont payé les Coréens ?

– Le total ! s'exclame Ted, exubérant. Parfaitement ! Cent cinquante-cinq mille. Et en plus, j'ai radiné un pour cent à la fille sur sa commission. Elle avait rien fait pour la gagner. Vous vous étiez donné beaucoup plus de mal. Votre agence en récupère la moitié, naturellement.

– Seulement mes clients n'ont plus nulle part où se loger, Ted. » (Ma voix s'est réduite à un murmure. J'étoufferais volontiers Ted avec mes deux mains.) « Nous avions la garantie de l'exclusivité, je vous l'ai rappelé hier, et il était convenu qu'au moins vous me contacteriez afin que je puisse vous faire une contre-proposition, pour laquelle j'ai eu le feu vert. » (Ou presque.) « Cent cinquante-cinq mille. Le total, avez-vous dit.

– Eh bien…, bafouille Ted, embêté. Si vous voulez monter jusqu'à cent soixante, je pourrais sans doute dire aux Coréens que j'avais oublié. Il faudrait que votre agence se débrouille avec Bohemia. La fille s'appelle Evelyn je ne sais quoi. C'est une petite arriviste.

– Si vous voulez mon avis, Ted, nous allons sans doute être obligés de vous faire un procès pour rupture de contrat. » (Je parle calmement, mais je suis loin d'être calme.) « La vente de votre maison restera bloquée pendant environ deux ans, pendant que le marché s'écroulera, et on vous laissera passer votre convalescence chez vous. »

De la frime, bien entendu. Jamais nous n'avons fait un procès à un client. Ce serait suicidaire. On se contente d'encaisser les 3 % – sur lesquels il me revient exactement deux mille trois cent vingt-cinq dollars –, on dépose peut-être une plainte sans valeur devant la Chambre de l'immobilier de l'État, et on passe à autre chose.

« Bon, on ne peut pas vous empêcher de faire ce que vous avez à faire, je pense », réplique Ted.

Je le vois d'ici, debout devant sa grande fenêtre en gilet et pantalon de toile, contemplant sa pergola, ses torches de plein air et le rideau de bambous dans lequel il vient d'ouvrir une large brèche. Je me demande si les Coréens ont seulement pris la peine de faire un tour dans le jardin, hier soir. Il est vrai que les lumières d'une bonne grosse prison leur auraient peut-être donné un sentiment de sécurité. Ce ne sont pas des imbéciles.

« Ted, je ne sais que vous dire. »

Dans la salle à manger, les convives bruyants ont recommencé à faire sonner leurs couverts sur leurs assiettes, la bouche pleine de crêpe au sirop d'érable, en discutant de l'« impact » qu'auront les travaux routiers, entre ici et Rochester, sur le chrono pour atteindre les Chutes. Le petit froid m'a quitté subitement et j'ai aussi chaud que dans un sauna.

« Vous pourriez simplement être content pour moi, Frank, au lieu de me faire un procès. D'ici à un an, je serai sans doute mort et enterré. Alors c'est bien que j'aie vendu ma maison. Je peux maintenant aller vivre avec mon fils.

– J'aurais simplement voulu conclure cette vente pour votre compte, Ted. » (Son évocation de la mort me cueille en traître.) « En réalité, c'était fait, dis-je faiblement.

– Vous leur trouverez une autre maison, Frank. Je n'ai pas eu l'impression que la mienne leur plaisait beaucoup. »

J'appuie le bout de mes doigts sur les billets d'*Annie Get Your Gun*. Je découvre que quelqu'un a glissé sous la pile l'exemplaire de *Pour une super-sexualité conjugale*, avec le sourire de ce bon M. Plaisir Usuel qui dépasse.

« Au contraire, elle leur a beaucoup plu, dis-je en songeant à Betty Hutton coiffée d'un chapeau de cow-boy. Ils ne voulaient pas agir à la légère, mais à présent ils sont sûrs d'eux. J'espère que vos Coréens sont aussi fiables.

– Vingt mille d'acompte. Sans conditions. Et comme ils savent que d'autres clients sont intéressés, ils tiendront parole. Ces gens-là ne jettent pas l'argent par les fenêtres, Frank. Ils produisent du gazon du côté de Fort Dix, et ils veulent améliorer leur standing. »

Maintenant qu'il est lancé, il aimerait bien continuer à se répandre sur sa bonne fortune, mais il s'en abstient par politesse envers moi.

« Je suis franchement déçu, Ted. C'est tout ce que je peux dire. »

Je me racle pourtant la matière grise en quête d'une échappatoire honorable, et la sueur commence à perler sur mon front. Tout cela est ma faute, je suis puni de m'être laissé détourner des méthodes classiques (mais que puis-je qualifier de classique dans mes méthodes ?)

« Pour qui votez-vous cet automne ? demande Ted. C'est l'intérêt du marché qui vous branche tous, vous autres, j'imagine ? » (Je suis en train de me demander si un pirate de l'informatique à Bohemia s'est infiltré dans notre circuit du bureau. À moins que Julie Loukinen, une nouvelle, joue les agents doubles avec nos listes prospectives. J'essaie de me souvenir si je l'ai vue avec un petit ami qui aurait une gueule d'Europe de l'Est. Mais le plus probable, c'est que Ted a simplement confié sa maison « en exclusivité » à tous les agents qui se sont pointés chez lui. Comment s'en étonner dans un pays libre ? C'est le règne du laissez-faire : on est prêt à vendre sa grand-mère.) « Comme vous le savez, poursuit Ted, ni Dukakis ni Bush ne veulent livrer un programme budgétaire. Ils préfèrent éviter de choquer qui que ce soit avec de mauvaises nouvelles. Moi, j'aimerais nettement mieux qu'ils m'annoncent que je vais me faire baiser, pour pas me crisper. » (Un langage osé tout neuf chez Ted, grisé par son succès de vendeur.) « Au fait, vous voulez que j'enlève votre écriteau ?

– Nous enverrons quelqu'un », dis-je sèchement.

Puis de sauvages grésillements brouillent soudain la ligne, de sorte que j'entends à peine Houlihan, à moitié gazé, continuer à radoter sur les malaises de « fin de siècle » et je ne sais quoi d'autre.

« Je ne vous entends plus, Ted », dis-je dans le vieux combiné puant, les yeux fixés sur le schéma du bonhomme qui me fait signe qu'il étouffe, les mains à son cou, avec une expression effarée sur sa face ronde.

Les parasites s'arrêtent et je récupère la voix de mon interlocuteur, qui en est toujours à Bush et Dukakis, incapables selon lui de raconter une bonne blague même sous la menace de se faire enculer. Cette idée a le don de lui arracher de grands éclats de rire.

« À un de ces jours, Ted, dis-je, convaincu qu'il ne m'entend pas.

– J'ai lu dans quelle église Bush a fait sa confirmation. À ce sujet, y en a une bonne... » poursuit-il à tue-tête.

En posant doucement le combiné sur son socle, je comprends que cet épisode de la vie – la sienne et la mienne – vient de s'achever. J'en éprouve presque de la gratitude.

Mon devoir absolu étant évidemment d'appeler les Markham au *Raritan Ramada* pour les mettre au courant, c'est ce que j'essaie de faire, mais ils ne sont pas dans leur chambre. (Ils doivent être en train de s'offrir une seconde tournée au buffet du brunch, ragaillardis d'avoir pris la bonne décision – trop tard.) Personne n'a décroché au bout de vingt-cinq sonneries. Je refais le numéro pour laisser un message, mais un enregistrement me met en attente, puis m'abandonne dans un vaseux purgatoire où une radio F.M. joue *Jungle Flute*. Je compte jusqu'à soixante, les mains de plus en plus moites, puis je décide de rappeler plus tard, puisque plus rien n'est en jeu.

Je devrais donner d'autres coups de fil. Un appel autoritaire à cette heure matinale aux McLeod, avec allusion imprécise aux poursuites entraînées par les problèmes d'arriérés sans tenir compte de la situation financière du débiteur ; Julie Loukinen, rien que pour lui apprendre que « quelqu'un » a laissé passer Ted entre les mailles du filet. Je devrais téléphoner à Sally, pour réaffirmer la nature de mes sentiments et lui dire ce qui me passera par la tête, si déconcertant que ce soit. Mais je ne me sens pas de taille à affronter ces communications. Elles me paraissent trop compliquées pour une chaude matinée, et selon toute probabilité aucune ne me rapportera rien.

Pourtant, au moment où je fais demi-tour pour aller à nouveau arracher Paul à ses rêves, je suis saisi de l'impulsion subite, violente à me couper le souffle, d'appeler Cathy Flaherty à New York. Nombre de fois, je me suis figuré le plaisir que j'aurais de la voir se pointer sur le pas de ma porte avec une bouteille de Dom Pérignon, exiger aussitôt mon bulletin barométrique, prendre ma température, me demander comment je vais réellement depuis la dernière fois que nous nous sommes parlé, ayant naturellement pensé à moi au moins cent mille fois, dans un tissu de « et si... », pour décider enfin de retrouver ma trace par l'entremise de l'association d'anciens élèves du Michigan et de débarquer sans crier gare, mais la bienvenue, espérerait-elle. (Selon mon brouillon du scénario, nous ne faisons que parler.)

Ainsi que je songeais dans ma chambre chez Sally avant-hier, les bonnes choses qui vous arrivent comme de plein droit, sans qu'on ait pratiquement rien à faire, sont d'un agrément assez incomparable. C'est exactement ce qu'espérait le pauvre Joe Markham avec son « amie » de Boise, mais elle a été trop maligne pour lui.

Comme par hasard, j'ai gardé en mémoire le numéro de Cathy depuis la dernière fois que j'ai entendu sa voix, voilà quatre ans, après qu'Ann m'eut annoncé qu'elle épousait Charley et emmenait les enfants, ce qui m'a fait traverser les quelques turbulences d'où j'ai atterri dans l'immobilier. (À l'époque, j'avais seulement eu son message enregistré, et m'étais senti incapable d'en laisser un à mon tour, autre que « Au secours, au secours ! », à quoi j'ai renoncé.)

Sans même avoir le temps de m'en rendre compte, j'ai composé le vieux numéro à New York, indicatif 212 – une zone qui avait autrefois le don étrange de me coller une double dose d'auto-dépréciation lorsque j'y exerçais le métier de chroniqueur sportif et que ma vie commençait à se désarticuler. (À présent, cela ne me paraît pas plus inti-midant que Cleveland ; vendre des propriétés vous procure ce genre de bénéfices secondaires, libérateurs et démystifiants.)

Les bruits de consommation avide du petit déjeuner, mêlés à des rires sans gaieté, continuent d'affluer par vagues de la salle voisine. J'attends que les circuits du 212 me connectent avec une sonnerie et la réponse de quelqu'un – Cathy, j'espère, aux cheveux de miel, à la peau de miel, à présent médecin dûment diplômé, étudiant je ne sais quelle spécialité hautement compétitive à Einstein ou Cornell, et qui acceptera (cela aussi, je l'espère) de me consacrer quelques instants de « traitement » téléphonique hors contexte, *ad hominem* et *pro bono*. (En fait, je compte sur un effet de contre-dérapage, grâce auquel je me sentirai brillant dès que j'entendrai la voix de Cathy – c'est possible –, mais je me dis aussi que j'ai intérêt à m'arracher, sous peine de me faire laminer par la génération montante qui a de la glace dans les veines.)

Dring – dring – dring. Dring et dring. Puis un déclic. Puis un brutal ronflement mécanique, suivi d'un autre déclic. Peu prometteur. Enfin, une voix – masculine, jeune, pas encore désabusée, un insupportable frimeur pour qui le message du répondeur n'est qu'une occasion de s'amuser, alors qu'il nous révèle, à nous autres correspondants irréprochables, quel sale con il est en réalité. « Salut. Ici la machine de Cathy et Steve. On n'est pas à la maison pour le moment. Vraiment. Je vous le jure. On n'est pas vautrés au lit en train de faire des grimaces et de rigoler. Cathy doit être à la clinique, en train pour le moins de sauver des vies. Et moi au bureau, occupé à me tailler une plus grosse part du gâteau. Alors, soyez patient et laissez-nous un message, et l'un de nous vous rappellera dès que nous aurons le temps. Ce sera sans doute Cathy, parce que les répondeurs, moi, ça me débranche. À bientôt. Évidemment, ne parlez pas avant le bip. »

Biiiiip, clic, puis l'occasion béante, paralysante de laisser le message le plus judicieux. « Allô, Cathy ? dis-je, plein d'allégresse. C'est Frank. » (Déjà moins allègre.) « Hum. Bascombe. Rien de spécial, en fait. Je suis, euh, c'est le 4 Juillet, ou presque. Je suis de passage à Cooperstown, il se trouve que je pensais à toi. » À huit heures du matin. « Je suis content de savoir que tu es à la clinique. C'est bon signe. Moi, je suis en pleine forme. Venu ici avec mon fils, Paul, que tu ne connais pas. » Une longue pause tandis que la bande défile. « Eh bien, voilà. À propos, tu peux dire à Steve de ma part que c'est un enculé, et que j'aurai plaisir à lui casser la gueule dès qu'il aura le temps. Au revoir. » Clic. Je reste là un moment, le téléphone à la main, à juger ce que je viens de faire du point de vue de ce que je ressens après coup, et aussi d'un acte mineur mais irréfléchi, peut-être idiot et avilissant. Le verdict est : ça va mieux. Beaucoup mieux. Sans rime ni raison. Il y a des idioties qui valent largement la peine d'être commises.

Je remonte tirer Paul du lit, faire les bagages et mettre la journée sur ses rails, puisque, par rapport à mon objectif principal (oublions les Markham), elle présente encore une ébauche de promesse, fondée sur notre rapprochement crispé d'hier soir, et que n'importe comment elle aura tôt fait d'aboutir loin d'ici, avec Sally, chez *Rocky and Carlo*.

En haut de l'escalier, je trouve Paul, chargé de son sac Paramount, son casque de Walkman autour du cou. Il a les cheveux mouillés et l'air vaseux, mais il a mis un short propre, marron et informe, des chaussettes propres d'un orange fluorescent et un grand T-shirt noir qui porte pour des raisons inconnues de moi l'inscription *Clergé* en lettres blanches sur le devant (ce doit être le nom d'un groupe de rock). En me voyant monter, il arbore à mon intention son expression impassible, joues gonflées, comme si c'était une chose de savoir que j'existe, mais une autre de me rencontrer.

« Je suis surpris de croiser ici un enfoiré tel que toi », déclare-t-il, puis il pousse un petit glapissement éraillé et descend l'escalier.

Cinq minutes plus tard, après avoir inspecté les draps de Paul en quête d'une humidité révélatrice (rien), je suis de retour en bas avec mon sac de voyage et mon Olympus, prêt pour le petit déjeuner, mais la grande salle à manger est encore bourrée de clients qui s'éternisent et Paul se tient sur le pas de la porte, contemplant la scène avec un dédain ironique. Vêtue d'un T-shirt moulant et du même jean qu'hier soir, Charlane débite les assiettées de crêpes, de bacon et d'œufs brouillés fumants. Elle me regarde sans avoir l'air de me reconnaître. De sorte que je décide rapidement que cela ne vaut pas la peine d'attendre (et d'être servi agressivement par Charlane) alors que nous pouvons tout aussi bien embarquer dans la voiture, filer sur Main Street et prendre un petit déjeuner à notre guise avant l'ouverture à neuf heures du Hall of Fame. En d'autres termes, abandonner à l'histoire ancienne la vieille auberge du *Deerslayer*.

Quoique cela n'ait pas été un lieu si négatif, à part l'absence de bar. Entre ses murs, j'ai peut-être mis fin à ce qui semblait sans fin avec Ann, esquivé un ricochet auprès de Charlane et même enclenché un bon processus avec Sally Caldwell. En outre, Paul et moi, à petits coups de griffes, nous avons gagné du terrain en matière de confiance réciproque, et je suis au moins parvenu à prononcer quelques-unes des paroles que j'avais préméditées pour tenter de l'aider à trouver le bon chemin. Autant de prouesses notables. Il s'en est fallu de très peu que le *Deerslayer* ne devienne un jalon sacré vers lequel, disons au début du siècle prochain, Paul aurait pu revenir tout seul ou en compagnie de sa femme, de sa petite amie ou de sa propre progéniture à problèmes, et leur raconter que c'était un endroit où « il venait avec son regretté papa », lequel lui avait transmis ici les rudiments de sagesse qui avaient fait toute la différence plus tard dans sa vie… même s'il n'aurait pas forcément été capable de définir très clairement en quoi consistait cette sagesse.

Dans la salle à manger, plusieurs des ruminants (je ne vois personne que je connaisse) ont levé de leur assiette un regard hostile vers Paul et moi, debout dans l'embrasure de la porte et momentanément hypnotisés par les effluves de bon café, de saucisse fumée, de brioches collantes, de crêpes au sirop, de bouillie de maïs à la viande de porc et d'œufs en poudre. Leurs yeux méfiants disent « Pas question de nous bousculer », « On a payé pour ce qu'on mange », « On a le droit de prendre son temps », « On est en congé », « Attendez votre tour », « C'est pas le mariole qui criait au téléphone ? », « Que signifie le mot "Clergé" sur ce T-shirt ? », « Ils ont quelque chose de louche ».

Mais Paul, le sac Paramount suspendu à son épaule grassouillette, plaque soudain les deux mains devant lui sur le mur invisible et commence à les faire glisser d'un coin à l'autre, de ci, de là, vers le haut, vers le bas, sur le côté, avec une expression d'horreur qui déforme sa bonne tête de môme, tout en murmurant : « Au secours, au secours ! Je ne veux pas mourir. »

« Bon, je crois qu'il n'y a pas de place pour nous à l'auberge, mon fils, dis-je enfin.

– Je vous en supplie ne me laissez pas mourir, continue Paul à voix basse, si bien que je suis seul à l'entendre. Ne plongez pas la capsule dans l'acide, s'il vous plaît, monsieur le gardien. »

C'est vrai que c'est un bon gosse, plein d'astuce et selon mon cœur, mon allié juste au moment où j'en ai le plus besoin, ou presque.

Il tourne vers moi son visage d'agonisant écartelé par la terreur, les mains posées sur ses joues en un geste d'ébahissement silencieux et figé. Personne, dans la salle à manger, n'a le cran de le regarder à présent ; ils ont plongé le nez dans leur pitance comme des taulards. Paul émet deux « hiiigh » parfaitement audibles, qui semblent sortir du fond d'un puits.

« Alias Sibelius, annonce-t-il.

– Qu'est-ce que ça veut dire ? »

Je soulève mon sac de voyage, prêt à appareiller.

« C'est une bonne chute. Mais j'arrive pas à me rappeler la blague. Maman met de l'arsenic dans ma bouffe depuis qu'elle a un petit ami. Alors mon Q.I. est en train de chuter.

– J'essaierai de luï parler », dis-je, et nous voilà partis, sans que personne fasse attention à nous lorsque nous débouchons tous deux dans le soleil matinal, en route pour le Hall of Fame.

Les cloches sonnent maintenant à toute volée partout en ville, pour convoquer les fidèles au culte matinal. Deux par deux au long des trottoirs, en groupes de trois, quatre ou même six personnes, les familles endimanchées au teint pâle vont à gauche pour la Seconde Église méthodiste, à droite pour les congrégationalistes, tout droit pour les épiscopaliens et les Premiers presbytériens. D'autres, moins bien sapés – hommes vêtus d'un pantalon de serge propre mais pas repassé et d'un polo, femmes en robes-tabliers rouges, sans bas, un foulard sur la tête –, descendent de voiture pour entrer en hâte à Notre-Dame-du-Lac respirer une petite bouffée de grâce avant d'aller faire leur travail de vendeuses, leur partie de golf ou autre chose ailleurs.

D'autre part, Paul et moi trouvons aisément notre place dans le mouvement de pèlerinage séculier, étranger aux dévotions – pères et fils, pères et filles, équipés d'appareils photo, en vêtements d'été, se dirigeant vers le Hall of Fame sans hésiter, mais vaguement gênés (comme si cette destination avait quelque chose de honteux). Nous avançons dans un flot de voitures, de tramways belle époque qui transportent les « groupes senior » vers les autres attractions de la ville, la maison Fenimore et le musée des Fermiers, où les objets exposés donnent à voir le monde meilleur de jadis. Toutes les boutiques sont ouvertes, on peut acheter des glaces, l'air est plein de musique et le lac plein d'eau, il y aurait quelqu'un ou quelque chose pour satisfaire au moins partiellement n'importe quel désir d'un touriste.

Nous avons laissé derrière l'auberge la voiture chargée de notre attirail et marché au flair jusqu'à la marina où nous avons trouvé un petit bistrot à façade bleue et vastes fenêtres, dénommé *Le Rivage*, construit sur l'eau tout comme l'atelier de Charley, sur des pilotis enduits de créosote. Mais dedans, il fait si froid que les odeurs de friture et d'omelettes évoquent l'intérieur d'une vieille glacière, au point que, malgré la vue spectaculaire sur le lac, je me dis que nous aurions mieux fait d'attendre qu'une place se libère là où nous avions payé d'avance.

Sur le chemin que nous avons parcouru à travers les petites rues proches de la rive, bordées d'engageantes maisons prolétariennes, Paul a manifesté la meilleure humeur que je lui aie vue depuis le début du voyage et, dès que nous avons été assis dans notre box rouge, il s'est lancé dans une vaste dissertation sur la vie qu'on pourrait mener à Cooperstown.

Tout en dévorant son énorme gaufre, couverte d'une couche épaisse de crème fouettée en bombe et de fraises surgelées, il déclare que si nous nous installions ici, il entreprendrait sûrement un « grand parcours de livraison de journaux » (d'après lui, à Deep River, c'est une activité entièrement gérée par les « métèques italiens » qui cassent la figure aux enfants de bourgeois quand ils essaient de s'y risquer). Sans trace de sarcasme, des étincelles dans ses yeux gris à chaque bouchée qu'il avale, il affirme aussi qu'il se sentirait obligé de visiter le Hall of Fame une fois par semaine jusqu'à ce qu'il le connaisse par cœur – « Sinon, pourquoi habiter ici ? » – et qu'il mangerait au *Rivage* « religieusement tous les dimanches matin », de même qu'aujourd'hui, qu'il apprendrait à connaître comme sa poche le Cardiff Giant (autre attraction locale) et le musée des Fermiers, que peut-être même il s'y embaucherait à titre de guide, et se lancerait sans doute dans le base-ball et le football. Tandis que je consomme tel un tâcheron ma propre « assiette maison » qui se congèle à toute allure, et contemple épisodiquement la troupe de canards nourris de pop-corn par les badauds des pontons, Paul m'informe aussi, à ma vive surprise, qu'il a décidé de lire tout Emerson quand il rentrera à la maison, puisqu'il sera sans doute en liberté surveillée et qu'il aura plus de temps pour la lecture. Il étale sur sa gaufre la crème fouettée en voie de liquéfaction, la tassant consciencieusement dans chaque trou, tout en m'expliquant, la tête baissée, son casque de Walkman toujours autour du cou, qu'en tant que « limite dyslexique » (première nouvelle) il observe plus de choses que la plupart des gens de son âge, car il « traite » moins vite les informations, et qu'au bout du compte il a davantage l'occasion de méditer (ou de dérailler complètement) à propos de « certains sujets » ; c'est pourquoi il lit le copieux *New Yorker* – « piqué dans les chiottes de Charley » – et il est parvenu en fait à la conclusion qu'il fallait que je laisse tomber l'immobilier – « pas assez intéressant » – et que je quitte le New Jersey – idem – au profit, par exemple, d'« un endroit dans le genre d'ici », que je me fasse barman ou que je décape des meubles, quelque chose d'actif et de peu stressant, et que « je me remette peut-être à écrire des nouvelles ». (Ma brève carrière d'écrivain lui a toujours inspiré le respect et il a dans sa chambre un exemplaire dédicacé de *Blue Autonm*.)

Mon cœur a un élan vers lui, cela va sans dire. Sous les désordres de surface, il ne veut que du bien à tout le monde, y compris les vigiles. Avant même d'avoir franchi les portes du mythique Hall of Fame, Cooperstown a remporté sur lui une victoire magique en lui suggérant le tableau idyllique et apaisant d'une quotidienneté de petit bassin plein de gros poissons, qui lui fait envie. (Apparemment, tous ses anneaux qui se superposaient mal ont fini par trouver l'harmonie.) Mais je ne peux pas m'empêcher de me demander si cette brève envolée de projets constructifs ne sera pas le moment le plus heureux de sa vie, et s'il ne va pas, d'une minute à l'autre, se trouver incapable d'y repenser clairement, d'en percevoir les détails. En fait, cela risque même d'aggraver son angoisse et son déphasage, dans la mesure où il ne parviendra plus à se fabriquer un rêve aussi parfait, sans pouvoir non plus l'oublier ni cesser de se demander où il s'est enfui. C'était la cause de mon attitude de mise en garde lorsqu'il était petit et qu'il parlait à des interlocuteurs imaginaires, une attitude dont je pouvais espérer qu'elle le protégerait. Mais j'aurais dû savoir à quoi m'en tenir, ainsi que je le sais à présent, puisqu'il en va toujours ainsi pour les enfants et même les gens plus âgés : rien ne demeure longtemps en l'état et, encore une fois, un sentiment de bien-être ne peut pas être trompeur, le temps qu'il dure.

Je devrais prendre mon Olympus tout de suite pour le photographier en cet instant de bonheur. Mais je ne peux pas courir le risque de rompre le charme, car Paul ne va pas tarder à porter sur la vie un nouveau regard, d'où il conclura comme tout un chacun qu'il était plus heureux auparavant, mais sans parvenir à se rappeler en quoi, exactement.

« Écoute », dis-je en restant donc avec lui sous le charme, les mains froides, mon regard rivé sur le sommet de sa tête entaillée tandis qu'il examine sa gaufre, embarqué dans son manège mental, et que ses maxillaires s'agitent à la recherche de l'alignement idéal pour ses molaires. (J'adore son crâne pâle et délicat.) « L'immobilier, ça me plaît vraiment bien. C'est à la fois tourné vers l'avenir et conservateur. La combinaison des deux a toujours été mon idéal. »

Il garde les yeux baissés. Le vieux cuisinier aux bras maigres, vêtu d'un T-shirt taché et coiffé d'une casquette sale de marin, nous lorgne de derrière la rangée de tabourets de bar et de salières sur le comptoir. Il sent que nous nous affrontons – à propos d'un divorce, d'un changement d'école, d'un mauvais bulletin trimestriel, d'une histoire de drogue, tout ce qui peut amener à se chamailler à portée de son oreille un père et son fils en balade (il doit assez rarement être question du choix de carrière du père à mi-chemin de la vie). Sous mon regard menaçant, il secoue la tête, se colle au bec un mégot humide et se réintéresse à son gril.

À part nous, il n'y là que trois autres clients – un homme et une femme qui se taisent, assis près de la fenêtre devant leur café, et un chauve plus âgé, en pantalon vert et chemise de Nylon verte aussi, qui joue au poker sur une machine illégale, installée dans le coin le plus éloigné et le plus sombre, et gagne bruyamment de temps à autre.

« Tu sais, l'histoire du funambule ? Le coup du meilleur numéro qui serait de tomber ? » reprend Paul (sans relever ma déclaration sur l'équilibre subtil entre progressisme et conservatisme, dont le point d'appui serait l'immobilier). « C'était rien qu'une blague. »

Il me regarde par-dessus son vestige de gaufre, les yeux plissés derrière le battement de ses longs cils. On ne fait pas plus malin que lui. En rétablissant notre contact visuel, je mens effrontément :

« Figure-toi que je m'en doutais. Mais je t'ai pris au sérieux. Simplement, les changements inconsidérés, j'étais sûr que tu savais bien que ça n'a guère de rapport avec une véritable autodétermination, à laquelle je veux que tu parviennes, et qui est d'ailleurs quelque chose d'assez naturel. Ce n'est pas si compliqué. »

Je lui souris comme un crétin.

« J'ai décidé dans quelle université je veux aller. »

Il enfonce un doigt dans le reste de sirop d'érable qu'il a ramené en rond tout autour de la gaufre, et le suce avec un claquement de lèvres.

« Je suis tout couit », dis-je, ce qui me vaut un regard de connivence ; encore un de nos jeux de mots extrait du coffre de l'enfance disparue : « Tu peux toujours fou-rire. Tant qu'y a d' la vie y a d' l'armoire. Range ton singe dans ton miroir. » Tout comme moi, il est attiré par les fissures entre la lettre et l'imaginaire.

« C'est cet endroit en Californie, tu sais ? On fait ses

études et en même temps on travaille dans un ranch, on marque le bétail, on apprend à attraper un cheval au lasso. » (Il a oublié sa vocation de caricaturiste.)

« Pas mal, dis-je en hochant la tête, résolu à préserver notre entrain.

– Ouais, tu parles ! renchérit-il, Gary Cooper dans son jeune âge.

– Tu crois que tu pourras étudier l'astrophysique en chevauchant un cayuse* ?

– C'est quoi, un cayuse ? On va pas à la pêche ? » enchaîne-t-il en regardant dehors le lac qui s'étale depuis les rampes à bateaux jusqu'aux lointaines pointes de terre, escarpées et indistinctes.

Une fille est assise au bord du ponton, en maillot de bain noir et gilet de sauvetage orange, avec une paire de courts skis nautiques aux pieds. Un hors-bord où se tiennent ses amis, deux garçons et une fille, se balance sur place à une quinzaine de mètres, moteur au ralenti. Tous ceux qui sont à bord regardent la fille. Elle lève soudain le bras et agite la main. L'un des garçons se retourne et fait ronfler le moteur qui résonne fort, même à travers notre vitre, puis, sur un rugissement, le bateau semble un instant hésiter avant de s'élancer, d'un bond presque animal, le nez en l'air, l'arrière plongé dans l'écume ; l'épais cordage se tend et arrache au ponton la fille dressée sur ses skis, l'entraînant loin de nous sur la surface vernissée de l'eau ; plus vite que cela ne semblerait possible, elle n'est bientôt qu'un petit point incolore sur le fond vert des collines.

« Ce serait le pied, mon vieux », ajoute Paul en la suivant des yeux, fasciné.

Il a vu pratiquement la même chose hier, sur le Connecticut, mais ne paraît pas s'en souvenir.

« Non, je crois qu'on ne va pas à la pêche, dis-je à contrecœur. Nous n'avons plus le temps. J'avais vu grand. Il me semblait qu'on avait l'éternité devant nous. Il faut peut-être aussi renoncer à Canton, dans l'Ohio, et à Beaton, au Texas. »

Je pense qu'il s'en fiche, mais je me demande mélanco-

* Mot indien : petit cheval utilisé par les cow-boys. (N.d.l.T.)

liquement s'il me prendra un jour en charge et s'il s'en tirera mieux. Avec la même mélancolie, je me demande aussi si c'est vrai qu'Ann a un petit ami et, dans ce cas, où ils se donnent rendez-vous, comment elle s'habille et si elle ment à Charley qui dit toujours la vérité, ainsi que je lui mentais jadis. J'ai tendance à le croire.

« Combien de fois tu penses te marier ? » dit Paul en continuant d'observer la skieuse au loin, pour éviter de croiser mon regard sur ce sujet dont il ne se fiche pas.

Il tourne prestement les yeux vers la gigantesque photo en couleurs, derrière le gril, d'un hamburger sur une assiette blanche, avec un bol de soupe bizarrement rouge et un verre de Coca, le tout revêtu d'une couche de graisse assez épaisse pour qu'une mouche y reste engluée jusqu'au Jugement dernier. Cela doit faire deux jours qu'il m'a déjà posé cette question.

« Oh, je n'en sais rien. Huit ou neuf fois, sans doute, avant que j'aie mon compte. » (Je ferme les yeux, puis les rouvre lentement de façon que Paul occupe le centre de mon champ de vision.) « Qu'est-ce que tu en as à foutre ? As-tu sous la manche une vieille spécialiste du décapage que tu veux me présenter à Oneonta ? »

Naturellement, il a fait la connaissance de Sally lors de nos balades sur la côte, mais il a gardé le silence à son sujet, et il a eu raison.

« Aucune importance », dit-il d'une voix presque inaudible.

Au vu de son expression, ma crainte n'est pas fondée – la crainte paternelle, banale et persistante, qu'il ne passe à côté de son enfance. Mais celle d'Ann, qu'il ne lui arrive du mal, connaissant sa fragilité, me vient à l'esprit comme un avertissement – un accident de bateau, une collision à un mauvais carrefour, le coup de poing d'un gosse qui enverrait son tendre front heurter le bord du trottoir. Le fait de l'avoir laissé hier soir fuguer dans la nuit ferait sûrement froncer les sourcils aux experts, et serait peut-être même qualifié de mauvais traitement.

Il gratouille la bande adhésive qui consolide le revêtement plastique des boxes antiques du *Rivage*.

« Je voudrais bien qu'on puisse rester ici un jour de plus, murmure-t-il.

– Alors, il faudra qu'on revienne. » (Je sors vivement mon appareil photo.) « Laisse-moi te tirer le portrait pour prouver que tu es vraiment venu. »

Il jette un coup d'œil par-dessus son épaule comme pour voir qui se fâchera d'être photographié. Les consommateurs de café se sont éclipsés et éloignés le long du quai. Le joueur de poker se tient voûté sur sa machine. Le cuisinier se prépare activement une collation. À la façon dont Paul me regarde à travers la table, je sais qu'il souhaiterait faire rentrer quelque chose de plus dans l'image, peut-être moi. Mais c'est impossible. Il n'y a que lui.

« Raconte-m'en encore une bonne, dis-je derrière mon viseur, dans lequel son visage presque féminin de gamin est tout petit mais tout entier.

– Tu as le hamburger dans le cadre ? demande-t-il d'un air soucieux.

– Oui, j'ai le hamburger. » (Je ne mens pas.)

« C'est ça qui m'inquiétait. »

Ses traits s'éclairent et il m'adresse un merveilleux sourire.

C'est la photo de lui que je garderai toute ma vie.

Côte à côte, nous grimpons la pente, baignée d'une douce chaleur matinale, qui nous mène enfin vers le Hall of Fame. Il est neuf heures et demie, le temps passe. Mais quand nous débouchons sur Main Street inondée de soleil, tout près du musée – l'édifice de brique rouge à frontons grecs et trèfles contestables en bouts de pignons, salmigondis architectural qui ressemble au rêve de souscripteurs d'une congrégation trop zélée –, il y a à nouveau quelque chose qui cloche. Sur le trottoir, devant, un groupe d'hommes et de femmes, de garçons et de filles, les mêmes qu'hier ou d'autres, tournent en rond, équipés de pancartes brandies ou portées en sandwich, en scandant un slogan qui, entendu d'ici – le coin pavoisé de tricolore de la boulangerie allemande Schneider –, sonne à nouveau comme « shooter, shooter, shooter ». Mais les manifestants semblent plus nombreux et ils sont entourés d'une masse de spectateurs – pères et fils, familles plus complètes, vétérans divers, plus les paroissiens du dimanche à la sortie du sermon du père Damien à Notre-Dame – qui, s'arrêtant pour voir ce qui se passe et débordant sur la chaussée, ralentissent la circulation et obstruent l'entrée du bâtiment vers lequel nous nous dirigeons, Paul et moi.

« Qu'est-ce que c'est encore que ce joyeux bordel ? s'exclame-t-il en regardant de travers la foule et son noyau de protestataires bruyants, qui forment soudain deux cercles de sens giratoire opposé, de sorte que l'accès du musée devient pratiquement impossible.

– Il doit y avoir au Hall of Fame quelque chose qui vaut la peine qu'on proteste », dis-je en admirant les manifestants, qui lèvent plus haut leurs pancartes illisibles (d'où nous sommes) et crient de plus en plus fort. Cela me rappelle gentiment mes années universitaires à Ann Arbor (quoique je n'aie jamais eu d'activités engagées à l'époque, j'avais trop peur de perdre la bourse dont je bénéficiais et me contentais d'appartenir sagement à une *fraternity* d'étudiants). Aujourd'hui, pourtant, je trouve ça bien qu'il subsiste dans la plaine opulente un esprit de contestation organisée, même s'il ne concerne rien d'important.

Tandis que Paul, habitué seulement à son opposition personnelle, ne sait comment réagir face à celle d'autrui.

« Bon, alors, qu'est-ce qu'on est censé faire ? Attendre ? » bougonne-t-il en croisant les bras comme un vieux ronchon.

D'autres visiteurs potentiels du Hall nous dépassent mais ne tardent pas à s'arrêter eux aussi, pour voir ce qu'il y a à voir. Sur le trottoir d'en face se tiennent des agents de la police de Cooperstown, deux hommes corpulents et deux petites femmes en chemise bleue, pouces passés dans la ceinture, amusés par toute l'aventure, montrant du doigt de temps en temps quelque chose ou quelqu'un qui leur paraît particulièrement comique.

« Une manifestation ne dure jamais très longtemps, d'après mon expérience », dis-je.

Paul se tait ; les sourcils froncés, il approche la main de ses dents et inflige à sa verrue une morsure délicate, mais incisive. Cette affaire le met mal à l'aise ; son humeur de brave gosse s'est évaporée avec la rosée du matin.

« On ne pourrait pas se faufiler derrière eux pour entrer ? » demande-t-il en goûtant son propre sang.

Je remarque que personne ne franchit le barrage ni même ne tente de le faire. En fait, la plupart des badauds ont l'air contents du spectacle et parlent avec les contestataires, ou les photographient. Rien de trop grave.

« Leur but est de nous gêner momentanément, après quoi ils nous laisseront entrer. Ils ont un message à transmettre.

– Je trouve que les flics devraient les coffrer », dit Paul.

Il pousse un petit « hiiigh » emphatique à mi-gorge, accompagné d'une grimace. (Manifestement, il a passé plus de temps avec Charley qu'il n'est sain pour lui, puisque, en matière de droits de l'homme, il semble être partisan du privilège du plus fort : confronté à un mendiant aveugle pris d'une crise d'épilepsie dans la porte à tambour de l'University Club, il y a toujours moyen de se frayer un chemin jusqu'aux courts de tennis pour le tour de consolation en double des plus de soixante ans.) Je pourrais facilement établir une analogie astucieuse avec les premiers temps de notre nation, lorsqu'on ignora les doléances légitimes et qu'une crise s'ensuivit, mais mon discours se heurterait à une oreille indifférente. Néanmoins, je tiens à respecter le parcours des manifestants même sans savoir de quoi il s'agit. Nous avons assez de temps devant nous pour le peu que nous espérons faire.

« Allons nous promener », dis-je.

La main paternellement posée sur l'épaule de mon fils, je l'entraîne à travers l'encombrement de Main Street en direction du poste d'incendie et de secours de Cooperstown, où des véhicules jaunes et étincelants sont exposés dans l'allée ; pompiers et médecins militaires en uniforme se prélassent autour des grandes portes en regardant *Breakfast at Wimbledon*. Les automobiles de paroissiens et plusieurs tramways bondés s'accumulent bruyamment, quelques conducteurs n'hésitent pas à écraser leur klaxon et à passer à la fenêtre une tête irritée pour voir ce qui se passe au juste. Je vois bien que Paul est perturbé par ce retard et ce cafouillage, et je voudrais nous sortir de là pour éviter un nouveau conflit entre nous. Je le guide donc sur le trottoir à contre-courant de l'afflux de piétons, nous passons devant des devantures pleines de fournitures de sport, deux bars ouverts de bonne heure qui diffusent en permanence les rencontres de championnat des années 40, un cinéma et l'agence immobilière chic que j'avais repérée hier en passant en voiture, avec ses photos en couleurs affichées dans la vitrine. Où nous allons, je n'en sais rien. Mais au moment où nous traversons une ruelle qui s'ouvre à l'autre bout sur un espace ensoleillé, je découvre inopinément là-bas sur la gauche le sacro-saint Doubleday Field, d'un vert intense et de proportions résolument réduites dans la lumière limpide – l'endroit parfait où assister et prendre part à un match (et changer les idées de son fils de mauvaise humeur). À proximité et pile au bon moment, un orgue à vapeur se met à jouer *Take Me Out to the Ball Game**, comme si quelqu'un observait nos déambulations.

« Ça sert à qui, ce stade, aux minimes ? demande Paul, toujours réprobateur et hors d'atteinte, anéanti par notre simple échec à conquérir le Hall of Fame au premier assaut, alors que d'ici peu nous serons à l'intérieur, à nous imprégner de ses merveilles, à parcourir ses expositions, ses pavillons, à mater la plaque d'immatriculation privilégiée de Lou Gehrig, le propre gant de Say-Hey Kid, la zone de frappe de Ted Williams et les timbres consacrés au base-ball par les Émirats arabes unis et à glousser face aux pitreries de Bud et Lou – tout comme à Springfield, mais en beaucoup, beaucoup mieux.

– C'est Doubleday Field, dis-je, vibrant d'admiration. Les dépliants que je t'avais envoyés expliquaient tout ça. C'est ici que se livre le match du Hall of Fame en août, quand on sacre les nouveaux héros. » (J'essaie de me rappeler qui peut être sacralisé le mois prochain, mais le seul nom de champion de base-ball qui me vienne à l'esprit est Babe Ruth.) « Il contient dix mille places, et il a été construit en 1939 par la Works Progress Administration, lorsque le pays était sur les genoux et que le gouvernement

---

* Emmène-moi voir le match. *(N.d.l.T.)*

s'efforçait de créer des emplois, ce qui ne serait pas une mauvaise idée à l'heure actuelle. »

Paul a les yeux fixés sur trois cages de lancer accessibles au public, tout contre le mur des tribunes, et d'où nous parvient à tous deux le son, évoquant le décapsulage d'une bouteille de Coca, de la frappe métallique sur la balle de cuir. Un gamin noir, qui imite la position de détente du coude de Joe Morgan, tient la batte dans ce qui doit être la cage la plus « rapide » et renvoie des volées répétées d'une violence impressionnante. Tout comme Paul, j'en suis sûr, je crois retrouver en lui Mr. New Hampshire Basketball, qui surpasse à nouveau tout le monde dans un autre sport et une autre ville ; il doit faire avec son papa la même tournée pleine de bonnes intentions que nous deux, en s'amusant beaucoup plus. Ici, le voici devenu Mr. New Hampshire Baseball.

Mais, bien entendu, ce n'est pas le même gamin. Celui-ci a des copains, blancs et noirs, accrochés aux barreaux de la cage tout autour, qui lui lancent des vannes et des insultes fraternelles, l'encourageant à louper son coup pour pouvoir prendre sa place et le relayer dans ses exploits. Je reconnais parmi eux l'un des glandeurs maigrichons d'hier, avec qui j'ai imaginé que Paul s'était lié d'amitié en partageant des frites et des hamburgers. À présent, ils me paraissent nettement plus âgés que lui, et je suis certain qu'il ne saurait comment s'y prendre pour communiquer avec eux (à moins de passer par les aboiements).

Nous faisons quelques pas dans la ruelle jusqu'à l'endroit, derrière les vieux bâtiments en brique de Main Street, où elle donne sur le parking du Doubleday Field ; plusieurs hommes de mon âge, en tenue de joueurs professionnels, descendent de voiture avec leur gant et leur batte, et se précipitent en faisant sonner les crampons de leurs chaussures vers le tunnel d'accès au fond du terrain, sous les gradins, comme s'ils arrivaient en retard pour un match couplé. J'identifie les uniformes des deux équipes : le jaune criard et le vert peu ragoûtant de l'Oakland A, et le rouge-blanc-bleu plus conservateur d'Atlanta. Je cherche un numéro ou un visage familier de mes années de journalisme

– quelqu'un qui serait flatté qu'on se souvienne de lui –, mais je ne reconnais personne.

En fait, deux « A » qui passent près de nous – « R. Begtzos » et « J. Bergman », lit-on sur leur dossard – ont le goitre du Milwaukee et des fesses à faire péter les coutures, ce qui semble indiquer qu'ils n'ont pas joué depuis belle lurette.

« Je pige pas, marmonne Paul, dont l'accoutrement n'est pas plus avenant que celui de Bergman et Begtzos.

– La visite de Cooperstown exige qu'on fasse un détour par ici, dis-je en l'emmenant vers le souterrain à la suite des "base-balleurs". Ça porte bonheur. » (Je viens de l'inventer au débotté. Mais son euphorie a fait long feu, et je dois à nouveau recourir aux techniques de neutralisation de conflit ; le temps qu'il nous reste à passer ensemble, il faudra préserver une relation d'adversaires amicaux.)

« J'ai un train à prendre, râle-t-il sur mes talons.

– Tu l'auras, ton train, dis-je, assez peu amical moi à mon tour. J'ai des projets de mon côté. »

Lorsque nous débouchons du passage, nous avons le choix entre continuer tout droit en pénétrant sur le champ extérieur où se tiennent les joueurs, ou escalader les hautes marches de ciment pour accéder aux gradins. Paul se détourne du terrain comme s'il s'en méfiait et il se met à gravir les marches. Mais je ne résiste pas à l'envie de faire quelques mètres à découvert, de franchir la piste de gravier et de mettre simplement les pieds sur l'herbe, où les deux équipes, les pseudo-Braves* et les pseudo-A, sont en train d'échanger des balles pour échauffer leurs articulations raides et douloureuses. Les battes claquent, les gants amortissent, les cris résonnent dans l'air lumineux : « Je l'attraperais si je la voyais », ou « Ma jambe veut plus se plier dans ce sens-là », ou « Tu vas voir, tu vas voir ! »

En civil, je m'aventure assez loin pour que mon regard porte jusqu'au ciel bleu et à la clôture du champ droit, à la hauteur du numéro 312 ; derrière, il y a les gradins et les toits du voisinage, au-dessus desquels une enseigne lumineuse MOBIL tourne sur elle-même comme un radar. Nu-

---

* Nom de l'équipe de base-ball d'Atlanta. *(N.d.l.T.)*

tête et corpulents dans leurs uniformes, des hommes sont assis dans l'herbe au pied des piquets de la clôture, ou allongés, regardant en l'air, savourant des moments de liberté, anonymes et sans souci. Je n'ai pas la moindre idée de ce qui se passe ici, je sais seulement que j'adorerais être l'un d'eux rien qu'un instant, en tenue et sans mon fils.

Assis tout seul sur un gradin, Paul affiche un ennui éternel, son casque de Walkman au cou, le menton posé sur une barre d'appui. L'endroit étant pratiquement désert, il ne doit pas y avoir grand-chose qui couve. Tout en haut dans les rangées du fond, quelques gosses de l'âge de mon fils piaillent et font les malins. Assises par groupes de deux ou trois dans les places réservées, vêtues de combinaisons-pantalons ou de robes bain de soleil, les épouses bavardent tout en regardant le terrain et les joueurs, elles rient de temps à autre, applaudissent un beau coup ou s'occupent de ce qui les intéresse. D'un air de contentement, aussi gaies que des fauvettes dans une brise légère, qui n'ont rien de mieux à faire que de gazouiller.

« Qu'a répondu le barman au mulet quand celui-ci lui a commandé une bière ? » dis-je en m'avançant entre les gradins. (Il me semble qu'il est temps de rétablir le contact.)

Sans lever le menton de la barre d'appui, Paul tourne vers moi des yeux dédaigneux. Ça ne sera pas drôle, avertit son expression. Son tatouage « insecte » est exposé à la vue. Outrageant.

« Je pige pas, répète-t-il pour être désagréable.

– "Excusez, monsieur, y a-t-il quelque chose qui vous dérange ?" »

Je m'assieds à côté de lui, que ça lui fasse plaisir ou non, et laisse errer mon regard vers la première base. Un vieillard minuscule en chemise, pantalon et souliers d'un blanc éclatant, retrace à la roulette la ligne de course. Il fait halte à mi-chemin et regarde en arrière pour juger de la précision du trait crayeux, puis repart vers la deuxième base. Je lève mon appareil et fais une photo de lui, puis du terrain et des joueurs qui semblent s'apprêter à entamer la partie, et enfin du ciel, où pend le drapeau immobile au-dessus de la pancarte 390, au centre des gradins du fond.

« À quoi ça sert de venir dans un bel endroit ? demande

460

Paul, songeur, le menton toujours appuyé sur la barre, ses grosses jambes couvertes de duvet étalées de manière à laisser voir sur le genou une cicatrice, longue et rose sous la croûte qui subsiste, d'origine inconnue.

– Le principe fondamental, j'imagine, est que tu t'en souviendras plus tard et que ça te rendra plus heureux. »

Je pourrais ajouter : « Alors, si tu as des souvenirs inutiles ou mauvais, ce serait le moment rêvé pour t'en débarrasser. » Mais c'est sous-entendu.

Paul me décoche son regard impavide et il déplace ses Reeboks. Les joueurs nu-tête qui piquaient des sprints et faisaient des élongations sur le champ extérieur sont en train de rappliquer, la casquette en arrière pour certains, les mains sur les épaules les uns des autres, il y en a même deux qui font les pitres en marchant à reculons. « Vas-y, Joe Louis ! » lance une femme, qui se trompe un peu de sport et de héros. Les autres éclatent de rire. « Faut pas crier ça à Fred, dit l'une d'elles, tu vas lui fiche la trouille ! »

« J'en ai marre de pas aimer les trucs, reprend Paul, d'un ton indifférent. Je voudrais tout changer. »

Une nouvelle qui n'est pas pour me déplaire, puisqu'il y a peut-être en vue pour lui un déménagement à Haddam.

« Tu n'en es qu'au début. Tu trouveras plein de choses à aimer.

– C'est pas ce que dit le Dr Stopler. »

Il contemple le stade en grande partie désert.

« On l'emmerde, le Dr Stopler. C'est un connard.

– Tu le connais même pas. »

Il me vient l'idée fugace d'annoncer à Paul que je pars pour le Nouveau-Mexique ouvrir une station de radio F.M. pour les aveugles. Ou que je marie. Ou que j'ai un cancer.

« Oh que si, je le connais, dis-je. Tous les psys sont pareils. »

Puis je me tais, supportant mal que l'autorité du Dr Stopler s'étende à la vie tout entière, y compris la mienne.

« Rappelle-moi ce que je suis censé faire s'il ne faut pas être le critique de mon âge ? »

Depuis hier soir, Paul a dû ruminer tout cela. Il se peut en fait que ce soit l'idée d'une nouvelle approche de la vie qui ait motivé son bref accès d'euphorie. J'entreprends de lui répondre, tout en regardant les joueurs se grouper en deux « équipes » rivales mais amies, tandis qu'un homme très gros, avec une jambe raide, chargé d'un trépied et d'un appareil photo, émerge lentement du souterrain. Après avoir évalué l'ensoleillement, il commence à s'installer.

« Eh bien, voilà, dis-je. J'aimerais que tu viennes vivre avec moi pendant quelque temps, que tu apprennes par exemple à jouer de la trompette, qu'ensuite tu intègres Bowdoin pour étudier la biologie marine ; et que tu deviennes moins dissimulé et introverti quand tu seras là-bas. J'aimerais que tu gardes un peu d'ingénuité et que tu ne te soucies pas trop des tests standardisés. J'aimerais que tu te maries un jour et que tu sois aussi monogame que possible. Que tu achètes peut-être une maison proche du littoral dans l'État de Washington, pour que je puisse aller séjourner chez toi. Je serai plus précis quand j'aurai le temps de diriger tous tes pas.

– C'est quoi, monogame ?

– C'est un peu comme les maths anciennes. Une théorie encombrante que personne n'applique mais qui fonctionne toujours.

– À ton avis, j'ai été maltraité ?

– Pas par moi, en tout cas. Tu as pu garder le souvenir de quelques petites cruautés. Tu as une bonne mémoire. » (Je le dévisage, peu disposé à m'amuser de sa question, dans la mesure où nous l'aimons, sa mère et moi, plus qu'il ne s'en doutera jamais.) « Tu veux porter plainte ? Peut-être en parler mardi à ton médiateur ?

– Non, pas vraiment.

– Tu sais, Paul, il ne faudrait pas que tu croies que tu n'es pas fait pour être heureux. Tu comprends ? Il ne faudrait pas que tu t'habitues à être malheureux simplement parce que tu ne parviens pas à faire tout coïncider parfaitement. Tout ne coïncide jamais parfaitement. Il y a des choses auxquelles on finit par être obligé de renoncer. »

Ce serait le moment d'évoquer quel sacré bonhomme était Jefferson – grammairien idéaliste doté de sens pratique –, qui consacra sa vie à élaborer des dispositifs pour sortir du statu quo obscurantiste au profit d'une assise plus solide dans l'avenir. À moins d'emprunter une métaphore au base-

462

ball, fondée sur la différence entre ce qui se passe à l'intérieur des lignes blanches et ce qui se passe à l'extérieur.

Mais quelque chose vient m'interrompre. Je ne m'y attendais pas.

Sur la ligne de la troisième base, les A et les Braves se sont répartis par équipes pour les photos de groupe, les grands derrière, les petits à genoux devant (Betzgos et Bergman sont parmi les petits). Les hommes agenouillés ont joliment disposé leurs gants et leurs battes en éventail sur l'herbe, au premier plan. On a placé devant eux une pancarte mobile qui proclame en grosses lettres rouges « O'MALLEY'S FANTASY BASEBALL CAMP »*, et, en dessous, en caractères amovibles, « Braves contre Red Sox 67 – 3 juillet 1988 ». La pancarte fait rire tous les Braves. Aucun joueur des Red Sox ne semble être présent.

Les photos sont vite prises. Le vieillard qui retraçait les lignes tout à l'heure s'occupe de transférer devant les A en maillot canari la pancarte sur laquelle il change l'inscription du bas en « Athletics contre Red Sox 67 – 3 juillet 1988 ».

Tout le monde applaudit quand la séance de photos s'achève, et les hommes se dispersent vers l'abri des joueurs, les bases ou simplement le champ intérieur, dans leurs uniformes trop serrés ; on dirait à les voir qu'il vient de se passer quelque chose de mémorable mais qu'ils l'ont raté, ou que c'était insuffisant, alors même que le « grand match » contre les BoSox**, le clou de la journée, n'a pas encore eu lieu. « Tu es superbe, Nigel », crie dans les tribunes une épouse à la voix rauque et à l'accent australien. Nigel, un Brave pansu à qui sa démarche, les pieds en dedans, donne un air timide, marque une halte sur les marches de l'abri et soulève sa casquette bleue d'Atlanta, tel un champion des jours de gloire. « T'as une sacrée belle allure », crie-t-elle encore. Nigel sourit d'un air réservé, il hoche la tête et s'enfonce dans l'ombre pour prendre place sur le banc à côté de ses camarades. J'aurais dû le photographier.

---

* *Fan* : éventail. *(N.d.l.T.)*
** BoSox : nom familièrement donné aux Red Sox, contraction de « Boston Sox ». *(N.d.l.T.)*

Quel autre moyen de saisir un tel instant, le secret de lancer dans le vide les mots qu'il faut, et juste à point nommé ? Comment cadrer la fraction de seconde pour qu'elle dure toute la vie ?

On dirait que ces deux jours ensemble nous ont amenés au point mort, même pas encore à l'intérieur du Hall of Fame, mais face à un épisode peu spectaculaire sur un terrain presque fictif, où deux « clubs » bancals s'apprêtent à affronter une équipe authentique dont la gloire appartient au passé, et où, par je ne sais quel système interne de poids et mesures, je me trouve à court de paroles cruciales, avant d'en avoir dit assez, avant d'avoir obtenu l'effet désiré, avant que l'élan de l'acte physique partagé – arpenter le sanctuaire, contempler les gants, les plaques minéralogiques, les zones de frappe – puisse nous porter jusqu'à un aboutissement heureux. Avant que j'aie su faire en sorte que le souvenir de cette journée mérite d'être conservé.

J'aurais mieux fait d'attendre avec la foule que les portes du musée soient libres d'accès, au lieu de partir en quête d'une occasion supplémentaire de moment privilégié et de nous exposer, mon fils et moi, à cette pesante sensation d'impasse, le dernier point acquis entre nous étant que je ne l'aie sans doute pas maltraité. (J'ai toujours estimé que la plupart des choses peuvent s'arranger avec des mots et que toute situation peut être améliorée. Mais encore faut-il trouver les mots.)

« Les gens de mon âge subissent des cycles sur la base de six mois », dit Paul d'un ton réfléchi d'adulte. (Les A et les Braves piétinent sur la touche, attendant qu'il se passe quelque chose et d'en avoir pour leur argent. Je serais toujours tenté de me joindre à eux.) « D'ici à Noël, je ne serai sans doute plus dans le même état. Les adultes n'ont pas ce problème-là.

– Nous en avons d'autres.

– Lesquels ? demande-t-il en tournant la tête vers moi.

– Nos cycles durent beaucoup plus longtemps.

– Juste, Auguste. Et au bout, on crève. »

J'ai failli ajouter « Ou pire ». Ce qui le renverrait dans son inventaire mental de Mr. Toby, son frère mort, la chaise électrique, l'empoisonnement par l'arsenic, la chambre à gaz, en quête d'autre chose encore sur terre dont il pourrait faire une obsession, puis un sujet de plaisanteries. Par conséquent, je me tais. Je soupçonne que mon visage trahit l'idée d'un mot d'esprit à propos de la mort, qui manquerait trop de mordant. Mais faut-il le répéter, j'ai dit tout ce que savais.

J'entends l'orgue à vapeur entamer *Way Down Upon the Swanee River*. Notre petit stade baigne à présent dans un climat de fête paresseuse et mélancolique. Paul me jette un regard perspicace en ne m'entendant pas lui donner la réponse escomptée ; les commissures de sa bouche palpitent comme s'il connaissait un secret, mais je sais qu'il n'en est rien.

« Si on retournait là-bas ? dis-je, ayant renoncé à défier la mort.

– Qu'est-ce qu'ils fichent là, ces mecs ? demande Paul, les yeux soudain braqués sur le terrain, comme s'il le découvrait.

– Ils prennent leur pied. Tu ne trouves pas qu'ils ont l'air de s'amuser ?

– Ils ont l'air de rien faire du tout.

– C'est comme ça que les adultes s'amusent. En réalité, c'est le plus beau moment de leur vie. C'est tellement facile qu'ils n'ont même pas besoin de faire des efforts. »

Et nous partons, Paul en tête, le long des tribunes derrière les épouses, puis vers le bas des marches escarpées en direction de la sortie ; je le suis, après avoir lancé un dernier regard attendri sur le terrain paisible, les hommes un peu paumés mais qui constituent quand même deux équipes en l'attente du match.

Nous traversons la pénombre du passage souterrain pour déboucher au grand soleil sur le parking, d'où la musique d'orgue à vapeur semble s'être éloignée. Au bout de la ruelle, dans Main Street, les voitures sont en mouvement. Je suis sûr que le Hall of Fame est à nouveau accessible, réchappé de sa crise matinale.

Les gamins ont décampé, les battes métalliques sont posées contre la clôture, les trois cages sont désertes et tentantes.

« Je crois qu'on devrait s'exercer un peu, qu'est-ce que tu en penses ? » dis-je à Paul.

Je suis loin d'être en pleine forme, mais, tout d'un coup, j'ai une envie d'action. Paul examine de loin les cages, les pieds tournés en dehors à présent, moins athlétique que quiconque, lourdaud et indifférent.

« Allez, viens, tu peux jouer l'entraîneur. »

Il se peut qu'il ait émis un faible « hiiigh, hiiigh » ou un bref aboiement ; je n'en suis pas certain. Toujours est-il qu'il m'accompagne.

Tel un moniteur convaincu, je l'entraîne tout droit vers les cages clôturées, munies de compteurs noirs où il faut mettre cinquante *cents* dans la fente, et intérieurement tapissées de filet vert pour empêcher les balles en plein vol de blesser les spectateurs et de rebondir périlleusement sur les machines à lancer, de grosses boîtes vert foncé d'allure industrielle ; leur dispositif consiste à insérer des balles, par une trémie en plastique, dans un circuit à engrenage terminé par deux pneus en caoutchouc qui tournent l'un contre l'autre en sens inverse et à grande vitesse, de manière à expulser les balles à mesure qu'elles se présentent. Les écriteaux accrochés tout autour vous recommandent de porter un casque, des lunettes de protection et des gants, de fermer les grilles d'accès, d'entrer seul dans la cage, de tenir éloignés les jeunes enfants, les animaux, les bouteilles, tout ce qui est fragile y compris les occupants de fauteuils roulants – et si ces avertissements ne vous ont pas convaincu des risques, vous serez entièrement responsable en cas d'accident (comme si l'on pouvait s'imaginer autre chose).

Les trois battes métalliques posées contre la clôture sont trop courtes, trop légères, la poignée entourée d'un anneau de toile adhésive est bien trop mince. Je demande à Paul de s'écarter tandis que je teste l'une d'elles, en la tenant dressée devant moi comme un chevalier son épée, coulant mon regard le long de l'aluminium bleuté (ainsi que je le faisais au temps où je jouais au base-ball à l'école militaire), et en l'agitant, je ne sais pourquoi. Je me tourne de profil par rapport à Paul – avec mon appareil photo toujours pendu à l'épaule –, je lève la batte derrière mon oreille, les genoux en dedans, dans une posture naturelle à la Stan Musial, et je darde mon regard sur mon fils comme si c'était Jim Lonborg, le vieux droitier des BoSox, prêt à faire feu.

« Stan the Man, c'est comme ça qu'il se tenait », lui dis-je par-dessus mon coude gauche, les yeux mi-clos.

Je décoche un swing qui se veut méchant, et me paraît gauche et ridicule. On dirait qu'entre le poignet et l'épaule le ressort indispensable s'est détendu, de sorte que ma frappe sur la balle se réduirait à une gifle, pas de quoi chasser une mouche d'une cabine téléphonique, mais suffisante pour me donner des airs de femmelette.

« C'est comme ça qu'il frappait, Stan the Man ?

– Ouais, et la putain de balle giclait à deux kilomètres. »

J'entends des cris, des « Je l'ai eue, je l'ai eue » qui jaillissent à l'intérieur de Doubleday Field. Je me retourne pour regarder, au-dessus de la tribune où nous étions voilà cinq minutes, les balles blanches qui décrivent leur trajectoire dans le ciel, deux ou trois à la fois, avant de retomber au creux d'un gant hors de notre vue.

Chaque cage a reçu un nom qui reflète la vitesse des balles : « Dyno-Express » (cent vingt kilomètres à l'heure), « The Minors » (cent cinq kilomètres à l'heure), « Hot Stove League » (quatre-vingt-dix kilomètres à l'heure). Je n'hésite pas à mettre mes forces à l'épreuve dans la Dyno-Express ; je confie donc à Paul mon appareil photo ainsi que deux pièces de ving-cinq *cents*, dédaignant les casques de batteur suspendus à la clôture. J'entre d'un pas résolu, referme la grille, gagne l'emplacement du batteur et jette un coup d'œil en direction de l'agressive machine verte, tout en cherchant à m'assurer un bon équilibre à une longueur de batte du coin externe de la plaque réglementaire en caoutchouc, encadrée de deux paillassons miteux de faux gazon, pour donner une impression d'authenticité. Je reprends ma posture Musial, je balaie lentement ma zone de frappe avec la partie cylindrique de ma batte, je cale mes jointures sur la poignée et j'aligne le bout de mes chaussures de bateau sur le drapeau du champ centre (sauf qu'il n'y a pas de drapeau, évidemment, rien que la machine et le filet de protection). J'inspire et je souffle, puis tends la batte une fois de plus au-dessus de la plaque pour la ramener lentement.

467

« Quelle heure est-il ? demande Paul.

– Dix heures. Pas de chrono au base-ball. »

Je lui jette un coup d'œil par-dessus mon épaule, à travers le grillage de la clôture. Son regard va et vient entre le ciel et l'entrée des gradins, où quelques joueurs de fantaisie flânent au soleil en compagnie de leur épouse d'allure plus jeune, main gantée passée sur de moelleuses épaules, casquette tournée sur le côté, pris de l'envie d'une bière, d'une saucisse et d'un peu de détente avant le grand match.

« On n'avait pas un autre projet ? lance-t-il en se tournant vers moi. Il était pas question du Hall of Fame ?

– Tu vas y aller. Fais-moi confiance. »

Il faut que je replace mes pieds et que je m'assure à nouveau d'une posture bien équilibrée. Mais dès que je l'ai trouvée, je crie à Paul :

« Glisse les pièces dans la fente ! »

Après quoi, le calme règne pendant un long moment tandis que la machine irradie une sorte de patience immanente et quasi humaine, rompue au bout de quelques secondes par un ronflement mécanique ; je vois s'allumer en haut une ampoule rouge que je n'avais pas encore remarquée, puis l'entonnoir de plastique plein de balles se met à vibrer. La machine ne donne aucun autre signe de ses intentions, mais je garde les yeux rivés sur le point noir de jonction des pneus en caoutchouc, qui n'ont pas bougé.

« Cette bande de métèques l'a détraquée, commente Paul derrière moi. Tu as paumé ton fric.

– Je ne crois pas », dis-je sans broncher, mon calme intact, ma batte bandée, les yeux sur la machine. Mes paumes et mes doigts étreignent la toile adhésive du manche, mes épaules se contractent, quoique je sente mes poignets commencer à fléchir en arrière d'une manière que Stan trouverait déplorable, mais qui paraît nécessaire si je veux que le fût de la batte aille assez rapidement à la rencontre de la balle pour éviter que mon swing aboutisse à une « gifle » efféminée. J'entends quelqu'un crier « Visez ce tocard », et je ne peux pas m'empêcher de chercher des yeux de qui il s'agit, mais je ne vois personne et je reporte précipitamment mon regard sur la machine et les deux pneus, où il ne se passe encore rien qui annonce le lancer.

Je finis par relâcher un peu les muscles des épaules afin de ne pas attraper une crampe, au moment même où la machine émet un bruit métallique et plus menaçant. Les pneus noirs se mettent à tourner à toute vitesse. Une balle apparaît le long d'une rigole qui m'avait aussi échappé et roule « en dessous » dans une petite ouverture ; puis elle ou sa semblable est recrachée sauvagement entre les pneus et traverse la plaque avec une telle rapidité et tellement à ma portée que je n'esquisse même pas un mouvement, la laissant simplement heurter la clôture derrière moi et rebondir entre mes jambes en direction d'un coffrage en ciment, devant moi, qui a pour fonction de rapatrier les balles vers l'entonnoir. (La version basket était nettement plus aimable.)

Paul se tait. Je ne me tourne même pas vers lui et garde les yeux fixés, tel un sniper, sur ce qui constitue mon adversaire, le point de jonction entre les pneus. Un autre bourdonnement interne se fait entendre. Je vois une autre balle dévaler la rigole métallique, disparaître et s'éjecter dans l'espace, fendre l'air en travers de la plaque juste sous mes poignets et heurter à nouveau la clôture derrière moi, sans me laisser le temps de bouger.

Paul s'abstient à nouveau de tout commentaire. Ni « Et de deux », ni « Elle avait l'air trop haute », ni « Courage, papa ». Pas de gloussement ni de bruit de pet. Même pas un aboiement pour me stimuler. Le silence, c'est tout.

« J'ai droit à combien de coups ? dis-je, simplement pour entendre une voix.

– Je ne suis pas d'ici », réplique-t-il.

Juste au moment où le nombre de cinq m'apparaît comme le plus probable, une nouvelle balle cousue d'orange arrive sur la plaque telle une fusée et résonne contre le grillage, ce qui semble indiquer que la machine m'a eu par surprise.

La sueur commence à perler à la racine de mes cheveux. Pour la balle numéro quatre, je braque ma massue tout droit dans ma zone de frappe et la maintiens dans cette position jusqu'à ce que la machine déclenche un nouveau lancer, qui vient ricocher sur le bout de la batte avec un « boïng » sans appel, et s'égare contre l'une des pancartes de mise en garde, pour rebondir enfin en plein sur mon talon.

« Loupé, dit Paul.

– Va te faire foutre. Tu verras quand ce sera ton tour, dis-je sans le regarder.

– Tu devrais avoir ton coupe-vent sur le dos. Tu fais du vent. »

Sourcils froncés, j'affronte l'orifice noir qui a pris un aspect sinistre, je noue mes poings sur le manche, redresse mes poignets de façon plus orthodoxe, prends appui sur la plante de mon pied droit et prépare le gauche à s'élancer au-devant de la balle. La machine ronfle, la lumière rouge s'allume, la balle roule le long de la rigole, disparaît et jaillit bien en évidence d'entre les roues ; je bondis, ma batte bleue fouette l'air, j'entends craquer mes poignets, je vois mes bras s'allonger, mes coudes presque se toucher, je sens mon poids se déplacer tandis que mes poumons se vident et que mes yeux se ferment. Cette fois-ci, la balle (que je ne vois pas, évidemment) sonne en plein sur la batte avant de partir dans le filet, de cogner à la suite deux piquets de la clôture et de retomber sur l'asphalte devant moi pour rouler vers le coffrage en ciment. J'en garde une paume cuisante dont je suis résolu à ne pas m'occuper.

« Et de cinq, tu passes à la postérité », clame Paul, que je foudroie du regard tandis qu'il me photographie avec mon propre appareil, ses grosses lèvres froncées en une moue de concentration dédaigneuse. (Je ne peux m'empêcher de voir d'avance de quoi j'aurai l'air : la batte basse, les joues ruisselantes de sueur, les cheveux en désordre, les traits marqués d'une expression de défaite subie dans un affrontement imbécile.) « Le héros du zéro ! ajoute-t-il en prenant une autre photo.

– Puisque tu t'y connais si bien, tu devrais essayer, dis-je, les mains brûlantes.

– D'accord. »

Paul secoue la tête comme si j'avais lâché une énormité. Nous sommes ici dans une solitude complète, malgré les pseudo-joueurs et leurs vraies femmes qui continuent de flâner sur le parking, insouciants, la voix pleine de bienveillance et de bonne conscience. Les balles montent et retombent au-dessus de Doubleday Field. C'est la petite musique rassurante du base-ball. Qu'un père incite son fils à quelques swings d'entraînement ne saurait passer pour un mauvais traîtement.

« Qu'est-ce qui te gêne ? dis-je en sortant de la cage. Si tu loupes ton coup, tu n'as qu'à déclarer que tu l'as fait exprès. Ne m'as-tu pas expliqué que c'était le bon truc ? » (Certes, il l'a déjà démenti, mais je ne le tiens pas quitte, je ne sais pourquoi.) « Tu ne consommes pas du stress à déjeuner ? »

Paul tient mon appareil à hauteur de son ventre, sous l'inscription « Clergy », et il prend une photo de plus, avec un sourire mauvais. J'insiste.

« C'est toi le funambule intrépide, non ? » (Je pose la batte contre la clôture. Derrière moi, la grosse machine verte est redevenue silencieuse. Un vent chaud soulève une bouffée de saleté du parking et la projette sur mes bras en sueur.) « Je crois que ta trajectoire devient nettement trop étroite, il faut que tu trouves un nouveau truc. Pour marquer il faut commencer par frapper. »

J'essuie la transpiration sur mes avant-bras.

« Comme tu as dit tout à l'heure. » (Son sourire devient un rictus hostile. Il continue de braquer l'appareil sur moi et de prendre photo sur photo, toujours la même.)

« Qu'est-ce que j'ai dit ? Je ne m'en souviens pas.

– Va te faire foutre.

– Ah ! Me faire foutre. Désolé, j'avais oublié. »

Je vais soudain vers lui, tiraillé entre la pitié, l'envie de tuer et l'amour. Ce n'est pas exceptionnel de la part d'un père. Les enfants, qui sont parfois les anges de la découverte de soi, peuvent devenir à d'autres moments les pires emmerdeurs. En arrivant près de Paul, je le saisis d'instinct à la nuque, les doigts endoloris par la batte, les épaules insensibles comme si mes bras ne pesaient plus rien.

« Je pensais simplement, dis-je en l'attirant contre moi, que toi et moi nous pourrions partager une humiliation commune, et partir bras dessus, bras dessous pour que je t'offre une bière. Nous pourrions nous allier.

– Va te faire foutre ! Je n'ai pas droit à la bière. J'ai quinze ans, beugle Paul sur ma poitrine.

– Ah oui, bien sûr, ça aussi, j'avais oublié. Ça relèverait sans doute d'un mauvais traîtement de ma part. »

Je le serre de plus en plus brutalement, trouvant sous mes doigts la base de son cuir chevelu rasé, son casque de Walkman et les tendons du cou, et je lui appuie le visage sur ma chemise ; son nez s'enfonce dans mon sternum, ses doigts, sa verrue et même mon appareil photo me pressent les côtes dans son effort pour me repousser. Je ne suis pas tout à fait conscient de ce que j'essaie de faire, ni de ce que je veux de lui : un changement, une promesse, une concession, une garantie d'amélioration ou d'évolution importante, le tout exprimé en un langage qui ne peut pas passer par les mots.

« Et pourquoi te conduis-tu comme un petit voyou ? » dis-je avec difficulté.

Je lui fais peut-être mal, mais un père a le droit de ne pas se laisser attaquer, si bien que je l'écrase encore plus fort, résolu à ne pas le lâcher tant qu'il n'aura pas largué son démon, renoncé à tout, qu'il ne s'effondrera pas en larmes que je serai seul à pouvoir sécher. Papa. Le sien.

Mais ce n'est pas ainsi que cela se passe. Nous nous lançons tous deux dans une gauche empoignade sur le macadam à côté des cages, qui attire presque aussitôt, je m'en rends compte, l'attention des touristes et des paroissiens en balade dominicale, ainsi que des passionnés de base-ball en route vers le célèbre sanctuaire, comme nous devrions l'être nous-mêmes, si nous n'étions pas ici en train de nous colleter. Je les entends presque murmurer : « Eh ben, alors, qu'est-ce qui arrive là ? C'est malsain. Il faut prévenir quelqu'un. Mieux vaut appeler à l'aide. Allez-y, appelez la police. Au 911. Où va-t-on, dans ce foutu pays ? » Mais naturellement, ils se taisent. Ils se bornent à s'arrêter et à mater. Les mauvais traitements ont un pouvoir de fascination.

Je relâche mon étreinte sur la nuque de mon fils et le laisse se dégager, son visage joufflu tout gris de colère, de dégoût et de honte. Dans la bagarre, j'ai touché son oreille fendue qui recommence à saigner, le petit pansement ayant été arraché. Je regarde ma main ; il y a du sang le long de mon médius et ma paume en est tachée.

Paul reste bouche bée, tenant toujours dans la main droite mon appareil photo avec lequel il m'a labouré les côtes, l'autre main farouchement plongée au fond de la poche de son short informe, comme s'il voulait donner à sa fureur un aspect de désinvolture. Ses yeux luisants se rétrécissent, mais les pupilles se dilatent à ma vue.

« On rigole. C'est pas une affaire, dis-je en lui adressant un sourire foireux. Tope là. »

Je lève la main droite dans l'attente de la sienne, tandis que la gauche, souillée de sang, s'enfouit dans ma propre poche. Les badauds continuent de nous observer à travers leurs lunettes noires, à quarante mètres de nous sur le parking.

« File-moi la putain de batte », crache Paul avant de passer à côté de moi sans s'occuper de ma main offerte, pour aller se saisir tout seul de l'instrument posé au bas de la clôture.

Il ouvre la grille d'un coup de pied et pénètre dans la cage tel un homme venu affronter une tâche qu'il a remise à plus tard toute sa vie. Il a gardé son casque de Walkman au cou et fourré dans sa poche mon appareil photo. À l'intérieur de la Dyno-Express, il gagne la plaque, sa batte pendante sur l'épaule, et regarde par terre comme s'il découvrait une flaque d'eau. Il tourne soudain vers moi un visage crispé de haine, puis abaisse à nouveau les yeux sur ses orteils, de l'air de les aligner sur un repère, la batte toujours pendante malgré un effort pour la soulever. Il n'a pas l'apparence d'un batteur redoutable.

« Mets-y ce foutu fric, Frank, crie-t-il.

– Tiens ta batte de l'autre côté, mon fils. Tu es gaucher, rappelle-toi. Et recule-toi un peu, pour prendre ton élan. »

Paul me jette un second regard qui exprime la trahison complète, presque un sourire.

« Mets le fric », répète-t-il.

Je me soumets. Je glisse deux piécettes dans la boîte noire.

Cette fois-ci, la machine s'anime beaucoup plus vite, comme si je l'avais chauffée. La loupiote rouge luit faiblement dans la lumière du soleil. Le ronflement démarre et toute la machinerie se remet à frémir, l'entonnoir en plastique à vibrer, les pneus en caoutchouc à tourner à grande vitesse. La première balle blanche émerge et dévale la

473

rigole, disparaît pour réapparaître aussitôt, fuser au-dessus de la plaque et heurter le grillage juste à l'endroit où je me tiens, de sorte que je recule par précaution pour mes doigts, bien qu'ils soient au fond de mes poches.

Naturellement, Paul n'a pas essayé de frapper. Le dos tourné, il se contente de fixer la machine ; la batte pend toujours derrière sa tête avec la lourdeur d'une pioche. Il la tient à droite.

« Recule-toi, mon fils », insisté-je, tandis que la machine se remet en branle, gronde et frémit, puis lâche une nouvelle fusée qui frôle le ventre de Paul et s'écrase sur la clôture dont je me tiens à distance prudente. (En fait, je crois qu'il s'est encore avancé.) « Lève ta batte en position de frappe. »

Nous pratiquons cet exercice rituel depuis ses cinq ans, dans le jardin, sur les terrains de jeux, sur le champ de bataille de la guerre d'Indépendance, dans les parcs publics, à la maison de Cleveland Street (mais pas récemment).

« À quelle vitesse elle arrive ? »

Ce n'est pas à moi qu'il pose la question mais à la cantonade, à la machine, au destin qui pourrait lui venir en aide.

« Cent vingt kilomètres à l'heure. Ryne Duren atteignait cent soixante. Spahn, cent quarante-cinq. Tu peux la frapper. Ne ferme pas les yeux » (à mon instar).

J'entends l'orgue à vapeur jouer « Ça sert à rien d' rester seul dans son coin, la vie est une fête ».

La machine repart. Cette fois, Paul se penche en avant sur la plaque, la batte sur l'épaule, les yeux fixés, je présume, sur l'orifice d'où la balle va surgir. Mais à l'instant où elle le fait, il s'écarte et la laisse encore aller dans le filet.

« Trop près, Paul. Tu es trop près, mon vieux. Tu vas te faire défoncer la tête.

– C'est pas si fort que ça », réplique-t-il avant de lâcher un petit « hiiigh » avec une grimace. La machine entame son avant-dernier lancer. La batte sur l'épaule, Paul l'observe un instant, puis, à ma stupéfaction, il fait un petit pas en avant et tourne son visage vers la machine qui, dépourvue de cerveau, de cœur, de prévoyance ou de crainte, seulement capable de lancer, éjecte par sa fente noire une nouvelle balle ; le projectile vient frapper mon fils en pleine face et le projette à terre sur le dos avec un horrible « ploc ». Et rien n'est plus pareil.

En un temps que je ne perçois pas comme tel mais comme un vrombissement de moteur dans l'oreille, j'ai franchi la grille pour arriver sur l'herbe auprès de Paul ; on dirait que je me suis élancé avant le choc. À genoux, j'étreins son épaule, qui est toute nouée ; il a les coudes enfoncés serrés sur le buste, les mains sur le visage – couvrant les yeux, le nez, la joue, la mâchoire, le menton –, et de tout cela filtre un son continu, un « ououin » qui sort de lui, ratatiné sur la plaque, les genoux contractés, un petit tas dur de frayeur et de douleur fulgurante centrée sur l'endroit qui me reste caché, malgré mes efforts, mes mains empressées mais impuissantes, et mon cœur qui me résonne aux oreilles comme un canon ; la peur me hérisse et me détrempe le crâne.

« Laisse-moi voir, Paul, dis-je, un octave trop haut, en essayant de parler calmement. Tu n'as rien de grave ? »

La cinquième balle vient me frapper l'occiput d'un coup scc, et rebondit dans le filet.

« Ououin, ououin, ououin… »

Des gens. J'entends leurs pas sur le ciment. « Appelez vite », crie quelqu'un. « J'ai entendu le bruit résonner jusqu'à Albany. » « Oh, misère ! » La grille claque. Des chaussures. Des revers de pantalon. Des mains. L'odeur de cuir gras d'un gant de base-ball. Le N° 5 de Chanel.

« Ohhh ! » exhale Paul en un aveu de douleur.

Il se tourne sur le côté, sans décoller les coudes, ni ôter les mains de son visage, l'oreille encore sanglante des suites de ma brutalité.

« Paul, dis-je, avec un reste de voile rouge devant les yeux, laisse-moi voir, mon fils. »

Ma voix défaille un peu, et je lui tapote l'épaule du bout des doigts comme si je pouvais le réveiller et faire qu'il arrive autre chose, qui ne soit pas si affreux.

« Frank, il y a une ambulance qui arrive », dit quelqu'un au milieu des jambes, des mains, des souffles qui me cernent, quelqu'un d'autre que mon fils qui sait que je m'appelle Frank. Un homme. En entendant d'autres pas, je regarde en l'air et autour de moi, effrayé. Des Braves et des A se tiennent derrière la clôture, leurs femmes à côté d'eux, l'air sombre, perturbé. J'entends demander : « Il ne portait pas de casque ?

– Non, il n'en portait pas, dis-je à qui veut l'entendre. Il était tête nue.

– Ououin, ououin », geint Paul à nouveau, le visage enfoui dans ses mains, ses cheveux châtains sur la plaque blanche et sale.

C'est un cri que je ne connais pas, qu'il n'a jamais poussé à portée de mon oreille.

« Paul ! dis-je. Paul ! Reste tranquille, mon fils ! »

J'ai l'impression que rien ne se passe pour lui apporter secours. Pourtant, j'entends deux coups de sirène, pas très loin, puis un rugissement de moteur, puis trois coups de sirène. « O.K., c'est bon. » Encore un bruit de piétinement. En serrant dans mes mains son épaule – il a le dos tourné vers moi –, je sens combien le corps de Paul s'est durci, combien il est exclusivement concentré sur sa blessure.

« Frank, reprend la voix de tout à l'heure, laissez ces gens faire ce qu'ils peuvent. Ils vont le secourir. Laissez-leur la place. »

Le pire. C'est le pire qui pouvait arriver.

J'ai la tête qui tourne en me relevant et reculant parmi les autres. Quelqu'un qui me tient le haut du bras dans sa grande main m'aide doucement à m'écarter, tandis qu'une femme courtaude en chemise blanche et short bleu moulant son gros derrière, puis un homme plus mince, vêtu de la même manière mais muni d'un stéthoscope passé à son cou, se faufilent, se mettent à quatre pattes dans le gazon artificiel et commencent à soumettre mon fils à des traitements que je ne peux pas voir mais qui lui arrachent un « Nooon ! » suivi du même « Ououin… ». Je me pousse en avant et m'entends dire aux gens qui se sont attroupés tout autour :

« Laissez-moi lui parler, laissez-moi lui parler. Tout ira bien. » (Comme si je pouvais le convaincre de ne pas être blessé.)

« Allons, Frank, attends une seconde, intervient cet

476

homme qui est là et qui me connaît. Ne bouge pas. Il vaut mieux que tu te tiennes tranquille et que tu les laisses faire. »

Je lui obéis. Je reste planté parmi la foule tandis qu'on s'active sur mon fils ; mon cœur martèle ses parois jusque dans mon ventre, j'ai les doigts glacés et mouillés de sueur. Celui qui m'a appelé Frank se tait sans lâcher mon bras ; je me tourne soudain vers lui pour examiner sa longue figure juive au menton glabre, aux grands yeux noirs derrière les lunettes et au crâne bronzé, et je lui demande, comme si j'avais le droit de le savoir :

« Qui êtes-vous ? » (Les mots restent inaudibles.)

« Je suis Irv, Frank. Irv Ornstein. Le fils de Jake. »

Il me sourit comme pour s'excuser et serre plus fort mon bras.

Le voile rouge qui teignait l'atmosphère disparaît enfin. Voilà un nom – Irv – et des traits (changés) qui surgissent d'un lointain passé. Skokie, 1964. Irv – le bon fils du bon mari numéro deux de ma mère, bref, mon demi-frère par alliance –, parti pour Phoenix avec son père, après la mort de ma mère.

Ne sachant que dire à Irv, je me contente de le regarder tel un revenant.

« Ce n'est pas le moment idéal pour se retrouver, je sais bien, observe Irv face à mon visage sans voix. On vous a aperçus dans la rue ce matin, près de la caserne des pompiers, et j'ai dit à Erma : "Je connais ce type-là." C'est sans doute ton fils qui a été blessé ? » murmure-t-il.

Il jette un coup d'œil inquiet au personnel médical penché sur Paul, qui recommence à hurler « Nooon ! » entre leurs mains.

« Oui, c'est mon fils, dis-je en esquissant un mouvement vers le cri, mais Irv me ramène en arrière.

– Laisse-leur juste encore deux, trois minutes, Frank. Ils savent ce qu'ils font. »

En tournant la tête de l'autre côté, je découvre une femme minuscule, appétissante, à la chevelure de blé, trente ans et quelque, moulée dans un vêtement d'une seule pièce, pêche et jaune, qui a l'air en plastique et ressemble à une combinaison d'astronaute. Elle me tient par le coude comme si

477

elle aussi me connaissait bien ; Irv et elle semblent s'être mis d'accord pour me soutenir. Elle pourrait être haltérophile ou monitrice d'aérobic.

« Je m'appelle Erma, me dit-elle en clignant de l'œil comme une demoiselle de vestiaire. Je suis sûre qu'il n'a rien de grave. Il a peur, le pauvre petit, voilà tout. »

Elle regarde à son tour les deux personnes penchées sur mon fils ; le doute semble l'effleurer et sa lèvre inférieure exprime la compassion. C'est d'elle que provenait la bouffée de Chanel. J'entends le diagnostic du toubib :

« C'est l'œil gauche.

– Ohhh ! » gémit Paul.

Quelqu'un, derrière moi, s'exclame « Pouah ! ». Les Braves et les A commencent déjà à se disperser. « Ils disent que c'est l'œil qui a pris », annonce une femme, et un homme ajoute : « Sûrement qu'il avait pas de lunettes de protection. » « Y a marqué "Clergy", remarque un autre. C'est peut-être un pasteur. »

« Où tu habites, maintenant, Frank ? » me demande Irv, toujours à voix basse.

Sa main semble encercler le haut de mon bras, il me tient fermement. Costaud, bronzé, l'air poilu, type ingénieur, il porte un pantalon de jogging bien coupé, bleu à passepoil rouge, et un gilet jaune sans rien dessous. Il est beaucoup plus grand que dans mon souvenir de l'époque où nous étions étudiants, moi à l'université du Michigan et lui à Purdue.

« Pardon ? » (Ma propre voix me paraît rendre un son plus calme que je ne me sens.) « Dans le New Jersey. À Haddam.

– Qu'est-ce tu fais par là-bas ? chuchote Irv.

– Je suis dans l'immobilier. »

Soudain, je le dévisage, avec son front large et sa bouche aux grosses lèvres, mais sympathique. Je me le rappelle complètement, et en même temps je n'ai aucune idée de qui il est. Je regarde sa main poilue nouée à mon bras, et je remarque qu'il porte un diamant au petit doigt.

« On arrivait juste pour te parler au moment où ton gosse a encaissé ce sale coup, reprend Irv, avec un hochement de tête à l'adresse d'Erma.

– Ça tombe bien », dis-je, les yeux fixés sur le dos large, marqué par un vaste soutien-gorge, de la secouriste, comme si c'était de cette partie d'elle que j'attendais la première indication conséquente.

Elle se relève à cet instant et se retourne vers nous et les deux ou trois autres personnes qui sont encore là.

« Y a-t-il quelqu'un ici qui soit responsable de ce jeune homme ? demande-t-elle avec l'accent dru du sud de Boston, en sortant de l'étui suspendu à sa ceinture un gros walkie-talkie noir.

– Je suis son père », dis-je, haletant, en me dégageant de l'emprise d'Irv.

Elle tient son walkie-talkie levé vers moi, le doigt sur le bouton rouge, comme si elle s'attendait que j'aie un message à faire passer.

« Ouais, bon », dit-elle de sa voix de forte pépée. (Elle doit avoir la quarantaine, peut-être moins. Sa ceinture est garnie de tout un attirail médical.) « O.K., commençons par le commencement. Il faut qu'on l'amène à Oneonta sans perdre de temps.

– Qu'est-ce qu'il a ? »

J'ai posé la question trop fort, dans ma terreur de l'entendre annoncer que le cerveau de Paul est bousillé.

« Eh bien, que… c'est une balle de base-ball qui l'a frappé ? » (Elle déclenche son walkie-talkie, qui émet un grésillement de parasites.)

« Oui. Il avait omis de mettre un casque.

– Bon, il a pris le coup en plein dans l'œil. O.K. ? Et franchement, je ne peux pas vous dire s'il y voit encore, parce c'est déjà enflé et tout plein de sang, et qu'il veut pas soulever la paupière. Mais il a besoin de voir quelqu'un le plus vite possible. Pour les blessures de l'œil, c'est Oneonta. Ils ont des spécialistes.

– Je vais l'y conduire. »

Les battements de mon cœur s'accélèrent. Cooperstown, pas une vraie ville pour de vraies blessures.

« Il faut que vous me signiez une décharge si vous l'emmenez. Nous, on peut être là-bas dans vingt minutes – vous mettrez plus longtemps –, et il sera stabilisé, sous monitoring. »

479

Je lis son nom sur sa plaque argentée : « Oustalette » (il faudra que je m'en souvienne).

« D'accord, très bien. Alors je monte avec vous. »

Je me penche sur le côté pour regarder Paul, mais je ne peux voir que ses jambes nues, ses Reeboks marquées d'un éclair, ses chaussettes orange et l'ourlet de son short marron derrière l'autre secouriste, encore agenouillé près de lui.

« Notre assurance ne l'autorise pas, dit-elle d'un ton de plus en plus professionnel. Il faudra que vous suiviez dans un autre véhicule. »

Elle appuie à nouveau sur le bouton rouge du walkie-talkie. Elle est pressée de partir.

« Parfait. Je prends ma voiture, dis-je avec un sourire d'angoisse.

– Frank, laisse-moi t'emmener, intervient fermement Irv Ornstein à mon côté, en se resaisissant de mon bras comme si j'allais m'enfuir.

– O.K., dit Ms. Oustalette, qui commence aussitôt à parler dans le micro de son gros Motorola sans même se détourner. Cooperstown Seize ? On transporte un adolescent race blanche, sexe masculin, en urgence à l'A.O. Fox. Ophtalmo. Facturation… »

Pendant un instant, j'entends le moteur de son ambulance tourner au ralenti, deux battes qui résonnent coup sur coup sur le terrain, de l'autre côté de la clôture. Puis soudain cinq immenses chasseurs à réaction nous arrivent dessus, volant bas et absurdement près les uns des autres, ailes en lames de couteaux, et leur tonnerre les suit avec un battement de cœur de retard. Saisis, nous regardons tous en l'air. Les avions sont bleu foncé sur l'azur du ciel matinal. (Qui croirait que c'est encore le matin ?) Dans l'attente de sa confirmation, Ms. Oustalette ne lève même pas les yeux.

« Les Blue Angels, dit Irv à mon oreille assourdie. Vachement près. Ils font une démonstration ici, demain. »

Je m'écarte de lui pour aller vers Paul. Le secouriste vient de s'éloigner, et il gît tout seul sur le dos, d'une pâleur de coquille d'œuf ; ses mains cachent toujours ses yeux, son ventre mou, nu en-dessous du T-shirt « Clergy », se soulève et retombe pesamment à chaque respiration. Il émet un gémissement sourd et rauque de douleur profonde.

« Paul ? dis-je tandis que le rugissement des Blue Angels s'évanouit au-dessus du lac.

– Ouhh…

– C'étaient seulement les Blue Angels qui nous survolaient. Ça va aller.

– Ouhh », répète-t-il simplement, sans enlever les mains de son visage, les lèvres entrouvertes et sèches ; son oreille ne saigne plus, le tatouage « insecte » m'obnubile – sa concession aux mystères du siècle à venir. Paul sent la sueur, il transpire abondamment et il a froid, comme moi.

« C'est ton papa.

– Ouhh-nouhh… »

Je glisse la main dans la poche de son short pour en extraire délicatement mon appareil photo. J'envisage de lui enlever son casque de Walkman, mais j'y renonce. Il ne fait aucun mouvement, mais ses chaussures bougent d'un côté et de l'autre sur le faux gazon. Je pose les doigts sur sa cuisse au duvet blond, à la limite de la peau plus blanche.

« Ne crains rien.

– Ça va très bien maintenant, dit Paul d'une voix étouffée sous ses mains, mais distincte. Vraiment, ça va. » (Il inspire profondément par le nez, retient l'air dans ses poumons, longuement et péniblement, puis le laisse s'échapper peu à peu. Je ne peux pas voir son œil blessé et n'en ai pas envie, mais je le regarderais s'il me le demandait.) « Ne donne pas ces cadeaux à maman et Clary, d'accord ? reprend-il d'un ton rêveur. Ils sont trop merdiques. »

Son calme m'inquiète.

« D'accord. Bon. On va t'emmener à l'hôpital d'Oneonta. J'y vais de mon côté, dans une autre voiture. » (Je suppose que personne ne l'avait informé qu'il allait à Oneonta.)

« Yep, dit-il en soulevant la main de son œil intact, gris et mouillé, pour me regarder, en gardant l'autre à l'abri de la lumière et de ma vue. Tu es obligé d'en parler à maman ? »

Les cils battent sur son œil unique.

« Ne t'inquiète pas, dis-je avec la sensation de décoller de terre. Je lui présenterai ça comme une blague.

– D'ac. » (Son œil se ferme.) « On n'ira plus au Hall of

481

Fame, maintenant, ajoute-t-il en devenant presque inaudible.

– On ne sait jamais. La vie est longue.

– Ah bon... »

J'entends derrière moi les grincements d'un brancard et la voix officielle, plus grave, d'Irv :

« Fais-leur de la place, Frank. Laisse-les faire leur boulot, à présent.

– Tiens bon, là-bas », dis-je à Paul, qui se tait.

Je me relève, mon appareil photo à la main, et on m'écarte. Paul disparaît à nouveau à ma vue tandis que Ms. Oustalette entreprend de glisser sous lui la civière.

« Ça va ? l'entends-je demander tandis qu'Irv me tire en arrière.

– Paul Bascombe, répond mon fils à la question de quelqu'un. Non », dit-il encore en ce qui concerne les allergies, traitements et autres maladies.

Puis le voilà sur le brancard pliant et Irv continue de m'entraîner à l'écart, sur le bord de la cage de lancer où nous nous trouvons encore. Il ne reste presque plus personne. Un Brave et sa femme me regardent avec méfiance à travers le grillage. Je ne peux pas leur en vouloir.

« O.K. ? lance quelqu'un. On y va. »

Paul part vers la sortie, sous une couverture, la main toujours plaquée sur son œil atteint telle une victime de guerre, il franchit la grille et traverse l'asphalte en direction de l'ambulance jaune et clignotante – un Dodge Ram Wagon équipé d'antennes, de projecteurs et de gyrophares.

Irv et moi, nous regardons charger le brancard à bord, les portes se fermer, les deux secouristes faire le tour et monter sans précipitation excessive. Encore deux coups de sirène pour dégager la route, puis le moteur vrombit, embraie, d'autres lumières s'allument, l'énorme véhicule avance à peine, s'arrête, les roues pivotent, et on dirait qu'il se ramasse sur lui-même pour démarrer et disparaître rapidement en direction de Main Street, sans plus faire appel à la sirène.

11

Plein de sollicitude, Irv cherche un moyen de me distraire de mon désarroi ; il roule donc sur la Route 28 à la vitesse d'un enterrement, s'en remettant au contrôle automatique de sa Seville bleue, et il aborde les sujets qui seraient capables de le distraire de ses déboires et d'éclairer pour lui la vie sous un jour meilleur. Il porte de grosses sandales tressées qui, avec son gilet jaune sur son torse poilu et son crâne bistré gagné par la calvitie, le font ressembler à un parrain de la Mafia en vadrouille. Alors qu'en réalité son travail dans la Valley of the Sun consiste à élaborer des simulateurs de vol où s'entraînent les pilotes de toutes les grandes compagnies d'aviation, une compétence que lui ont assurée ses études d'ingénieur en aéronautique au California Institute of Technology. (Je croyais pourtant me rappeler qu'il était dans la métallurgie.)

Mais Irv n'a pas envie de développer le thème des « six affranchissements », qui constitue, m'apprend-il, le principe de base du simulateur (tangage, roulis, lacet, ascension, glissade latérale et vers l'arrière).

« Cela a trait aux informations transmises par l'oreille moyenne, et c'est de la pure routine », m'explique-t-il.

En revanche, il voudrait que lui et moi « on renoue les fils après tous ces déchirements », ce qui l'entraîne à me dire, à brûle-pourpoint, quelle femme merveilleuse était ma mère et quel « sacré bonhomme » son père était lui aussi, quelle chance ils avaient eue de se trouver sur le tard, et que son père lui avait confié que ma mère aurait toujours voulu se rapprocher de moi après son remariage, mais, d'après Irv, elle voyait bien que j'étais assez grand pour me prendre en charge et qu'à Ann Arbor je me préparais une foutue bonne carrière dans la branche que je choisirais (elle risquerait d'être surprise actuellement) ; et enfin, qu'il avait tenté plusieurs fois de me joindre au long des années, mais sans jamais y parvenir.

Tandis que nous roulons sans heurt entre les magasins d'usines de tricots et les carrossiers sur la 28, et plus loin les maisons de poupées, les carrés de maïs et les coteaux boisés vus hier en venant, je m'aperçois qu'Erma, la belle amie d'Irv, a disparu dans la nature et qu'il n'a même pas été question d'elle. Et je ressens son absence comme une vraie perte, car si elle était là assise sur la banquette arrière, je suis sûr qu'Irv conduirait plus vite, qu'ils causeraient ensemble et compatiraient en silence à mes tourments.

Irv se met à parler de Chicago, « Cheucôgueuh », comme il dit, où il envisage de retourner vivre, à Lake Forest, éventuellement (près des parents de Wally Caldwell), car l'industrie aéronautique ne va pas tarder à battre de l'aile, à son avis. À l'instar de tous les ingénieurs diplômés du monde, c'est un reaganien, et il se prépare à « appuyer » Bush, tout en sachant que les Américains aiment les hommes décidés, et que Bush ne brille pas sous cet aspect-là, mais, selon lui, il vaut quand même mieux que n'importe lequel des « nains mentaux » que mon parti présente actuellement. Cependant, il n'exclut pas absolument le vote de protestation, ou pour un candidat indépendant, dans la mesure où le Parti républicain a trahi le salarié moyen comme les nazis avaient trahi « leurs amis tchèques ». (Je ne le vois guère se mettre à soutenir Jackson.)

J'ouvre à peine la bouche, songeant tristement à mon fils et à cette journée, en proie à une sensation de deuil cruel, sans espoir. Il n'y a plus de « semblant ». Tout *est* indéniable. Dans un monde meilleur, Paul aurait bloqué à main nue une balle à tir tendu expédiée par la batte de l'un des pseudo-A, il serait parti fièrement pour le Hall of Fame avec la satisfaction de sa paume enflée, il se serait intéressé sans excès au vestiaire de Babe Ruth, à la vidéo de Johnny Bench et aux enregistrements sonores des réactions du public des années 30. Ensuite, nous nous serions promenés au grand soleil vibrant de ce dimanche, nous nous serions offert un milk-shake Belle Époque, procuré de l'aspirine, fait faire notre caricature tous deux ensemble en tenue antique de base-balleurs, payé quelques bonnes rigolades, nous aurions joué au Frisbee, tiré mes fusées de feu d'artifice au bord d'une anse déserte du lac et terminé la journée de bonne heure, couchés dans l'herbe sous un orme rescapé ; là, je lui aurais expliqué que les bonnes manières sont d'un prix irremplaçable et qu'une foi raisonnable dans le progrès (même s'il s'agit d'une fiction chrétienne) peut aider, de façon pragmatique, à affronter une vie sans doute hasardeuse et longue. Plus tard, cap au sud, j'aurais emprunté une route secondaire et l'aurais laissé s'exercer à conduire, puis nous aurions bâti le projet de sa venue à Haddam pour la rentrée d'automne, dès que seraient réglés ses problèmes face à la loi. En d'autres termes, la journée aurait servi à repousser et à neutraliser les fantômes du passé, à établir un programme d'avenir prometteur, basé sur le postulat que l'indépendance n'est pas la même chose que l'isolement ; tous les anneaux concentriques se seraient mis en place, et un véritable synchronisme juvénile (plus d'aboiements, plus de couinements) aurait pu s'épanouir, tel que seule le permet la jeunesse.

Au lieu de quoi, le remords. La douleur. Le reproche. La cécité (ou au moins des verres correcteurs). L'accablement. De pénibles expéditions à New Haven, la longue route tout seul au volant, et le sentiment final que le progrès n'est que frustration. Bref, rien de plus que si nous étions restés chez nous ou retournés voir l'échelle à saumon. (À présent, j'en suis sûr, Paul ne viendra jamais vivre avec moi.)

Irv, rendu muet par le respect ou par l'ennui, atteint le sommet de la dernière côte au-dessus de la I 88, et, à travers le pare-brise teinté, je vois se déployer en longueur un champ de maïs sinueux dans l'étroite vallée du Susquehanna, juste à l'intersection des deux routes. Un faisan surgit d'entre les hautes tiges vertes, ses couleurs chatoient au ras des touffes, il prend appui sur une clôture pour redisposer ses ailes, puis franchit à moitié la route à quatre voies et se pose sur l'herbe du terre-plein central.

Par qui ou par quoi a-t-il été effrayé ? Est-il en sûreté, là, en plein milieu ? A-t-il une chance de survivre ?

« Tu sais, Frank, dans mon boulot, on peut se retrouver

accro à une métaphore trop envahissante », déclare Irv, n'en pouvant plus du silence et embrayant sur ce qu'il a en tête au moment où nous bifurquons vers l'ouest en direction d'Oneonta, la vieille ville de brique. (Je reconnais un réflexe d'homme trop solitaire.) « Rien d'autre ne te paraît aussi captivant que la simulation, une fois que tu es plongé là-dedans. Tu as l'impression qu'on peut simuler n'importe quoi. Seulement, ajoute-t-il, en me regardant pour marquer la gravité du propos, les gens qui font ça le mieux sont ceux qui laissent leur travail au bureau. Ce ne sont peut-être pas toujours les plus géniaux, mais ils font la distinction entre la simulation et la vie. Ce n'est qu'un outil, en réalité. » (Du revers de deux doigts, Irv donne une petite piche-nette à son propre outil pour le remettre en place.) « C'est dangereux de confondre les deux.

– Je comprends, Irv. »

Venu à Cooperstown pour assister demain à l'un de matches de l'O'Malley Fantasy (contre les White Sox 59*), Irv est en fait un brave homme. Je regrette de ne pas le connaître mieux.

« Tu es marié, Frank ?

– Pas actuellement. »

Les articulations de mes bras et de mes épaules sont contractées et douloureuses, comme si c'était moi qui avais eu un accident, ou si j'avais vieilli de vingt ans en une heure. En outre, je broie mes mâchoires l'une contre l'autre et, d'ici à demain, je suis sûr que j'aurai encore perdu quelques précieux angströms d'émail dentaire. Je signale à Irv le panneau bleu marqué d'un H blanc, et nous prenons la direction indiquée pour pénétrer en ville, où tout le monde est à l'église et où il y a peu de circulation.

« Erma s'essaie à être ma troisième épouse », dit Irv d'un ton sérieux, comme s'il s'interrogeait consciencieusement sur le concept d'épouse (mais pas sur l'endroit où peut être Erma en ce moment). « Quand tu vois un grand mec aussi moche que moi avec cette jolie fille, Frank, tu comprends que tout est affaire de chance. La chance, voilà tout. Ça, et savoir écouter. » (Il avance un peu ses lèvres épaisses et

---

* White Sox : équipe de base-ball de Chicago. *(N.d.l.T.)*

lisses à la manière de Mussolini, d'un air d'être disposé à écouter tout de suite pour peu qu'il entende quelque chose qui en vaille la peine.) « Tu as pu emmener ton fils visiter le Hall of Fame ?

– On était sur le point d'y aller, Irv. »

Je guette en vain un autre panneau avec le « H », et je crains qu'il ne nous ait échappé et que nous nous retrouvions à l'autre bout de la ville et de retour sur l'*Interstate* dans le mauvais sens, comme à Springfield. Nous perdrions un temps précieux.

« Il faudra vraiment y retourner quand tout ça sera fini. C'est formidable. Une éducation en soi, à vrai dire, une journée n'y suffit pas. Ces types-là, ceux des premiers temps, ils jouaient parce qu'ils en avaient envie. Parce qu'ils en étaient capables. Pour eux, c'était pas une carrière. C'était un sport, simplement. À présent, poursuit Irv, réprobateur, c'est le gain… »

Sa voix se perd. Je sais qu'il vient de s'entendre se donner beaucoup de mal pour un demi-frère par alliance perdu de vue depuis longtemps, dont il commence peut-être à se souvenir plus en détail, à se dire qu'il ne l'a jamais beaucoup aimé et qu'il ne tient pas à le revoir, même s'il est capable de simuler la cordialité et de lui rendre service ainsi qu'il le ferait pour un auto-stoppeur invalide sous une tempête de neige, même si ledit invalide était un criminel.

« Les hasards incontrôlables nous font tels que nous sommes… hein, Frank ? » reprend Irv, changeant de sujet.

En même temps, il vire subitement à gauche dans une allée paysagée qui mène à un bâtiment d'hôpital tout neuf, trois étages de verre et de brique, surmontés d'antennes et de paraboles. L'hôpital A.O. Fox. La vigilance d'Irv ne s'était pas relâchée ; c'est moi qui étais dans les choux.

« C'est vrai, Irv, dis-je sans avoir tout saisi. Enfin, on peut voir les choses ainsi.

– Je suis sûr que ça va aller pour Jack », déclare-t-il en suivant les indications « Urgences » qui nous guident sur une allée circulaire, bordée d'arbustes.

L'ambulance jaune de Cooperstown Life Line repart en ce moment même, tous feux éteints, comme marquée par une issue fatale. Ms. Oustalette conduit tout en fumant une cigarette et parle d'un air animé à son acolyte anonyme, à peine visible dans l'ombre à côté d'elle.

« Chouette hôpital, dit Irv en se rangeant devant une série de portes coulissantes en verre avec la simple inscription "Urgences". Vas-y, Franky, lance-t-il, souriant, alors que j'ai déjà mis pied à terre. Je gare cet animal et je te rejoins.

– D'accord. » (Il irradie une compassion sans limites, qui n'a rien à voir avec de l'affection à mon égard.) « Merci, Irv, dis-je en m'attardant un instant dans l'ouverture de la porte, où la fraîcheur se substitue au soleil de plomb.

– Simule le calme », me recommande Irv en appuyant sur le cuir du siège un genou gainé de bleu.

Une frêle sonnerie stridule à l'intérieur.

« Il lui faudra sans doute porter des lunettes, voilà tout. »

Je secoue la tête en m'entendant émettre ce pronostic optimiste.

« Attends, tu verras. À l'heure qu'il est, tu vas peut-être le trouver en train de hurler de rire.

– J'aimerais bien. »

Oui, j'aimerais bien, d'autant que ce serait la première fois depuis longtemps.

Mais ce n'est pas du tout le cas.

Derrière le long comptoir des admissions, la réceptionniste m'annonce que Paul « a été emmené » – ce qui signifie qu'il est pour moi hors d'atteinte derrière des portes métalliques épaisses et luisantes – et qu'on a « convoqué spécialement » un ophtalmologue pour l'examiner. Si je veux bien m'asseoir « là-bas », le médecin ne tardera pas à venir me parler.

Mon cœur s'est remis à cogner face aux couleurs aseptisées, aux surfaces glacées, à l'aspect strict et inodore de tout ce qui m'entoure. (Tout est neuf ici, chromé, plastifié, et doit sûrement son existence à une grosse émission d'obligations.) Et c'est le règne lugubre et désespérant du fonctionnel ; rien n'est là pour son charme, ou mieux, gratuitement. Une corbeille de géraniums rouges serait bannie, un exemplaire des *Oiseaux en cage d'Amérique* jeté comme un trognon de pomme. Un guide de l'immobilier, une pile de billets pour *Annie Get Your Gun* ne traîneraient pas cinq minutes sans être mis à la poubelle. Les gens qui atterrissent ici ne sont pas en état d'apprécier des touches de grâce, proclament ces murs.

Je prends place nerveusement au milieu d'une rangée de sièges en plastique moulé rouge cerise et lève les yeux vers une télé fixée à une console hors de portée ; sur l'écran, le révérend Jackson répond à un groupe de Blancs en costume d'hommes d'affaires, rayonnants face à lui d'une assurance confite, comme s'ils le trouvaient distrayant ; de son côté, l'attitude du révérend exprime son propre sentiment de supériorité et un contentement de soi dédaigneux ; l'image muette accroît cette impression. (L'hiver dernier, j'ai momentanément fait de lui « mon candidat », avant de décider qu'il ne pouvait qu'être battu mais sinon ruinerait le pays, et que dans un cas comme dans l'autre il finirait par m'accuser d'être responsable de tout ce qui irait de travers.) N'importe comment, son compte est réglé, et si on le reçoit à la télé aujourd'hui, c'est seulement pour le ménager.

Les portes coulissantes sur l'extérieur s'ouvrent avec un bruit de soupir et Irv entre d'un pas nonchalant, vêtu de son jogging bleu, son gilet jaune et ses sandales. Il regarde autour de lui sans me voir, fait demi-tour et ressort sur le trottoir brûlant tandis que les portes se referment, comme s'il s'était trompé d'hôpital. Un titre en « crawl » au-dessous du visage d'un brun luisant du révérend Jackson annonce que les Mets ont triomphé de Houston, Graf de Navratilova, Becker de Lendl mais qu'il est en train de se faire battre par Edberg, et, pendant qu'on y est, que l'Irak a gazé des centaines d'Iraniens.

Soudain, les deux portes métalliques du service des urgences s'ouvrent grand, et une jeune femme en blouse de médecin, petite et blonde, la figure briquée à la scandinave, en émerge en tenant son bloc-notes. Son regard tombe tout de suite sur mon visage angoissé, tout seul dans la rouge salle d'attente des familles. Elle s'approche du comptoir où une infirmière me montre du doigt et, tandis que je me lève en arborant déjà un sourire de gratitude excessive, elle vient à moi avec une expression qui n'a rien de radieux. Je n'aimerais pas que ce soit à mon sujet que cette expression en dise long, et pourtant c'est bien moi qui suis concerné.

« Êtes-vous le père de Paul ? » commence-t-elle avant même d'arriver jusqu'à moi, en feuilletant les papiers accrochés à son bloc.

Ses tennis roses crissent sur le carrelage luisant, et sous sa blouse ouverte, on voit une fluide robe de tennis et des jambes courtes aussi brunes et râblées que celles d'une athlète. Elle n'a pas l'air de porter la moindre trace de maquillage ni de parfum, ses dents ont la blancheur du neuf.

« Bascombe, dis-je doucement, encore reconnaissant. Frank Bascombe. Mon fils s'appelle Paul Bascombe. » (Selon les tziganes, il suffit souvent d'un bon état d'esprit pour dissiper les mauvaises nouvelles.)

« Je suis le Dr Tisaris. » (Elle consulte à nouveau ses notes, puis rive sur moi des yeux bleus parfaitement neutres.) « L'œil gauche de Paul a malheureusement reçu un coup très, très mauvais, Mr. Bascombe. Il souffre de ce que nous nommons décollement de la partie supérieure gauche de la rétine. Ce qui signifie essentiellement… » (Elle bat des paupières.) « C'est une balle de base-ball qui l'a frappé ? »

Visiblement, elle ne parvient pas à le croire ; pas de lunettes de protection, pas de casque, rien.

« De base-ball, oui, dis-je, passablement inaudible, déserté par mon bon état d'esprit et ma foi tzigane. Au Doubleday Field.

– Bon, dit-elle, cela signifie que la balle l'a frappé légèrement à gauche du centre. Il risque d'y avoir atteinte de la tache jaune, dans la mesure où la partie antérieure de l'œil a été enfoncée dans la rétine. Le coup était d'une violence extrême.

– C'était la cage Express », dis-je en fixant le Dr Tisaris.

Jolie, svelte, malgré sa petite taille, mais musclée, c'est une petite Grecque athlétique ; il est vrai qu'elle porte une alliance, c'est donc peut-être son mari le gastroentérologue qui est grec, et elle serait alors aussi suédoise ou néerlandaise qu'elle en a l'air. En tout cas, même en tenue de tennis, elle inspirerait une confiance totale à n'importe qui.

« Pour le moment, poursuit-elle, son œil gauche garde une vision correcte, mais entrecoupée de flashs aveuglants, qui sont typiques d'un grave décollement. Vous devriez sans doute consulter un autre spécialiste, mais selon moi il faut opérer le plus vite possible. Avant la fin de la journée, de préférence.

– Décollement. Qu'est-ce que ça veut dire ? »

Je me sens glacé. Les infirmières, derrière le comptoir d'admission, me regardent bizarrement toutes les trois, et soit je viens de m'évanouir, soit c'est imminent, soit il y a dix minutes que j'ai perdu connaissance et je reviens à moi debout. Cependant, le Dr Tisaris, respectant un rigoureux protocole anti-évanouissement, ne semble s'apercevoir de rien. De sorte qu'au lieu de m'évanouir j'ancre mes dix orteils dans les semelles de mes chaussures et me cramponne au sol qui bascule. J'entends le Dr Tisaris prononcer le mot « détacher » et j'ai la conviction qu'elle m'expose le principe de son attitude éthico-médicale envers les blessures graves afin de m'encourager à l'imiter.

« Je vois, m'entends-je répondre, puis je me mords la joue au point de goûter la saveur de mon sang. Il faut d'abord que j'en parle avec sa mère.

– Se trouve-t-elle ici ? »

Abaissant son bloc, le Dr Tisaris exprime son incrédulité, comme si dans sa pensée il n'y avait pas de mère.

« Elle est au Yale Club.

– Il n'y a pas de Yale Club à Oneonta, que je sache, objecte-t-elle en cillant. Vous pouvez la joindre ?

– Oui, je pense, dis-je, encore vacillant.

– Il n'y a pas une minute à perdre. »

Son sourire est effectivement détaché, d'un professionnalisme impliquant toutes sortes de considérations qui ne me concernent pas particulièrement. J'avance que je voudrais d'abord voir mon fils.

« Il vaut mieux passer tout de suite votre coup de téléphone, pendant que nous lui mettrons un pansement sur l'œil, qui vous évitera d'être terrorisé. »

J'ignore pourquoi je regarde ses cuisses bombées et vigoureuses sous la blouse tout en me taisant, cramponné au sol, abreuvé de mon propre sang, abasourdi à l'idée que la vue de mon fils puisse me terroriser. Elle jette un coup d'œil à ses jambes, relève les yeux vers moi sans curiosité,

491

puis tourne simplement les talons et s'éloigne en direction du comptoir, me laissant me débrouiller pour trouver un téléphone.

Au Yale Club sur Vanderbilt Avenue, ni Mrs. ni Mr. O'Dell ne sont là. Il est midi, par un radieux dimanche veille de 4 Juillet, et il est normal que personne ne soit là. Tout le monde doit être en train de se promener devant Marble Collegiate, rayonnant de son haut, de faire la queue pour entrer au Metropolitan Museum ou au musée d'Art moderne, d'aller bruncher au Carlyle en écoutant Mozart ou dans un duplex d'ami privilégié, doté d'une véranda où prospèrent les ficus, les azalées et les hibiscus, et d'une vue magique sur l'Hudson.

Néanmoins, grâce à une vérification supplémentaire, il apparaît que Mrs. O'Dell a laissé un numéro « au cas où », que je compose dans ma cabine téléphonique immaculée de l'hôpital – juste au moment où le solide Irv fait à nouveau son entrée, balaie du regard le secteur, repère mon signe de main, lève le pouce, puis se retourne, les mains dans les poches de son pantalon de jogging, pour contempler le vaste monde d'où il vient. C'est un homme indispensable. Dommage qu'il ne soit pas marié.

« Résidence Windbigler », annonce une voix musicale d'enfant. (À l'arrière-plan, j'entends ma propre fille éclater de rire.)

« Bonjour, dis-je avec un parfait entrain. Mrs. O'Dell serait-elle là ?

– Mais oui. » (Une pause, des chuchotements.) « Qui la demande, s'il vous plaît ?

– Dites-lui que c'est Mr. Bascombe. »

À mes propres oreilles, mon nom sonne affreusement creux. Encore des chuchotements, une giclée de rire, et Clarissa prend le téléphone.

« Aââl-lô, dit-elle en imitant la voix plus grave de sa mère. Ici Ms. Dykstra. Que puis-je pour votre usage, monsieur ? » (Bien sûr, elle veut dire votre service. Mon cœur s'entrouvre pour accueillir un petit rayon de lumière.)

« Je voudrais passer commande d'une fille de douze ans, peut-être accompagnée d'une pizza.

– Quelle teinte désirez-vous ? demande Clarissa en jouant le jeu, bien que je l'ennuie déjà.

– Blanche avec le haut jaune clair. Pas trop grande.

– Ah, dans ce cas, il ne nous en reste qu'une. Et elle a tendance à grandir, alors pressez-vous de commander. Et pour la pizza, ce sera quoi ?

– Passe-moi vite ta maman, d'accord, ma chérie ? C'est assez sérieux.

– Paul recommence à aboyer, je parie. »

Clarissa pousse un petit aboiement à sa manière, qui provoque le rire étouffé de sa copine. Elles doivent être entre elles dans un merveilleux coin des enfants, avec isolation sonore, tous les accessoires électroniques ou autres de distraction et d'éducation dont l'humanité dispose, propres à garantir pour de longues années la tranquillité des adultes. Son amie aboie à son tour deux ou trois fois, histoire de voir l'effet que ça fait. Moi aussi, je devrais sans doute essayer. Peut-être que je me sentirais mieux.

« Ce n'est pas très drôle. Va me chercher ta maman, tu veux bien ? Il faut que je lui parle. »

À l'autre bout du fil, le combiné heurte une surface dure. « C'est une manie à lui », entends-je Clarissa dire sans indulgence à propos de son frère blessé. Elle émet encore deux aboiements, puis une porte s'ouvre et des pas s'éloignent. Ici, dans la salle d'attente, le Dr Tisaris réapparaît à la porte du service des urgences. Elle a boutonné sa blouse et enfilé un pantalon vert d'uniforme chirurgical ; ses pieds sont enfouis dans des housses également vertes. Elle est prête à opérer. Pourtant, elle s'approche du comptoir d'admission pour dire aux infirmières quelque chose qui les fait éclater d'un rire cousin de celui de ma fille et sa copine. Une infirmière noire entonne « Fillette, écoute-moi, écoute-moi un peu », puis elle se surprend en flagrant délit de chahut, me jette un coup d'œil et se masque la bouche, avant de tourner le dos pour cacher son hilarité persistante.

« Allô ? » lance Ann gaiement.

Elle ignore qui est au téléphone. Clarissa lui en a réservé la surprise.

« Salut. C'est moi.

– Vous êtes déjà arrivés ? »

Le ton montre qu'elle est contente de m'entendre, qu'elle vient de quitter les gens les plus passionnants de la terre avec qui elle était attablée, pour trouver encore mieux ici. Peut-être pourrais-je sauter dans un taxi pour me joindre à la fête. (Changement climatique spectaculaire par rapport à hier, presque certainement fondé sur son soulagement de découvrir que quelque chose s'est enfin terminé entre nous.)

« Je suis à Oneonta.

– Que se passe-t-il ? demande-t-elle, comme si Oneonta était une ville réputée pour les ennuis qu'on y rencontre.

– Paul a eu un accident, dis-je le plus vite possible, afin d'aborder tout de suite le complément d'information. Sa vie n'est pas en danger » (une pause), « mais les soins requis nécessitent que nous en discutions immédiatement.

– Qu'est-ce qu'il lui est arrivé ? » (Sa voix s'alarme.)

« Il a été frappé à l'œil. Par une balle de base-ball. Dans une cage de lancer.

– Il est aveugle ? » (L'alarme vire à l'épouvante. Je la comprends.)

« Non. Mais c'est assez grave. Les médecins estiment qu'il faut l'opérer très vite. » (J'ai préféré le pluriel.)

« L'opérer ? Où ça ?

– Ici, à Oneonta.

– Mais où est-ce ? Je vous croyais à Cooperstown. »

Pour Dieu sait quelle raison – quant à moi je l'ignore – cette remarque me met en colère.

« Ce n'est pas loin. Oneonta est la ville d'à côté.

– Quelle décision avons-nous à prendre ? »

C'est une panique glacée qui s'empare d'elle à présent ; non pas au sujet de ce qui est indépendant de sa volonté – l'accident inexpliqué de son fils survivant –, mais de la responsabilité qui lui incombe, comprend-elle instantané-ment, dans la décision à prendre, et à prendre sans se trom-per, étant donné que je suis un inconscient.

J'entends Clarissa intervenir comme si elle aussi avait des responsabilités :

« Qu'est-ce qu'il a ? Il a eu l'œil brûlé par une fusée de feu d'artifice ?

494

– Chut, lui chuchote sa mère. Non, ce n'est pas ça.

– Il faut que nous décidions si nous les laissons procéder ici à l'intervention chirurgicale, dis-je, morose. Ils pensent que le plus tôt sera le mieux.

– C'est l'œil ? articule-t-elle comme si la vérité commençait à lui apparaître. Et ils veulent l'opérer là-bas ? » (Je sais qu'elle fronce en ce moment ses sourcils épais et qu'elle triture ses cheveux sur la nuque, mèche par mèche, qu'elle tire de plus en plus fort jusqu'à ce que ça lui fasse mal. C'est une habitude récente chez elle. Jamais elle ne le faisait au temps où nous vivions ensemble.)

« Je prends l'avis d'un autre spécialiste. »

Bien entendu, je n'ai encore fait aucun pas dans ce sens. Mais j'en ai l'intention. Je contemple la télé au-dessus des sièges en plastique rouge. Le révérend Jackson a disparu. Sur l'écran, les mots « Crédit refusé ? » s'étalent sur fond bleu vif. Puis mon regard trouve Irv, toujours planté à proximité des portes coulissantes. Le Dr Tisaris n'est plus au comptoir d'admission. Il va me falloir la retrouver très vite.

« Cela peut-il attendre deux heures de plus ? demande Ann.

– Aujourd'hui, m'a-t-on dit. Je n'en sais rien. »

La colère m'a quitté aussi subitement qu'elle avait surgi.

« Je vais venir.

– Le trajet prend quatre heures. » (Trois, en réalité.) « Ça ne servira à rien. »

Je me mets à imaginer les routes encombrées par les congés. Les bouchons gigantesques. Une circulation de cauchemar. Tout ce qui m'a préoccupé vendredi, mais aujourd'hui c'est dimanche.

« Je peux prendre un hélicoptère au terminal d'East River. Charley le fait constamment. Il faut que je sois là. Explique-moi simplement où c'est.

– Oneonta, dis-je, avec un drôle de creux dans le thorax à la perspective de voir Ann arriver.

– En partant, je vais passer un coup de fil à Henry Burris. Il exerce à Yale-New Haven. Ils sont à la campagne pour le week-end. Il m'exposera toutes les options, il saura m'expliquer exactement de quoi il souffre.

« – Un décollement de la rétine, m'a-t-on dit. Tu n'as pas besoin de venir à la seconde.

– Il est hospitalisé là ? »

Ann est en train de tout noter, je le devine : « Henry Burris. Oneonta. Décollement, rétine, cage de lancer ? Paul, Frank. »

« Bien sûr ! Où veux-tu qu'il soit ?

– Quel est le nom exact de cet hôpital, Frank ? »

Elle a la détermination d'une infirmière zélée, et je suis réduit au rôle de parent éloigné.

« A.O. Fox. C'est sûrement le seul de la ville.

– Y a-t-il un aéroport ? » (Manifestement, elle a griffonné le mot « aéroport ».)

« Je l'ignore. Il devrait y en avoir un, en tout cas. »

Un silence s'établit, durant lequel il se peut même qu'elle ait cessé de prendre des notes.

« Ça va, Frank ? Tu n'as pas l'air très bien.

– Non, je ne me sens pas très bien. Mais je n'ai pas eu l'œil crevé.

– Il n'a pas vraiment l'œil crevé, si ? »

C'est l'imploration d'une mère qui ne tolère pas de dérobade.

« Non. Mais enfoncé, paraît-il. Ce n'est pas fameux.

– Empêche-les de lui faire quoi que ce soit. S'il te plaît. Jusqu'à ce que j'arrive. Tu veux bien ? » (La douceur subite de sa voix s'accorde au désarroi que nous éprouvons tous deux, sans que je puisse y remédier.) « Tu me le promets ? »

Elle n'a pas fait allusion à son rêve d'accident. Elle a eu ce tact envers moi.

« Absolument. Je vais parler tout de suite au médecin.

– Merci. Je serai là dans deux heures au plus tard. Tiens bon.

– Ne t'inquiète pas. Je ne bougerai pas. Et Paul non plus.

– Ce ne sera pas très long, conclut Ann, presque enjouée. D'accord ?

– D'accord.

– Très bien. »

Et c'est tout.

Pendant deux heures qui en deviennent trois qui en deviennent quatre, je tourne en rond dans le petit hall colorisé, tandis que tout reste en suspens. (En d'autres circonstances, ce serait un moment tout indiqué pour passer des appels à mes clients et penser un peu à autre chose, mais cela m'est impossible.) Irv, qui a renoncé à sa petite fête de l'après-midi avec les White Sox 59 pour me tenir compagnie, met le nez dehors vers deux heures et rapporte deux sachets rebondis de Satellite burgers, que nous mangeons machinalement, assis sur les sièges en plastique, tandis qu'au-dessus de nos têtes, à la télé, les Mets affrontent les Astros hors du temps et du son. Aux urgences, ce n'est pas une phase de grande activité. Plus tard, lorsque la nuit tombera et qu'on aura lampé trop de bière sur la rive du lac, qu'une ultime offensive sur le terrain de base-ball aura mis à mal un joueur, ou qu'un expert en chandelles romaines aura montré une petite faille dans ses connaissances, les ressources de ce service seront mises à l'épreuve. En attendant, on voit se présenter une blessure au couteau que la victime pourrait bien s'être infligée elle-même, une femme obèse qui souffre de mystérieuses douleurs dans la poitrine, le rescapé torse nu et commotionné d'un tonneau en voiture, mais ils arrivent un par un et sans fanfare (le dernier a été amené par les gens de Cooperstown, qui froncent les sourcils à mon adresse en s'en allant). Chacun finit par être relâché et livré à lui-même, le visage figé, marqué par la triste issue de la journée. Mais, au comptoir d'admission, les infirmières gardent leur bonne humeur. « Attendez un peu demain à la même heure, lance l'une d'elles, d'un air ébahi. On se bousculera ici autant qu'en plein boum à Grand Central Station. Le 4 Juillet, c'est le grand jour des accidents ! »

Vers trois heures, un jeune prêtre grassouillet aux cheveux ras passe devant nous, puis revient sur ses pas et s'immobilise devant Irv et moi, qui regardons la télé muette. En un murmure confidentiel, il nous demande si tout va bien et, dans le cas contraire, s'il peut faire quelque chose pour nous (non, tout ne va pas bien, non, il ne peut rien faire). Il poursuit alors son chemin vers le service de cancérologie.

497

Le Dr Tisaris fait quelques apparitions, quelque peu désœuvrée, semble-t-il. À un moment donné, elle s'arrête pour me dire qu'un grand spécialiste de la rétine à Binghamton est venu examiner Paul (je ne l'ai pas vu arriver), qu'il confirme la lésion rétinienne, et que « si c'est O.K., nous aimerions le préparer tout de suite pour pouvoir foncer dès que votre femme sera là. C'est le Dr Rotollo » (le caïd importé de Binghamton) « qui opérera ».

Comme je redemande si je peux aller auprès de Paul (je ne l'ai pas vu depuis le départ de l'ambulance à Cooperstown), le Dr Tisaris paraît contrariée mais elle acquiesce, tout en insistant sur le fait qu'il doit rester tranquille pour « minimaliser » l'hémorragie, qu'il a reçu une dose de sédatif et que par conséquent je pourrais peut-être me contenter de passer le voir à son insu.

Je laisse donc Irv pour la suivre, franchir sur ses talons la double porte et pénétrer dans un espace baigné d'une lumière crue, couleur amande, qui sent l'alcool à 90°, avec, sur les quatre murs, des ouvertures vitrées équipées d'un rideau vert. De lourdes portes aux poignées courbes, marquées « Chirurgie », donnent sur deux chambres isolées, et c'est là que se trouve Paul. Quand le Dr Tisaris pousse avec précaution la porte silencieuse, je découvre mon fils, couché sur le dos sur un lit à roulettes équipé de barreaux sur les côtés ; les deux yeux enveloppés de pansements, il ressemble à une momie, mais il a toujours son T-shirt noir « Clergy », son short marron et ses chaussettes orange ; on ne lui a enlevé que ses baskets, posés côté à côte contre le mur. Il a les bras croisés sur le torse d'un air impatient et sévère, les jambes tendues et raides. Un faisceau de lumière intense est braqué sur son visage bandé, et il a son casque aux oreilles, branché sur un Walkman jaune que je n'ai jamais vu, posé sur sa poitrine. Il ne me semble pas souffrir particulièrement et, à part les pansements, il n'a pas l'air en butte à la malfaisance du monde (à moins qu'il ne soit mort, puisque je ne détecte aucun mouvement respiratoire, ni frémissement des doigts, ni secousse des orteils en réponse à ce que diffusent ses écouteurs). Je remarque qu'on a refait le pansement de son oreille.

Évidemment, je voudrais de tout mon cœur courir à lui

498

pour l'embrasser. Ou bien, à défaut, attendre ici, en m'effaçant entre les plateaux d'instruments, les tuyaux d'oxygène, les défibrillateurs, les réceptacles à seringues usagées et les distributeurs de gants de caoutchouc : assis sur un tabouret, monter la garde, être une présence pour mon fils, « utile » au moins virtuellement, puisque mes apports réels semblent avoir fait long feu ; un accident grave peut dévier le cours de la vie et l'expédier dans une direction entièrement nouvelle, reléguant dans le passé l'être indemne d'avant, et les bonnes intentions de ses proches.

Mais il est exclu de m'incruster autant que de l'embrasser, et je reste simplement debout à côté du Dr Tisaris à regarder Paul, tandis que le temps passe. Une minute. Trois. Je vois enfin la respiration soulever son T-shirt et mes oreilles s'emplissent d'un sifflement, si fort que, si quelqu'un me parlait, prononçait à nouveau mon nom à haute voix dans mon dos, je ne l'entendrais sans doute pas et continuerais de ne percevoir que ce sifflement, semblable à de l'air qui s'échappe, à de la neige qui glisse d'un toit ou au vent qui souffle sur la branche d'un pin – le sifflement de l'acceptation.

À cet instant, sans raison apparente, Paul tourne légèrement la tête vers nous, comme si, ayant entendu quelque chose (mon sifflement ?), il savait qu'on l'observe et pouvait m'imaginer, moi ou quelqu'un d'autre, au travers d'un rideau de ténèbres rougeâtres.

« O.K., lance-t-il de sa voix de gamin, qui c'est qui est là ? »

Il tripote à tâtons son Walkman pour réduire le volume. Certes, il se peut qu'il ait posé la même question à maintes reprises lorsqu'il n'y avait personne.

« Je suis le Dr Tisaris, Paul, dit-elle, parfaitement calme. N'aie pas peur. »

Le sifflement s'arrête.

« Qui c'est qui a peur ? réplique-t-il, toute vision obturée par ses pansements.

– As-tu encore des éclairs de lumière ou de couleurs vives ?

– Ouais, un peu. Où est papa ?

– Il t'attend. » (Elle pose un doigt frais sur mon poignet.

Il ne faut pas que je parle. Je suis déjà le vecteur de trop de problèmes.) « Il attend que ta maman arrive ici, pour que nous puissions te réparer ton œil. »

Sa blouse amidonnée frotte l'embrasure de la porte. Je hume une légère senteur exotique qui s'en exhale pour la première fois.

« Dites à mon père qu'il fait trop d'efforts pour tout maîtriser. Il se tourmente trop, aussi. »

Sa main qui porte le tatouage et la verrue va chercher ses parties génitales et les manipule du même geste qu'Irv, comme si les lumières étaient éteintes et si personne n'y voyait rien. Puis il soupire : une infinie patience puisée dans une infinie sagacité.

« Je veillerai à ce que ce message lui parvienne », répond le Dr Tisaris d'une voix neutre et professionnelle.

Et c'est cette voix-là qui me fait tressaillir, un tressaillement profond qui part des genoux et me crispe la bouche, assez fort pour m'obliger à me racler la gorge, à détourner la tête et à déglutir. C'est la voix décantée du monde extérieur : « Je veillerai à ce que ce message lui parvienne ; je regrette, l'emploi est déjà pris ; nous avons quelques questions à vous poser ; désolé, je ne peux pas vous parler pour l'instant. » Et ainsi de suite, jusqu'à « J'ai le regret de vous informer que votre père, votre mère, votre sœur, votre fils, votre femme, votre chien, qui que ce soit dont la vie vous est chère est parti, a disparu, a été appelé ailleurs, blessé, mutilé, vient d'expirer ». Tandis que la mienne – la voix muette de l'inquiétude, de l'amour, de la patience, de l'impatience, de la loyauté, de l'étourderie, de la compréhension et du consentement bienveillant – est l'expression ténue de la petite vie d'avant, qui s'en va. Mon dessein était de faire du Hall of Fame, impersonnel mais se prêtant au partage, le terrain de mise en place d'un nouveau départ dans la vie (et cela a failli réussir) ; au lieu de quoi s'y est substitué un hôpital régional où abondent les pronostics, les voix neutres, l'indifférence affable, les faits dans toute leur dureté froide et incontournable. (Pourquoi se trouve-t-on toujours pris au dépourvu, ainsi que moi en ce moment, par l'échec d'un projet ?)

« Vous avez des enfants ? demande Paul à son médecin bronzé, d'une voix aussi neutre que la sienne.

– Non, répond-elle en souriant. Pas encore. »

Je devrais rester, écouter mon fils exprimer son point de vue sur l'éducation des enfants, un sujet dont il possède une expérience sans égale. Mais mes propres pieds s'y opposent et m'entraînent en arrière, hors d'atteinte, à travers la salle vert amande, tout droit vers la double porte métallique, retraite assez similaire à celle que j'adoptais autrefois, lorsque je l'entendais en grande conversation avec ses « amis » imaginaires et que je ne pouvais pas non plus le supporter, privé de mes moyens et le cœur serré face à son autosuffisance inspirée et presque parfaite.

« Quand vous en aurez, l'entends-je dire, prenez garde de ne pas… »

J'ai déjà franchi la porte et me retrouve dans la fraîche salle d'attente des familles, amis et apparentés, où j'ai ma place.

À quatre heures, Ann n'étant toujours pas là, Irv et moi décidons d'aller faire un tour à l'extérieur de l'hôpital en cet après-midi d'été, et de traverser la pelouse pour rejoindre les rues d'Oneonta, une ville où je n'aurais jamais imaginé que mes pérégrinations puissent m'amener ; où je ne me serais jamais imaginé en père condamné à l'attente, alors que c'est mon sort depuis des lunes.

Irv affiche un entrain encore plus accentué, normal puisqu'il assiste à des faits douloureux qui ne le sont pas vraiment pour lui, dont il s'affligera s'ils tournent mal mais sans en être réellement endeuillé. (À la manière de Bernie, le second mari de votre tante Beulah, qui s'autorise à raconter de bonnes blagues à l'enterrement de votre grand-père et, ce faisant, réconforte tout le monde.)

Nous partons d'un pas résolu dans l'herbe tondue, puis sur le trottoir surchauffé, qui descend à flanc de colline vers le centre de la ville, le long d'une rue principale beaucoup plus fréquentée à présent que les églises ont relâché leurs fidèles. De grands hickorys à l'écorce hirsute et châtaigniers d'Amérique, descendants de notre forêt primaire, ont poussé leurs racines à travers le ciment fragmenté et rendent la marche difficile. La rue est bordée de vieilles résidences délabrées, construites en haut des murs de soutènement, devenues grises et miteuses au fil des ans, et qui ne vaudront bientôt plus rien si l'on ne se dépêche pas de s'en occuper. Certaines sont abandonnées, d'autres arborent la bannière étoilée, deux ou trois le fameux ruban jaune, et plusieurs ont des écriteaux À LOUER, À VENDRE, ELLE EST À VOUS SI VOUS L'EMPORTEZ. Dans mon métier, c'est ce qu'on appelle l'« affaire d'un menuisier », « premier logement de jeunes mariés », « pas pour n'importe qui », « pour amateurs de fantômes », « prix à discuter » – autant d'expressions de la dégringolade.

Irv, étant Irv, tient à aborder un thème, et en l'occurrence son thème est la « continuité », qui lui semble être ces temps-ci l'objectif primordial de sa vie ; il admet bien volontiers que ce souci peut être lié à sa judaïté et à la nécessité de se défendre, à la pression de l'histoire et à une phase importante de sa vie : après le naufrage de son premier mariage, un sale coup pour la continuité, il est allé dans un kibboutz où il a labouré la terre biblique, sèche et ingrate, lu la Torah, passé six mois éprouvants dans l'armée israélienne et fini par épouser une autre kibboutznik (venue de Shaker Heights) ; cette nouvelle union n'a pas non plus duré longtemps et elle a abouti à un divorce cuisant, vindicatif et navrant du point de vue religieux.

« J'ai appris plein de choses au kibboutz », dit Irv en faisant claquer sur le vieux trottoir ses sandales tressées.

Tandis que nous descendons d'un bon pas la rue principale, il semble que nous nous dirigions, sans préméditation aucune, vers l'enseigne rouge d'un *Dairy Queen*, plus bas dans le centre commercial d'Oneonta, zone où les maisons s'arrêtent et qui pourrait n'être pas très sûre pour les gens de passage (un quartier en voie de transformation).

« Tous les gens que je connais qui sont allés là-bas ont trouvé ça très intéressant, même si ça ne leur plaisait pas trop », dis-je, alors qu'en réalité je ne connais personne qui soit allé dans un kibboutz, et que tout ce que je sais là-dessus, je l'ai lu dans le *Trenton Times*.

Mais Irv n'est pas une mauvaise publicité pour ce mode

de vie, car c'est un type correct, prévenant et pas du tout chiant. (Entre-temps, je me suis remémoré comment il était dans son adolescence : le « grand garçon » exubérant, conciliant, crédule mais complexe qui avait eu besoin de se raser dès l'âge le plus tendre.)

« Tu sais, Frank, la pratique du judaïsme n'est pas confinée à la synagogue, reprend-il d'un ton solennel. À Skokie, quand j'étais petit, je ne m'en doutais pas. Pourtant, ma famille n'a jamais été dévote. »

Slap-slap, slip-slap, slip-slop. Les durs du patelin, avec leur petite amie blottie sous leur volumineux biceps, paradent dans la rue au volant de leur Trans Am ou de leur sombre S-10 (pas de Monza). Irv et moi, nous avons l'air de deux péquenauds lettons en costume indigène, ce qui n'est pas si inconfortable puisque nous sommes dans notre propre pays. (La langue commune devrait vous assurer d'emblée un premier degré d'intégration n'importe où dans un rayon de trois mille kilomètres autour de Kansas City, mais si vous en abusez, vous risquez de tomber sur un os, tout comme au kibboutz, et c'est déjà notre cas ici, les regards nous le font savoir.)

« Tu as des gosses, Irv ? dis-je, mal à l'aise aujourd'hui sur le terrain de la religion et pressé de dévier la conversation.

– Non. J'en voulais pas, c'est ça qui a tout fichu par terre avec ma deuxième femme. Elle s'est remariée tout de suite et elle en a eu une tripotée. Je n'ai même pas gardé de contacts avec elle, c'est dommage. Ils m'ont jeté. On ne croirait jamais que c'est possible, des choses pareilles. » (Irv paraît abasourdi, mais résigné à accepter les mystères de la vie.)

« La pensée autonome est toujours une rareté dans ce genre d'endroits. C'est pareil chez les baptistes et les presbytériens.

– Sartre a dit, je crois, que la liberté ne vaut pas un clou si l'on ne peut en faire usage.

– Oui, ça ressemble à du Sartre. »

Tout ce que j'ai toujours pensé des communautés hippies, des fermes collectives, des kibboutz et de toutes les entreprises utopiques de ce genre : qu'un authentique indépendant fasse son apparition, et tout le monde se transforme en Hitler. Et si ça ne marche pas pour un bon bougre comme Irv, nous autres, nous ferions aussi bien de rester où nous sommes. À part ça, je ne vois pas le rapport avec la continuité, mais je devrais, sûrement.

Nous passons devant une vieille bâtisse avec une devanture de brocanteur bourrée d'un méli-mélo de bouilloires cabossées, porte-manteaux d'hôtel en bois, gaufriers tordus, bouts de harnais, pneus à neige, cadres vides, livres, abat-jour, plus tout un tas d'autre camelote derrière, dans l'ombre, à même le sol de ciment, tout ce dont le propriétaire d'avant n'a pas pu se débarrasser quand il a fait faillite, et qu'il a simplement laissé là. Mais, dans la vitre, c'est mon reflet inopiné et désagréable que je surprends, plus coloré que la marchandise mais terne quand même, et, à ma surprise, avec une demi-tête de moins qu'Irv et une putain d'attitude voûtée, comme si quelque chose me nouait les entrailles et les muscles du ventre, et m'obligeait à me ratatiner, les épaules en dedans ; jamais je ne me suis imaginé ainsi et cette vision m'effare. Naturellement, Irv ne s'occupe pas de son reflet à lui. Je redresse sévèrement les épaules et me cambre comme un mannequin d'étalage, j'inspire profondément, m'étire vers le haut et fais pivoter ma tête telle une lanterne de phare (exercices assez similaires à ceux que j'ai accomplis hier, debout sur le parapet dominant toute la Région centrale de la Jambière de cuir, mais plus motivés aujourd'hui). Pendant ce temps, Irv se remet à discourir sur son souci de continuité, tandis que nous parvenons au bas de la côte, où se trouve une modeste agence immobilière, City of Hills Realty, dont je n'ai pas repéré le nom sur les écriteaux que j'ai vus plus haut.

« Voilà, voilà, dit Irv, qui défait un bouton de son gilet pour se rafraîchir, sans s'arrêter ni remarquer mes étirements forcenés. Tu as beaucoup d'amis ?

– Pas des tas, dis-je, le cou en arrière, les épaules raffermies.

– Moi non plus. Dans la simulation, les gens se fréquentent entre eux, mais, quant à moi, je préfère m'offrir une grande balade à pied tout seul dans le désert, ou aller camper.

– Je suis devenu amateur de pêche à la truite. »

J'accélère un peu le pas. Mes mouvements des épaules et du cou ont réveillé une douleur à l'endroit où la balle de base-ball m'a frappé ce matin.

« Tu vois ? C'est bien ça ! » (Je ne sais pas au juste ce qu'il entend par là.) « Et une petite amie ? Tu es paré de ce côté-là ?

– Eh bien… » dis-je, gêné de penser à Sally pour la première fois depuis trop longtemps. (Il faut absolument que je l'appelle à South Mantoloking avant qu'elle prenne son train. Nos plans sont à revoir ; remettre à demain.) « Oui, je crois que c'est assez solide.

– Tu envisages le mariage ? »

Je souris à Irv, qui a deux femmes de chute et une en main, et ne m'ayant pas vu depuis vingt-cinq ans, se donne quand même beaucoup de mal pour me consoler de mes malheurs en identifiant avec candeur mes besoins à sa propre simplicité. Croyez-moi, on a trop tendance à sous-estimer la qualité humaine.

« Pour le moment, Irv, je suis un célibataire. »

Il hoche la tête, constatant que nous sommes dans le même bateau au gréement plus ou moins sûr.

« Je ne t'ai pas vraiment expliqué ce que j'entendais par "continuité", reprend-il. Cela tient simplement à ce que je suis juif. Pour d'autres gens, il en va sans doute autrement.

– Sans doute. »

Je me représente les dix chiffres du numéro de téléphone de Sally, et le nombre de sonneries avant la réponse de sa douce voix.

« Dans l'immobilier, tu dois avoir amplement l'occasion d'être témoin de cette aspiration chez tout le monde. Sous l'angle de la collectivité, je veux dire.

– De quoi parles-tu ?

– De la continuité », répond Irv en souriant.

Il sent une résistance de ma part et envisage peut-être d'abandonner le sujet (c'est ce que je ferais à sa place). Nous nous trouvons maintenant en face du *Dairy Queen*, amenés là par un assentiment mutuel qui s'est passé de formulation.

« Je ne crois pas vraiment qu'une collectivité soit une

continuité, Irv. À mes yeux – et ce ne sont pas les preuves qui me manquent –, c'est un groupe isolé et aléatoire qui essaie de progresser dans une illusion de permanence, tout en admettant parfaitement qu'il s'agit d'une illusion. Si tu vois ce que je veux dire. Le pouvoir d'achat est à la base du processus. Mais cela n'a pas grand-chose à voir avec la continuité, d'après ce que je comprends. L'immobilier ne s'impose peut-être pas comme métaphore.

– Oui, je vois », dit Irv, qui est sans doute en total désaccord, alors qu'il devrait m'approuver, puisque ma définition de la collectivité s'inscrit dans le principe général de simulation, tout autant que son expérience personnelle et fâcheuse du kibboutz. (Le mot « collectivité » est en fait l'un de ceux que j'ai en horreur, car je trouve douteuses ses implications autoritaires.)

Je me tiens nettement mieux à présent, presque aussi droit et grand que mon demi-frère, même s'il est plus costaud grâce à tous les mois qu'il a passés avec un Galil en bandoulière tout en binant la terre aride et en se tenant aux aguets contre les Arabes meurtriers et ennemis de la collectivité.

« Mais quand même, Frank, est-ce que ça te paraît suffisant, l'illusion de la permanence ? » reprend Irv d'un ton ardent.

Il doit débattre de cette question avec tout le monde, et c'est peut-être son véritable centre d'intérêt, qui fait de sa vie heureuse une sorte de voyage d'étude d'un principe solide, bien au-delà des limites de la simulation ; alors que mon voyage à moi conduit vers un point qui reste à déterminer, mais au sujet duquel je garde bon espoir.

« Suffisant pour quoi ? »

Ayant traversé la rue, nous voici devant le *Dairy Queen* ; conforme à cette vieille ville, c'est une vieillerie en soi, livrée au délabrement tant qu'Oneonta ne sera pas devenue une destination touristique. C'est beaucoup moins accueillant que *Franks*, mais les similitudes me permettent de me sentir chez moi.

« Cette notion de continuité est encore un peu embrouillée dans ma tête », avoue Irv, les bras croisés, en déchiffrant, de la place que nous occupons au bout d'une petite file

506

d'attente d'Onéontiens pur jus, la liste des glaces écrite à la main. (Je la parcours en quête d'un cornet « nappé », mon favori de toujours, et pendant cet instant fugace j'éprouve un bonheur incongru.) « À l'hôpital, en t'attendant » (une expression de gentille perplexité effleure sa grosse bouche de Levantin), « je me suis souvenu du moment où nous étions ensemble, toi et moi, près de la maison de Jake, pendant le mariage de nos parents. J'étais présent quand ta mère est morte. Nous nous connaissions bien. Vingt-cinq années ont passé sans qu'on se revoie, et voilà que nous tombons l'un sur l'autre au beau milieu des forêts du nord. Et je me suis rendu compte, tandis que j'étais là à faire les cent pas en me tourmentant pour l'œil de Jack, je me suis rendu compte que tu es mon seul lien avec cette époque. Je ne vais pas en faire tout un plat, mais tu es ce que j'ai de plus proche comme famille. Et on ne se connaît même pas. » (Tout en choisissant sa glace, et sans me regarder vraiment, Irv pose lourdement sur mon épaule sa grosse main poilue au petit doigt endiamanté, et il secoue la tête d'un air étonné.) « Je ne sais pas, Frank... » (il me jette un coup d'œil furtif, puis rive son regard sur la carte du jour). « La vie est tordue.

– C'est vrai. Aussi tordue qu'un tire-bouchon. »

Je pose à mon tour ma main plus petite sur l'épaule d'Irv. Et sans aller jusqu'à baver l'un sur l'autre dans la file d'attente du *Dairy Queen*, nous échangeons une série de tapotements réservés mais expressifs, et nous nous dévisageons timidement d'une manière qui, tout autre jour moins bizarre que celui-ci, me ferait fuir à toutes jambes.

« Nous avons sans doute à parler de beaucoup de choses », déclare Irv d'un ton prophétique.

Puisqu'il laisse sa main là où elle est, je me sens obligé aussi de laisser la mienne, en une sorte de gauche étreinte à distance. Plusieurs Onéontiens qui nous précèdent dans la file nous ont déjà jeté des regards aux sourcils froncés, menaçants, du genre « nous n'avons rien à voir avec ça », comme si nos effusions incontrôlées risquaient d'éclabousser tout le monde, tel l'acide d'une batterie, avec la violence en bout de piste. Mais nous n'irons pas plus loin ; je pourrais aisément le leur garantir.

« C'est bien possible, Irv », dis-je, sans trop savoir de quelles choses il s'agit.

À l'intérieur du *Dairy Queen*, une ombre fait coulisser la vitre branlante de la fenêtre qui annonçait « Fermé ».

« Je suis à votre service par ici, messieurs-dames », annonce-t-elle.

Les Onéontiens nous jettent tous un coup d'œil hésitant, comme si Irv et moi allions nous précipiter sur l'autre fenêtre. Voyant qu'il n'en est rien, ils se retournent vers la première d'un air sceptique, puis se transfèrent d'un seul bloc sur la seconde, nous ouvrant à Irv et moi un accès direct au premier rang.

Nous remontons côte à côte vers l'hôpital, aussi solennels que des missionnaires, moi avec mon « cornet nappé » qui fond à toute allure, Irv, sa « barquette à la fraise » nichée à l'aise dans la paume de sa grande main. Il semble contenir son exaltation et son sentiment de transcendance pour respecter l'étiquette imposée par la blessure de « Jack » (Paul).

Cependant, il m'explique qu'il a traversé, ces temps derniers, « une drôle de phase », qu'il attribue au fait d'avoir atteint ses quarante-cinq ans (et non à sa judaïté). Il se plaint de ressentir une sorte de dissociation de son histoire personnelle, qui a fait naître en lui la peur (limitée par les exigences de son travail aux simulateurs) d'être en train de se dégrader ; sinon au sens physique, tout au moins en matière spirituelle.

« ... C'est difficile à expliquer clairement avec des mots, si l'on veut que cela paraisse vraiment sérieux. »

Tout en l'écoutant, avec ma serviette en papier toute poisseuse roulée en boule au creux de la main, la mâchoire qui recommence à se crisper après ce moment de répit, je lève les yeux. Loin au-dessus de nous, des mouettes en grand nombre décrivent des cercles vertigineux, planant sur les ondes aériennes de l'après-midi, encadrées par la verdure des vieux bois sur la colline, assez haut pour donner l'impression de ne pas produire le moindre bruit. Pourquoi des mouettes si loin de toute mer ? Je me pose la question.

Bien sûr, la peur de la dégradation est un concept que je

connais bien sous l'appellation « peur de disparaître », et je ne tiens pas à en savoir beaucoup plus long à ce sujet. Mais, en ce qui concerne Irv, il lui est arrivé qu'elle provoque ce qu'il appelle le « coup de terreur », une sensation de culpabilité désespérée, quasi mortelle, qui s'empare de lui au moment précis où toute personne sensée pourrait s'attendre à éprouver de l'allégresse : en voyant des mouettes en nombre vertigineux sur fond de ciel azuré ; en tombant à l'improviste (comme moi, hier) sur la vue d'une vallée fluviale, irradiée de soleil, qui débouche sur le scintillement d'un lac glaciaire d'une beauté primordiale ; en lisant l'amour sans réserve dans les yeux de votre belle amie, en comprenant qu'elle veut vouer sa vie à votre seul bonheur et que vous devriez la laisser faire ; ou, simplement, en humant soudain un parfum capiteux sur le trottoir usé d'une ville, au moment où l'on tourne le coin et où l'on repère un massif de salicaires et de chrysanthèmes couverts de fleurs dans un jardin public qu'on ne s'attendait pas à trouver là.

« De petites choses, et aussi de plus importantes, poursuit Irv, au sujet de ce qui, après l'avoir autrefois mis en joie, lui a inspiré de l'angoisse, puis un sentiment de dégradation, et enfin d'anéantissement potentiel. C'est fou, mais c'est comme si j'avais une appréhension qui me ronge sur les bords. »

Il cogne sa petite cuillère en plastique sur le fond de sa barquette rose ondulée et plisse son large front. J'avoue que je suis surpris d'entendre Irv tenir ce genre de discours. J'aurais cru que sa judaïté, jointe à un optimisme congénital, l'aurait mis à l'abri ; mais c'est évidemment une erreur. L'optimisme congénital est le plus exposé aux attaques sournoises. La judaïté, je n'en sais rien.

« Quant au mariage » (Irv a admis tout à l'heure son étrange réticence à se passer la bague au doigt et à faire de la belle petite Erma Mrs. Ornstein numéro trois), « je reste prêt à aller jusqu'au bout et à m'y dissoudre, mais, en fait, j'ai eu cette sensation depuis 86, d'être en train de me dissoudre, ça va avec la terreur, et en ce qui concerne Erma, de ne pas me dissoudre dans la personne qu'il faudrait et de risquer de le regretter éternellement. » (Irv me regarde, sans doute pour voir si j'ai changé d'aspect, maintenant que j'ai entendu ses aveux amers.) « Et en même temps, je l'aime », ajoute-t-il en guise de conclusion.

Nous approchons de la pelouse de l'hôpital. Là-haut, au-dessus du trottoir, derrière les vénérables chênes et hickorys, les vieilles maisons ont un air moins décrépit quand on les voit pour la deuxième fois, dans un autre état d'esprit et une lumière différente. (Un principe fondamental pour une offre difficile à fourguer : faites visiter à deux reprises. La seconde impression peut être meilleure.) Je me retourne pour contempler la ville au bas de la colline. Oneonta semble être une localité aimable et douillette, certes pas le genre où je voudrais exercer mon métier, mais quand même un endroit très bien pour y vivre une fois que la dispersion de la famille vous a livré à vous-même pour combattre la solitude. Les mouettes ont disparu d'un seul coup, et ce sont maintenant les martinets du soir qui piquent à travers la cime des arbres pour attraper les insectes et parsèment l'air comme des graines. (Je devrais appeler les Markham, et aussi Sally, mais ces impératifs s'estompent à mesure qu'ils surgissent.)

« Y a quelque chose qui te parle dans tout ça ? » demande Irv ingénument, en s'apercevant qu'il s'est laissé aller comme sur un divan de psy et que je n'ai pas dit grand-chose ; mais c'est pardonnable à présent que nous sommes frères.

« Mais oui, tout, Irv. »

Les mains au fond de mes poches, je souris en me laissant laver par la brise avant de regagner l'hôpital. Oui, naturellement, j'ai ressenti mille fois tout ce qu'Irv vient de me raconter et je n'ai pas l'ombre d'une solution à proposer, rien que les bons vieux remèdes de la persévérance, du délestage, du bon sens, de la souplesse, de la bonne humeur – autant de principes de la Période d'Existence –, sans y inclure ceux de l'isolement matériel et du désengagement affectif, qui causent des problèmes au moins égaux sinon supérieurs à ceux qu'ils résolvent en apparence.

Par la fenêtre d'une camionnette qui nous dépasse, un jeune Blanc en T-shirt, à la bouche rouge et mesquine, accompagné d'une grosse fille hilare aux mains croisées

derrière la tête, nous lance une phrase qui pourrait être
« Honni soit qui mal y pense » (mais c'est sans doute autre
chose), puis écrase sa pédale d'accélérateur en éclatant de
rire. Je lui adresse un geste bienveillant de la main, mais
Irv est tout à ses réflexions. Pour tenter de l'aider, je déve-
loppe ma réponse.

« En réalité, je suis assez étonné de t'entendre parler
ainsi. Mais il me semble que tu pourrais t'offrir un petit
acte d'héroïsme en essayant de dire oui à Erma. Même si
tu en prends plein la gueule. Tu t'en remettras, comme tu
t'es remis du kibboutz. » (Pour ce qui est d'en faire prendre
plein la gueule à quelqu'un d'autre, je suis le roi.) « À
propos, il y a combien de temps que tu étais là-bas ?

— Quinze ans. Ça m'a fortement marqué. Mais c'est intéressant pour l'avenir », dit-il en hochant la tête, et en songeant sans doute à nouveau que ce n'est pas du tout intéressant, mais au contraire la suggestion la plus aberrante
qu'il ait jamais entendue formuler, même s'il feint le
contraire par compassion pour moi. (J'aurais cru que son
expérience du kibboutz datait de septembre dernier, et non
de 1973 !) « Ce n'est peut-être pas le bon moment pour
courir ce risque, reprend-il en humant l'air comme pour
identifier une fragrance. Je songe à la continuité dont je t'ai
rebattu les oreilles, à distinguer plus clairement d'où je
viens avant d'essayer de savoir où je vais. Simplement pour
relâcher la pression dans l'immédiat, si tu vois ce que je
veux dire. »

Il me regarde en inclinant la tête d'un air sagace.

« Et comment comptes-tu t'y prendre ? Tu vas faire des
recherches généalogiques ?

— Eh bien, par exemple, aujourd'hui — cet après-midi —
a une réelle signification pour moi de ce point de vue.

— Pour moi aussi. »

Mais, encore une fois, je ne sais pas trop laquelle. Peut-
être est-ce de l'ordre de ce dont parlait Sally à propos de
Wally qu'elle avait dû s'habituer à ne plus voir, mais à
rebours : je vais m'habituer à voir Irv, et cela me fait plaisir,
mais sans avoir un effet profond sur moi.

« C'est quand même bon signe, non ? Quelque part dans

la Torah, il est question du fait que l'on commence à comprendre longtemps avant de savoir que l'on comprend.

– À mon avis, c'est dans *Miracle dans la 34ᵉ Rue*, dis-je en souriant à nouveau à Irv, qui est plein de bonté mais un peu gaga à force de simulation et de continuité. Dans *Le Prophète*, aussi, je crois bien.

– Jamais lu, répond-il gravement. Mais permets-moi de te montrer quelque chose, Frank. Ça va t'étonner. » (À tâtons, Irv sort de la poche revolver de son pantalon un petit portefeuille qui a bien dû coûter cinq cents dollars. La tête baissée, il farfouille dans ses cartes de crédit et ses papiers, puis il en tire quelque chose qui a l'air terni par l'usure.) « Regarde ça un peu, dit-il en me tendant la carte. Il y a des années que je la garde sur moi. Cinq ans. Explique-moi pourquoi. »

Je la retourne et la tient de façon à mieux l'éclairer. (Irv a pris la peine de la faire plastifier pour en marquer l'importance.) En fait, ce n'est pas une carte mais une photo, en noir et blanc, rendue pâle et floue comme le souvenir par les couches de plastique. On y voit quatre personnes qui posent pour la photo de famille, les parents et deux garçons adolescents, debout sur les marches d'un perron, avec un sourire crispé face à l'objectif et à un rayon de soleil d'antan qui leur illumine le visage. Qui sont-ils ? Où sont-ils ? Et quand ? Mais il ne me faut qu'un instant pour identifier la famille d'Irv à la belle époque de Skokie, où tout était facile et où l'on n'avait pas besoin de simulation.

« C'est chouette, Irv. »

Je le regarde, puis j'admire à nouveau la photo par politesse avant de la lui rendre, prêt à reprendre le collier des devoirs paternels, à remettre la pression dans l'immédiat. En entendant non loin le chop-chop-chop d'un hélicoptère, je m'aperçois que l'hôpital dispose d'un héliport pour des urgences comme celle de Paul, et que ce doit être Ann qui arrive.

« Mais c'est nous, Frank ! s'écrie Irv en me regardant avec stupéfaction. C'est toi, Jack, ta mère et moi, à Skokie, en 1963. Tu vois comme ta maman est jolie, même si elle est déjà amaigrie ? Nous sommes tous là sur le perron. Est-ce que tu t'en souvenais ? »

Irv me dévisage, la lèvre humide, tout heureux derrière ses lunettes, en me tendant à nouveau sa précieuse relique.

« Non, je l'avoue. »

Je me force à examiner à nouveau cette minuscule lucarne ouverte sur mon lointain passé, mon cœur se contracte douloureusement – rien d'exceptionnel ni de comparable au « coup de terreur » d'Irv –, et je la lui remets dans la main. Je suis homme à ne pas reconnaître ma propre mère. Je devrais peut-être faire de la politique.

« Moi non plus, en fait. »

Irv se contemple avec ravissement pour la millionième fois, cherchant à puiser dans sa propre image un sentiment porteur de synchronisme, puis il secoue la tête et la range soigneusement parmi ses autres fétiches dans le portefeuille qu'il remet dans sa poche, à sa place.

Je lève à nouveau les yeux en quête de l'hélicoptère, mais je ne vois rien, même pas les martinets.

« Pas de quoi faire un plat, évidemment, reprend Irv en rabattant son attente à hauteur de ma réaction décevante.

– Irv, je ferais mieux d'y aller tout de suite. Je crois bien que j'entends l'hélicoptère de ma femme qui arrive. » (Est-ce là une phrase habituelle ? Ou bien est-ce moi qui déraille ? Ou la journée ?)

« Hé là, ne t'affole pas ! » (La lourde main d'Irv s'abat à nouveau sur mon épaule, telle une passerelle. En fait, il est vrai que mes battements de cœur s'affolent.) « Je voulais te montrer ce que j'entendais par le mot "continuité". C'est sans danger. Nous n'avons pas besoin de nous entailler le bras pour mêler notre sang, ni rien.

– Il se peut que je ne sois pas d'accord avec toi dans tous les domaines, Irv, mais je… » (pendant un instant, j'ai le souffle complètement coupé, la panique me prend à l'idée d'étouffer et d'avoir besoin tout de suite des cinq mesures de secours – j'espère qu'elles n'ont pas de secret pour Irv. J'ai eu tort de faire cette balade au *Dairy Queen*, de me laisser embobiner tout comme Paul par l'illusion de confort tranquille de la petite ville, et de rêver que je pourrais recommencer à planer librement contre toute évidence de pesanteur). « Mais je tiens à ce que tu saches, dis-je avant un second spasme du gosier, moins terrifiant que le premier,

513

que tu le saches, je respecte ta vision du monde, et je trouve que tu es un type formidable. » (Dans le doute, il faut faire confiance à la bonne vieille formule de la *fraternity* d'étudiants : « Ornstein, un type formidable. Il est des nôtres. »)

« Je ne crois pas m'être trompé sur ton compte, Frank. »

C'est le responsable déterminé du labo de simulation que j'ai devant moi à présent : celui qui garde sa stabilité même si le reste d'entre nous vacille. Mais j'ai déjà joué ce rôle-là (plus d'une fois) et on ne m'y reprendra plus. Irv aborde sa propre Période d'Existence, avec les bons et les mauvais côtés, au moment même où il semble que j'en sorte dans la douleur. Nous nous sommes découverts ; par un système d'interface, nous avons eu un échange véritable. Mais notre vie à chacun ne va pas suivre le même cours, même si je l'aime bien.

Je me dirige vers l'entrée de l'hôpital, avec le cœur qui tressaute, la mâchoire durcie comme un étau, en quittant Irv sur les mots du meilleur augure pour mon avenir que j'aie pu trouver :

« Il faut qu'on essaie d'aller ensemble à la pêche un de ces jours. »

Je me retourne pour leur donner plus de poids. Il reste planté là, un long pied en sandale tressée posé sur le bord de la pelouse, l'autre dans l'allée. Son gilet jaune accroche le soleil. Je sais qu'il est en train de nous souhaiter en silence à tous deux une bonne navigation vers le prochain horizon.

12

Ann est debout toute seule dans le hall des urgences, vêtue de son trench-coat fauve, jambes nues, chaussée de tennis blanches usagées. Elle semble pleine de tourment, et ce n'est pas ma vue qui pourra l'apaiser.

« J'étais là derrière ces portes à te regarder traverser la pelouse. Et c'est seulement quand tu t'en es approché que je t'ai reconnu. » (Elle me sourit d'un air abattu, sort les mains des poches de son trench, me prend le bras et me donne un petit baiser, qui me réconforte un peu – tout est relatif. Nous sommes à présent plus séparés que jamais, un baiser n'y changera rien.) « Je suis venue avec Henry Burris. C'est la raison de mon retard, dit-elle, la parole immédiatement efficace. Il a déjà vu Paul et le résultat des examens, et il estime que nous devrions l'emmener tout de suite à Yale. »

Confondu, je la regarde fixement. De fait, j'ai tout manqué : son arrivée, une nouvelle consultation, un pronostic révisé.

« Mais comment ? » dis-je en balayant d'un regard consterné les murs vert et saumon du hall.

Sous-entendu, bon, tu vois ce que j'ai à offrir : Oneonta. C'est peut-être un drôle de nom, ce n'est peut-être pas ce qu'il y a de mieux, mais bon sang, il s'agit d'un hôpital sérieux et nous sommes sur place.

« Nous avons déjà un autre hélicoptère en route pour le transporter. Il est même peut-être arrivé. »

Derrière le comptoir d'admission se trouve une nouvelle équipe : deux petites Coréennes impeccables sous leur haute coiffe d'école catholique d'infirmières, penchées sur leurs fiches tels des scribes, et une jeune blonde indolente (une autochtone), captivée par son moniteur d'ordinateur. Elles ignorent tout de moi. J'aurais bien besoin qu'Irv fasse son entrée, prenne place dans le fond et soit mon allié.

« Qu'en dit le Dr Tisaris ? »

Je me demande où elle est, j'aimerais qu'elle prenne part à la conférence. Mais il n'est pas impossible qu'Ann l'ait congédiée, ainsi que le Dr Rotollo, pour lui substituer sa propre équipe chirurgicale, pendant que je léchais mon cornet nappé. Il faudra que je lui présente des excuses pour ce manque de confiance.

« Elle est tout à fait d'accord pour le transfert de Paul, surtout à Yale. Nous n'avons qu'à signer une décharge. Je l'ai déjà fait de mon côté. Elle est très pro. Elle a connu Henry quand elle était interne. » (Naturellement. Ann hoche la tête. Mais elle plonge soudain son regard dans le mien ; une franche supplication fait briller ses iris d'un gris moucheté, comme agrandis. Aujourd'hui, elle ne porte pas son alliance, par souci peut-être de se montrer éperdue, la sensibilité à nu.) « Frank, j'aimerais faire ça tout de suite, d'accord ? Pour qu'il puisse être à New Haven d'ici à cinquante minutes ? Tout est arrangé, là-bas. Ça prendra une demi-heure de le préparer, et l'opération doit durer une heure environ. Elle sera supervisée par Henry. Nous mettons ainsi toutes les chances de notre côté. » (Ses yeux assombris clignent en me regardant, elle voudrait ne rien ajouter, ayant abattu en premier sa carte maîtresse, mais elle ne peut se retenir.) « L'alternative étant de le laisser se faire opérer à Oneonta par le Dr Tisaris ou je ne sais qui, d'ailleurs il se peut qu'elle soit très bien.

– Je comprends. À quels risques l'expose-t-on en le transportant ?

– Beaucoup moins de risques, selon Henry, qu'en lui faisant subir ici une opération de la rétine. » (Ses traits s'adoucissent et se détendent.) « Henry en a fait des centaines.

– Ça devrait suffire. C'est un copain de classe de Charley ?

– Non. Il est plus âgé », répond-elle sèchement.

Henry serait-il notre M. Mystère ? Ils tiennent presque toujours des rôles innocents en guise de couverture. Plus

516

âgé, en l'occurrence ; expérimenté dans les soins aux malheureuses victimes de la souffrance humaine (telles qu'Ann) ; il porte bizarrement le même nom que le père de celle-ci, suivez le karma. En outre, une fois qu'il aura rendu la vue à Paul (des jours à attendre dans la ferveur qu'on retire les pansements et que le miracle se manifeste), ce sera facile de tout déballer à Charley, qui s'écartera avec une ironie désabusée, peut-être même une certaine gratitude, surclassé sur la dernière bouée. Charley est beau joueur, à défaut d'autre chose. Moi pas.

« Veux-tu savoir ce qui s'est passé, Ann ?

– Il a été heurté par une cage de lancer, m'as-tu dit. »

Ann tire de la poche de son trench une grande enveloppe et elle fait un pas en direction du comptoir, m'invitant visiblement à l'accompagner. Il s'agit d'un autre formulaire de décharge. Je décharge mon fils sur le chemin de la vie. Prématurément.

« Plus exactement, heurté par une balle de base-ball, *dans* une cage de lancer. »

Ann se tait, elle se borne à me regarder comme si je cherchais la petite bête au milieu de ces graves événements.

« Il ne portait donc aucune espèce de casque ? demande-t-elle en m'entraînant pas à pas.

– Non. Il a piqué une rage contre moi, il est entré en courant dans la cage, il est resté planté là le temps de deux balles, et puis il a simplement laissé la troisième le frapper en plein visage. C'est moi qui ai mis les pièces pour lui. »

Pour la troisième fois en moins de vingt-quatre heures, je sens mes yeux s'embuer de larmes brûlantes dont je ne veux pas.

« Ah ! » fait Ann, son enveloppe à la main.

L'une des mini-infirmières asiatiques lève sur moi un regard myope, le nez en l'air, puis elle retourne à ses fiches. Les larmes sont une banalité dans la salle d'attente des urgences.

« Je ne crois pas qu'il voulait s'éborgner, dis-je tandis que les pleurs affluent. Mais il a peut-être cherché ce coup. Pour voir quel effet ça ferait. Cela ne t'est jamais arrivé ?

– Non, répond Ann en secouant la tête, les yeux rivés sur moi.

– Eh bien, moi si, et je n'étais pas cinglé, dis-je beaucoup trop fort. Quand Ralph est mort. Et aussi après notre divorce. Ça m'aurait arrangé de prendre un bon coup dans l'œil. Ç'aurait été plus supportable que ce que j'endurais. Je ne voudrais pas que tu le croies timbré. Il ne l'est pas.

– C'est sûrement un simple accident, proteste-t-elle, implorante. Ce n'est pas ta faute. »

Elle aussi a les yeux humides, malgré tous ses efforts et son caractère. Je ne suis pas censé la voir pleurer, qu'on s'en souvienne. C'est contraire aux principes du divorce.

« Mais si, c'est ma faute. Bien sûr que c'est ma faute. Tu en avais même rêvé avant. Il aurait dû porter des lunettes de protection, une armure et un casque. Tu n'y étais pas.

– Ne rumine pas ces idées-là. »

Elle va jusqu'à esquisser un pâle sourire. Je secoue la tête à mon tour et m'essuie l'œil gauche, trop plein de larmes. Qu'elle me voie pleurer ne pose pas de problème selon mes propres règles de conduite. Il n'y a plus d'enjeu entre nous. C'est ça, le problème.

Ann prend une longue inspiration un peu hachée, puis son attitude m'informe de ce qu'elle attend de moi à présent : que je n'aggrave pas la situation. Sa main gauche sans alliance semble se soulever toute seule pour poser l'enveloppe sur le plastique vert du comptoir d'admission.

« Je ne le crois pas fou du tout, reprend Ann. Il a peut-être simplement besoin qu'on l'aide, ces temps-ci. Sans doute s'efforçait-il d'attirer ton attention.

– Nous avons tous besoin d'aide. J'essayais simplement de l'amener à *faire* quelque chose. » (La colère me prend soudain contre cette manie qu'elle a de croire, à tort, qu'elle sait comment chacun devrait agir, et pourquoi.) « Et j'ai bien l'intention de ruminer ces idées. Quand son chien se fait écraser, on est fautif. Quand son gosse se fait bousiller l'œil, on est fautif. C'était à moi de lui apprendre à maîtriser les risques.

– D'accord. » (Elle baisse la tête, puis s'approche et saisit à nouveau ma manche, ainsi qu'elle l'a fait tout à l'heure lorsqu'elle m'a donné un petit baiser et m'a baratiné pour que j'accepte d'expédier mon fils en hélicoptère à Yale. Elle laisse sa joue se poser sur ma poitrine, le corps détendu afin de me faire connaître sa bonne volonté, pour remonter le temps, franchir les barrages des paroles et des événements, et écouter mes battements de cœur lui confirmer que nous sommes tous deux ensemble en vie, même s'il n'y a plus rien d'autre.)

« Ne sois pas fâché, murmure-t-elle. Ne sois pas si fâché contre moi.

– Je ne suis pas fâché contre toi, dis-je en chuchotant moi aussi dans ses cheveux bruns. C'est autre chose. Je ne trouve pas le mot. Il n'y a peut-être pas de mot pour ça.

– Mais c'est ce qui te plaît, non ? »

Elle me tient par le bras à présent, mais pas trop fort, tandis que derrière nous les infirmières se détournent poliment.

« Parfois. Parfois, cela ne me déplaît pas. Mais pas en ce moment. En ce moment, je voudrais trouver le mot. Je dois être entre deux mots.

– Ce n'est pas grave. » (Je sens son corps se contracter et s'écarter lentement. Elle, elle trouverait le mot. C'est son sens précis de la vérité.) « Signe vite ce papier, tu veux bien ? Pour qu'on puisse se sortir de là ? Faire ce qu'il faut pour lui ?

– Bien sûr, dis-je, lâchant prise. Ce sera un soulagement. »

Et, en effet, j'en suis finalement soulagé.

Chevelure de neige, joues colorées, mains menues, Henry Burris est un petit homme soigné en pantalon blanc, chaussures de bateau plus coûteuses que les miennes et polo rose venu tout droit – selon toute probabilité – de chez Thomas Pink. Il a la soixantaine, les yeux du bleu le plus pâle et le plus limpide, et quand il parle, c'est d'un ton confidentiel, avec l'accent traînant de la Caroline du Sud ; il me serre légèrement le poignet en m'affirmant que tout ira bien pour mon fils. (Totalement invraisemblable, j'en suis convaincu à présent, qu'Ann et lui s'offrent des frasques sexuelles, d'abord à cause de la petite taille d'Henry, mais aussi de son attachement de notoriété publique à Jonnee Lee Burris, sa remarquable épouse, étonnamment dotée de longues jambes et, de surcroît, héritière d'une fortune faite dans le gypse.) En fait, pendant que nous attendions ensemble, Ann et moi, tels de vieux amis dans un aéroport, elle m'a confié que les Burris incarnent le summum des aspirations conjugales du tout Deep River, par ailleurs assez porté au divorce ; et aussi du tout New Haven, où Henry dirige la Yale-Bunker Eye Clinic, ayant renoncé à ses recherches du calibre prix Nobel pour se consacrer avec abnégation aux tâches humanitaires et familiales : rien d'un candidat évident aux galipettes dans le foin, mais qui peut n'y être jamais candidat ?

« Écoutez-moi bien, Frank, il m'a fallu un jour recourir à une opération tout à fait similaire à celle que je vais pratiquer sur le jeune Paul, quand j'étais à Duke, il y a douze ans. Professeur associé d'ophtalmologie. » (Henry m'a déjà fait, à main levée, un croquis impressionnant de l'œil de Paul, mais il est en train de le chiffonner comme un quelconque propectus tout en me parlant – non sans une secrète condescendance, naturellement, puisque je ne suis que le premier mari de la deuxième femme de son ami, et sans doute un plouc sans relations à Yale.) « Il s'agissait d'une grosse dame de race noire qui avait eu l'œil enfoncé par des petits garnements s'amusant à jeter des pommes sauvages dans la cour de sa maison. Des petits Noirs, ce n'était pas une affaire raciale. »

Nous sommes sur la pelouse derrière l'hôpital, à côté du carré blanc et bleu de l'héliport, où un gros Sikorsky rouge marqué « Connecticut Air Ambulance » repose sur ses patins, avec son rotor qui tourne au ralenti. De ce sommet de colline, un site parfait pour pique-niquer, je vois au loin les flancs ombragés des Catskills, où les ruisseaux brumeux glissent vers le sud dans le ciel bleu, et, à distance intermédiaire, en bas, un rectangle clôturé de courts de tennis publics, tous occupés, derrière lesquels la I 88 file vers Binghamton et remonte sur Albany. Comme je ne perçois aucun bruit de circulation, l'effet produit sur moi est positivement agréable.

« … Et donc cette dame m'a dit, juste au moment où nous allions lui faire sa piqûre d'anesthésique : "Docteu' Bu'is, si le jou' d'aujou'd'hui était un poisson, sû' que je l' mett'ais à la poubelle." Sur quoi elle nous a fait un grand sourire édenté et elle s'est endormie. »

Henry roule des yeux ronds et il s'efforce de contenir un rire ronflant en une ridicule grimace à bouche close – son numéro coutumier à l'usage des patients.

« Comment cela s'est-il passé pour elle ? »

Je dégage doucement mon poignet et le laisse pendre, les yeux irrésistiblement attirés, dans l'attente des adieux, par l'hélicoptère à trente mètres de nous, où deux brancardiers sont en train de charger Paul Bascombe avec une efficacité toute professionnelle.

« Oh, ça, écoutez-moi bien ! chuchote Henry Burris. Nous lui avons réparé son œil tout comme nous allons le faire pour Paul. Elle y voit aussi bien que vous, ou du moins elle voyait. Elle n'est sûrement plus de ce monde à l'heure qu'il est. Elle avait quatre-vingt un ans. »

Après notre conversation, j'accorde une confiance totale à Henry Burris. En fait, il me fait penser à Ted Houlihan en plus jeune, plus vigoureux et plus intelligent, et assurément moins insaisissable. Je n'éprouve aucune réticence à le laisser faire des travaux d'aiguille sur l'œil de mon fils, aucune impression de commettre une terrible bourde dont le regret m'emplirait comme du métal en fusion qui se solidifierait pour toujours. C'était à tous points de vue la bonne décision à prendre, exceptionnelle en tant que telle. « La prudence s'impose ici, m'a dit Henry Burris, puisque ce qui nous inquiète, dans ce genre de cas, ce sont les problèmes que nous ne pouvons prévoir. » (Comme pour l'achat d'une maison.) « À Yale, nous avons des médecins qui ont tout vu, au cours de leur carrière. » (Je suis prêt à le croire ; je devrais peut-être m'enquérir là-bas de la cause de mes tressaillements.)

Mon seul problème, face à lui, c'est que je ne sais pas où fixer mes yeux, je ne le « sens » pas, et pourtant je vois bien ce qui le branche. Ce sont les yeux qui le branchent : comment on les répare, ce qui ne va pas, ce qui va, comment ils nous permettent de voir et parfois ne nous le permettent plus (à la manière de la distinction établie par le Dr Stopler entre le cerveau et le psychisme). Mais ce qui m'échappe, et qui d'ailleurs n'importe pas, sinon pour mon confort personnel, c'est en quoi consiste son mystère, ce qu'on découvrirait si on le connaissait depuis des années, si on apprenait à le respecter professionnellement, si on voulait en découvrir davantage à son sujet et décidait par conséquent de faire avec lui un séjour dans un ranch du côté des Wind Rivers, ou le tour du monde en cargo, ou l'exploration en canoë des sources non cartographiées du Watanuki. Quels sont ses doutes, quels accords de paix a-t-il conclus avec la contingence, quel souci lui inspire la rencontre inexorable de la tragédie ou de la jubilation dans l'inconnu des mers que nous labourons tous : le besoin qu'il éprouve d'invoquer la prudence, fondée sur l'expérience ? Pour Irv, grand Dieu, je sais, et en huit secondes deux centièmes on serait fixé quant à moi. Mais chez Henry, nul indice perceptible, alors qu'il suffirait d'un seul pour être renseigné.

Certes, il est possible qu'il n'ait pas de motivation spécifique ; que son seul impératif soient les yeux, les yeux et encore les yeux, et en second lieu une épouse imposante au colossal compte en banque, le tout coiffé par un état d'esprit fichtrement positif. En d'autres termes, la prudence serait d'office au menu, et non à la carte. Il émane de lui les mêmes ondes médicales, affables et indifférentes, que j'ai perçues face au Dr Tisaris, sinon que j'ai flairé chez elle cette bouffée d'autre chose sous sa blouse d'hôpital. Quoi qu'il en soit (et après c'est fini, je n'y pense plus), c'est certainement ce qu'on attend d'un homme de l'art, surtout lorsqu'on a un fils qui nécessite une intervention cruciale et qu'on est sûr de ne jamais revoir ce monsieur.

À quelques mètres de moi, au-dessous de la manche à air rouge de l'héliport, Ann cause avec Irv, toujours en sandales, gilet jaune de mafioso, et qui se tient tout replié à l'intérieur de ses bras croisés et de sa posture un peu féminine, déhanchée, le genou en dehors, comme s'il éprouvait le besoin de se protéger face à cette race de femmes. Ils se sont découvert des copains communs, qui fréquentaient le même camp de vacances au nord du Michigan dans les années 50, et batifolaient dans les dunes avant qu'on passe celles-ci au bulldozer pour en faire un parc. C'est le grand jour de la continuité, pour Irv, et il a l'air aussi captivé par ses révélations qu'un érudit plongé dans l'Ancien Testament, tout en étant conscient que, pour Ann et moi, la continuité est fichue et qu'il devrait par conséquent rengainer quelque peu ses épanchements (sa photo, par exemple).

Pendant tout le temps que je parlais avec Henry, Ann a continué de me guetter du coin de l'œil, m'adressant de temps à autre un vague sourire perplexe, une fois même un signe du petit doigt, comme si elle me soupçonnait de comploter une ruée sous les pales du rotor à la dernière seconde afin d'empêcher mon fils d'être sauvé par elle et les siens, et si elle espérait qu'une lueur dans son œil suffirait à m'en dissuader. Je ne suis pourtant pas si têtu et je tiens parole, si l'on me le permet. Peut-être voudrait-elle simplement un petit geste de confiance de ma part. Mais je sens un changement s'opérer en moi, une façon tardive de regarder la réalité en face, et ma bonne volonté envers elle se bornera à une endurance loyale.

Naturellement, j'ai pu entrer une seconde et dernière fois dans la chambre d'hôpital de Paul. Il reposait comme tout à l'heure sous le faisceau de lumière, les yeux toujours couverts de pansements, apparemment sans souffrir et dans les mêmes bonnes dispositions, avec les pieds qui dépassaient du bout de son lit à barreaux – un gosse devenu trop grand pour ses meubles.

« Quand je sortirai de l'hôpital, si je ne suis pas en liberté surveillée, j'irai peut-être vivre avec toi quelque temps, a-t-il dit comme si c'était un sujet de réflexion tout nouveau qui lui était venu dans son demi-assoupissement sous sédatif ; mais en l'entendant, j'ai été pris d'un petit vertige et d'une sorte de fourmillement dans les bras, tant cela semblait soumis à des conditionnels.

– Je m'en réjouis d'avance si ta mère pense que c'est une bonne idée. Je regrette seulement que notre journée n'ait pas été une grande réussite. Nous ne sommes pas arrivés à visiter le Hall of Fame, comme tu l'avais dit.

– Je ne suis pas fait pour les *halls of fame*. C'est toute l'histoire de ma vie. » (Il a eu un sourire narquois de quadragénaire.) « Existe-t-il un *hall of fame* de l'immobilier ?

– Probablement, ai-je dit, les mains posées sur les barreaux de son lit.

– Où ça, à ton avis ? À Conneville, dans le New Jersey ?

– Oui, ou alors à Chagrin Falls. Ou à Cape Flattery, dans l'éternité. Ou à Fontaine Enfouie, en Pennsylvanie. Quelque part par là.

– Tu crois qu'on voudra de moi dans une école de Haddam, avec un bandeau de pirate sur l'œil ?

– Oui, je crois, s'ils t'ont admis ici tel que tu es aujourd'hui.

– Tu crois qu'on se souviendra de moi ? »

Il a soufflé sous le fardeau fastidieux de la blessure, l'esprit traversé d'images de rentrée des classes dans une ville nouvelle et connue à la fois.

« Je pense que tu as dû laisser des traces profondes, si je me rappelle bien, ai-je répondu en étudiant attentivement son nez, plissé par le pansement, comme s'il pouvait savoir que je concentrais mon attention sur lui.

– On ne m'a jamais vraiment apprécié là-bas. Tu savais, a-t-il enchaîné, que les femmes sont plus nombreuses que les hommes à tenter de se suicider ? Mais que les hommes réussissent plus souvent ? »

Le même sourire narquois lui a gonflé les joues sous le sparadrap.

« Il y a des domaines où il vaut mieux être moins bon, sans doute. Dis-moi, mon fils, tu n'as pas essayé de te tuer ? »

Je le dévisageais encore plus fort, en sentant mes genoux s'affaisser soudain sous le poids de l'appréhension.

« Je croyais que je n'étais pas assez grand pour que la balle me frappe. J'ai merdé. J'ai grandi.

– C'est que tu as pris la grosse tête, ai-je répliqué, cramponné à l'espoir qu'il ne mente pas, pas à moi, du moins. Je suis désolé de t'avoir obligé à entrer là-dedans. C'était une grosse erreur. Si seulement c'était moi qui avais encaissé le coup à ta place !

– Tu ne m'as pas obligé, a-t-il dit, face à la lumière qu'il ne voyait pas mais qu'il sentait, en touchant avec son doigt à verrue son oreille fendue sous le pansement. Aïe ! »

J'ai posé la main sur son épaule et accentué ma pression, comme dans la cage de lancer. J'avais encore sur les doigts un peu du sang que j'avais fait couler de cette même oreille.

« Ce n'est que ma main.

– John Adams, qu'est-ce qu'il dirait s'il prenait une châtaigne ?

– Qui est John Adams ? » (Il a eu un charmant sourire content de soi sans motif.) « Je ne sais pas, mon vieux. Raconte ?

– J'essayais d'en trouver une bonne. Je pensais que ça m'aiderait de ne pas y voir.

– Es-tu en train de penser que tu penses ?

– Non, je pense, c'est tout.

– Peut-être dirait-il…

– Peut-être dirait-il, a coupé Paul, tout à son affaire, "On peut mener un cheval à la rivière, mais on ne peut pas l'obliger à… quoi ?" Voilà ce que dirait John Adams.

– À quoi ? ai-je dit, pour lui faire plaisir. À nager ? À faire du ski nautique ? De la planche à voile ? À singer Sibelius ?

– À danser, a décrété Paul. Les chevaux ne savent pas danser. Quand John Adams a pris sa châtaigne, il a dit : "On peut mener un cheval à la rivière, mais on ne peut pas l'obliger à danser." Il dansera seulement si ça lui chante. »

J'attendais un « hiiigh » ou un aboiement. Quelque chose. Mais rien n'est venu.

« Je t'aime, mon fils. D'accord ? »

J'étais subitement pressé de m'en aller. Ça allait comme ça.

« Ouais, moi aussi.

– Ne t'inquiète pas, tu me verras bientôt.

– Ciao. »

Et j'ai eu le sentiment qu'il me devançait sur beaucoup de points. Le temps qu'on passe avec son enfant est toujours foutument triste d'une certaine façon, la tristesse d'une vie qui fait son chemin, qui vous saute aux yeux, à chaque instant pour la dernière fois. Une dépossession. Un aperçu de ce qui aurait pu être. Cela peut être dévastateur.

Je me suis penché pour poser un baiser sur son épaule à travers le T-shirt. Et, par chance, c'est à cet instant que les infirmières sont entrées pour le préparer à s'envoler au loin, bien loin.

Les pales brassent la chaleur de l'après-midi. Des visages inconnus se montrent à la porte de l'hélicoptère. La petite main compétente d'Henry Burris serre la mienne, puis il plonge sous le rotor et s'avance sur le ciment bleu pour monter à bord. Chop-chop, chop-chop, chop-chop. J'ai une pensée pour le Dr Tisaris ; où est-elle en ce moment ? Peut-être en train de disputer un double mixte sur l'un des courts d'en bas. Elle n'a plus rien à voir avec tout ça.

Ann, jambes nues sous son trench-coat boutonné, serre la main à Irv d'un geste viril. Je la vois dire quelque chose et ses lèvres à lui semblent mimer les mêmes paroles : « Espérons, espérons, espérons, espérons. » Puis elle pivote pour s'avancer dans l'herbe tout droit vers moi ; le dos un peu voûté à nouveau, je songe aux mains d'Henry Burris, assez menues pour pénétrer à l'intérieur d'un crâne et tout remettre en place. Il a la connaissance des yeux et les mains qui vont avec.

« O.K. ? » lance Ann pleine d'allant, indestructible. (J'ai cessé de craindre ou d'imaginer qu'elle pourrait mourir avant moi. Je ne suis pas indestructible ; et je ne le regrette même pas.) « Où seras-tu ce soir, pour que je puisse t'appeler ? demande-t-elle en élevant la voix pour couvrir le "chop-chop".

– Sur la route de chez moi. » (Je souris : c'était chez elle.)

« Je laisserai un numéro sur ton répondeur. À quelle heure arriveras-tu ?

– C'est à peine à trois heures d'ici. Lui et moi, nous avons parlé de sa venue en automne. Il en a envie.

– Eh bien… » commence Ann moins fort, en pinçant les lèvres.

« Je m'en sors très bien avec lui la majeure partie du temps, dis-je dans le vacarme torride. C'est une bonne moyenne pour un père.

– Ce qui nous importe, c'est que lui, il s'en sorte bien », réplique-t-elle.

Elle paraît aussitôt le regretter. Mais je suis réduit au silence et peut-être en proie à un petit coup de terreur, la peur à nouveau de la disparition, une image mentale de mon fils planté auprès de moi sur la petite pelouse de ma maison, sans rien faire, qui s'efface.

« Il s'en trouverait très bien », dis-je en pensant « J'espère qu'il s'en trouverait bien ».

Mon œil droit papillote sous l'effet de la lassitude et de tout le reste, grand Dieu.

« Tu y tiens vraiment ? » (Elle plisse les yeux dans le vent du rotor, comme si elle me soupçonnait de lui raconter des craques.) « Tu ne crains pas que ce soit une entrave par rapport à ton mode de vie ?

– Je n'ai pas vraiment de mode de vie. Je pourrais emprunter le sien. Je l'amènerai chaque semaine en voiture à New Haven et je porterai une camisole de force si ça te fait plaisir. Ce sera amusant. Je sais qu'il a besoin d'aide en ce moment. »

Je n'ai pas prémédité ces mots, ils sont peut-être teintés d'hystérie et peu convaincants. Je devrais sans doute évoquer la foi qu'inspirent aux Markham les établissements scolaires de Haddam.

« As-tu au moins de l'affection pour lui ? demande Ann d'un air dubitatif, les cheveux rabattus par les remous de l'air.

– Oui, je pense. C'est mon fils. Il est presque tout ce qu'il me reste.

– Eh bien, répète-t-elle en fermant les yeux avant de les rouvrir droit sur moi. Nous verrons, quand ceci sera terminé. Au fait, Clarissa te trouve épatant. Il te reste aussi ta fille.

– C'est bon à entendre. » (Je souris à nouveau.) « Sais-tu si Paul est dyslexique ?

– Non, répond-elle en regardant l'hélicoptère où elle voudrait être déjà, plutôt qu'avec moi. Je ne pense pas. Pourquoi ? Quelqu'un a dit qu'il était dyslexique ?

– Non, je posais seulement la question par acquit de conscience. Il faut que tu y ailles.

– D'accord. »

D'un geste vif, elle me saisit la tête, juste à l'endroit où mon cuir chevelu est endolori, pour attirer mon visage vers sa bouche et m'embrasser plus fort sur la joue, un baiser qui ressemble à celui de Sally avant-hier, mais celui-ci a pour but de sceller le silence.

Puis elle s'éloigne en direction d'une ambulance aérienne. Henry Burris attend pour la faire monter à bord. Quant à moi, bien sûr, je ne peux pas voir Paul sur son brancard sanglé, pas plus qu'il ne peut me voir. J'agite la main tandis que la porte se referme et que la rotation des pales s'accélère. Un pilote casqué tourne la tête pour voir qui est là et qui n'y est pas. Mon signe de main ne s'adresse à personne. Les lumières rouges s'allument soudain autour du carré de ciment. Un tourbillon puis une bourrasque d'air chaud. L'herbe coupée me fouette les jambes, le visage et les cheveux. Du sable fin tournoie autour de moi. La manche à air flotte vaillamment. Et l'engin décolle, sa queue se soulève, il décrit une orbite miraculeuse tandis que son moteur ramasse ses forces pour l'entraîner au loin tel un vaisseau spatial, il commence à rapetisser, un peu, puis davantage, de plus en plus vite, jusqu'à ce que l'horizon bleu et les montagnes au sud l'absorbent dans une lumière mate et irréprochable. Un terme est mis à tout ce que j'ai fait aujourd'hui

LA FÊTE DE L'INDÉPENDANCE

À des rues d'ici, dans la chaleur miroitante du petit matin, l'alarme d'une voiture se déclenche et fracasse tous les silences. « Bwoup-bwip ! Bwoup-bwip ! Bwoup-bwip ! » Sur le perron du 46, Clio Street, je lève les yeux de mon journal pour contempler les cieux azurés au travers des branches de sycomores, je respire à fond en battant des paupières, et j'attends l'apaisement.

Arrivé ici avant neuf heures, avec mon coupe-vent rouge « AGENT IMMOBILIER » et mon propre T-shirt « The Rock » sur le dos, j'attends les Markham, qui vont débarquer de New Brunswick. L'épisode en cours diffère de toutes mes aventures précédentes avec eux, et l'histoire en sera brève. Avec peut-être même une fin heureuse.

Au terme des événements d'hier, impressionnants sinon entièrement démoralisants, Irv a eu la gentillesse de me ramener à Cooperstown ; tout au long de la route, il a commenté fébrilement et de manière presque désespérée son besoin de se sortir des simulateurs, alors qu'une analyse serrée l'avait amené ces temps-ci à conclure que les beaux jours de son industrie appartenaient au passé, de sorte qu'il semblait téméraire d'envisager le moindre changement d'orientation de sa carrière, et beaucoup plus sage de rester là où il était. La continuité – nouvelle métaphore persuasive – s'appliquait à tout et prenait le relais du synchronisme (qui ne vous mène jamais assez loin).

À notre arrivée, dans le crépuscule humide de rosée, le parking du *Deerslayer* était bourré de nouvelles voitures de touristes et ma Ford avait été enlevée, mon numéro minéralogique ne figurant plus sur la liste des clients de l'auberge. Irv et moi, en compagnie d'Erma ressuscitée,

529

nous avons donc attendu ensemble dans le bureau de la station Mobil, derrière Doubleday Field, que le conducteur du camion de remorquage se ramène avec les clés de la fourrière ; j'ai décidé de mettre ce temps à profit pour passer mes coups de téléphone indispensables, avant de payer mes soixante dollars d'amende, de dire au revoir et de rentrer chez moi tout seul.

Ensuite et avec un retard inexcusable, j'ai appelé chez *Rocky and Carlo*, pour laisser un message aux soins de Nick, le barman, à transmettre à Sally dès son arrivée de South Mantoloking. Je me répandais en excuses et la priais d'aller tout droit à l'*Algonquin*, où j'avais réservé pour elle une suite (mon premier coup de fil), de s'y installer et de s'y faire servir à dîner. Plus tard dans la soirée, je l'ai rappelée du village de Long Eddy, dans l'État de New York, sur le Delaware, je lui ai raconté ma journée lamentable et l'espérance étrange, assez inexplicable, qui commençait déjà à renaître en moi ; ensuite, nous avons pu nous impressionner réciproquement par le sérieux de nos sentiments et la possibilité de nous engager, tout en admettant d'un commun accord les dangers et l'angoisse que cela entraînait, et d'une manière à laquelle nous n'étions jamais parvenus au long des mois solitaires où nous nous contentions de « nous voir ». (Qui sait pourquoi ? Mais rien ne vaut une tragédie, ou du moins un grave accident ou revers, pour vous amener à dépasser les blocages et les conneries, et à révéler le meilleur en vous.)

Quand j'ai eu Joe et Phyllis Markham au bout du fil, ils ont été parfaitement penauds d'apprendre qu'ils avaient loupé leur chance pour la maison de Ted Houlihan, que j'étais à présent à court de bonnes idées et loin de chez moi, que mon fils, en plus de ses difficultés antérieures, s'était fait pratiquement éborgner en jouant au base-ball, qu'on était en train de l'opérer à Yale-New Haven et qu'il risquait de ne plus y voir de l'œil gauche. Je sais que ma voix avait les sombres intonations et le rythme lent, entrecoupé de la résignation, du sentiment d'avoir accompli tout le parcours, fait vaillamment de mon mieux de toutes les façons imaginables, encaissé les imprécations, émergé de la décharge sans rancœur, mais de m'apprêter cette fois-ci à prendre congé définitivement. (Dans l'immobilier, nous appelons ça le « point d'arrêt ».)

« Écoutez, Frank, a dit Joe en tapotant de façon irritante son combiné avec un crayon, dans sa chambre à prix moyen du *Raritan Ramada*, et en paraissant aussi lucide, sincère et disposé à admettre la réalité qu'un prédicateur luthérien à l'enterrement de sa tante morte dans la misère. Nous serait-il possible, à Phyl et moi, d'aller jeter un coup d'œil à cette location chez les gens de couleur dont vous nous avez parlé ? Je sais que je me suis un peu laissé aller, vendredi, quand j'ai pris la mouche. Et je vous dois sans doute des excuses. » (Pour m'avoir traité de connard, de salaud, de merdeux ? Pourquoi pas, ai-je pensé, mais nous nous en sommes tenus là.) « Il y a bien une famille de couleur qui est à Island Pond depuis l'invention du métro. Tout le monde traite ces gens-là comme des citoyens normaux. Sonja va à l'école tous les jours à côté d'un de leurs gosses. »

« Dis-lui qu'on voudrait visiter demain », ai-je entendu Phyllis lui souffler. J'ai compris qu'un changement s'était opéré, que la tempête s'était éloignée en mer. Dans l'immobilier, un changement est de bon augure : le passage de cent pour cent « pour » à cent cinquante pour cent « contre », ou l'inverse, se produit fréquemment, et c'est l'indice d'une instabilité prometteuse. Je n'ai plus qu'à faire en sorte que cela paraisse normal (et, si possible, feindre de trouver le revirement le plus dingue dans la tête d'un client plus judicieux que n'importe lequel de mes conseils).

« Joe, je serai chez moi ce soir vers onze heures, si Dieu le veut », ai-je dit en m'appuyant avec lassitude contre la vitrine de la station Mobil, où la sonnette des clients tintait sans arrêt. (Ce n'était pas la peine d'enfourcher les grands chevaux de la question raciale pour essayer de lui expliquer que la location n'était pas « chez les gens de couleur », mais à moi.) « Si je ne vous rappelle pas d'ici là, je vous donne donc rendez-vous demain matin à neuf heures sur le perron du 46, Clio Street.

– 46, Clio Street, bien reçu.

– Quand pouvons-nous emménager ? a demandé Phyllis par-dessus l'épaule de son mari.

– Demain matin, si vous voulez. C'est en état de marche. Il suffira d'aérer.

– C'est en état de marche, a répété Joe d'un ton brusque.

– Dieu soit loué ! ai-je entendu Phyllis s'exclamer.

– Vous avez entendu, j'imagine, a-t-il dit, débordant de soulagement et d'une lâche satisfaction.

– À demain, Joe. »

Et c'est ainsi que l'affaire s'est conclue.

L'alarme de la voiture se tait tout aussi soudainement, et la tranquillité matinale reprend ses droits. (Ces alarmes ne correspondent presque jamais à une vraie tentative de vol.) Un peu plus loin dans la rue, des gosses sont groupés autour d'un petit cylindre rouge qu'ils ont planté au milieu de la chaussée. Ils sont sûrement en train de mettre à exécution leur projet de tir de bon matin pour faire savoir au voisinage que c'est jour de fête. Bien entendu, les pétards sont totalement interdits à Haddam, et dès que la détonation aura retenti, une voiture de police rappliquera automatiquement et un agent viendra nous demander si nous avons entendu ou vu quiconque faire feu ou brandir une arme. À deux reprises, j'ai repéré Myrlene Beavers derrière sa porte à moustiquaire, avec son déambulateur qui luisait dans l'ombre. Aujourd'hui, elle n'a pas l'air de faire attention à moi, mais de concentrer sa vigilance sur les gamins, dont l'un, au petit visage d'un noir verni, porte un costume d'oncle Sam et va sans doute prendre part au défilé tout à l'heure (à condition qu'il ne soit pas en taule). Les Markham ne se sont pas encore montrés, ni d'ailleurs les McLeod, avec qui j'ai aussi des affaires à traiter.

Depuis mon arrivée à huit heures, j'ai passé la pelouse à la tondeuse (fournie aux locataires), j'ai arrosé l'herbe grillée et la clôture métallique avec un tuyau apporté de chez moi. J'ai taillé les branches mortes des hortensias, des spirées et des rosiers, transporté les déchets dans le passage de derrière et ouvert toutes les fenêtres et les portes pour que l'air circule à travers la maison. J'ai balayé la galerie, l'allée sur le devant, fait couler les robinets, tiré la chasse d'eau, enlevé avec mon balai les quelques toiles d'araignée des coins de plafond, et pour couronner le tout j'ai décroché l'écriteau À LOUER, que j'ai rangé dans mon coffre afin de minimiser le réflexe d'aliénation des Markham.

Comme toujours, j'ai observé chez moi une bizarre sensation de gêne à faire visiter une location dont je suis moi-même propriétaire (bien que je l'aie déjà fait plusieurs fois depuis le départ des Harris). Je ne sais pourquoi, les chambres paraissent trop grandes (ou trop petites), trop peu accueillantes, ayant déjà servi et hors d'usage, comme si le seul moyen de rendre vraiment la vie à ces murs serait de m'y installer moi-même avec mes possessions et ma détermination. Il s'agit peut-être d'une simple réaction défensive face à l'impression fâcheuse dont pourrait être victime un locataire potentiel, puisque, au fond, cette maison persiste à me plaire autant que le jour où je l'ai acquise, voilà près de deux ans, ainsi que celle des McLeod. (Je viens de voir un rideau bouger à côté, sans qu'aucun visage ne se montre – quelqu'un qui m'observe, quelqu'un ou quelqu'une qui n'aime pas payer son loyer.) J'admire sa netteté fonctionnelle, sa discrétion, sa justesse robuste, auxquelles la dernière touche a été apportée par les conduits d'aération, la nouvelle rampe en fer forgé du perron et même les rebords d'aluminium pour éviter les bouchons de glace et les infiltrations d'eau en janvier au moment du dégel. Si j'étais locataire, ce serait la maison de mes rêves : compacte, confortable, dans un état impeccable. À l'abri de tout problème.

Dans le *Trenton Times*, je trouve les nouvelles des départs en vacances, fâcheuses pour la plupart. Un habitant de Providence a collé son œil sur un canon à feu d'artifice au plus mauvais moment et il y a laissé la vie. Dans des coins éloignés du pays, deux personnes ont été victimes de tirs à l'arc (lors d'un pique-nique dans les deux cas). Il y a une « épidémie » d'incendies criminels, mais moins d'accidents de bateau qu'on ne pourrait s'y attendre. J'ai même trouvé un entrefilet au sujet de l'assassinat dont j'ai presque été témoin il y a trois jours : ces gens venaient effectivement de l'Utah ; ils allaient au Cap ; le mari a bien été poignardé ; les coupables présumés avaient quinze ans – l'âge de mon fils – et ils étaient de Bridgeport. Aucun nom n'est cité, de

533

sorte que toute l'histoire semble loin de moi à présent, la famille porte seule le fardeau de la douleur.

Plus gai, les Beach Boys passent à Bally pour un seul concert, la vente des mâts de drapeau est montée en flèche, les courses d'attelages célèbrent leurs cent cinquante ans d'existence et une équipe de greffés des reins (cinq hommes et un labrador noir) vient d'entreprendre la traversée de la Manche à la nage, avec pour difficultés prévisibles les nappes de pétrole, les méduses et les trente-quatre kilomètres (pas leurs reins).

Mais les nouvelles les plus intéressantes sont de deux natures. L'une concerne la manifestation d'hier au Baseball Hall of Fame, celle qui nous a détournés, Paul et moi, de notre programme et nous a conduits à ce que le destin nous réservait. Les manifestants qui ont bloqué durant une heure cruciale l'accès du musée revendiquaient au nom d'un joueur aimé des années 40, digne, selon eux, d'une place, d'une plaque et d'un buste à l'intérieur, mais qui, du point de vue des caïds du journalisme sportif, n'avait jamais été d'une valeur suffisante et méritait l'obscurité dans laquelle il avait sombré. (Je prends parti pour les contestataires sur la base du principe « Qui est-ce que ça dérange ? ».)

L'autre nouvelle, d'un intérêt encore plus exotique, est celle qui concerne Haddam, la découverte, grâce à notre service de voirie, d'un squelette humain complet, exhumé, d'après le *Times*, vendredi matin à neuf heures (dans Cleveland Street, à la hauteur du numéro 100 et quelque), par le conducteur d'une pelle mécanique qui creusait la tranchée de nos nouveaux égouts, financés par notre « contrat bien-être ». Le conducteur maîtrise trop mal la langue anglaise pour que l'on ait des détails précis ; selon l'historien de Haddam, il se pourrait que ces restes soient « vraiment très anciens, par rapport à la ville », mais si l'on en croit une autre rumeur, les os sont ceux d'une « domestique noire », disparue voilà un siècle, au temps où le quartier des Présidents était une ferme d'élevage. Une troisième théorie soutient qu'un ouvrier maçon italien fut « enterré vivant » lors des grands travaux des années 20. Le squelette a déjà été baptisé, à moitié sérieusement, « *Homo haddamus pithecarius* », et une équipe d'archéologues de Farleigh

534

Dickinson s'apprête à venir l'examiner. En attendant, les restes sont déposés à la morgue. À suivre.

Hier soir à onze heures, quand j'ai atteint après quatre heures de route, dans un étrange jour nocturne d'un indigo luminescent, les rues tranquilles de la ville où de nombreuses maisons étaient encore éclairées, un message d'Ann m'attendait sur mon répondeur, pour me dire que Paul avait bien supporté l'opération et qu'on pouvait avoir bon espoir, bien qu'il soit menacé d'un glaucome vers ses cinquante ans et qu'il ait à porter des lunettes beaucoup plus tôt. Pour le moment, il se « reposait paisiblement », et je pouvais la rappeler à n'importe quelle heure à un numéro commençant par l'indicatif 203, celui de la *Scottish Inn*, à Hamden (plus près, à New Haven, tout était plein à cause des congés).

« C'était presque drôle, m'a raconté Ann tout ensommeillée, sans doute dans son lit. En reprenant conscience, il n'arrêtait plus de parler du Baseball Hall of Fame. De tout ce qu'il y avait vu exposé et des... des statues, si j'ai bien compris. C'est ça ? Il était ravi de sa visite. Quand je lui ai demandé si toi, cela t'avait plu, il m'a dit que tu n'avais pas pu y aller. Que tu avais un rendez-vous. Alors... il arrive de drôles de choses. »

Une langueur, dans la voix d'Ann, m'a rappelé la dernière année de notre vie commune, voilà presque huit ans, lorsque nous faisions l'amour au milieu de la nuit, à demi éveillés, en nous figurant à moitié que nous étions avec quelqu'un d'autre, accomplissant les gestes de l'amour d'une façon semi-rituelle, semi-aveugle et purement physique qui ne durait jamais longtemps et restait en deçà de la passion, tant était vague la conscience, tant c'était loin d'une véritable intimité, inhibés par la frustration et l'angoisse. (Cela suivait d'assez près la mort de Ralph.)

Mais où la passion s'était-elle enfuie ? Je me posais continuellement la question. Et pourquoi, alors que nous en avions un si grand besoin ? Le matin qui suivait ce genre de rapports, j'avais l'impression, au réveil, d'avoir aimé mon prochain mais pas quelqu'un qui fût proche de moi. Ann se comportait comme si elle avait fait un rêve qui lui laissait un souvenir agréable mais lointain. Ensuite, c'était fini pour longtemps, jusqu'à ce que nos pulsions se manifestent à nouveau (parfois de longues semaines plus tard), et qu'avec l'aide du sommeil, étouffant nos vieilles peurs, nous nous retrouvions encore une fois. Le désir devenu habitude, et que des idiots avaient laissé aller à vau-l'eau. (Nous pourrions mieux faire à présent, c'est du moins ce que j'ai conclu hier soir, car nous nous comprenons mieux, n'ayant plus rien à offrir ni à reprendre, et donc rien qui mérite d'être refusé ou protégé. C'est une sorte de progrès.)

« A-t-il aboyé ?

– Non, répond Ann, enfin je n'ai rien entendu de tel. Peut-être va-t-il cesser de le faire.

– Comment va Clarissa ? » (En vidant mes poches, j'ai trouvé le petit nœud rouge qu'elle avait retiré de ses cheveux pour me l'offrir, jumeau de celui que Paul a avalé. Sans aucun doute, ai-je pensé, c'est elle qui décidera de l'inscription sur ma tombe. Et elle se montrera exigeante.)

« Elle va très bien. Elle est restée à New York pour voir *Cats* et les feux d'artifice italiens sur le fleuve. Elle est toute disposée à s'occuper de son frère, dont l'accident n'est pas absolument pour lui déplaire.

– C'est une interprétation un peu sombre. » (Mais sans doute assez juste.)

« J'ai des idées un peu sombres. »

Elle a soupiré, et j'ai senti, comme autrefois, qu'elle n'était pas pressée de raccrocher, qu'elle aurait pu poursuivre la conversation pendant des heures, répondre à de nombreuses questions et m'en poser (du genre, pourquoi n'était-elle jamais présente dans ce que j'écrivais), éclater de rire, se fâcher, se calmer, soupirer, n'aboutir à rien, s'endormir sur le téléphone avec moi à l'autre bout du fil, et créer ainsi un certain apaisement. Ç'aurait été le bon moment pour lui demander pourquoi elle ne portait pas son alliance à Oneonta, si elle avait un amant, si elle était en froid avec Charley. D'autres choses, aussi : pensait-elle vraiment que je n'avais jamais été honnête et que les mornes vérités de Charley étaient préférables ? Pensait-elle que j'étais lâche ? Ignorait-elle pourquoi je n'écrivais rien à son sujet ? Et même davantage. Mais je me suis aperçu que ces questions n'avaient plus guère d'intérêt, et que, par une opération de magie ténébreuse et définitive, nous n'étions plus dans la même sphère. C'était singulier.

« Tu as pu obtenir un résultat intéressant en deux jours ? Je le voudrais bien.

– Nous n'avons pas abordé les questions d'actualité, ai-je répondu pour l'amuser. Il m'a mis au courant de la plupart de ses opinions. Nous avons discuté d'autres points importants. Ce n'est pas l'idéal. Il pourrait aller mieux. Je n'en sais rien. Tout a tourné court à cause de son accident. »

J'ai touché du bout de la langue ma joue tuméfiée par ma propre morsure. Je n'avais pas l'intention d'entrer dans les détails avec elle.

« Vous vous ressemblez tellement, tous les deux, cela m'attriste, a-t-elle dit d'un ton attristé, en effet. Je le lis dans ses yeux, alors que ses yeux sont les miens. Je crois que je vous comprends trop bien. » (Je l'ai entendue inspirer et souffler.) « Que fais-tu, demain ?

– Je vais retrouver quelqu'un.

– Bonne idée. » (Elle a marqué une pause.) « Je suis devenue très impersonnelle. Je m'en suis rendu compte en te voyant cet après-midi. Je t'ai trouvé beaucoup de personnalité, même au moment où je ne t'avais pas encore reconnu. Je t'ai même envié. Une partie de moi s'intéresse aux choses, mais une autre partie y est indifférente.

– Ce n'est qu'une phase. C'est seulement aujourd'hui.

– Penses-tu vraiment que je manque de confiance ? Tu m'en as accusé quand tu t'es mis en colère contre moi. Ça me préoccupe, je voulais que tu le saches.

– Non. Pas du tout. C'est simplement que je me décevais moi-même. Je ne pense pas que ce soit vrai. » (Pourtant, c'est bien possible.)

« Je ne le voudrais pas, dit Ann d'un ton navré. Ce serait affreux si la vie n'était faite que des griefs spécifiques auxquels nous pouvons répondre. Je suis parvenue à la conclusion que c'était ce que tu voulais dire : que je ne pensais qu'à résoudre les problèmes. Que je n'aimais que les réponses spécifiques à des questions spécifiques.

– Au lieu de quoi ? ai-je demandé, tout en pensant le savoir.

– Oh, je ne sais pas, Frank. Au lieu de m'intéresser à des choses importantes qui sont difficiles à sonder ? Comme quand on était petit. La vie, tout simplement. Je suis très lasse de certains problèmes.

– C'est dans la nature humaine de ne pas aller au fond des choses.

– Tandis que toi, ça ne cesse jamais de t'intéresser, hein ? » (Je l'ai imaginée en train de sourire, mais pas forcément un sourire heureux.)

« Parfois. Surtout ces temps-ci.

– Tant d'accrocs passés inaperçus..., a-t-elle enchaîné, rêveuse. Aujourd'hui, ça ne me semble pas si grave.

– Tu ne crois pas que je pourrais prendre Paul ici en septembre ? » (Je savais que ce n'était pas le meilleur moment pour en parler. J'avais déjà posé la question sept heures plus tôt. Mais quand viendrait le meilleur moment ? Je ne voulais plus attendre.)

« Oh... » (J'ai pensé qu'elle regardait à travers la fenêtre climatisée les petites lumières de Hamden et du Wilbur Cross, sillonné de voitures aux destinations moins lointaines et aventureuses, le congé touchant presque à sa fin dès avant le grand jour férié, où mon fils allait me manquer.) « Il faudra que nous en discutions avec lui. Je vais en parler à Charley. Nous serons obligés de tenir compte de ce que dira son médiateur. En principe, cela pourrait se faire. Est-ce que cette réponse te va, pour le moment ?

– En principe, elle me va. Il me semblait simplement que je pourrais lui être utile ces temps-ci. Tu vois ? Davantage que son médiateur.

– Mmm... »

Et je n'ai rien trouvé à dire de plus, en contemplant le feuillage du mûrier derrière la vitre qui me renvoyait mon reflet : un homme seul au téléphone près d'une table éclairée par une lampe, tout le reste dans le noir. Des relents complexes de cuisine finie depuis des heures planaient encore dans l'air nocturne.

« Il voudra savoir quand tu vas venir le voir, a-t-elle repris d'un ton neutre.

– J'irai vendredi. Dis-lui qu'il aura ma visite, où que se passe sa garde à vue. »

J'ai failli ajouter : « Il avait acheté des cadeaux pour toi et Clarissa. » Mais, fidèle à ma parole, je me suis tu. Elle aussi, prenant le temps de réfléchir.

« C'est rare de faire quoi que ce soit de tout cœur. C'est sans doute ce que tu voulais dire. J'ai été odieuse l'autre soir, je te demande pardon.

– Pas grave, ai-je dit gaiement. C'est plus dur, c'est vrai.

– Tu sais, quand je t'ai vu aujourd'hui, j'ai eu une bonne sensation. C'était la première fois depuis longtemps. Ça m'a fait un drôle d'effet. Tu t'en es rendu compte ?

– Mais c'est plutôt bien, non ? ai-je dit, dans l'incapacité de répondre. C'est un progrès.

– J'ai toujours l'impression que tu attends quelque chose de moi. Mais tu voudrais peut-être simplement que je me sente mieux en ta présence ? C'est ça ?

– Mais oui, je voudrais que tu te sentes mieux. C'est ça. » (C'est un élément de la Période d'Existence – un mauvais élément, m'apparaît-il soudain – de paraître désirer quelque chose et d'aussitôt ne plus le désirer.)

Ann marquait une nouvelle pause.

« J'ai dit que ce n'était pas facile d'être une ex, tu t'en souviens ?

– Oui.

– Eh bien, ce n'est pas non plus facile de ne plus l'être.

– Non.

– Bon… Téléphone-moi demain, a-t-elle conclu d'un ton enjoué – déçue, je le savais, que je n'ai pas réagi à la vérité compliquée, peut-être triste, intéressante, en tout cas, qu'elle avait eu la surprise de s'entendre formuler. Et appelle l'hôpital. Il aura envie de parler à son papa. Peut-être te racontera-t-il sa visite du Hall of Fame.

– D'accord, ai-je dit doucement.

– Bonsoir.

– Bonne nuit. »

Et nous avons raccroché.

Bang !

Je regarde le cylindre rouge fuser à hauteur des toits,

devenir une petite ombre tournoyante dans le ciel, puis retomber paresseusement vers l'asphalte chaud.

Tous les gamins décampent au bout de la rue dans un grand claquement de semelles, y compris l'oncle Sam, qui se tient le sommet du crâne pour une raison obscure, puisqu'il ne porte pas de chapeau haut de forme.

« Vous finirez par y laisser un œil ! lance quelqu'un.

– Wouh, wouh, wouh, va t' faire voir ! » répliquent-ils.

En face, une jeune femme noire, vêtue d'un étonnant short jaune extrêmement court et d'un haut jaune à dos nu et devant généreusement garni, se penche sur la rambarde de sa galerie pour suivre des yeux les gosses. Le carton du pétard tombe sur la chaussée devant chez elle, tout déchiqueté, rebondit et s'immobilise. « J' vais vous botter l' cul à vous tous ! crie-t-elle au moment où l'oncle Sam disparaît au coin de la rue sur une glissade d'un pied, sans lâcher sa tête nue. J' vais appeler les flics et eux aussi, i' vous botteront l' cul à vous tous ! » Les gosses rigolent au loin. Je remarque un écriteau À VENDRE devant sa maison, bien visible dans le jardinet clos d'une haie de troène. Il est récent et ne vient pas de chez nous.

Les mains appuyées sur la rambarde, la femme tourne les yeux vers moi, assis sur les marches avec mon journal, et je lui rends son regard amicalement. Elle est pieds nus et vient manifestement d'être tirée du lit. « Passque, qu'est-ce j' serai contente de partir d'ici, alors ! annonce-t-elle à la cantonade, à moi, à quiconque peut avoir une porte ou une fenêtre entrouverte et l'écouter. Passque, qu'est-ce qu'y a comme boucan ! J' vous l' dis à tous autant qu' vous êtes. Vous en faites, du boucan ! »

Je lui souris. Elle m'examine, avec mon coupe-vent rouge, puis renverse la tête en arrière en éclatant de rire comme si j'étais la personne la plus comique qu'elle ait jamais vue. Elle lève les mains en un geste de transe religieuse, baisse la tête et rentre chez elle.

Des corneilles nous survolent – deux, puis six, puis douze – en file irrégulière, avec des croassements qui semblent dire : « Pas de jour de congé pour les corneilles. Les corneilles travaillent, elles. » J'entends la fanfare universitaire de Haddam, comme vendredi matin, à nouveau de bonne heure en répétition, de généreux crescendos de cuivres à des rues d'ici, une dernière mise au point avant le défilé. Les corneilles croassent, puis elles s'offrent des plongeons déments dans l'air déjà chaud. Le voisinage donne une impression de peuplement, de cœur léger, de sérénité.

Je vois la Nova délabrée des Markham apparaître en haut de la rue, avec une demi-heure de retard. Elle ralentit comme si ses occupants consultaient un plan, puis reprend sa marche cahotante dans ma direction, approche de la maison devant laquelle est garée ma voiture, braque, quelqu'un me fait signe de l'intérieur, et les voilà enfin au terme de leur voyage.

« Oh, Frank, si vous saviez dans quel pétrin on s'est trouvés ! » s'écrie Phyllis, qui ne sait visiblement comment me peindre l'épreuve que Joe et elle viennent de subir. (Ses yeux bleus semblent plus bleus que jamais, comme si elle avait adopté des lentilles encore plus colorées.) « On se serait cru ligotés à un cheval emballé. Elle ne voulait plus s'arrêter de nous montrer des maisons. »

Évidemment, « elle » désigne l'agent immobilier d'East Brunswick. Phyllis me jette un regard de stupéfaction accablée pour me prendre à témoin du comportement effarant de certaines personnes. Nous avons marqué une halte sur le perron, comme pour vaincre une dernière réticence avant d'entreprendre notre visite rituelle. J'ai déjà souligné certaines améliorations récentes – l'aération du sous-sol, les nouveaux arrêtiers de la toiture –, la proximité des commerces, de l'hôpital, de la gare et des écoles quand on habite en ville. (Ils n'ont fait aucune allusion au voisinage multi-racial.)

« Je crois qu'elle était résolue à nous vendre une maison même si elle devait y laisser sa peau, poursuit Phyllis, pour conclure l'histoire de l'"autre agent". C'est vrai que Joe avait envie de la tuer. Moi, je voulais seulement vous rappeler. »

Bien entendu, il est couru d'avance qu'ils vont louer ma maison et emménager sur-le-champ. Mais, pour la bonne bouche, je fais comme si tout n'était pas arrangé. À ma place, un autre pourrait traiter les Markham avec mépris pour les punir de s'être comportés comme des crétins têtus, incapables de reconnaître une bonne affaire servie toute cuite. Moi, je trouve plus noble d'aider autrui à affronter ses choix difficiles, de l'amener à se réconcilier avec la vie (plus utile, aussi, car on se rend le même service). En l'occurrence, j'aide les Markham à se convaincre que la location est une excellente chose (en tant que solution de sagesse et de prudence), et j'alimente leur fantasme d'agir chacun dans son propre intérêt en s'efforçant de contenter l'autre.

« Bon, je vois tout de suite que le quartier est parfaitement stable », décrète Joe à nouveau dans la peau du militaire de réserve. (Il veut dire par là que la présence des Noirs n'est pas manifeste, un bon point à ses yeux.)

Il s'est attardé sur la première marche, ses petites mains au fond de ses poches. En pantalon et chemise beige de chantier, il ressemble à un contremaître ; finis la barbiche ridicule, le short écrase-quéquette, les tongs et les sèches ; son visage effronté est devenu aussi paisible et candide que celui d'un bébé, ses lèvres sont d'une pâleur normale sous traitement médical. (Apparemment, la dépression a été évitée.) Il doit être en train d'examiner le pare-chocs avant de ma Crown Vic, orné au cours de ces trois derniers jours par Paul – ou l'un de ses pareils – d'un autocollant « Bush à la trappe » que je laisse en place, également pour la bonne bouche.

Face à la pelouse tondue de frais et à l'enfilade des maisons de Clio Street, Joe a conscience, j'en suis sûr, que ce quartier est la réplique au rabais de coins plus élégants de Haddam qui lui ont été offerts et dont il n'a pas voulu par entêtement borné, et d'autres qui ne lui ont pas été offerts parce qu'ils étaient au-dessus de ses moyens. Mais à présent il a l'air content, ce qui est tout ce que je lui souhaite : mettre un terme à une pénible saison d'errance, oublier ses idées d'une économie à double fond ou d'un lieu qui aurait été témoin d'un événement important, faire un choix au lieu de jouer les mendiants chicaneurs, envisager la vie de plain-pied (c'est peut-être ce qu'il est en train de faire) et abandonner temporairement l'aventure immobilière.

Pourtant, j'aimerais que les Markham s'installent au 46, Clio Street, ostensiblement par mesure conservatoire, mais qu'ils y fassent graduellement la connaissance de leurs voisins, qu'ils aient des conversations par-dessus la clôture, nouent des amitiés, trouvent judicieux de solliciter une baisse de loyer en échange de menus travaux d'entretien dont ils se chargeraient, se proposent à l'association de parents d'élèves pour des remplacements d'enseignants absents, donnent des démonstrations de poterie et de fabrication de papier lors des réunions organisées par le comité de quartier, militent à l'Union américaine pour la protection des libertés civiles, s'aperçoivent de ce que gagne leur pouvoir d'achat à être soulagé des frais écrasants de la propriété, d'où une meilleure qualité de vie, et en fin de compte qu'ils restent là dix ans – après quoi, ils pourront partir pour Siesta Key et acheter un immeuble, avec le capital économisé grâce à la location. En d'autres termes, faire dans le New Jersey la même chose que dans le Vermont – arriver et repartir –, mais avec de meilleurs résultats. (Cela va de soi, tout propriétaire rêve de bons locataires à long terme.)

« À mon avis, nous avons une sacrée veine de ne pas nous être fait avoir par la maison de ce Mr. Hanharan. » (Joe me regarde avec suffisance, comme si la contemplation de la rue venait de l'amener à cette conclusion, alors qu'en fait il quête mon approbation – que je ne vais certes pas lui refuser.)

« Vous n'avez jamais pu vous imaginer dans cette maison, je crois, Joe. Il me semble qu'elle ne vous plaisait pas réellement. »

Il reste planté sur la marche du bas, je ne sais pas ce qu'il attend, rien, sans doute.

« Moi, je n'aurais pas aimé avoir une prison au fond de mon jardin », dit Phyllis en tripotant le bouton de sonnette de la porte d'entrée, qui fait retentir un carillon lointain et solitaire dans les pièces vides.

Elle porte aussi un pantalon de toile beige, avec des plis à la taille et de l'ampleur pour noyer ses hanches, et un corsage blanc, sans manches, à jabot, qui la font paraître gonflée. Bien qu'elle s'efforce de faire bonne figure, elle a les joues creusées, l'air éreinté, le visage trop rouge, les ongles rongés, les yeux humides comme si elle allait se mettre à pleurer sans raison – même si le champignon rouge de sa chevelure est, comme toujours, soigneusement lavé et coiffé. (Peut-être ses soucis de santé se sont-ils aggravés, mais il est plus probable que ces derniers jours ont été aussi éprouvants pour elle que pour moi.)

Cependant, malgré ces avaries, je les sens tous deux gagnés par une acceptation presque sereine de leur sort : des ardeurs se sont éteintes ; d'autres, de moindre nature, commencent à s'allumer. On peut donc concevoir qu'ils se trouvent au seuil d'un bonheur inattendu, et qu'ils le perçoivent instinctivement sans parvenir encore à s'y faire, tant ils en ont bavé.

« Moi, je vois les choses très simplement, déclare Joe à propos du ratage de l'affaire Hanharan. Si quelqu'un achète avant vous une maison dont vous croyez avoir envie, c'est qu'il en avait plus envie que vous. C'est pas une tragédie. »

Il secoue la tête, émerveillé par la sagesse de ce propos, bien que ce soit une fois de plus, textuellement, une maxime de l'immobilier que je lui ai énoncée voilà de longs mois. Mais c'est avec plaisir que je l'entends tomber de sa bouche.

« Vous avez raison, Joe. Vous avez tout à fait raison. Si on jetait un coup d'œil à l'intérieur, hein ? »

La visite d'une demeure inhabitée qu'on envisage de louer (et non d'acheter pour y vivre jusqu'à la fin de ses jours) tient moins de l'inspection minutieuse que du tour bâclé où l'on espère trouver le moins possible de détails propres à vous rendre enragé.

La maison des Harris, malgré les portes et les fenêtres ouvertes, et l'eau que j'ai fait couler des robinets pendant une minute au moins, a gardé ses remugles peu accueillants de vidanges et de blé empoisonné, et il y règne partout un froid humide. En conséquence, Phyllis s'attarde nonchalamment près des ouvertures, tandis que Joe fonce tout droit sur la salle de bains et le décompte des placards. Elle palpe le plâtre inégal des murs et regarde dehors à travers les stores bleus, d'abord du côté des tout proches McLeod, puis de l'étroite cour latérale, puis à l'arrière, où le garage fermé se dresse, sous le soleil matinal, au milieu d'une plate-bande d'hémérocalles défleuries depuis longtemps. (J'ai laissé la tondeuse à côté du mur, bien en vue.) Phyllis tourne le robinet de l'évier, ouvre un meuble de rangement et le réfrigérateur (que j'ai omis d'inspecter, mais, à mon soulagement, il n'empeste pas), puis elle va à la porte du jardin et se penche pour regarder dehors, comme si elle s'attendait à y découvrir la cime verdoyante d'une montagne où elle pourrait dès aujourd'hui aller se promener et boire l'eau fraîche d'une source, puis s'étendre sur le dos parmi les gentianes et les ancolies en regardant défiler des nuages pommelés, sans déclencher d'alarmes de voiture. Elle a voulu venir ici, elle est ici, mais cela exige d'elle un moment d'effort de renonciation nostalgique ; peut-être porte-t-elle à nouveau un regard rétrospectif sur aujourd'hui à partir d'un avenir incertain, un temps où Joe aura « disparu », où les aînés seront encore plus dispersés et perdus de vue, où Sonja habitera à Tucumrari avec son deuxième mari et les enfants de celui-ci, et où Phyllis ne pourra que s'étonner de l'étrange trajectoire de sa vie. De quoi rendre rêveur tout autre qu'un sage taoïste.

Elle tourne vers moi un sourire réellement mélancolique. Les mains dans les poches de mon coupe-vent, je me tiens sous l'arrondi de la porte par laquelle la salle à manger communique avec la petite cuisine fonctionnelle. Tout en tripotant les clés de la maison, je la regarde avec sympathie. C'est là où je suis posté qu'un compagnon bien-aimé attendrait le soir de Noël sous la boule de gui, mais mon propre fantasme d'une Phyllis physique est à ranger dans les statistiques du week-end.

« Nous avons songé à rester pour de bon dans un motel, lance-t-elle presque comme un avertissement. Joe envisageait d'éditer des livres en indépendant avec le diffuseur. C'est un statut qui permet de gagner beaucoup plus, mais il faut commencer par investir, et cet aspect des choses pèse lourd pour moi en ce moment. Nous avons rencontré un autre jeune couple qui fait ça, mais ils n'ont pas d'enfant, et c'est dur d'habiter dans un *Ramada* quand on va à l'école. Joe, lui, est séduit par les draps propres et le câble. Il a même appelé un numéro vert cette nuit à deux heures du matin dans l'idée de partir pour la Floride. On a faillli perdre les pédales. »

Dans la salle de bains, Joe examine studieusement le lavabo et ses deux robinets, et inspecte l'armoire à pharmacie. Il n'y connaît rien en matière de location, il ne sait penser qu'en termes de permanence.

« Mais il faudra continuer à chercher, dis-je à Phyllis. Je compte bien vous vendre une maison. »

Je lui souris, ainsi que je l'ai fait sous d'autres toits, face à des conditions plus dures que celles d'ici, qui sont en fait plutôt douces, à cinq cent soixante-quinze dollars.

« Nous étions en train de brûler la bougie par les deux bouts, je crois », poursuit-elle, debout au milieu du carrelage rouge de la cuisine. (Ce n'est pas l'image qui convient, mais je la suis.) « Il vaut mieux que nous la brûlions par un seul bout à la fois pendant un certain temps.

– Ça permet de la faire durer plus longtemps. »

Remarque idiote. Il n'y a pas besoin de dire grand-chose, en fait. Ils vont louer, et non pas acheter, et elle n'en a pas l'habitude non plus. Tout va bien. On entend Joe dans la chambre, où il s'empresse de contrôler les filtres de l'aérateur :

« Bip, bip, bip, bip, bip, bip, bip, commente-t-il.

– Comment va votre fils ? » demande Phyllis en me jetant un drôle de regard, comme si elle venait de s'apercevoir qu'au lieu d'être au chevet de mon fils dans un état critique je suis ici en train de faire visiter une location à court terme, un jour de fête nationale. Une solidarité parentale mêlée à une ombre de reproche lui assombrit les yeux.

« L'opération s'est très bien passée, merci. » (Je tripote les clés au fond de ma poche pour produire un bruit de diversion.) « Il faudra qu'il porte des lunettes. Mais il va venir vivre ici avec moi en septembre. »

D'ici à un an, en qualité d'adolescent digne de confiance, peut-être même sortira-t-il avec Sonja.

« Eh bien, il a eu de la chance ! s'exclame Phyllis en se balançant un peu, sagace, les mains enfoncées dans ses propres poches généreuses. Les feux d'artifice représentent un danger entre n'importe quelles mains. Dans le Vermont, ils sont interdits. »

À présent, elle voudrait que je m'en aille de chez elle. En l'espace d'une minute, elle a tout pris en charge ici.

« Je suis sûr que Paul a compris la leçon. »

Nous restons là à nous taire, en écoutant les pas de Joe dans les autres pièces, le bruit des portes de placard qu'il ouvre et referme pour vérifier qu'il n'y a pas d'affaissement, des commutateurs qu'il actionne, des coups qu'il donne sur les murs ; le tout accompagné d'épisodiques « Bip, bip, bip », « O.K., c'est vu », « Ah, ah ! », mais le plus souvent de « Hum, hum ». Bien entendu, tout est en parfait état de marche ; la maison a été révisée par Everick et Wardell après le départ des Harris, et je m'en suis assuré par moi-même (cela fait un certain temps, il est vrai).

« Pas de sous-sol, hein ? » dit Joe, apparu soudain à l'entrée du couloir, d'où il jette un coup d'œil rapide au plafond et dehors, par la porte principale grande ouverte. (La maison commence à se réchauffer, la lumière fait luire les sols, les odeurs d'humidité se dissipent.) « Il faudra que je trouve un autre endroit pour installer mon four. » (Aucune allusion aux besoins de Phyllis pour fabriquer son papier.)

« Non, ça ne s'est jamais fait dans ce quartier, dis-je en touchant du bout de la langue ma joue mordue, soulagé d'apprendre que Joe ne projette pas de cuire ses poteries à très haute température sur place.

– À cause des eaux souterraines, à tous les coups, enchaîne-t-il d'un ton de pseudo-ingénieur, tout en allant à la fenêtre regarder à l'extérieur ainsi que l'a fait Phyllis, droit chez les McLeod, où j'espère qu'il ne va pas se trouver nez à nez avec Larry torse nu pointant sur lui son calibre 9. Est-ce qu'il s'est passé des choses vraiment graves dans ces murs, Frank ? »

Il gratte sa nuque hérissée et suit des yeux quelque chose, dehors, qui a attiré son attention – peut-être un chat.

« Pas que je sache. Chaque maison a un passé, j'imagine. Toutes celles où j'ai habité, en tout cas. Il est sans doute arrivé à quelqu'un de mourir ici dans une pièce ou une autre. Mais qui, je n'en sais rien », lui dis-je pour l'embêter,

547

sachant qu'il n'a pas d'autre recours, et que sa question est à double détente, un subterfuge pour aborder le problème racial. Il ne voudrait pas le faire de lui-même, mais essaie de m'y amener.

« Je me demandais, comme ça… Notre maison dans le Vermont, c'est nous qui l'avions bâtie. Pas de mauvais souvenirs d'avant. » (Ses yeux restent fixés sur la rue, en quête d'autres hameçons.) « Pas de drogue dans le coin, j'espère ? »

Au regard que lui jette Phyllis, j'ai l'impression qu'elle vient de s'apercevoir qu'elle le hait.

« Non, pas à ma connaissance. C'est un univers qui n'arrête pas de changer, évidemment.

– Ouais. Pas de blague, dit Joe en secouant la tête dans la lumière limpide de la fenêtre.

– Frank ne peut pas être tenu pour responsable du voisinage », proteste Phyllis (quoique ce ne soit pas tout à fait vrai).

Debout près de moi sous l'arc de la porte, elle contemple les murs et les sols nus, en rêvant peut-être à son enfance perdue. Mais elle a pris sa décision.

« Qui sont les voisins immédiats ?

– De l'autre côté, un ménage âgé, les Broadnax. Rufus était un employé de Pullman. Vous ne les verrez pas beaucoup, mais je suis sûr qu'ils vous plairont. Par ici, c'est un couple plus jeune » (de mécréants). « Elle est originaire du Minnesota. Lui est ancien combattant du Viêt-nam. Des gens intéressants. Leur maison m'appartient aussi.

– Vous êtes propriétaire des deux ? »

Joe s'est retourné pour me scruter, comme si je venais de prendre du poids à ses yeux, étant sans doute un filou.

« De ces deux-là seulement.

– Alors vous les gardez sous cloche jusqu'à ce qu'elles valent une fortune ? » demande-t-il avec son rictus. Il a pris pour le moment l'accent du Texas.

« Elles valent déjà une fortune. J'attends qu'elles en valent deux. »

Joe adopte une expression encore plus ridicule de suffisance et d'estime. Il m'a toujours tenu à l'œil, mais constate à présent que nous sommes beaucoup plus proches et plus malins tous les deux qu'il ne se l'était figuré (quand bien même nous serions des filous), car thésauriser pour l'avenir correspond exactement à ses convictions, et c'est ce qu'il aurait fait lui-même s'il n'avait pas plongé dans deux décennies d'errance au pays de la saison des boues, du verglas, des petits profits décevants et du troc au rabais, pour n'avoir à son retour dans le monde réel que le plus vague souvenir des monnaies en cours.

« Tout est encore affaire de perception, pas vrai ? énonce-t-il, énigmatique.

– On dirait bien, par les temps qui courent », dis-je en supposant qu'il parle du marché immobilier.

Je fais tinter les clés dans ma poche plus bruyamment pour indiquer que je ne vais pas tarder à partir, bien que je n'aie pas grand-chose à faire d'ici à midi.

« Bon, eh bien, cet endroit ne me paraît pas mal », déclare-t-il résolument. (L'accent du Texas a disparu, il hoche la tête avec vigueur. Par la fenêtre à laquelle il s'est posté, et de l'autre côté de la cour latérale, j'aperçois derrière le mince rideau le visage ensommeillé de la petite Winnie qui nous épie.) « Qu'est-ce que t'en penses, *baby doll* ?

– Je pourrai l'arranger », répond-elle d'une voix qui flotte à travers la pièce nue tel un fantôme pris au piège. (Je n'ai jamais imaginé Phyllis en *baby doll*, mais je veux bien.)

« Peut-être que Frank nous la vendra, quand on touchera notre héritage. » (Joe m'adresse un petit clin d'œil complice en tirant le bout de la langue.)

« Deux héritages, dis-je en lui rendant son clin d'œil. Ça vous coûtera chaud.

– Bon, d'accord. Allons jusqu'à deux. Dès qu'on aura gagné deux fortunes, on pourra être proprios d'une baraque de cinq pièces et demie dans le quartier moricaud de Haddam, dans le New Jersey. Marché conclu, hein ? L'histoire d'une réussite à raconter fièrement à vos petits-enfants. » (Joe roule des yeux qui se veulent comiques en direction du plafond et il tape sur son front luisant avec le médius.) « Au fait, et cette élection ? Pour qui vous êtes ?

– Je crois que je suis rattaché par le talon au consom-
mateur-contribuable. »

Joe ne me poserait pas la question s'il n'était en ce
moment même en train d'évacuer ses vieux principes de
progressisme culturel au bénéfice d'une position plus
rétractée et mesquine, adaptée à sa nouvelle situation. Là
encore, il attend de moi une corroboration.

« Rattaché par le portefeuille, vous voulez dire. Mais,
putain ! Moi aussi. » (Je n'en reviens pas.) « Me demandez
pas pourquoi. Mon paternel » (le roi des taudis chinois
d'Aliquippa) « avait la fibre sociale. Il était même socialiste.
Bah, qu'est-ce qu'on en a à foutre ? Peut-être qu'à force
d'habiter ici il me viendra un peu de bon sens. Phyllis, elle,
c'est le cornac, elle monte à dos d'éléphant républicain. »

Phyllis se dirige vers la porte d'un air las, la politique
l'ennuie. Joe rive sur moi un sourire béat, enfantin de connivence philosophique. On a toujours des surprises dans ce
domaine-là. Chaque fois qu'on s'aperçoit qu'on a raison,
on devrait s'être trompé.

C'est bon de me retrouver dehors en pleine chaleur avec
eux deux sous les branchages du sycomore, et encourageant
de voir avec quelle célérité sans bavure la permanence
administre son illusion et commence à porter ses fruits.

En un quart d'heure, les Markham sont devenus des occupants solidement implantés, et moi, leur visiteur encom-
brant. Il ne faut manifestement pas compter sur une invita-
tion à passer quand je veux pour prendre une citronnade,
m'installer dans le jardin au fond d'une chaise longue.
Leurs regards vont et viennent entre le trottoir et le soleil
suspendu dans le ciel serein, comme s'ils estimaient qu'il
leur faudrait une bonne pluie qui mouille – et non mon
misérable arrosage, d'ailleurs passé inaperçu – pour faire
du bien à leur jardin.

Nous nous sommes sans difficulté mis d'accord pour un
loyer mensuel, avec trois mois de caution payables à
l'avance – bien que j'aie consenti à leur en rembourser un
au cas où ils trouveraient d'ici à trente jours une maison à
acheter (guère de risque). Je leur ai donné la brochure

« Quelle différence ? » de notre agence, qui passe en revue, dans un langage de profanes, les avantages et les inconvénients de la location par rapport à l'achat : « Votre logement ne doit pas vous coûter plus de 20 % de votre revenu », mais « On dort toujours mieux sous un toit dont on est le propriétaire » (affirmation contestable). Il n'y est pas question de la nécessité de « se voir » quelque part, de s'assurer l'approbation d'une tierce personne ni des événements capitaux qui pourraient avoir eu lieu dans le domicile élu. Pour ces problèmes-là, mieux vaut s'adresser à un psy qu'à un agent immobilier. Nous sommes enfin convenus de signer les papiers demain à l'agence, et je leur ai dit de ne pas hésiter à apporter ici leurs sacs de couchage pour camper dès ce soir « chez eux ». Qui pourrait refuser ?

« Sonja trouvera beaucoup à apprendre dans cet environnement, déclare Phyllis, la partisane des républicains. C'est pour ça que nous sommes venus par ici, mais peut-être que nous l'ignorions.

– L'épreuve des réalités », commente Joe.

C'est à la question raciale qu'ils font tous deux allusion hypocritement, tout en se tenant par la main.

Nous voici à côté de ma voiture, dont la couleur bleue étincelle sous le chaud soleil de dix heures. Je serre sous mon bras le courrier sans intérêt des Harris et le *Trenton Times*, et je leur ai remis leurs clés.

Je sais que les Markham sont en train de humer l'un et l'autre comme un encens précieux la perspective, menacée jusqu'à aujourd'hui, d'une heureuse continuité – qui n'a rien à voir avec celle d'Irv Ornstein, au contour mal défini de caractère religio-ethnico-historique, quoiqu'il soit sans doute prêt à proclamer que cela revient au même. Mais le sentiment des Markham est plus brut, il ressemble à la fin d'une sentence d'incarcération infligée pour des délits qu'ils ont été incapables d'éviter : les écarts et erreurs ordinaires de la vie, dont nous sommes tous à la fois innocents et coupables. Dans le petit vertige de leur soulagement pointe déjà, sans qu'ils en aient conscience, la possibilité de rendre visite à Myrlene Beavers en lui portant une tarte aux myrtilles toute chaude ou une poterie, déclassée pour défaut, sortie du nouveau four de Joe ; de trouver, avec des

voisins noirs de leur génération, un terrain d'entente à propos des problèmes avec les beaux-parents ; de garder à la
maison pour la nuit des gosses à la peau noire ; de cultiver
ce qu'ils ont toujours su tous deux qu'ils avaient en eux au
fond du cœur, sans avoir jamais trouvé l'occasion de le faire
fructifier dans la monochromie du Vermont : ce sixième
sens, cette compréhension magique des autres races, à cause
de quoi ils se sentent des Blancs à part.

Une voiture de police, conduite par un agent noir tout
seul, passe lentement, en quête des terroristes de Clio Street.
Il fait un signe de main machinal et poursuit son chemin.
C'est à présent un voisin des Markham.

« Écoutez, dès qu'on aura emménagé avec tous nos
putains de meubles, on vous invitera pour une bouffe », dit
Joe en lâchant la main de Phyllis pour enlacer ses épaules
rondes dans son petit bras, en un geste encore plus possessif.
Visiblement, elle l'a informé de ses derniers soucis de
santé ; c'est peut-être pourquoi il s'est résigné à louer, et
c'est peut-être pour cela qu'elle l'en a informé. Autre
épreuve des réalités.

« Voilà une bouffe que j'attends avec plaisir. »

En épongeant un ruisselet de sueur sur ma nuque, je palpe
le point sensible où j'ai été frappé par une balle de base-ball
dans une localité lointaine. Je m'attendais que Joe évoquât
au moins une fois l'idée d'une location-vente, mais il ne
l'a pas fait. Peut-être persiste-t-il à me soupçonner d'être
homosexuel, et tient-il à garder ses distances.

Je jette un regard discret sur la vieille façade de brique
et de bois du numéro 44, et sur les rideaux des fenêtres, où
rien ne bouge, malgré le guet que je sais permanent ; j'ai
brièvement l'intuition désagréable que les McLeod y retiennent en otages mes quatre cent cinquante dollars, pour
revendiquer leur droit d'être laissés tranquilles, sans que
cela ait quoi que ce soit à voir avec des difficultés financières, le chômage ou l'embarras (face auxquels je saurais
comment me comporter). En fait, je me soucie moins de
mon argent que de la continuité heureuse de ma propre vie
si ce problème n'est pas résolu. Cependant, je suis capable
de tirer un parti inespéré de n'importe quoi, et je pourrais
adopter une attitude plus complexe face à la nouveauté –

par exemple, ne jamais plus leur demander un sou et voir comment ils finiront par réagir. Après tout, aujourd'hui n'est pas seulement le 4 juillet, mais surtout le 4 Juillet. Et, tout comme pour les lourds, les ingrats, les déplaisants Markham, il faut parfois faire ingurgiter de force l'indépendance véritable.

Dans une rue non loin d'ici, une alarme de voiture (peut-être la même que tout à l'heure) se met à retentir spasmodiquement – bwoup-bwip, bwoup-bwip – au moment où les cloches de St. Leo commencent à sonner dix heures. Joe et Phyllis sourient et secouent la tête, puis lèvent les yeux au ciel comme s'il allait leur tomber sur la tête sans autre avertissement. Mais ils ont décidé qu'ils allaient essayer d'être heureux, ils sont d'humeur résolument conciliante et seraient disposés en ce moment à aimer n'importe quoi. Il faut admettre, enfin, que je les admire.

Avant de partir, je jette un coup d'œil chez Myrlene Beaver, où les barreaux de métal de son déambulateur luisent derrière l'écran de la porte. Elle aussi surveille, le téléphone dans sa main tremblante, guettant un nouveau forfait. « Qui sont ces gens-là ? Qu'est-ce qu'ils cherchent ? Si seulement Tom était encore en vie pour y mettre bon ordre ! »

Je serre la main de Joe Markham presque sans en avoir conscience. Je suis content de m'en aller, ayant fait de mon mieux pour chacun. Que peut-on fournir de mieux qu'un toit à des inconnus égarés ?

Je fais une balade matinale en ville, sans aucun but particulier – simplement passer devant mon stand à hot-dogs au parc, sur le lieu du défilé pour respirer une bouffée de jour de fête, un tour (en touriste) dans ma rue pour inspecter le site de l'*Homo haddamus pithecarius*, dont l'apparition, quelle que soit son identité – sexe masculin ou féminin, humain ou primate, esclave ou affranchi –, ne manque pas de m'intéresser. Après tout, lequel d'entre nous se laisserait enterrer s'il n'avait l'espoir d'être ramené tôt ou tard au grand jour, objet du respect curieux, timide et même affectueux de nos congénères ? On a tout à gagner d'une contre-expertise après avoir laissé passer un peu de temps.

J'aime bien cette balade annuelle à travers la ville, sans l'aiguillon de mes tâches coutumières (vérification d'un cadastre, inspection d'une toiture et de fondations, visite ultime avant signature de promesse de vente), une simple balade pour regarder sans avoir à toucher, à juger, à m'impliquer. C'est une autre forme de participation tranquille, car c'est aussi un rôle à tenir que celui du passant, du badaud, un membre du public à l'usage de qui existent les services civiques.

Il y a peu de monde dans Seminary Street, figée avant le défilé. Les trois feux tricolores sont mollement pavoisés, les drapeaux pendouillent. Sur les trottoirs, les citoyens ont tous l'air de ne pas savoir à quoi s'en prendre, le visage peu communicatif lorsqu'ils s'arrêtent pour regarder les employés municipaux disposer des barrières le long des trottoirs en prévision du passage des fanfares et les chars ; ils semblent penser que ce devrait être un lundi comme un autre, qu'il serait temps de s'occuper de choses sérieuses. Des gamins maigres du quartier, que je ne reconnais pas, slaloment avec leur skateboard sur les lignes de la chaussée toute chaude, les bras ouverts pour assurer leur équilibre, tandis que devant Virtual Profusion, l'ex-Benetton et l'ex-Laura Ashley (devenus Foot Locker et The Gap), les vendeurs repoussent les tables d'étalage contre leurs vitrines, s'apprêtant à attendre au frais à l'intérieur les foules qui vont peut-être se décider à affluer.

Certes, c'est une fête singulière, qui a de quoi rendre perplexe, car son importance pratique dans la lutte contre le désordre et la sauvagerie n'apparaît jamais de façon tout à fait claire ou probante ; comme si l'indépendance était exclusivement affaire personnelle et trop capitale pour être célébrée en commun ; comme si nous devrions tout simplement jouir de notre indépendance, puisque en somme c'est une composante normale et sensée de la condition humaine, qui va de soi à moins d'être déniée ou atrophiée, auquel cas il faudrait prendre des mesures extrêmes, fussent-elles absurdes, pour la restaurer ou la recréer (ainsi que j'ai tenté de le faire avec mon fils, sinon qu'il s'en est

554

chargé tout seul). Mieux vaut peut-être se borner à vivre cette journée à la manière des signataires de la *Déclaration*, celle que je préfère, dans un cadre un peu campagnard près de chez soi, seul avec ses pensées, ses craintes, ses espoirs, ses « instants de raison » face au monde inconnu et porteur d'inquiétude qui nous attend.

Je dirige à présent ma voiture vers le grand hypermarché inachevé, à l'est de la ville, là où Haddam touche à ses faubourgs boisés ; je passe devant la synagogue, le concessionnaire, à présent fermé, de voitures japonaises et la Magyar Bank, pour emprunter la vieille Route 27 en direction de New Brunswick. L'hypermarché était censé ouvrir pour le nouvel an, mais ses commerçants satellites (un débit de yaourts, un magasin de carrelages et une boutique d'animaux) se sont mis à traîner les pieds après le plongeon de la Bourse et le « grippage » consécutif du marché local, de sorte que tous les travaux sont actuellement en suspens. Quant à moi, je n'aurais pas de regrets ni ne me prendrais pour un traître au principe du développement si je voyais tout le tintouin plier bagages et abandonner les affaires à nos négociants intra-muros ; si le terrain servait à aménager un parc ou un potager ouvert au public ; une nouvelle façon de se faire des amis. (Mais ces choses-là n'arrivent jamais, évidemment.)

Sur le parking, qui cuit au soleil, attend la majeure partie de notre défilé, dont les participants s'égaillent dans un laisser-aller peu martial : les fifres et les tambours de la De Tocqueville Academy ; un régiment équipé de la toque en peau de raton laveur et de la tenue tout en daim des frontaliers début XIXe, accompagné de plusieurs balaises costumés de robes paysannes et de godillots (pour prouver que l'indépendance peut être conquise au prix du ridicule). Un groupe d'anciens combattants, en chemise imprimée du drapeau américain, virevolte en fauteuil roulant pour échanger des passes de basket (d'autres se contentent de fumer une cigarette, assis au soleil). Il y a aussi une troupe de femmes clowns, quelques marchands de voitures, aimablement coiffés de chapeaux de cow-boy, qui s'apprêtent à véhiculer nos élus (pas encore arrivés) sur la banquette arrière de décapotables flambant neuves, tandis qu'une tapée d'ingénu(e)s politiques, accoutré(e)s d'énormes couches-culottes et de costumes de bagnards, est parée pour suivre le défilé sur la plate-forme d'un camion. Un bus rutilant, garé à l'écart sous l'enseigne sans ombre de l'hypermarché, a amené le Fruehlingheisen Banjo and Saxophone Band de Dover (Delaware), dont la plupart des musiciens ont préféré rester pour le moment à l'intérieur. Enfin et non des moindres, deux Chevrolet, une rouge et une bleue, montées sur des roues géantes et cloutées, qui semblent les réduire tout là-haut à la taille d'un dé à coudre, attendent de fermer bruyamment la marche. (Il est prévu pour plus tard de leur faire écrabouiller quelques voitures japonaises sur le Revolutionary War Battlefield.) Les seuls qui manquent au tableau, à mon avis, sont les gardiens de harem, pour faire plaisir à Paul Bascombe.

De mon poste d'observation sur le bas-côté d'en face, je ne décèle encore aucun signe de l'inspiration, de l'exaltation du défilé. Plusieurs chars garnis de papier crêpon restent inoccupés. La grande fanfare de Haddam n'a pas fait son apparition. Et les membres du service d'ordre, chaudement couverts d'habits à queue-de-pie et de tricornes, qui vont et viennent avec leur walkie-talkie et leur bloc-notes, confèrent avec les organisateurs et consultent leur montre. En fait, tout cela paraît décousu, hors du temps ; la plupart des participants costumés, plantés tout seuls au soleil, me font penser aux base-balleurs « fantaisistes » d'hier, à Cooperstown, pour la même raison : ils s'ennuient, ou du moins ils se languissent de quelque chose qu'ils seraient en peine de préciser.

Je décide de faire un rapide demi-tour sur l'accès au parking, de tourner le dos au rassemblement et de rentrer en ville par la 27, satisfait d'avoir eu un aperçu des coulisses du défilé qui ne m'a pas le moins du monde désappointé. La plus modeste des festivités publiques est quelque chose d'assommant, dont l'importance véritable ne se mesure pas à l'effet final, mais à l'empressement que nous mettons à oublier notre individualité, et à la masse colossale de connerie et de bordel que nous sommes disposés à encaisser pour une grande cause. Moi, je préfère toujours que les clowns semblent s'efforcer d'être contents.

Mais, au moment où j'exécute mon virage à l'entrée du parking, ne songeant qu'à m'échapper, l'un des membres du service d'ordre à queue-de-pie, tricorne, écharpe rouge et bottines boutonnées, qui étudiait ses papiers tout en conversant avec l'un des garçons emmaillotés de couches, s'approche précipitamment de ma voiture. Il agite son bloc-notes comme s'il me connaissait et s'il avait un but précis, celui de me transmettre des vœux ou un message d'indépendance, ou même de me mobiliser pour remplacer un participant défaillant. (Il a peut-être remarqué mon auto-collant « Bush à la trappe » et il en a déduit que j'étais d'humeur à faire la fête.) Je ne suis pas de mauvaise humeur, au contraire, mais j'ai envie de garder ça pour moi et poursuis donc ma manœuvre sans m'occuper de lui. Après tout, sait-on jamais qui cela peut être : un client qui aurait de longues doléances en matière immobilière, ou Mr. Fred Koeppel, de Griggstown, pressé de négocier une commission au rabais sur la vente de sa maison, qui n'importe comment se fera toute seule (tant mieux pour lui). À moins (ce n'est que trop fréquent) qu'il ne s'agisse d'une relation du temps de ma vie conjugale, qui était justement hier au Yale Club, où il a rencontré Ann, et tient à me faire savoir qu'il l'a trouvée « en pleine forme », « superbe », « canon », au choix. Mais cela ne m'intéresse pas. La fête de l'Indépendance, jusqu'au coucher du soleil, en tout cas, nous offre l'occasion de nous conduire de façon aussi indépendante que nous en sommes capables. Et je suis résolu aujourd'hui à me tenir à l'abri des effusions suspectes.

Parcourant en sens inverse Seminary Street de plus en plus vide – il doit rester encore une bonne heure avant la nouba patriotique –, je passe devant la poste fermée, le *Frenchy's Gulf* tout aussi fermé, l'*August Inn* quasi déserte, le *Coffee Spot*, puis, après la grand-place, le *Press Box Bar*, les bureaux fermés de l'agence Lauren-Schwindell, l'office de tourisme de l'État-Jardin, l'institut de théologie somnolent et l'église des Premiers presbytériens, officiellement toujours ouverte mais en réalité hermétiquement close, derrière sa pancarte WELCOME où on lit : « Bon anniversaire,

Amérique ! * Course des cinq miles * IL peut vous aider sur la ligne d'arrivée ! »

Plus loin, dans le parc, en face de la mairie, je retrouve l'activité, les habitants de la ville qui s'attroupent déjà, pleins d'un bel entrain. Au milieu de la grande pelouse, on a dressé un chapiteau rayé rouge et blanc ; envahi par les gosses, refait à neuf, notre kiosque à musique victorien éclate de blancheur au milieu des ormes et des hêtres. De nombreux Hadammiens sont simplement là à se promener comme ils le feraient sur un chemin du comté d'Antrim*, mais vêtus de robes à fanfreluches de teintes pastel, de costumes en coton cloqué, avec des chaussures blanches, des canotiers et des ombrelles roses ; beaucoup d'entre eux ressemblent aux figurants cabotins d'un film des années 50 situé dans le Sud. Un petit camion vitré de la station de radio pour laquelle j'avais enregistré *Le Docteur Jivago* à l'intention des aveugles diffuse de la musique country toni-truante et déplacée, et la police ainsi que les pompiers exposent leurs tenues ignifugées, de protection pour le désa-morçage des bombes, et leurs armes, côte à côte sous la grande tente. La Jeunesse chrétienne vient de commencer sa partie de volley-ball en continu, l'hôpital, ses examens gratuits de la tension, le Lions Club et les Alcooliques anonymes, leur distribution gratuite de café, tandis que les Jeunes Démocrates et les Jeunes Républicains préparent une mare de boue pour leur lutte à la corde annuelle. Diverses entreprises de la ville, avec leurs employés affublés d'un tablier blanc et d'un nœud papillon rouge, se sont associées pour colporter des hamburgers végétariens, tandis que, sur une piste de danse portative, des danseurs hollandais de Pennsylvanie en costume traditionnel se livrent à des gesticulations folkloriques au son d'une musique audible d'eux seuls. Une exposition canine est prévue pour plus tard.

Sur la gauche, à l'autre bout de la pelouse de la mairie, où m'a été conférée voilà sept ans l'indépendance profonde et indésirable du divorce, ma voiture à hot-dogs, installée dans l'ombre chaude d'un bosquet d'hamamélis, attire une

---

* Comté irlandais. *(N.d.l.T.)*

petite foule d'amateurs, parmi lesquels l'oncle Sam et deux autres terroristes de Clio Street, quelques-uns de mes voisins, Ed McSweeny en costume d'homme d'affaires, attaché-case à la main, et Shax Murphy, qui, vêtu d'un pantalon rose shocking, d'un blazer vert vif et de chaussures de course, est identifiable à l'œil nu comme agent immobilier, tout diplômé de Harvard qu'il soit. À l'intérieur de la remorque, sous l'auvent, on distingue les visages d'ébène luisant de Wardell et Everick. Niaisement équipés de tuniques de serveurs et de calots en papier, ils distribuent gratuitement les hot-dogs et les gobelets en carton de *root beer*, et font tinter de temps à autre les boîtes « Fonds Claire Devane » fabriquées au bureau par Vonda. J'ai déjà essayé à trois reprises de les sonder tous deux au sujet de Claire, qu'ils adoraient et traitaient comme une sorte de nièce. Mais ils se sont dérobés chaque fois. Et du coup, je me suis rendu compte que je cherchais moins, sans doute, à m'informer sur Claire qu'à entendre des propos réconfortants et flatteurs pour moi ; sachant à quoi s'en tenir, ils ont choisi de ne pas me laisser d'ouverture. (D'autre part, il sont peut-être réduits au silence par le souvenir cuisant de leurs deux jours de garde à vue et de traitements brutaux, à l'issue desquels la police les a relâchés sans commentaire ni cérémonie, leur innocence ayant été reconnue.)

Mais tout se passe ainsi que je l'avais prévu et modestement organisé : rien de sensationnel ni de négligeable non plus ; une réussite pour une journée telle que celle-ci, au lendemain d'une journée telle qu'hier.

Discrètement garé à la lisière est du parc, au coin de Cromwell Lane, j'ouvre ma vitre à la musique, au brouhaha et à la chaleur, et reste simplement là à observer : promeneurs et badauds, vieillards et amoureux, individus isolés et familles nombreuses, tout le monde est dehors pour s'offrir un tour de repérage souriant, puis aller voir le défilé le long de Seminary Street, avant de déguster sur le mode pratique le reste de la journée. Un jour de fête qui donne l'impression confortable qu'on peut flâner au hasard ; même si, à mesure qu'approchera la tombée de la nuit, il semblera préférable de se retrouver chez soi. Le 4 Juillet est peut-être trop proche du *Flag Day**, lui-même trop proche du *Memorial Day***, sans compter la fête des Pères, le troisième dimanche de juin. Un excès de célébrations, si justifiées soient-elles, finit par poser des problèmes.

Naturellement, je songe à Paul, enfoui sous les pansements dans une chambre d'hôpital du Connecticut, pas tellement loin d'ici, qui trouverait quelque chose de drôle à dire aux dépens de cet événement : « On sait qu'on est un Américain quand on... » (se prend un marron dans l'œil). « Ils se sont moqués de moi en Amérique quand j'ai... » (aboyé comme un loulou de Poméranie). « Jamais, ou presque, un Américain ne... » (voit son père tous les jours).

Curieusement, c'est la première fois que je pense longuement à lui depuis le moment, à l'aube, où je me suis réveillé dans une lumière grisâtre, tout glacé par mon rêve dans lequel, sur une pelouse pareille à celle du *Deerslayer*, il se faisait terrasser et déchiqueter par un chien qui ressemblait à ce brave Keester, tandis que j'étais occupé sur la galerie à peloter une femme indistincte en bikini et toque de cuisinier, dont je ne parvenais pas à m'écarter pour aller au secours de Paul. C'est un rêve sans mystère – ainsi que la plupart des rêves – qui souligne simplement le caractère piteux de nos tentatives pour triompher de notre courage défaillant au bénéfice de ce qui serait à nos yeux un comportement souhaitable. (Le dilemme de l'indépendance est une affaire complexe, ce qui explique que nous luttions pour être jugés sur nos efforts plutôt que sur nos réussites.)

Il est vrai qu'en ce qui concerne Paul mes efforts viennent seulement de commencer. Et quoique je ne souscrive pas à la théorie brutale selon laquelle, pour s'améliorer, il faut s'enfoncer dans la tête ce qui est bien en extirpant ce qui est mal, il se peut que l'accident d'hier ait nettoyé l'air et les contentieux en ouvrant, en même temps que les plaies, une fenêtre imprévue où peut circuler l'espoir. Du moins, un certain espoir, mais ce n'est qu'un début. « L'âme

* Commémoration, le 14 juin, de l'adoption en 1777 du drapeau national. *(N.d.l.T.)*

** Le 30 mai, l'Amérique honore la mémoire des soldats morts pour la patrie. *(N.d.l.T.)*

devient », comme a dit le grand homme, ce qui signifiait à mon avis que le processus est lent.

Hier soir, lorsque j'ai fait halte au clair de lune à Long Eddy, bourgade de l'État de New York, l'affiche d'un meeting pour le jour même était placardée dans les deux directions. « Un ministre du cabinet Reagan donnera des explications et répondra aux questions », tel était le programme, ici au bord du Delaware, où se découpaient sur le flot scintillant des silhouettes fantomatiques de pêcheurs dont les cannes et les lignes fendaient les nuées d'insectes.

De la cabine téléphonique d'une station-service fermée, j'ai passé un bref appel à Karl Bemish, histoire de savoir si les « Mexicains » menaçants avaient connu un sort fatal au bout du canon de son « aspergeuse de ruelle ». (J'espérais bien que non.)

« Ah la la, Frankie, non, bon Dieu ! Ces mecs… » m'a répondu Karl tout joyeux dans son habitacle derrière la fenêtre de la buvette. (Il était neuf heures.) « Les flics les ont eus tous les trois, ces salauds. Ils étaient allés pour cambrioler une boutique à New Hope. Manque de pot, le gérant lui-même était flic. Et il est sorti sur le devant avec son AK-47. Il a pulvérisé les vitres, les pneus, mitraillé le moteur, troué le châssis, et les trois malfrats par la même occasion. Mais aucun n'est mort, c'est bien dommage. Il a fait ça planté sur le trottoir. À croire qu'il faut être flic pour tenir un petit commerce par les temps qui courent.

– Bigre ! » me suis-je exclamé.

De l'autre côté de la 97, déserte et silencieuse, les fenêtres de la mairie à beffroi étaient toutes illuminées, et une quantité d'autos et de camionnettes garées devant. Je me suis demandé qui était le « ministre du cabinet Reagan » – peut-être quelqu'un sur la voie de la prison et de la conversion au christianisme.

« Je parie que t'es en train de te payer du bon temps avec ton môme, pas vrai ? »

Des chopes tintaient à l'arrière-plan. J'entendais les voix étouffées, satisfaites des clients tardifs chaque fois que Karl ouvrait et refermait sa fenêtre à glissière et faisait sonner la caisse-enregistreuse. Autant de bonnes émanations.

« Nous avons eu des problèmes, ai-je répondu, comme engourdi par le triste déroulement de la journée, et un début de douleur au crâne et dans tous mes os.

– Ah, c'est que tu avais sans doute misé trop haut, a décrété Karl, ennuyé mais irritant. C'est pareil qu'une armée qui se traîne sur le ventre. L'avance est lente.

– Je n'avais pas pensé à ça, ai-je dit, tandis que les bonnes émanations s'évaporaient parmi les moustiques nocturnes.

– Tu crois qu'il a confiance en toi ? » (Ding, ding. Merci, m'sieur.)

« Oui. Je crois.

– Bon, mais on sait jamais où on en est avec les gosses. Reste à espérer qu'ils ne tourneront pas pareil que ces petites frappes mexicaines, à tenter des braquages et se faire mitrailler. Moi, pour la fête des Pères, je m'offre un bon dîner et je trinque à la veine que j'ai eue.

– Pourquoi n'as-tu jamais eu d'enfant, Karl ? »

Un habitant de Long Eddy, un petit homme en chemise claire, sorti tout seul sur le perron de la mairie, a allumé une cigarette et il est resté là à boire dans ses nuages de fumée, et savourer la mansuétude du soir. J'ai supposé qu'il s'agissait d'un mécontent – peut-être un modéré – qui fuyait les explications du ministre, et j'ai envié l'insignifiance de ce qui pouvait se passer dans sa tête à cet instant : la satisfaction d'un engagement libre dans la vie de la collectivité, un point de franc désaccord avec un haut fonctionnaire, la perspective d'une bière avec ses amis à la sortie, d'un court trajet en voiture pour rentrer chez lui, se mettre au lit sans bruit et glisser lentement dans le sommeil sous les caresses de sa compagne. Connaissait-il sa chance ? Très probablement.

« Oh, on a fait de notre mieux, Millie et moi, a répondu comiquement Karl. Enfin, je crois bien. Peut-être qu'on n'a pas su s'y prendre ? Attends un peu, d'abord on la met dedans, et puis… »

Il était manifestement d'humeur à célébrer le fait de n'avoir été ni dévalisé ni assassiné. Dans le noir, j'ai écarté le combiné de mon oreille pour ne pas avoir à subir son numéro de petzouille, et, durant une fraction de seconde, le New Jersey et ma vie là-bas m'ont manqué aussi fort qu'à un exilé.

« En tout cas, je suis drôlement content que tout aille bien pour toi, Karl, ai-je lancé tout à trac, sans l'avoir écouté.

– On chôme pas chez nous, a-t-il braillé en réponse. Cinquante clients depuis ce matin onze heures.

– Et pas de braquage.

– Quoi ?

– Pas de braquage, ai-je répété plus fort.

– Non. C'est ça. En réalité, on est des génies, Frank, toi et moi. Des génies à petite échelle. C'est ça qu'il faut à ce pays. » (Ding, ding, et des chopes qui s'entrechoquent. Merci, mon pote.)

« Peut-être bien, ai-je dit en regardant l'homme en chemise claire balancer son mégot, cracher sur les marches du perron, passer les deux mains dans ses cheveux et franchir en sens inverse la haute porte, où s'est découpé un rectangle de lumière jaune et crue.

– Tu vas pas me dire que le vieux tonton à Bonzo est merdeux à ce point-là », s'est exclamé Karl avec véhémence (il parlait de notre président actuel, dont le ministre discourait à quelques dizaines de mètres de moi). « Parce que s'il est merdeux à ce point-là, moi aussi je suis un merdeux. Et je suis pas un merdeux. Ça, je le sais. Je suis pas un merdeux. Tout le monde peut pas en dire autant. »

Je me suis demandé ce que pouvaient penser nos clients, en entendant Karl beugler qu'il n'était pas un merdeux derrière sa petite fenêtre.

« Je ne l'aime pas, ai-je dit, tout en trouvant débile ma propre déclaration.

– Ouais, ouais, ouais. Tu crois en Dieu qui nous habite tous, à la noblesse de l'homme, secourez les pauvres, donnez tout ce que vous avez. Bla, bla, bla. Moi, je crois que Dieu, il habite au ciel, et je suis ici en bas tout seul à vendre de la *root beer*.

– Non, je ne crois pas en Dieu, Karl. Je crois en la diversité.

– Mon cul », a-t-il répliqué. (Il était peut-être soûl, ou

alors il avait une nouvelle petite attaque.) « À mon avis, Frank, y a ce que tu sembles être, et pis ce que tu es, parole d'évangile, à propos du bon Dieu. T'es un conservateur déguisé en foutu progressiste.

– Je suis un progressiste déguisé en progressiste. » (Ou plutôt, ai-je pensé sans l'avouer à Karl, bien sûr, un progressiste déguisé en conservateur. En trois jours, je m'étais fait traiter gratuitement de cambrioleur, de prêtre, d'homosexuel, de petite nature, et maintenant de conservateur. Ce n'était pas un week-end ordinaire.) « C'est vrai que j'aime secourir les pauvres et les naufragés, Karl. N'oublie pas que je t'ai foutument ramené à la côte quand tu flottais le ventre en l'air.

– C'était juste pour le sport. Et c'est pour ça que tu as tant de mal avec ton fils. Ton message est pas mal embrouillé. Tu as du pot qu'il t'envoie pas promener pour de bon.

– Je t'emmerde, Karl », ai-je hurlé dans la nuit, en me demandant s'il existait un moyen simple et légal de le débarquer sur le trottoir, où il aurait tout son temps pour pratiquer la psychologie. (Les conservateurs n'ont pas le monopole des pensées venimeuses.)

« J'ai trop à faire en ce moment pour déconner avec toi. » (J'ai encore entendu la caisse-enregistreuse. Mille mercis. Hé, mesdames, excusez, et votre monnaie ? Un sou est un sou. Au suivant. Allez, mon cœur, faut pas avoir peur.)

J'attendais que Karl profère d'autres accusations exaspérantes, qu'il brode sur le thème de mon message embrouillé. Mais il s'est borné à poser le téléphone sans raccrocher, comme s'il avait l'intention de revenir au bout du fil, si bien que, durant une bonne minute, j'ai pu l'entendre vaquer à ses affaires. Mais j'ai fini par raccrocher de mon côté et je suis resté à contempler le fleuve scintillant au clair de lune, le temps que ma respiration reprenne un rythme normal.

Ma communication avec Sally à l'*Algonquin* a eu un résultat totalement différent, imprévu et positif, de sorte qu'une fois arrivé chez moi, dès que j'ai su que Paul avait supporté l'opération aussi bien qu'on pouvait l'espérer, j'ai pu me mettre au lit, toutes fenêtres ouvertes et ventilateur en marche (plus question de lire Carl Becker ou de « dériver » jusqu'au sommeil), et sombrer dans une profonde inconscience tandis que les grillons chantaient dans les arbres silencieux.

À mon étonnement, Sally s'est montrée aussi compatissante qu'un membre de la famille en m'écoutant raconter longuement l'accident de Paul, notre ratage du Hall of Fame, comment j'avais été amené à rester à Oneonta, puis à rentrer tard chez moi plutôt que de filer sur New York pour passer la nuit avec elle, et en compensation à lui trouver l'endroit le plus agréable à mon avis pour passer la nuit (même toute seule). Sally m'a dit qu'il lui semblait percevoir dans ma voix quelque chose de nouveau, et pour la première fois quelque chose de « plus humain » et même de « fort » et « plein d'aspérités », alors qu'avant ce week-end, m'a-t-elle rappelé, je lui paraissais « plutôt fermé et insaisissable », « lisse à la manière d'un prêtre » (encore !), souvent même « buté et intolérant », quoique au fond elle ait toujours eu la conviction que j'étais un brave type et non pas froid mais compréhensif, en réalité. (Il y a des années que tout cela m'est venu à l'esprit sur mon propre compte.) Mais cette fois-ci, m'a-t-elle dit, elle croyait sentir dans ma voix une préoccupation et de la peur (de sourdes tonalités qui lui étaient sûrement familières à travers les commentaires de ses moribonds sur *Les Misérables* ou *Madame Butterfly* pendant le voyage de retour de New York, mais sans être incompatibles, apparemment, avec les qualificatifs de « fort » ou d'« anguleux »). Elle devinait que j'avais dû être « profondément remué » par un phénomène « complexe », dont l'accident de mon fils pouvait ne représenter « que le sommet de l'iceberg ». Selon elle, c'est sans doute étroitement lié à mon abandon graduel de la Période d'Existence, qu'elle a textuellement définie comme « une façon de vivre ta vie dans la simulation », « une sorte d'isolement machinal qui ne pouvait pas durer indéfiniment » ; j'étais probablement déjà en train de plonger dans « une autre ère », a-t-elle ajouté, peut-être une « période plus permanente » qui lui faisait plaisir parce que c'était de bon augure pour moi-même, même si cela ne nous conduisait pas à vivre ensemble tous les deux (un risque vraisemblable, apparemment, car elle ne savait pas vraiment quelle était pour moi la signification de l'amour et ne s'y fierait pas les yeux fermés).

Pour ma part, j'étais simplement soulagé qu'elle ne soit pas au fond d'un fauteuil, ses longues jambes posées sur un pouf soyeux, occupée à commander des tonnes de caviar Beluga et du champagne à mille dollars la bouteille et à appeler toutes ses connaissances de Beardsville à Phnom Penh pour leur raconter quel minable j'étais, franchement pathétique, à vrai dire, et même comique (cela aussi, je l'avais déjà admis), dans mes tentatives idiotes et enfantines pour me racheter. Il arrive que ce genre de rendez-vous ratés de si peu soient fatals, peu importe qui est fautif, et aboutissent à la chute libre, irréversible, et à la conclusion trop hâtive que « toute cette foutue histoire ne vaut pas le coup, sinon ce ne serait pas si foutument compliqué tout le temps », après quoi un des deux se tire tout simplement (ou les deux) et n'a jamais plus l'idée de s'enquérir de l'autre. Les aléas d'une idylle.

Mais Sally a semblé disposée à mieux regarder, à cligner des yeux, à respirer plus profond et à s'en remettre à l'instinct de ses tripes envers moi, autrement dit à chercher le bon côté (à me refabriquer à partir des facettes flatteuses). Ce qui représentait un sacré coup de pot pour moi dans la mesure où, debout devant le téléphone du poste à essence de Long Eddy, plongé dans la nuit, je humais, tel un léger parfum, la possibilité d'une amélioration à venir, mais manquais singulièrement de points sur lesquels l'orienter, et de lumière à mon horizon, sinon l'espoir ténu de faire en sorte qu'il s'éclaire.

Et de fait, avant que je remonte enfin en voiture pour prendre dans la nuit voluptueuse la direction du New Jersey, Sally s'est mise à se demander à haute voix d'abord s'il était envisageable pour elle de se remarier après tant d'années, puis quelle aube de permanence pouvait être en train de se lever dans sa vie. (On dirait que ce sont des idées contagieuses.) Ensuite, elle m'a confié (d'un ton encore plus dramatique que celui de Joe Markham vendredi matin) qu'elle avait traversé de sombres périodes de doute sur son propre jugement dans bien des domaines, et qu'elle craignait de ne pas savoir faire la différence entre courir un risque (un impératif moral à ses yeux) et jeter les précautions aux orties (ce qu'elle trouvait stupide et qui me concernait, ai-je supposé). En une série de coq-à-l'âne qui n'en étaient pas à ses yeux, elle m'a dit qu'elle n'était pas le genre de femme à penser que les autres adultes avaient besoin d'être maternés, et que si c'était mon désir je ferais mieux de chercher ailleurs ; que l'idée d'être l'objet d'une fabrication (elle a employé le mot « refaçonnage ») pour que je puisse l'aimer était franchement intolérable, quoiqu'elle ait pu dire la veille, et que je ne pouvais pas persister à jouer indéfiniment sur les mots par commodité, qu'il fallait que j'accepte chez les autres ce qui échappait à mon contrôle ; et enfin, que même si elle lisait assez clair en moi et si je lui plaisais bien, il n'y avait pas à en conclure que cela entraînait forcément une affection véritable, dont j'avais d'ailleurs dit que j'étais hors de portée, m'a-t-elle rappelé à nouveau. (Tout cela explicitait, j'en suis sûr, ce sentiment de « vie bouchée » qui l'avait saisie vendredi aux petites heures et poussée à m'appeler alors que j'étais au lit, à méditer sur mon vieux Becker et la différence entre faire l'Histoire et l'écrire.)

Tout en m'émerveillant du spectacle des derniers pêcheurs à la ligne rompant à grands pas, pour regagner la rive, la surface de plus en plus noire mais encore scintillante du Delaware, je lui ai répondu qu'une fois encore je n'avais aucune intention de la refaçonner, pas plus que je ne désirais être materné, même s'il se pourrait que j'aie besoin de temps à autre d'une personne accommodante (il ne me semblait pas indispensable de céder sur tout), et que j'avais réfléchi ces derniers jours à plusieurs aspects d'une relation durable avec elle, que cela ne ressemblait aucunement à un marché, et que l'idée me plaisait beaucoup, m'inspirait en fait une sorte d'exaltation – c'était la vérité. Que j'éprouvais en outre une forte envie de la rendre heureuse, qui n'avait rien de glissant (ni de lâche, selon l'accusation d'Ann), et que j'aimerais en fait qu'elle prenne le train de Haddam le lendemain après-midi (d'ici là, le problème des Markham et le défilé appartiendraient au passé), pour que nous puissions poursuivre notre réflexion commune jusqu'à la nuit tombée, nous allonger sur l'herbe de la grande pelouse de l'institut (où je disposais encore de certains privilèges au titre de conseiller temporel sans portefeuille) et regarder le feu d'artifice théologique, après quoi nous pourrions faire quelques étincelles rien qu'à nous (une image d'emprunt, mais pas plus mauvaise pour ça).

« C'est alléchant, a dit Sally dans sa suite de l'*Algonquin*, 44ᵉ Rue Ouest. Mais cela me semble insensé. Pas à toi ? Après l'autre soir, où tout avait l'air bel et bien fini ? » (Sa voix était à la fois mélancolique et sceptique, pas exactement ce que j'espérais.)

« Non, pas à moi, ai-je rétorqué dans le noir. Moi, cela me semble splendide. Même si c'est insensé. » (C'était moi, en principe, qui étais marqué au fer rouge de la « prudence ».)

« C'est l'idée de tout ce que je t'ai raconté à mon propos et au tien, et après ça de sauter dans le train pour aller m'allonger dans l'herbe avec toi et regarder le feu d'artifice… J'ai l'impression, tout d'un coup, d'ignorer où je mets les pieds, comme si je n'étais pas à ma place.

– Écoute, si Wally se pointe, je ferai ce qu'il faut, pourvu que je sache ce que c'est et qui il est.

– Ça, c'est gentil. Tu es gentil. Je sais que tu le ferais. Mais je vais arrêter de m'imaginer que Wally risque de se pointer.

– Bonne idée. J'en suis au même point. Alors, ne crains pas de ne pas te sentir à ta place. C'est pour ça que je suis là.

– Voilà un début encourageant. C'est toujours encourageant de savoir pourquoi on est là. »

Et c'est ainsi qu'hier soir tout a recommencé à paraître prometteur et réalisable, à défaut d'un programme précis à long terme. Pour conclure notre conversation, je ne lui ai pas déclaré que je l'aimais, mais que je n'étais pas hors de portée d'affection, ce qu'elle s'est dite contente d'entendre. Puis j'ai repris la route de Haddam aussi vite qu'il était humainement permis.

En plein soleil au milieu du parc de Haddam, je remarque que tout le monde se met à lever le nez. Les jeunes mères qui poussent un landau, les couples de joggers moulés dans le Lycra, les groupes de garçons chevelus avec leur skate-board sur l'épaule, les hommes à bretelles bigarrées qui épongent la sueur sur leur front, tous regardent la voûte céleste au-dessus des branchages de tilleuls, d'hamamélis et de hêtres. Les danseurs hollandais arrêtent leur gymnastique et quittent la piste en hâte, les policiers et les pompiers sortent de dessous le chapiteau, avides de voir. Everick et Wardell, l'oncle Sam et moi (concitoyen isolé dans ma voiture au toit ouvrant ouvert), nous levons les yeux au firmament, tandis que la musique country se tait, comme si l'on avait atteint un instant crucial de la journée, confié aux soins d'un Mr. Big infaillible en matière de coïncidences et de surprises. Pas très loin d'ici, j'entends la fanfare de Haddam couronner sa répétition par une note en majeur soutenue à l'unisson parfait. Puis de la foule – tant que les flâneurs se croisaient au hasard, ils ne constituaient pas vraiment une foule – s'échappe un « Ohhh ! » étouffé, tel un acquiescement à un message télépathique collectif. Et soudain, quatre hommes descendent du ciel en parachute, avec des fumigènes fixés à leurs pieds – un rouge, un blanc, un bleu et (bizarrement) un jaune vif, comme une mise en garde à l'adresse des trois autres. Pendant un instant, ils me donnent le vertige.

Au bout de cinq secondes, les parachutistes casqués, qui portent la bannière étoilée sur leur combinaison de saut et des paquets encombrants ficelés au torse, atterrissent gracieusement, avec un petit rebond, tout près de la piste de danse des Hollandais. Chacun à son tour – je présume que ce sont des hommes, mais pas seulement ça, selon toute vraisemblance ; ce doit être aussi des survivants de la greffe des reins, des sidéens, des mères célibataires, des joueurs repentis ou les enfants des uns ou des autres –, il (ou elle) fait aussitôt un geste désinvolte de la main comme un acrobate au cirque, se tourne vers la foule en un geste de star quelque peu voilé par la fumée mais non sans élégance et, après avoir récolté quelques applaudissements ébahis dont je dirai simplement qu'ils sont sincères et soulagés, entreprend de ramasser laborieusement ses haubans et sa coupole de soie avant de se mettre en route vers le prochain saut, à Wickatunk, avant même que mon vertige momentané ait vraiment commencé à se dissiper. (Je suis peut-être plus exténué que je ne le croyais.)

Mais c'est merveilleux : un spectacle brillant et risqué qui vient enrichir les modestes distractions tenues en réserve par cette fête. Il en faudrait davantage de la même eau, même au risque d'un parachute en vrille.

La foule s'étale à nouveau, redevient une masse de promeneurs isolés mais contents. Les danseurs – les femmes tiennent leurs jupes en tas sur le devant comme dans les westerns – regagnent leur plancher, quelqu'un rebranche la musique country, avec introduction par un violoneux et une guitare métallique, et une femme à la voix de gorge qui chante « Si tu m'aimais à moitié autant que je t'aime ».

Je descends de voiture pour m'avancer sur la pelouse et chercher des yeux dans le ciel l'avion d'où les parachutistes se sont éjectés, une minuscule tache bourdonnante sur fond d'infini. Comme toujours, c'est ce qui m'intéresse : le saut, bien sûr, mais encore plus son point de départ hasardeux ; la sempiternelle sécurité, ordinaire et prévisible, qui fait qu'un saut de l'ange dans le vide transparent incarne la perfection, la beauté, l'indispensable. De quoi faire tourner la tête, enflammer le danger.

Cela va sans dire, jamais je ne songerais à le faire, même si je pouvais plier personnellement mon parachute avec une précision militaire, me faire des amis à la vie à la mort, réviser le moteur de l'avion avec mes propres lubrifiants, le piloter jusqu'à l'endroit fixé, et même prononcer les mots qu'ils doivent tous articuler, au moins en silence, au moment de sauter : « La vie est trop courte » (ou trop longue) ; « Je n'ai rien à perdre que mes craintes » (erreur) ; « Quelle est la valeur de quoi que ce soit si l'on n'ose pas risquer de le foutre en l'air ? » (en bloc, je suis sûr que c'est le sens de « Geronimo* » en langue apache). Pourtant, quant à moi, je trouverais toujours une raison de ne pas m'y aventurer ; car la corde raide, l'avion, la plate-forme,

_____
* Cri de guerre des paras au moment du saut. *(N.d.l.T.)*

le pont, le rebord de la fenêtre, tous me tracasseraient, défieraient mon courage par leurs périls prosaïques, plus forts encore que le risque de braver la mort avec éclat. Je ne suis pas un héros, ainsi qu'en a jugé ma femme voilà bien des années.

En tout cas, il n'y a plus rien à voir là-haut, pas le moindre Cessna ou Beech Bonanza qui revienne survoler le site du lâcher. Seulement, à des kilomètres d'altitude, le point argenté d'un gros Boeing ou Lockheed qui glisse vers l'océan et au-delà, une vision qui, la plupart du temps, me donne envie d'être n'importe où sauf là où je suis, mais face à laquelle aujourd'hui, après avoir frôlé le désastre de si près, je me trouve simplement content d'être ici. À Haddam.

Je reprends donc ma tournée de la ville en observateur, pour ma propre édification civique.

Un détour pour traverser les jardins gothiques à berceaux de verdure et haies de buis de l'institut, ressortir par les « dépendances » et gagner le quartier des Présidents – Coolidge Street, ombragée de chênes, où je me suis fait taper sur la tête, Jefferson Road, plus large et moins aristocratique, puis Cleveland Street, où les fouilles se poursuivent en quête de signes de l'Histoire et de la continuité, devant ma maison et celle des Zumbros. Mais, ce matin, personne ne creuse. Entre deux mûriers et la pelle mécanique, on a tendu un ruban jaune du type « lieu du crime », afin de ciconscrire la fosse de glaise ocrée où les restes ont été découverts. Je me penche à la fenêtre de ma voiture pour plonger le regard au fond ; je ne sais pourquoi, je n'ai pas envie de mettre pied à terre mais je voudrais voir quelque chose, n'importe quoi, de concluant, avec mon propre domicile si proche à tribord. Seul un chat occupe la tranchée, Gordy, le gros matou des McPherson, qui s'applique à recouvrir patiemment ses déjections. Le temps, passé ou à venir, semble soudain ne pas s'imposer dans ma rue, et je m'éloigne sans avoir rien trouvé, mais pas du tout frustré.

J'emprunte une trajectoire sinueuse à travers Taft Lane puis le campus du Choir College, tranquille et désert, les bâtiments de brique plate hermétiquement clos et plongés dans le silence pour l'été ; il n'y a que les courts de tennis où s'échinent des habitants de la ville rétifs aux plaisirs du défilé.

Je tourne au ralenti devant le lycée, où les soixante musiciens du Hornet Band sont en train d'évacuer leur terrain de répétition, leur étouffante veste rouge jetée sur leur épaule en sueur, trombones et trompettes à la main ; les instruments plus volumineux – grosses caisses, tubas, cymbales, gong chinois monté sur console et piano portatif – sont déjà sanglés sur le toit du bus scolaire qui les attend, pour le court trajet jusqu'au parking de l'hypermarché.

Je longe ensuite, dans Pleasant Valley Road, la clôture ouest du cimetière, où l'on a planté de petits drapeaux américains sur de nombreuses tombes et où mon fils aîné, Ralph Bascombe, repose auprès de trois des « signataires d'origine », mais où je ne serai pas enterré, car, de bonne heure ce matin même, dans un esprit de transition et d'avancée, et pour prendre en charge les tâches ultimes, j'ai choisi (au lit, armé de mes cartes) un lieu d'inhumation aussi loin d'ici que possible sans être tout à fait ridicule. J'ai jeté mon dévolu sur Cut Off *, en Louisiane ; Esperance, dans l'État de New York, c'était trop près. Un lieu où l'on jouit d'une vue paisible, d'un minimum de bruit de circulation, de traces de l'Histoire humaine et où quiconque viendra sur ma tombe le fera volontairement (et non pas au passage en se rendant à Six Flags ou à Glacier), et, une fois là, aura le sentiment que j'avais la tête sur les épaules en choisissant mon emplacement. Par contre, l'idée d'être enterré « chez moi », derrière ma maison et pour toujours auprès de mon fils enfant et perdu à jamais, me paralyserait complètement et m'empêcherait peut-être de tirer le meilleur parti des années qui me restent à vivre. Cette pensée me poursuivrait tout au long de mes visites quotidiennes de maisons à vendre : « Un jour, un jour, c'est là que je serai... » Ce serait pire que d'être titulaire à Princeton.

Lorsque j'arpente ces rues, ces voies privées, ces allées et ces résidences pour mes motifs habituels – photographier une maison à vendre, établir une comparaison pour l'analyse du marché, accompagner un expert –, le sentiment le

---

* *Cut off* : arrêt. *(N.d.l.T.)*

plus fort qui m'habite est qu'il devient foutument difficile de s'accrocher à la vie que nous nous étions promise dans les années 60. Nous voudrions ressentir notre collectivité comme une entité stable et continue, ce dont parlait Irv, ancrée dans le roc de la permanence ; mais nous savons que c'est faux, qu'en fait, sous la surface (ou bien en évidence sur toute sa surface), elle est tout l'opposé. Tout comme chacun de nous, elle n'est ancrée que dans la contingence, telle une bouteille portée par la vague, en quête d'un remous tranquille. En soi, l'effort de surnager peut suffire à vous faire couler.

Vu sous un angle plus souriant, au sens où « à quelque chose malheur est bon », le métier d'agent immobilier, qui peut parfois faire de vous un optimiste invétéré, vous amène aussi à affronter la contingence et même à la prôner comme une source de force et de véritable autosuffisance, en vous interdisant de renoncer à la conviction que les gens ont besoin d'un logement et le trouveront. Sous cet aspect, l'immobilier est « la profession authentiquement américaine qui gère directement la réalité fondamentale de la vie : plus d'habitants, moins de place, moins de choix ». (Bien entendu, j'ai trouvé ça dans un livre.)

En cette fin de matinée de jour férié, deux énormes camions de déménagement, j'ai bien dit deux, sont garés devant deux maisons côte à côte dans Loud Road, tout près de mon ancien domicile conjugal heureux de Hoving Road. L'un est ouvert de partout, un Bekins massif, vert et blanc ; l'autre, un Atlas bleu et blanc plus gracieux, décharge sa cargaison par l'arrière. (Regrettablement, aucun n'est un Mayflower vert et jaune.) Devant chacune des deux maisons, les écriteaux « À vendre » sont recouverts d'un autocollant « Vous l'avez ratée ! ». Ni l'une ni l'autre ne sont vendues par nous, mais pas non plus par Bohemia, L'immobilier en mouvement ou je ne sais quels margoulins apparus sur le marché, mais par Century 21, la sérieuse agence locale.

C'est manifestement le jour d'un départ tout neuf, dans un sens ou dans l'autre. Mes nouveaux locataires doivent sentir cet état d'esprit dans l'air. Toutes les pelouses du quartier sont tondues, les bordures nettoyées, de nombreuses façades ont été ravalées depuis le printemps, les fondations consolidées, les arbres et les plantations sont verts et fringants. Les prix se sont légèrement arrondis. En fait, si la simple vue des Markham ne me rendait pas malade et si je ne craignais pas de m'exposer à un affrontement avec Larry McLeod, je ferais un tour dans Clio Street pour voir comment la situation a évolué depuis dix heures et leur souhaiter une fois de plus tout le bonheur du monde.

Au lieu de quoi je retrouve mon parcours autrefois coutumier le long de Hoving Road, qui embaume, un parcours que je ne fais pratiquement plus jamais, mais j'ai tort, puisque je n'en garde presque plus que de bons souvenirs, ou au moins tolérables et instructifs, et que je n'ai rien à redouter. Rien n'a guère changé au cours de la décennie, car c'est dans l'ensemble une rue cossue, bordée de haies et de vastes pelouses ombragées, avec des belvédères derrière, des courts de tennis et des piscines à l'abri des regards, des toits d'ardoise, des vérandas dallées, des jardins saisonniers qui trouvent toujours moyen d'être fleuris – des résidences de campagne, en réalité, réduites aux dimensions urbaines mais qui préservent le climat d'abondance. Au numéro 4, un peu plus loin, le président de la Cour suprême du New Jersey est mort, mais sa veuve est toujours là et active. Les Deffeye, nos voisins âgés de toujours, ont fait mélanger leurs cendres (mais sur deux rivages étrangers). La fille d'un célèbre poète soviétique dissident, qui s'était installée ici, avant mon propre départ, dans l'espoir d'un environnement discret, agréable et clément, mais qui n'a trouvé que méfiance, condescendance et froideur, est maintenant repartie dans son pays, où, selon la rumeur, elle serait internée. Même topo pour une rock star qui s'était offert une maison à deux millions, est venue une fois, a été mal accueillie, n'est même pas restée pour la nuit et a regagné Los Angeles. C'était nous qui avions négocié ces deux ventes-là.

L'institut a fait de son mieux pour garder un caractère habité et accueillant à mon ancien domicile, devenu officiellement le centre œcuménique Chaim Yankowicz, qui est là droit devant parmi mes chers vieux hêtres, chênes écarlates, érables japonais et buis. Cependant, en me rangeant de l'autre côté de la rue pour une inspection à retardement, je ne peux que percevoir ses vibrations plus administratives – ses colombages d'origine remplacés et peints d'un acajou plus brun, des fenêtres de sécurité, des lumières au sol sur la pelouse plus policée et mieux entretenue ; l'allée aplanie, bitumée et qui décrit à présent un demi-cercle ; un escalier métallique de secours du côté est, où le garage a disparu. D'après des collègues de l'agence, l'aménagement intérieur a été « simplifié », on a installé un système informatisé d'alarme et de protection contre les incendies, et toutes les portes donnant sur l'extérieur sont surmontées d'un EXIT en lettres rouges lumineuses, tout cela afin d'assurer le confort et la sécurité de dignitaires religieux venus de l'étranger dont le séjour n'a pas de visées plus sérieuses qu'un peu de détente au calme, quelques causeries confidentielles et l'occasion de regarder la télé câblée.

Pendant un certain temps, après que j'eus vendu la maison, un groupement de mes anciens voisins a fait le siège du bureau d'urbanisme à coups de pétitions et de protestations contre un accroissement de la circulation automobile, une atteinte au cahier des charges du quartier, la « présence d'étrangers » et une perte de valeur immobilière si l'institut mettait son projet à exécution. Il a même obtenu une brève suspension de l'affaire et deux « vieilles familles » qui étaient là depuis quarante ans ont déménagé (toutes deux à Palm Beach, après avoir vendu leur propriété à l'institut pour une somme faramineuse). L'institut a consenti à retirer de l'entrée de l'allée son panonceau à peine visible et à « paysager » coûteusement le terrain (deux ginkgos adultes apportés en camion pour compléter un rideau d'arbres limitrophes ; le sacrifice de mon vieux tulipier). Aux termes d'un accord final, le conseil d'administration s'est vu contraint d'acquérir la maison de l'avocat qui avait décroché la mesure de suspension. Après quoi, tout le monde s'est rasséréné, sauf quelques intégristes qui gardent une dent contre moi et racontent dans les cocktails en ville qu'ils ont toujours su, dès les années 70, que je n'avais pas les moyens d'habiter là, n'étais pas à ma place et ferais mieux

575

de retourner d'où je venais – sans trop savoir d'ailleurs où c'était.

Et pourtant, ne serait-ce pas de la mélancolie qui m'effleure en ce moment, assis à mon volant ? Le même sentiment de dépossession que j'ai éprouvé l'autre soir devant chez Sally et qui a failli me tirer une larme, simplement parce qu'en une époque antérieure j'avais déjà séjourné près de là et que j'y revenais, sans que les lieux m'en portent témoignage ? N'est-ce donc pas normal que je le ressente encore davantage ici, où j'ai habité plus longtemps, aimé, enterré un fils à proximité, connu une vie faite de qualité et de permanence, où je suis resté tout seul jusqu'à ce que je ne puisse plus le supporter, face à cette maison que je retrouve transformée en Centre Chaim Yankowicz, dont je n'ai rien à foutre ? La question vaut la peine d'être posée à nouveau : peut-on penser qu'un lieu – n'importe quel lieu – abrite entre ses murs et ses solives, ses arbres et ses plantations, dans son essence putative, un fantôme de nous qui atteste sa signification et la nôtre ?

Non ! Pas un instant ! Cela ne se produit que chez les humains, et en certaines circonstances, c'est un enseignement de la Période d'Existence qui mérite d'être retenu. Il faut avoir le bon sens de renoncer à attendre d'un lieu ce qu'il ne peut pas procurer, et de s'inventer d'autres options – ainsi que l'a fait Joe Markham, au moins temporairement, et que mon fils Paul l'entreprend peut-être en ce moment – en guise de manifestations de notre indépendance, exigée mais non garantie par Dieu.

À la vérité – et c'est peut-être ma foi dans le progrès qui s'exprime ici –, mon ancien domicile de Hoving Road ressemble à présent davantage à une entreprise de pompes funèbres qu'à ma propre demeure ou à une maison qui aurait été témoin d'un morceau de mon passé. Et cette drôle de sensation que j'éprouve est celle d'avoir admis que les fantômes attribués à des lieux où l'on a séjourné jadis ne servent qu'à brouiller les pistes, parce que rien ne vient corroborer leur présence. Honnêtement, je crois que, si je restais assis là dans ma voiture cinq minutes de plus à contempler ma maison d'autrefois comme si je consultais un oracle, je m'apercevrais que ce que j'ai pris pour de la mélancolie n'était que le prélude à un grand éclat de rire, et que j'allais inutilement réfrigérer un petit coin de mon cœur que je ferais mieux de garder au chaud.

« Non mais, franchement, vous vous laisseriez vendre une maison par ce mec-là ? » entends-je derrière moi, et je sursaute violemment en tournant la tête pour découvrir, dans le cadre de ma vitre, la face lunaire et souriante de Carter Knott. La tête penchée sur le côté, il se tient les pieds écartés et les bras croisés comme un vieux magistrat. Il porte un caleçon de bain violet et mouillé, des sandales humides en parchemin et un blouson court, en tissu éponge violet aussi, qui laisse à nu son ventre un peu rond ; de l'ensemble, je déduis qu'il est sorti de sa piscine au numéro 22 et qu'il a fait ce chemin rien que pour me flanquer une frousse de tous les diables.

À vrai dire, je serais sacrément embarrassé si tout autre que lui m'avait surpris à rôder ici comme un détraqué. Mais Carter est sans doute le meilleur ami que je possède en ville, ce qui signifie que nous nous connaissons depuis belle lurette (plus exactement, 1983, l'année solitaire et sombre de mon appartenance au Club des hommes divorcés) et aussi que nous tombons régulièrement l'un sur l'autre dans le hall à l'United Jersey et causons affaires, et que nous sommes prêts par tous les temps ou presque à rester plantés devant Cox's News, nos journaux sous le bras, à discuter avec ardeur des chances de l'équipe des Giants ou des Eagles, des Mets ou des Phils, ce qui nous prendra une bonne minute et demie, après quoi six mois peuvent s'écouler sans qu'on se revoie, de sorte que la saison sportive et ses enjeux ne seront plus les mêmes. Je suis sûr que Carter serait bien en peine de me dire où je suis né, ni quand, ni ce que faisait mon père, ni quelle université j'ai fréquentée (il penserait sans doute à Auburn, dans l'Alabama), tandis que je sais au moins qu'il était à l'université de Pennsylvanie, où il étudiait, qui le croirait, les lettres classiques. Il a rencontré Ann lorsqu'elle habitait encore à Haddam, mais il ignore peut-être que nous avions perdu un fils, pourquoi j'ai déménagé de cette maison d'en face et à quoi j'occupe mes loisirs. Par un accord tacite, nous n'échangeons jamais d'invitations à dîner, ni de rendez-vous pour prendre un verre ou déjeuner ensemble, car nos activités réciproques ne nous inspireraient pas le moindre intérêt, nous sombrerions dans l'ennui et la déprime et nos bonnes relations n'y survivraient pas. Et pourtant, selon les mœurs suburbaines, c'est pour moi un *compañero*.

Après la débandade du Club (j'étais parti pour la France, l'un des membres s'était suicidé, d'autres avaient simplement laissé tomber), Carter avait opéré un brillant rétablissement et il menait librement sa vie de célibataire dans une grande maison qu'il s'était fait bâtir avec des plafonds voûtés, des cheminées en pierre, des vitraux aux fenêtres et des bidets, dans un nouveau coin cossu au-delà de Pennington. Vers 1985, quand la Garden State Savings (dont il était président) décida de se lancer sur un marché plus dynamique que celui de l'épargne, la sagesse de cette évolution lui échappa. Il vendit donc ses parts aux autres actionnaires en échange d'un bon paquet, et se mit tranquillement au vert à Pennington, où il commença à jouer avec l'idée d'adapter la technologie de la clôture invisible pour les animaux à des applications de protection sophistiquée des domiciles. Et, sans avoir eu le temps de dire ouf, il se retrouva à la tête d'une entreprise employant quinze personnes et de quatre millions de dollars de plus sur son compte en banque ; au bout de deux ans et demi, la boîte était rachetée par une société néerlandaise exclusivement intéressée par un petit microprocesseur que Carter avait eu l'astuce de faire breveter. À nouveau, il encaissa l'argent sans bouder son plaisir, puis décrocha huit millions supplémentaires et s'offrit pour vingt-deux millions une horreur invraisemblable, une bâtisse néogothique toute blanche et ultramoderne, il épousa l'ex-femme de l'un des nouveaux directeurs dynamiques de la Garden State Savings and Loans, et se retira pratiquement des affaires, se contentant de gérer son portefeuille d'actions. (Son histoire n'a rien d'unique à Haddam.)

« J'étais sûr de te surprendre en train de te branler avec ton blouson rouge et de larmoyer sur ta vieille baraque », lance Carter en avançant la lèvre inférieure pour prendre l'air scandalisé.

De petite taille, mince et bronzé, il a des cheveux noirs, raides et courts de chaque côté d'une large tonsure toute droite. Il est le prototype de ce qu'on appelait le *Boston look*, bien qu'il soit en fait originaire d'un patelin nommé Gouldtown, dans le grenier à blé du New Jersey, et, même si cela ne se voit pas, aussi honnête et sans prétention que le crémier du coin.

« Je faisais juste un petit pointage sur une analyse du marché, Carter, ai-je le culot de lui répondre, en attendant d'aller voir le défilé. Alors je suis content que tu sois venu me foutre une peur bleue. »

Il est évident que je n'ai aucun document de cette sorte sur le siège auprès de moi, rien que le courrier des Harris et quelques vestiges de ma virée avec Paul, sur la banquette arrière pour la plupart : le presse-papiers en forme de ballon de basket et les boucles d'oreilles, le volume abîmé d'*Autonomie*, le Walkman de mon fils, son malodorant T-shirt « Le bonheur est dans le célibat » et son sac Paramount qui contient un exemplaire de la *Déclaration d'indépendance* et un choix de dépliants du Baseball Hall of Fame. (Mais, d'où il est, Carter ne peut pas voir à l'intérieur et n'importe comment il n'en a rien à fiche.)

« Frank, je parie que tu ne savais pas que John Adams et Thomas Jefferson sont morts le même jour. » (Il esquisse son sourire à bouche fermée et écarte davantage ses jambes bronzées, comme s'il me préparait une blague salace.)

« Non », dis-je, tout en le sachant parfaitement, car cela figurait dans mes lectures préalables à l'expédition et me paraît à présent risible. (Je trouve à Carter lui-même un air assez risible, planté là dans son ensemble violet au milieu de Hoving Road pour me soumettre au jeu des questions historiques.) « Mais attends un peu que je devine... Ce n'était pas par hasard le 4 juillet 1826, cinquante ans jour pour jour après la signature de la *Déclaration*, et les dernières paroles de Jefferson n'auraient-elles pas été "Sommes-nous le 4 ?"

– O.K., O.K. Je ne savais pas que tu étais prof d'histoire. Quant à Adams, il a dit : "Jefferson est encore en vie." »

(Carter a un sourire d'autodérision. Il adore ce genre de badinage et il nous soutenait le moral au Club des hommes divorcés.) « Ce sont mes gosses qui m'ont appris ça. »

Son sourire, qui découvre ses grandes dents régulières, m'amène à me rappeler mon affection pour lui et les soirées en compagnie de nos collègues en abandon, tassés tard dans la nuit autour d'une table à l'*August Inn* ou au *Press Box Bar*, ou à la pêche en plein océan passé minuit, lorsque la vie nous semblait merdique et, en tant que telle, bien plus simple qu'à présent, et que nous apprenions en groupe à nous réconcilier avec elle. Je lui mens à nouveau :

« Moi pareil.

– Ça boume pour tes deux vauriens là-haut, à New London ou je ne sais où ?

– Deep River. »

Carter en sait plus long que je n'aurais cru, mais le récit des événements d'hier lui assombrirait sa belle journée. (Je me demande tout de même comment il est au courant.)

Je suis des yeux dans Hoving Road une grosse Mercedes noire qui vire dans l'allée en demi-cercle de mon ancienne maison et s'arrête, imposante, devant la porte d'entrée, là où je me suis tenu cent mille fois pour contempler la lune et les nuages dans un ciel hivernal et y trouver une exaltation (parfois avec difficulté, et parfois sans). Cette image mentale fait courir en moi une émotion surprenante, et je crains tout à coup de céder à cela même à quoi je viens de dire que je ne céderais pas à propos d'un simple domicile – la tristesse, le sentiment d'exil, d'absence de corroboration. (Mais, grâce à Carter, je parviens à me dominer.)

« Cette vieille Ann, ça t'arrive de la revoir, Frank ? » demande-t-il sobrement par égard pour moi, en enfonçant ses deux mains dans les manches de son blouson de plage pour se gratter vigoureusement les avant-bras.

Il a les mollets aussi glabres qu'un œuf et, au-dessus du genou gauche, une cicatrice que je connais, naturellement, profonde, lisse et rose, là où un bon morceau de muscle et de peau lui a été enlevé autrefois. Malgré son allure de banquier bostonien et son blouson branque, Carter a été soldat au Viêt-nam et même un héros valeureux, et sa modestie à ce sujet le rend plus admirable à mon goût.

Quant à sa question concernant Ann, j'y réponds en levant sur lui un regard réticent :

« Assez rarement. » (Le soleil juste derrière sa tête me fait cligner des yeux.)

« Tu sais, il m'a semblé l'apercevoir l'automne dernier, au match Yale-Penn. Elle était avec tout un tas de gens. Ça fait combien de temps maintenant que vous êtes séparés ?

– Presque sept ans.

– Alors, tu as atteint le délai fixé par la Bible, observe-t-il en hochant la tête, sans cesser de se gratter les bras comme un chimpanzé.

– La pêche est bonne ces temps-ci ? »

C'est Carter qui m'a parrainé pour le Red Man Club, mais il n'y met pratiquement plus les pieds depuis que ses enfants à lui vivent en Californie avec leur mère et qu'il va les rejoindre à Big Sky ou à Paris. Autant que je sache, je suis le seul membre du Red Man à fréquenter régulièrement ses eaux tranquilles, et j'espère en user encore davantage très bientôt, en compagnie de mon fils, si la chance le veut.

Carter fait un signe de dénégation.

« J'y vais jamais, mon vieux, avoue-t-il à regret. C'est un scandale. Il faut que ça change.

– Alors, passe-moi un coup de fil. »

Je suis soudain pressé de partir, l'esprit déjà plein de Sally, qui arrive à six heures. Ma minute et demie avec Carter est écoulée.

Quand la Mercedes s'est parquée devant mon ancienne porte d'entrée, un petit chauffeur en livrée et casquette noire a sauté à terre pour aller extraire du coffre de volumineuses valises. Puis j'ai vu émerger de la banquette arrière un Africain immense et longiligne en boubou d'un vert jungle éclatant et calot assorti. Sa tête aussi est longiligne, il a la splendeur d'un prince, un Milt the Stilt virtuel, une fois déplié. Il balaie des yeux l'environnement paisible et bordé de haies, nous repère tous les deux en train de le regarder, et nous adresse un signe de sa grande main à la paume rosée, un lent balancement latéral qui ressemble à une bénédiction usuelle. Carter et moi – moi de l'intérieur de la voiture, lui d'à côté – nous lui rendons aussitôt son salut et lui sourions en inclinant la tête comme si nous regrettions de ne pas connaître son dialecte afin de lui faire savoir tout le bien que nous pensons de lui, ce qui nous est malheureusement impossible ; sur quoi, le chauffeur le fait entrer dans ma maison.

Carter se tait et recule d'un pas pour parcourir des yeux dans les deux sens la rue en courbe. Sans avoir fait partie du groupement de défense, il a tout de même changé d'avis par la suite et se félicite, j'en suis sûr, du voisinage avec le centre œcuménique ; je n'ai jamais douté qu'il en serait ainsi. Il est faux d'affirmer qu'on s'habitue à tout, mais on peut s'habituer à beaucoup plus qu'on ne croirait, et même s'y attacher peu à peu.

Je soupçonne que Carter a maintenant entrepris l'inventaire de ses pensées, des blagues, gros titres et résultats sportifs du jour, en quête de quelque chose à me communiquer qui pourrait m'intéresser, sans requérir plus de trente secondes mais en lui permettant de prendre congé pour retourner piquer une tête dans sa piscine. Bien entendu, je fais de même de mon côté. Sauf en cas de tragédie, rien ne s'impose guère à dire à la plupart des gens qu'on connaît.

« Au fait, est-ce qu'il y a du neuf dans l'affaire de l'assassinat de ta petite collègue ? demande-t-il d'un ton sérieux, ayant jeté son dévolu sur un événement dûment tragique, ses sandales en papier plantées de plus en plus loin l'une de l'autre sur la chaussée unie, et les lèvres serrées en une expression de partisan de l'ordre, intolérant vis-à-vis de toute atteinte répréhensible aux libertés du citoyen.

– Nous avons offert une récompense, mais je crois que ça n'a rien donné. » (Ma bouche à moi aussi s'est durcie, en me remémorant une fois de plus le visage radieux de Claire, sa douceur et ses yeux vifs pleins de confiance en soi, qui ne me pardonnaient rien mais avaient le don de m'amener à l'extase, si brève fût-elle.) « C'est comme si la foudre l'avait frappée », dis-je, en me rendant compte aussitôt que c'est sa disparition de ma vie que je décris, et non l'instant où elle a quitté ce monde.

Carter secoue la tête et gonfle d'air ses lèvres d'une manière qui lui déforme le visage, avant de lâcher un « pfft ! ».

« Ces mecs-là, il serait temps qu'on les pende par les couilles les uns à côté des autres.

– Je suis d'accord », dis-je sans mentir, pour une fois.

Comme il n'y a rien à ajouter, Carter s'apprête peut-être à me demander mon opinion quant à l'influence éventuelle de l'élection présidentielle sur le marché de l'immobilier, et, par ce biais, à aborder la politique. Il se targue d'être un « républicain façon Goldwater, partisan d'une défense renforcée » et ne déteste pas adopter à mon égard sur ce terrain un ton d'ironie condescendante. (C'est chez lui le seul trait déplaisant, qui me paraît typique des nouveaux riches. À l'université, naturellement, il soutenait les démocrates.) Mais une discussion politique est inopportune le jour de la fête de l'Indépendance.

« Je t'ai entendu lire *Caravans*, l'autre jour, à la radio, reprend-il. J'ai vraiment trouvé ça jouissif. Je tenais à te le dire. » (Mais, à cet instant, un autre thème s'empare de ses pensées et son regard se fait insistant.) « Bon, maintenant, écoute un peu. C'est toi qui est versé dans les mots, chez nous. Il me semble qu'y a pas mal de choses ces temps-ci qui devraient te donner envie de te remettre à écrire. »

Il abaisse le regard pour resserrer sa ceinture violette sur son ventre et examiner ses petits pieds dans leur fourreau de papier comme s'il les trouvait changés.

« D'où te viens cette idée, Carter ? Tu trouves qu'on vit des temps particulièrement spectaculaires ? » (Ce n'est pas mon avis, bien que je ne m'en accommode pas mal.) « Si c'est ça, tu m'encourages. »

La Mercedes vire à présent pour s'en aller, ses gros pneus chuintent sur la surface de l'allée. Honnêtement, je suis flatté que Carter soit au courant de mon lointain passé d'écrivain. En plongeant distraitement la main entre mon siège et celui du passager, je rencontre au bout de mes doigts le petit nœud rouge donné par Clarissa. Cette trouvaille s'ajoute à l'hommage que vient de me rendre Carter pour me rasséréner de façon appréciable, car je restais abattu par le souvenir de Claire.

« Il me semble seulement qu'y a des tas de choses dont il faudrait parler ces temps-ci, Frank. » (Carter continue d'examiner ses orteils.) « Quand on était étudiants, toi et moi, le monde était gouverné par des idées, même si elles étaient stupides pour la plupart. À présent, j'en vois même pas une seule qui compte, et toi ? »

Il lève les yeux, puis regarde le nœud rouge que je tiens dans le creux de ma main, et fronce le nez comme si je lui posais une devinette. Carter est resté trop longtemps sur la touche à compter sa fortune, je crois, si bien que le monde lui apparaît à la fois simple et simplement foireux. Je crains qu'il ne soit sur le point de proférer un discours déconnant de droite sur la liberté, la suppression de l'impôt sur le revenu et l'interventionnisme du gouvernement dans une économie de marché – des « idées » pour assouvir son besoin de certitudes et de convictions entre le moment présent et l'heure du cocktail. Il ne s'intéresse aucunement à ma carrière d'écrivain.

Mais si Carter venait à me demander – ainsi que l'a fait un jour mon voisin dans l'avion de Dallas au temps où j'étais chroniqueur sportif – ce qu'à mon sens il devrait faire de sa vie à présent qu'il a son magot à la banque, je lui ferais une réponse similaire : voue ta vie au service des autres ; fais une expédition avec VISTA* ou la Croix-Rouge, ou distribue des secours de première urgence aux malades et aux personnes âgées en West Virginia ou à Detroit (mon conseil n'a pas convaincu le passager du vol pour Dallas, qui m'a dit qu'il se contenterait sans doute de « voyager »). Pour sa part, Carter aimerait sans doute entrer en contact avec Irv Ornstein, lorsque ce dernier aura renoncé au base-ball fantaisie. Irv, qui crève d'envie de lâcher sa carrière dans la simulation, pourrait séduire Carter avec sa métaphore souveraine de la continuité, et à eux deux ils mettraient au point je ne sais quel dispositif télévisé d'auto-assistance en franchise et ramasseraient encore une fortune.

À moins que je lui suggère de suivre ma propre voie, de venir discuter le coup avec nous à l'agence, puisque nous n'avons pas encore remplacé Claire mais qu'il va falloir nous y résoudre. S'il prenait sa place, Carter pourrait apai-

---

* VISTA (*Volunteers in Service to America*) : organisation humanitaire gouvernementale. *(N.d.l.T.)*

ser ses frustrations en ayant le sentiment de promouvoir l'« idée » de faire quelque chose pour autrui. Il a au moins autant de qualifications pour exercer ce métier que j'en avais au départ, et d'ailleurs plus ou moins les mêmes, sinon que lui, il est marié.

Ou encore, c'est peut-être lui qui devrait prendre la plume, écrire quelques nouvelles de son propre cru afin de colmater le vide. Mais quant à moi, sur ce terrain-là, j'ai déjà joué ma partie. Ça manque d'oxygène. Non merci, sans façon.

Je contemple rêveusement les traits délicats de Carter, qui paraissent rajoutés sur une carte à plat. Je m'efforce de lui donner l'impression de n'avoir pas une seule idée en tête, mauvaise ou bonne, mais d'être convaincu qu'il y en a des tas qui traînent partout. (Si je formulais l'idée la plus incontestable, elle serait interprétée de travers et provoquerait un débat dont je ne veux pas, car il nous mènerait à l'impasse.)

« Même les idées primordiales commencent sans doute par des actes physiques, Carter », lui dis-je (en ami). « Tu es d'un classicisme invétéré. C'est peut-être de te remuer le cul et de bousculer un peu les choses que tu as besoin. »

Il me dévisage longuement et se tait, mais il est visiblement en train de réfléchir.

« Tu sais, répond-il enfin, je suis encore militaire dans la réserve active. Si Bush pouvait nous déclencher un bon petit conflit quand il prendra ses fonctions, je serais mobilisable pour aller sérieusement frotter les oreilles à quelqu'un à la force de l'âge.

– Oui, c'est une idée… » (J'ai le nœud rouge de ma fille passé à mon petit doigt tel un aide-mémoire, et cela me rappelle la présence de l'auto-collant « Bush à la trappe » sur mon pare-chocs ; je regrette qu'il ait échappé à Carter. Mais ça suffit comme ça, et je mets le contact. Les feux arrière de la Mercedes s'allument à la hauteur de Venetian Way, virent sur la gauche et disparaissent.) « Tu pourrais te débrouiller pour te faire tuer à ce jeu-là.

– "En pleine gloire", comme on disait dans ma section. » (Carter fait une petite grimace en roulant des yeux. Ce n'est pas un imbécile. Le combat militaire est fini pour lui depuis longtemps, et je suis sûr qu'il s'en félicite.) « Tu es à peu près satisfait de tes vicissitudes du moment, mon vieux Frank ? Tu ne comptes pas quitter Haddam ? »

Ce n'est pas exactement « vicissitudes » qu'il voulait dire, mais quelque chose de plus léger, et son sourire annonçant la fin de la conversation est d'une parfaite sincérité, enracinée sur le rocher du vécu.

« Et comment ! dis-je avec une bienveillance égale à la sienne. Tu le sais bien, Carter, pour moi on est chez soi là où on paie l'hypothèque.

– J'aurais cru que l'immobilier risquait de devenir un peu chiant. À peu près aussi ridicule que la plupart des boulots.

– Non, pas jusqu'à présent. Tu devrais essayer, puisque tu as lâché les affaires.

– J'ai pas tellement lâché que ça. »

Il m'adresse un clin d'œil dont le sens n'est pas clair.

« Bon, je vais voir le défilé, vieille andouille. Farcis-toi une joyeuse fête de l'Indépendance. »

Carter exécute un absurde petit salut militaire dans sa tenue de bain violette.

« Cinq sur cinq. Bon vent, capitaine Bascombe. Ramenez-nous la gloire et la victoire ou au moins des récits de gloire et de victoire. Jefferson est encore en vie.

– Je ferai de mon mieux, dis-je, vaguement embarrassé. Je ferai de mon mieux. »

Et je démarre vers le reste de ma journée, le sourire aux lèvres.

Et voilà. Tout ce petit parcours, avec tout ce qu'il mettait en jeu, qui ne se termine pas mal, suivi du bref trajet pour aller assister à un défilé.

Naturellement, il y a bien des points demeurés sans réponse, remis à plus tard, ou qu'il vaut mieux oublier. Je reste convaincu que Paul Bascombe viendra passer auprès de moi une partie de ses années décisives. Peut-être pas dans un mois, ni dans six. Il se peut que toute une année s'écoule, mais cela me laissera le temps de participer à sa nouvelle découverte de lui-même.

Il se peut aussi que je me remarie bientôt, après avoir

cru pendant des années que jamais je ne le pourrais, de sorte que je ne me ferais plus l'effet d'un célibataire suspect, ainsi que cela m'arrive encore, je l'avoue. Ce serait alors la période de permanence, cette perspective de durée à perte de vue, où mes rêves seraient imprégnés de mystère, tels ceux de tout un chacun ; où mes paroles et mes actes, la personne que j'épouserai, ce que deviendront mes enfants fonderont ce que le monde – si toutefois il le remarque – saura de moi, la vision, la compréhension qu'on aura de moi, et même l'idée que je m'en ferai moi-même avant que l'inconnu implacable déboule pour m'entraîner tristement dans le néant.

De ma place au volant, le long de Constitution Street, je vois maintenant par-dessus la foule de têtes des spectateurs le défilé qui passe, j'entends résonner les grosses caisses, les cymbales, je distingue les filles en jupettes rouges et blanches qui lèvent haut le genou et font tournoyer leur baguette, un drapeau rouge brandi en tête des trompettes étincelantes aux rayons du soleil. Ce n'est pas un mauvais jour pour se trouver sur terre.

Je me gare derrière l'agence, à côté du *Press Box Bar*, je verrouille la voiture et m'avance d'un pas heureux vers la foule, dans la chaleur de la mi-journée, sous un ciel qui pâlit. « Ba-boum, ba-boum, ba-boum, ba-boum ! Vivent les vaillants vainqueurs, vivent les héros conquérants... » Un chant de combat qui nous est familier, et tout le monde applaudit devant moi.

Hier soir, tard dans la nuit, alors que je dormais profondément et que le plus dur de ce que je venais de vivre était enfin apaisé, après la longue épreuve de l'erreur, par la résurgence d'un petit espoir (c'est humain), mon téléphone s'est mis à sonner. Et quand j'ai dit « allô » dans l'obscurité, il y a eu un instant que j'ai pris pour un silence total sur la ligne, jusqu'à ce que je perçoive un souffle, puis le son du combiné qui touchait ce qui devait être un visage. J'ai entendu un soupir, puis un « Tss-tss. Mmm, mmm », suivis d'un « Hum » encore plus grave et plus hésitant.

Et tout d'un coup, parce qu'il y avait là quelqu'un que j'avais le sentiment de connaître, j'ai dit :

« Je suis content que vous appeliez. » (J'ai appuyé le

combiné sur mon oreille et ouvert les yeux dans le noir.)
« Je viens d'arriver. Ça tombe très bien. Il s'agit d'un travail
sérieux. Racontez-moi un peu le fruit de vos réflexions.
J'essaierai de compléter le puzzle. C'est peut-être plus simple que vous ne pensez. »

Quiconque était au bout du fil – et, bien entendu, je ne
sais pas vraiment qui c'était – a encore respiré à trois reprises. Ensuite, le souffle s'est fait ténu et court. J'ai entendu
un nouveau « Hum ». Puis la communication a été coupée,
et avant même d'avoir raccroché j'avais déjà sombré dans
le plus profond sommeil.

Et me voici dans la foule au moment où passent les
tambours – toujours à l'arrière-garde – dont le « boum-
boum-boum » m'emplit les oreilles et envahit tout. Je vois
le soleil inonder la rue, je hume l'odeur généreuse et chaude
de ce jour. « Laissez le passage, faites place, faites place,
s'il vous plaît ! » crie quelqu'un. Les trompettes se remettent à sonner. Mes battements de cœur s'accélèrent. Je sens
au sein de cette foule les autres qui poussent, qui tirent, et
qui tanguent.

IMPRESSION : CPI BRODARD ET TAUPIN À LA FLÈCHE
DÉPÔT LÉGAL : OCTOBRE 1997. N° 32643-6 (53281)
IMPRIMÉ EN FRANCE

Collection Points